Krytyka zbrodniczego rozumu

Michael Gregorio

Krytyka zbrodniczego rozumu

PRZEŁOŻYŁA
EWA RUDOLF

Wydawnictwo Literackie

TYTUŁ ORYGINAŁU

Critique of Criminal Reason

Wydanie pierwsze

ISBN 978-83-08-03965-6
oprawa broszurowa

ISBN 978-83-08-03966-3
oprawa twarda

FALSTART

Proszę się przyjrzeć, Stiffeniis, ostrze weszło jak rozgrzany nóż w sadło.

„Lub przecinająca mgłę ignorancji logika", pomyślałem, pełen podziwu dla wybitnego człowieka, któremu przyszło mi towarzyszyć. Niemniej to, co ujrzałem, przyprawiło mnie o mdłości. I pewnie ze wstrętem odwróciłbym wzrok, gdyby nie spoczywał na mnie obowiązek jak najrzetelniejszego zaznajomienia się z materiałem dowodowym.

— A jednak to nie był nóż...

W pojemnym szklanym słoju odcięta głowa unosiła się w mętnym morzu konserwującego spirytusu. Splątane szaroczerwone ścięgna i grudki zakrzepłej krwi niczym wąsy meduzy łagodnie falowały w słomkowej barwy płynie. Z oczodołów patrzyły wywrócone w górę oczy, grymas skrzywionych ust bardziej niż z bólem kojarzył się z zaskoczeniem. Czyżby natychmiastowość śmierci zatrzymała elektryczny przepływ myśli równocześnie z blokadą odruchów fizycznych? Ileż bym dał, by móc poznać ostatni błysk świadomości ofiary! Jakaż szkoda, że nie dysponujemy metodą pozwalającą, po przefiltrowaniu destylowanego alkoholu, na dotarcie do być może wciąż w nim zawieszonych bezcennych myśli, które umożliwiłyby nam określenie sposobu, w jaki zadano śmierć. Czytałem De viribus electricitatis in motu musculari, ale podobna analiza przekraczała wszystko, co wielki Galvani kiedykolwiek rozważał...

5

Głowa kołysała się wolno, niczym olbrzymia muszla na wzburzonym morzu, a mentor mój, wycelowawszy chudym palcem, wskazał dokładnie miejsce. — Tutaj, u samej podstawy czaszki. Widzisz?

— Co spowodowało podobną ranę, panie? — zapytałem nieśmiało.

— Diabeł we własnej osobie. Szpony to on ma ostre — odrzekł z niesamowitym wręcz spokojem.

Równie dobrze mógłby demonstrować grupie studentów — zaledwie przed siedmioma laty byłem obecny na jego wykładzie — elementarną zasadę z dziedziny materialnej dedukcji...

Gdy zdecydowałem się wziąć pióro do ręki, minęły prawie trzy lata od tamtej rozmowy. Zabrałem się do pisania z nadzieją poinformowania świata o praktycznej metodzie, przydatnej dla każdego urzędnika sądowego, któremu polecono rozwiązanie zagadki morderstwa. Krótko mówiąc, postanowiłem spłodzić traktat, któremu najwybitniejszy syn Prus Wschodnich dostarczył był już wstępnego, choć niejako ironicznego tytułu.

Niestety, poniechałem mego szlachetnego zamiaru po zaledwie kilku rzuconych na papier linijkach. I nie tylko z powodu dramatycznego obrotu spraw. Odkrycia, jakie poczyniłem w toku śledztwa, pogrążyły mój umysł i duszę w bezdennej, czarnej otchłani i wiele trudu kosztowało mnie wydobycie się na powierzchnię. W istocie, prostoduszny autor tamtego wstępu i piszący te słowa są tak od siebie różni — na nic nie zda się odwoływanie do zdrowego rozsądku ani dowodów, jakie widzę w lusterku do golenia — że nieraz zastanawiam się, czy są tą samą osobą. To, co widziałem w Królewcu, będzie dręczyło mnie do końca moich ziemskich dni...

atem 1803 roku wielorybnicy powracający z mórz Arktyki donosili o pojawieniu się *aurora borealis* rozświetlającej niebo z niespotykaną dotąd mocą. Wprawdzie opis zjawiska polarnej refrakcji, kilka lat wcześniej przedstawiony przez profesora Wollastona, znalazł uznanie w świecie uczonych, jednakże bynajmniej nie przyczynił się do rozproszenia nabożnych lęków ludności wybrzeża Bałtyku. Wszyscy, nie wyłączając mojej osoby, obywatele Lotingen, miejscowości oddalonej od morza nie więcej niż osiem mil, nocą bacznie obserwowali niebo. Widok, jaki ukazał się naszym oczom, wprawił nas w osłupienie. Ciemny karmazyn potężnych chmur przywodził na myśl świeżą krew, zorza polarna połyskiwała niczym perłowy wachlarz damy zasłaniającej twarz przed południowym blaskiem słońca.

Lotte Havaars, młodziutka niania, mieszkająca z nami od dnia urodzin Immanuela, opowiadała o osobliwym zachowaniu się gospodarskich zwierząt, jakie zauważyli mieszkańcy jej wsi, a jesienią przyniosła wieści o pojawieniu się obrzydliwych roślin i o przerażających, sprzecznych z prawami natury narodzinach: o dwugłowych prosiętach, sześcionogich cielątkach, o olbrzymich niczym taczki rzepach.

Nadchodząca zima — mruczała ponuro Lotte — nie będzie podobna do żadnej innej w historii człowieka.

Mała Lotte paplała i paplała, a w oczach mojej małżonki błyskały ogniki śmiechu. Zachęcany przez Helenę wzrokiem do dzielenia jej rozbawienia, zostałem niejako zmuszony odwzajemnić jej uśmiech, co uczyniłem niechętnie, wbrew sobie, gdyż urodziłem się i wychowałem w tej okolicy. Czułem, jak serce zwija się w mej piersi w twardą kulkę, jak przytłacza mnie, niemal pozbawiając tchu, ogromny ciężar, jak ogarnia mnie niepokój podobny takiemu, jakim w skwarny letni dzień napawa nas nadciągająca z daleka burzowa chmura. I zima, gdy wreszcie nadeszła, okazała się straszliwa. Przeczucia Lotte spełniły się co do joty. Dni chłoszczące strugami deszczu, noce kąsające mrozem. A potem śnieg — nie pamiętam, by wcześniej kiedykolwiek napadało go tak wiele.

I tak, pierwszy dzień lutego Anno Domini 1804 był najzimniejszym w ludzkiej pamięci. Tego ranka siedziałem w mym gabinecie w budynku sądu w Lotingen, całkowicie pochłonięty tekstem wyroku dotyczącego sprzeczki, która to sprawa zajęła mi większą część tygodnia. Niejaki Herman Berholt postanowił, samowolnie, poprawić miejscowy pejzaż. Z cennej jabłoni należącej do jego sąsiada, farmera Durchtnera, odrąbał dwa konary. Winowajca twierdził, jakoby gałęzie szpeciły mu widok z kuchennego okna. Wydarzenie to, wielkiej oczywiście wagi, podzieliło miasto. Jeżeli zezwolilibyśmy na precedens, moglibyśmy wnet spodziewać się swego rodzaju epidemii. Właśnie pisałem wniosek: *Niniejszym skazuję Hermana Berholta na karę trzynastu talarów i spędzenie sześciu godzin w miejscowych dybach...* — gdy rozległo się pukanie do drzwi, po czym pojawił się w nich mój sekretarz Gudjøn Knutzen.

— Na zewnątrz czeka jakiś człowiek — wybełkotał.

Z niesmakiem rzuciłem okiem na mego podstarzałego sekretarza. Wciąż ta sama niechlujna koszula, kołnierzyk zasmaro-

8

wany na brązowo, ciężkie buciory nie wyczyszczone. Znów pewnie zajmował się swymi kaczkami. Już dawno złożyłem broń, znużony narzekaniem.

Knutzen należał do garstki umiejących się podpisać mieszkańców wsi, co wystarczyło, by przerwał zaklęty krąg przeznaczenia i uniknął losu swego ojca i wszystkich swych męskich przodków. Ale królewska sakiewka świeciła pustkami. Król wybrał zbrojną neutralność, podczas gdy inne potężne państwa Europy zaryzykowały stawienie oporu Francuzom. Trzeba było obciąć wydatki na cywilów, by móc opłacić potrzeby armii. Należało odnowić ekwipunek żołnierzy, a generałom podwyższyć żołd; no i zadbać o konie, karmić je obficie, by w dobrej formie czekały przygotowane do wojny, której nieuchronność dla każdego była oczywista: w Besarabii zakupiono ciężkie działa. Wszystkie te poczynania okazały się dla Prus ciężarem, wręcz dopustem bożym. Niżsi rangą urzędnicy sądowi, nie wykluczając mnie, dotkliwie odczuli ostatnie oszczędności. Wszakże Knutzena na powrót wepchnięto w mroki średniowiecza — pobory zmniejszono mu o połowę. Oczywiście więc, gdy tylko mógł, wymigiwał się od urzędowych obowiązków i jak najwięcej czasu poświęcał kaczemu stadu. Jak każdy mieszkaniec Europy płacił za rewolucję francuską i za strach przed Napoleonem, ogarniający coraz większą część naszego kontynentu.

Helena obiecała dać mu jedną z moich zużytych koszul, gdy tylko zaopatrzy mnie w nowe przy następnej wizycie handlarza domokrążcy w naszym mieście. Wyjrzałem przez okno i pomyślałem, że jego wóz jeszcze długo tu się nie pojawi. Śnieg rozpadał się na nowo, płatki wielkością przypominały liście wawrzynu. Padało przez cały wczorajszy dzień, ranek także zapowiadał śnieżycę.

„Cóż takiego — zastanawiałem się — mogło zmusić kogoś do podróży w taką pogodę?" Przyznaję, że poczułem przypływ ciekawości. Mimo to postanowiłem, że gdy tylko przybysz przedstawi mi swoją sprawę, zamknę biuro i na resztę dnia udam się do domowych pieleszy.

— Wprowadź — poleciłem.

Knutzen wytarł nos w rękaw. Za każdym razem, co zdarzało się nieczęsto, gdy zdejmował z grzbietu to swoje jedyne okrycie, niemal spodziewałem się ujrzeć, jak stanie ono sztywno wyprostowane, samo, bez niczyjej pomocy.

— Tak jest — powiedział, cofając się wolno.

Drzwi pozostawił szeroko otwarte, więc słyszałem, jak idąc przez hol, mamrotał coś pod nosem.

Po chwili potężnie zbudowany mężczyzna, w ciemnych podróżnych szatach i wysokich butach do konnej jazdy, ciężko stąpając, wszedł do pokoju; za nim ciągnął się szlak tu i ówdzie rozsianych kropli wody i topniejącej brei. Na widok przeraźliwie bladego oblicza mego gościa i jego wstrząsanej dreszczami postaci pomyślałem, że zapewne zabłądził. Bardziej od usług sędziego pokoju zdawał się wymagać opieki lekarza.

— W czym mogę ci pomóc, panie? — zapytałem, wskazując mu krzesło; sam zaś na powrót zająłem miejsce za biurkiem, przy oknie.

Nieznajomy ciaśniej owinął swą drżącą postać obszerną czarną peleryną i głośno chrząknąwszy, zwrócił się do mnie szorstkim głosem:

— Pan jesteś sędzia Stiffeniis, czyż nie?

— W samej rzeczy — zapewniłem go, skinąwszy głową.

— A pan skąd przybywasz? Nie należy pan do mieszkańców Lotingen.

Duże szare oczy przybysza zabłysły wyzywająco.

— A więc nie oczekiwał mnie pan? — zapytał, najwyraźniej zdziwiony.

Zaprzeczyłem ruchem głowy.

— Zważywszy na nagłą zmianę pogody — wyjrzałem przez szerokie okno wykuszu na śnieg, który padał teraz nawet gęściej niż przed chwilą — dzisiaj rano nie spodziewałem się nikogo. Co mogę dla pana uczynić?

Przez chwilę milczał.

— Czyżby nie przybył dyliżans pocztowy z Królewca?* — zapytał nagle.

— Nie mam pojęcia — odrzekłem, zastanawiając się, jakiej materii dotyczy jego wizyta.

— Nie otrzymał pan wiadomości od prokuratora Rhunkena? — indagował mnie dalej.

— Dziś rano w ogóle nie otrzymałem listów. A prokuratora Rhunkena nie mam zaszczytu znać osobiście, jednak nieobca mi jest jego reputacja.

— Żadnej poczty? — zamruczał nieznajomy, prawą dłonią mocno uderzając się w kolano. — Cóż, to nie ułatwia sprawy!

— Jakże to? — zdziwiłem się, zakłopotany.

Nie odpowiedział, jedynie otworzył przewieszoną przez ramię skórzaną torbę i zaczął czegoś w niej szukać. Wszelka nadzieja, że oto zaraz ujrzę coś, co wyjaśni jego obecność w mym biurze, zgasła, gdy wyciągnął dużą białą lnianą chustkę i głośno wytarł w nią nos.

— Mogę więc domniemywać, że mam przyjemność z prokuratorem Rhunkenem?

* niem. Königsberg, ros. Kaliningrad

11

— Och nie, panie! — splunął poza biały prostokąt. — Z całym szacunkiem, ale to ostatnia osoba, której miejsce chciałbym zajmować w tym momencie. Nazywam się Amadeus Koch i jestem sierżantem policji w Królewcu, a zarazem urzędnikiem w biurze prokuratora Rhunkena. — Przycisnął lniane płótno do ust, by zdławić kaszel. — W braku poczty, panie, najlepsze, co mogę uczynić, to wyjaśnić ci powód mego przybycia.

— Usilnie o to proszę, panie sierżancie Koch — zachęciłem go, z nadzieją, że wreszcie ta niepokojąca konwersacja nabierze dla mnie jakiegoś sensu.

Na bladych wargach mego rozmówcy pojawił się lekki uśmiech.

— Nie będę więcej marnował pańskiego drogocennego czasu. Na swą obronę mogę tylko powiedzieć, że ostatnio nie czuję się najlepiej, podróż z Królewca raczej nie wpłynęła korzystnie na sprawność mego umysłu. Krótko mówiąc, otrzymałem polecenie, by wracając, zabrać pana ze sobą.

Zdumiony, wbiłem w niego wzrok.

— Do Królewca?

— Oby tylko śnieg nie przeszkodził nam...

— Polecenie, panie Koch? Proszę mi powiedzieć, co pana sprowadza!

Sierżant Koch znów zajął się poszukiwaniem czegoś w torbie. Po dłuższej chwili wyjął dużą białą kopertę.

— Oficjalny komunikat dotyczący pańskiej nominacji wysłano z wczorajszą pocztą. I z niewiadomych powodów nie został doręczony. Ale nominację jako taką powierzono mej pieczy. Oto ona, wasza wielmożność.

Wyrwałem kopertę z jego wyciągniętej dłoni, przeczytałem widniejące na niej swoje nazwisko, potem odwróciłem ją. Na moment zawahałem się, nim odważyłem się przełamać dużą czerwoną pieczęć Hohenzollernów i zbadać zawartość przesyłki.

Wielce Szanowny Prokuratorze Stiffeniis,

Pańskie zdolności zostały mi przedstawione przez pewnego znakomitego dżentelmena, przekonanego, że jedynie Pan zdoła uporać się z sytuacją, która trzyma nasz ukochany Królewiec w kleszczach lęku. Darzymy zaufaniem i szacunkiem szlachetną personę, która przybliżyła naszej uwadze Pańskie nazwisko, a teraz sentymenty owe należą się także Panu. Jesteśmy przekonani, że przyjmie Pan królewską misję i niezwłocznie zabierze się do działania. W Pańskich rękach spoczywa los miasta.

Pod wiadomością widniał zamaszysty podpis króla Fryderyka Wilhelma III.

— W Królewcu doszło do morderstw, prokuratorze Stiffeniis — mówił dalej sierżant Koch, głosem stłumionym, jak gdyby obawiał się, że ktoś go usłyszy. — Dziś rano otrzymałem rozkaz poinformowania pana o tej sprawie.

Z trudem zbierałem myśli.

— Nic nie rozumiem, panie Koch — mruknąłem i utkwiwszy wzrok w kartce papieru, raz po raz czytałem to jedno zdanie. Jakież to zdolności miałem niby posiadać? I kim był ów „znakomity dżentelmen", który zwrócił na mnie uwagę Jego Królewskiej Mości? — Czy jest pan pewien, że ktoś nie popełnił omyłki?

— Nie ma mowy — odrzekł sierżant, z uśmiechem wskazując na list. — To Prusy. A na kopercie widnieje pańskie nazwisko.

— Czyż prokurator Rhunken nie zajmuje się tym przypadkiem? — zdziwiłem się. — Jest przecież najwyższym rangą urzędnikiem sądowym w królewieckim okręgu.

— Pan Rhunken doznał udaru mózgu — wyjaśnił sierżant Koch. — Utracił władzę w dolnych kończynach. Najwyraźniej właśnie pana wybrano do kontynuowania jego dzieła.

Przez chwilę rozważałem taką możliwość.

— Ale d l a c z e g o, sierżancie Koch? Nigdy nie zetknąłem się osobiście z panem Rhunkenem. Dlaczego miałby on tak gorąco rekomendować mnie Jego Królewskiej Mości Fryderykowi Wilhelmowi?

— W tym względzie nie umiem panu pomóc, wasza wielmożność. Bez wątpienia wszystko wyjaśni się w Królewcu.

Nie miałem wyboru, pozostało mi jedynie przyjąć jego zapewnienia.

— Wspomniał pan o przypadkach morderstwa, sierżancie. O ilu mowa?

— O czterech, panie.

Zaskoczony, straciłem na moment oddech.

Nigdy dotąd w mojej prawniczej karierze nie przyszło mi zajmować się prawdziwie poważną zbrodnią, co zawsze uważałem za szczęśliwe zrządzenie losu. Wyrok, który przelewałem na papier jeszcze przed dziesięcioma minutami, dotyczył sprawy najwyższej wagi spośród tych, jakie rozpatrywałem w ciągu trzech lat piastowania stanowiska w Lotingen.

— Pierwszą ofiarę znaleziono rok temu — ciągnął Koch — jednak policja nie osiągnęła żadnych rezultatów i rzecz wnet poszła w zapomnienie. Ale trzy miesiące temu znaleziono następne zwłoki, a trzecia osoba straciła życie w zeszłym miesiącu. A zaledwie wczoraj odkryto jeszcze jedno ciało. Dowody wskazują, że wszyscy zginęli z tej samej...

Rozległo się pukanie do drzwi i słowa zamarły na wargach Kocha.

Znów pojawił się Knutzen, wszedł do środka, powłócząc nogami, i rzucił mi na biurko list.

— Właśnie dostarczono, panie prokuratorze. Powóz pocztowy zgubił koło na przedmieściach Rykiel i na dojazd na miejsce zmitrężono cztery godziny.

— Ja, dzięki Bogu, wybrałem drogę wzdłuż wybrzeża — mruknął pod nosem Koch, gdy Knutzen znów zostawił nas samych. Wskazał gestem na nie otwarty jeszcze list. — Znajdzie pan tam potwierdzenie moich słów, wasza wielmożność.

Otworzyłem kopertę i oczom moim ukazał się rozkaz, opatrzony ledwie czytelnym, złożonym drżącą ręką podpisem prokuratora Rhunkena, co potwierdzałoby relację sierżanta Kocha o złym stanie zdrowia prawnika. Notatka stanowiła formalne potwierdzenie na piśmie, że przekazano mi sprawę morderstw, i nic więcej.

Odłożyłem list na biurko, ogarnięty falami sprzecznych emocji. Dominowało uczucie satysfakcji: moje zawodowe uzdolnienia znalazły wreszcie uznanie. Do tego u prokuratora Rhunkena, najbardziej znanego wśród wszystkich urzędników wymiaru sprawiedliwości w Prusach, a to za przyczyną swej surowości i nieustępliwości. Bardziej jednak dziwiło mnie, że ktoś taki jak on w ogóle o mnie słyszał. I wspomniał o mnie królowi. Co takiego uczyniłem, by zasłużyć na ich zainteresowanie? Czemuż tak potężne osobistości akurat mnie obdarzyły zaufaniem? Nie byłem aż tak próżny, by wyobrażać sobie, że w całych Prusach nie znalazłby się ktoś bardziej odpowiedni do wykonania zleconego mi zadania. Chyba że sekret leży w owych moich tajemniczych „zdolnościach”. Końcowe słowa listu pana Rhunkena nie zdołały rozproszyć mych wątpliwości:

...pewne aspekty tej sprawy nie nadają się do przelania na papier. Zostanie pan o nich poinformowany w odpowiednim czasie.

— Gotów, wasza wielmożność? — Sierżant Koch zarzucił torbę na ramię i wstał. — Jestem do pańskich usług we wszystkim, co przyspieszy nasz wyjazd.

Wciąż siedziałem, milczeniem wyrażając protest przeciwko podobnemu zmuszaniu mnie do pośpiechu. W głowie rozbrzmiewały mi słowa innego listu, który otrzymałem z Królewca przed siedmioma laty. Wtedy właśnie zobowiązano mnie do złożenia obietnicy, którą złamię już samym tylko towarzyszeniem sierżantowi Kochowi do tego miasta.

— Jak długo będę zmuszony tam zostać? — zapytałem, jakby przede wszystkim chodziło o kwestię praktyczną.

— Do rozwiązania sprawy, panie Stiffeniis — odrzekł stanowczo.

Wciąż siedziałem na krześle, zastanawiając się, jak powinienem postąpić. Gdyby chodziło tylko o spędzenie kilku dni w tym mieście, o zamknięcie sprawy, której prokurator Rhunken nie mógł zakończyć z powodu stanu zdrowia, później po prostu znów pozwolono by mi odejść w zapomnienie. „Z drugiej strony — pomyślałem w nagłym przypływie ambicji — jakież otworzyłyby się przede mną perspektywy, gdyby moje poczynania zostały uwieńczone sukcesem?"

— Muszę pożegnać się z małżonką — oświadczyłem i dokonawszy wyboru, zerwałem się na równe nogi.

Sierżant Koch jeszcze ciaśniej otulił się peleryną.

— Nie zostało nam wiele czasu, jeżeli mamy dotrzeć do Królewca przed nocą.

— Potrzeba mi zaledwie kilku minut na pożegnanie się z żoną i ucałowanie pociech — zaprotestowałem na mocy właśnie nadanego mi autorytetu. — Zapewne ani prokurator Rhunken, ani król nie odmówiliby mi tej odrobiny łaski!

Na ulicy, wśród padającego śniegu, czekała imponująca kareta, przyozdobiona dworskim herbem. Wsiadając, nie mogłem powstrzymać się od refleksji nad osobliwością mej sytuacji: oto ja, w królewskim powozie, w dłoniach trzymam list podpisany przez króla, nakazującego mi zajęcie się przypadkiem, którego żaden z wielkich sędziów w jego służbie nie zdołał rozwiązać. Chwila ta powinna mi się jawić jako ukoronowanie mej krótkiej kariery prawniczej — czarne chmury rozstąpiły się i słońce oblewa jasnym blaskiem jednego z wybrańców losu, a moje zdolności nie tylko zostały uznane, ale z pożytkiem wykorzystane dla dobra obywateli. Wtedy jednak słowa tamtego listu sprzed lat powróciły echem:

Nie wracaj, twoja obecność wyrządziła już dość szkód. Dla jego dobra nie pokazuj się więcej na Magisterstrasse!

Woźnica strzelił z bata, pojazd ruszył. Uznałem to za znak. Powinienem zapomnieć o przeszłości i patrzeć w przyszłość jaśniejszą i szczęśliwszą. Czego więcej mógłbym sobie życzyć? Przede wszystkim trafia mi się wspaniała okazja poprawienia zawodowych widoków.

Helena zapewne siedziała przy oknie, kiedy wspaniały pojazd zatrzymał się przed małym, pełnym przeciągów domkiem na obrzeżach miasta. Gdy wysiadałem z powozu, wybiegła mi na spotkanie, bez kapelusza i płaszcza, ignorując kąsający, północny wiatr oraz gęsty, zacinający śnieg. Zatrzymała się tuż przede mną, obrzucając mnie pełnym niepewności spojrzeniem.

— Co się stało, Hanno? — zapytała zadyszana i podchodząc jeszcze bliżej, ujęła mnie pod ramię.

Wysłuchawszy, co zaszło, wolno odsunęła się ode mnie, z dłońmi złożonymi na piersiach w obronnym geście, jak zawsze, gdy zaniepokoiło ją lub zmartwiło coś, co zrobiłem czy powiedziałem.

— Sądziłam, że wybrałeś Lotingen z tej właśnie przyczyny, by trzymać się z dala od podobnych spraw, Hanno — mruknęła pod nosem. — A ja uwierzyłam, że tu znalazłeś przystań, której szukałeś.

— To prawda — zapewniłem ją. — Tak właśnie się stało.

— A więc nie rozumiem cię — nie ustępowała. Zawahawszy się, po chwili kontynuowała: — Jeżeli czynisz to dla ojca, nie zdołasz przecież zmienić tego, co się wydarzyło, Hanno. J e g o nic nigdy nie zmieni.

— Miałem nadzieję, że będziesz dumna, widząc, jakie otwierają się przede mną możliwości — odezwałem się nieco bardziej szorstko, niż było to moją intencją. — O co ci chodzi, żono? Nie mam wyboru. M u s z ę spełnić rozkaz króla.

Przez chwilę milczała z wzrokiem wbitym w ziemię.

— Ale m o r d e r s t w o, Hanno? — zaprotestowała, znów spojrzawszy na mnie. — Nigdy dotąd nie miałeś do czynienia z tak ohydnym przestępstwem.

Przemawiała niezwykle gwałtownie. Dotąd jeszcze nie widziałem jej równie zdenerwowanej. Wreszcie padła mi na pierś, by ukryć łzy, a ja rzuciłem pospieszne spojrzenie w stronę sierżanta Kocha. Stał sztywno przy drzwiach powozu, z miną tak obojętną, jakby nie słyszał niczego, co przed chwilą powiedziała moja żona. Poczułem lekką urazę z powodu zawstydzenia, jakie ogarnęło mnie za jej przyczyną.

— Proszę poczekać, sierżancie, dobrze? — zawołałem. — Zaraz wracam.

Koch skinął głową, jego wąskie wargi wykrzywiły się w nikłym uśmiechu.

Pospiesznie poprowadziłem Helenę do holu. Zdołała się już uspokoić, teraz przyglądała mi się z uwagą. Sam nie wiem, jakiej oczekiwałem z jej strony reakcji. Może dumy? Radości z powodu mej nagłej promocji? Jej twarz nie zdradzała śladu ani jednej, ani drugiej emocji.

— Wezwał mnie król — próbowałem ją przekonać. — Wysoki urzędnik sądowy z Królewca zaproponował Jego Królewskiej Mości moją osobę. Jak według ciebie miałbym postąpić?

Helena spojrzała na mnie, zaskoczona, jakby nie zrozumiała moich ostatnich słów.

— Ja... nie wiem. Jak długo cię nie będzie? — zapytała w końcu.

— Nie potrafię powiedzieć. Mam nadzieję, że wrócę niebawem.

— Biegnij na górę, Lotte. Przynieś rzeczy pana! — zawołała nagle Helena, zwróciwszy się do służącej. — Jego powóz czeka pod bramą. Pospiesz się! Nie będzie go przez kilka dni.

Gdy zostaliśmy sami, nie potrafiłem znaleźć słów. Byliśmy z Heleną małżeństwem od czterech lat i nigdy nie rozstawaliśmy się nawet na jedną noc. Łączyły nas szczególne więzy wspólnego cierpienia.

— Nie wyruszam przecież na wojnę z Francuzem! — zaśmiałem się nerwowo i mocniej przytuliłem moją ukochaną; składałem delikatne pocałunki na jej czole, policzku i ustach, aż wreszcie Lotte przerwała tę krótką, a jakże drogą nam chwilę intymności.

— Będę pisał każdego dnia, najmilsza, i zdawał ci relację ze swoich poczynań. Natychmiast po przybyciu na miejsce wyślę ci wiadomość — obiecałem, siląc się na optymizm, by choć trochę złagodzić smutek rozstania. — Ucałuj ode mnie Manniego i Süsi.

Odebrałem od Lotte torbę podróżną, a Helena raz jeszcze padła mi w ramiona i wyraziła swe uczucia z mocą i gwałtownością, jakich do tej chwili nigdy bym u niej nie podejrzewał. „Zapewne — jak pomyślałem — to z powodu naszych dzieci". Immanuel nie skończył jeszcze roku, Süsanne miała zaledwie dwa lata.

— Wybacz mi, tak bardzo się martwię, Hanno — zagruchała niczym gołębica, jej śpiewny głos ledwo przebijał się przez fałdy mej wełnianej peleryny. — Czego oni od c i e b i e chcą?

Niezdolny do odpowiedzi i nie chcąc spekulować, wyrwałem się z jej uścisku, przygładziłem okrycie, zarzuciłem sakwojaż na ramię i z głową nisko pochyloną, by chronić twarz przed śnieżycą, pospiesznie ruszyłem ścieżką w stronę czekającej karety i sierżanta Kocha. Wskoczyłem do powozu — lekką stopą i z ciężkim sercem.

Gdy pojazd oddalał się powoli, koła skrzypiały na grubym dywanie śniegu, obejrzałem się i patrzyłem, dopóki jakże mi droga drobna postać w bieli nie znikła wśród śnieżnej burzy.

Pytanie, które niepokoiło Helenę, teraz powróciło, by mnie dręczyć i niepokoić. Dlaczego król w y b r a ł akurat moją osobę?

owóz telepał się już ponad godzinę, a między nami nie padło nawet słowo. Sierżant Koch siedział w swoim kącie, ja w swoim, obaj równie melancholijni jak świat, przez który podróżowaliśmy. Patrzyłem przez szybę na mijany krajobraz. Tu i ówdzie nieco urozmaicały go ponure wioski i samotne domostwa rozrzucone na zboczach pagórków i wzdłuż głównej drogi. Po polach po kolana w śniegu brodzili chłopi, próbując uratować zabłąkane krowy i owce. Świat zdawał się jedną ogromną, szarą plamą, odległe wzgórza wtapiały się w horyzont i trudno by było określić, gdzie kończyła się ziemia, a zaczynało niebo.

Właśnie przejeżdżaliśmy przez małą wioskę zwaną Endernffords, gdy nasz pojazd został zmuszony do zatrzymania się przed wjazdem na most obrotowy, łączący brzegi wąskiej rzeki. Straszliwe okrzyki bólu rozdzierały powietrze. Dzikie, mrożące krew w żyłach wycie z początku wydało mi się głosem istoty ludzkiej. Zeskoczyłem z siedzenia, z całej siły pociągnąłem za ramę okna, opuściłem szybę i wychyliłem się z powozu, by zobaczyć, co się dzieje.

— Chłopski wóz zjechał po lodzie — przez ramię poinformowałem Kocha. Koń poślizgnął się i leżał na grzbiecie na środku drogi, złamaną przednią nogą wymachując w powietrzu. Stał nad nim jakiś mężczyzna, obrzucał powalone zwierzę pijackimi przekleństwami i z wściekłością chłostał je batem. Moim pierwszym impulsem było zejść na dół, tyle że nie potrafię powiedzieć, czy chciałem pospieszyć z pomocą skazanemu na zgubę koniowi, czy powstrzymać bezsensowne okrucieństwo woźnicy. Pozostałem jednak na miejscu, gdyż to, co nastąpiło, potoczyło się tak błyskawicznie, a przy tym tak sprawnie, że nie miałem wątpliwości: podobne przypadki z pewnością często zdarzają się przy tej oddalonej przeprawie.

Uczestnicy tej sceny — czterech wieśniaków siedziało na belce mostu — okazali się doskonale przygotowani. Trzech pozornych gapiów nagle zerwało się; jeden potrząsał długim, zakrzywionym nożem, dwaj ruszyli z uniesionymi w dłoniach siekierami. Ostrze noża błysnęło, zatopiło się w wyprężonej szyi konia. Żałosne jęki cierpiącego zwierzęcia ustały wraz ze świstem strugi krwi i piany, zmieniającej śnieg pod stopami zabójców w krwawą, czerwoną miazgę. Woźnica zamarł z batem uniesionym wysoko nad głową, potem odwrócił się i uciekł; ślizgając się, pochylony, pobiegł przez most na bezpieczny brzeg. Rzeźnicy bez słowa rzucili się na padlinę. Wszystko trwało może minutę. Wirująca chmura pary unosiła się nad drabami, którzy wściekle wymachując siekierami, posiekali martwe zwierzę na tuzin części, potem pospiesznie załadowali mięso na wózek. Podbiegł do nich czwarty mężczyzna i pomógł rabusiom przy załadunku, jednocześnie dając nam znaki, byśmy przejechali przez most.

Nogi ugięły się pode mną, usiadłem. Ale zaraz znów poderwałem się i podniosłem szybę. Gdy przejeżdżaliśmy obok wózka z jego obrzydliwym ładunkiem odpadków, mięsa i flaków, smród świeżego mięsa wypełnił powóz ciepłą, duszącą mgłą. Słodkawy, przyprawiający o mdłości, żrący miazmat boleśnie kaleczył moje zmysły.

— W ciężkich czasach ludzie stają się twardzi — zauważył cicho sierżant Koch. — Co możemy na to poradzić, wasza wielmożność?

Zamknąłem oczy i wsparłem się na obitej skórą ławce.

— Zapewne przymierają głodem — mruknąłem. — Głód niszczy wiele dobrych dusz.

— Miejmy nadzieję, że są gotowi do zarżnięcia Francuzów z takim samym entuzjazmem — powiedział sucho Koch. — Jeżeli Bonaparte pojawi się w Prusach, do jedzenia nie pozostanie nic, nie mówiąc już o koniach. Wtedy zobaczymy, jacy są naprawdę.

— Módlmy się, by nigdy nie zostali poddani próbie! — odrzekłem nieco ostrzej, niż zamierzałem.

Minęła następna godzina, nadal niewiele padło słów.

— Czy ktoś widział kiedyś podobne niebo! — wykrzyknął nagle Koch, wyrywając mnie z letargu. — Jakby zaraz całe miało z hukiem spaść nam na głowy, panie. Jak mówi przysłowie, paskudna pogoda to sprawiedliwa kara za nasze grzechy.

Znajdowałem coś niemal komicznego w powadze tego człowieka. Pod wpływem kołysania powozu jego trójkątne nakrycie głowy przekrzywiło się, szorstkie czarne kosmyki włosów niczym nieśmiałe panienki wyzierały spod sztywnych białych loków peruki. Skinąłem mu głową i uśmiechnąłem się, zdecydowany na spędzenie reszty podróży w bardziej towarzyskim nastroju. Tylko że nie bardzo wiedziałem, jak nawiązać z nim bliższy kontakt. Pod względem zawodowym Koch plasował się na niższym szczeblu hierarchii niż ja, na pozycji niewiele lepszej niż służący.

— Nadszedł czas, panie Stiffeniis, byś przejrzał dokumenty — oświadczył, nim zdążyłem cokolwiek powiedzieć, i sięgnął do torby.

Dobry humor, na jaki się zdecydowałem, pierzchnął w jednej chwili.

— Chcesz pan powiedzieć, że ukrywałeś coś przede mną, panie Koch?

— Ja tylko postępuję wedle instrukcji, panie — wyjaśnił, równocześnie wyciągając ze skórzanej sakwy pakiet papierów. — Powiedziano mi, bym zaprezentował panu te dokumenty dopiero w chwili, gdy dotrzemy do głównej drogi do Królewca.

I jakby w odpowiedzi na jego słowa, powóz skręcił w lewo na krzyżówce Elbing*.

„Aha, t a k sobie pogrywasz", pomyślałem. Komplementami zachęcono mnie do przyjęcia niemiłego zadania, a teraz, gdy już za późno, by się wycofać, mam poznać obrzydliwe szczegóły, które zapewne odmieniłyby moją decyzję.

— Władze mają obowiązek zadbać o zapewnienie spokoju — ciągnął beztrosko Koch. — Wszystkie osoby zaangażowane w śledztwo zostały zaprzysiężone do utrzymania sprawy w tajemnicy.

— Czy to dotyczy także pana, sierżancie? — zapytałem ostro.

— Musiał pan podać żonie jakiś powód, że zostawia ją samą tak wcześnie dziś rano.

Czułem, jak wzbiera we mnie gniew na tego bezwzględnego posłańca, ukrywającego przede mną informacje.

— Zataił pan fakty, Koch, by odkryć je, gdy zajdzie potrzeba lub gdy sam uznasz to za konieczne.

Zaczynałem podejrzewać, że sierżant Koch nie tylko mnie eskortuje; obserwował mnie, osądzał, w myślach przygotowywał krytyczny raport, który sporządzi dla przełożonych. Zwykła

* pol. Elbląg

24

procedura w pruskim sądownictwie. Szpiegowanie innych było najpewniejszą drogą do wyższego szczebla urzędniczej drabiny.

— Nie mam nic do ukrycia, panie — odrzekł sierżant Koch przez zaciśnięte zęby, ponownie wyjąwszy chustkę. — Jestem tylko urzędnikiem. Nie biorę czynnego udziału w śledztwie. Dzisiaj rano, jak co dzień, udałem się do pracy o piątej trzydzieści i otrzymałem polecenia, które wykonuję. Nie musiałem zawiadamiać żony ani nikogo innego o swych poczynaniach. Mieszkam sam.

Najwyraźniej źle zaczęliśmy współpracę.

— Twierdzi pan, Koch, że niewiele wie o sprawie. Znajduję dziwnym, że polecono panu oświecić osobę, która nie wie o niej nic. To tak, jakby niewidomy prowadził ślepego, czyż nie?

— W tych dokumentach powinien pan znaleźć odpowiedź na swoje pytania, wasza wielmożność. Rzeczywiście, dostałem polecenie pokazania ich panu dopiero, gdy zgodzi się pan przyjąć zadanie.

— A więc mogłem odmówić? — z tymi słowami wyrwałem mu papiery z ręki.

Wyjrzał przez okno, ale nie odpowiedział.

Niechętnie skupiłem się na dokumentach. Pierwsze morderstwo popełniono ponad rok temu. Jana Konnena, kowala w średnim wieku, znaleziono martwego na Merrestrasse rankiem 3 stycznia 1803 roku. Policyjne śledztwo ujawniło, że poprzedni wieczór spędził w tawernie na nabrzeżu, niedaleko od miejsca, gdzie później odkryto jego zwłoki. Oberżysta nie przypominał sobie, by kiedykolwiek wcześniej widział pana Konnena, i zaprzeczył także, by ten spędził wieczór, grając w karty z cudzoziemskimi marynarzami. Według niego człowiek ten był obcokrajowcem. Tamtego dnia w porcie zacumował statek z Litwy i w tawernie aż do wczesnych godzin rannych panował wyjątkowy ruch. Konnen wyszedł zaraz po dziesiątej wieczorem, ale na zewnątrz nikt go nie zauważył. Wyjątkowo zimna noc przepłoszyła przechodniów. Ciało znalazła o świcie spiesząca do porodu akuszerka. Idąc szybko we mgle, wyjątkowo gęstej tamtego ranka, omal nie przewróciła się o klęczącego twarzą w stronę muru Konnena. Sądząc, że jest chory, podeszła bliżej, a wtedy pojęła, że nie żyje. Raport podpisali dwaj żandarmi nocnej warty Jego Królewskiej Mości — Anton Lublinsky i Rudolph Kopka. Dokument, spisany w znośnej niemczyźnie, sporządzono s z e ś ć m i e s i ę c y po morderstwie.

Unosząc wzrok, zauważyłem, że okno pojazdu oblepia coraz gęstszy śnieg. Postanowiłem zażądać od Kocha wyjaśnień. Jako urzędnik z Królewca, musiał przecież znać standardowe procedury, obowiązujące w takich sprawach. Ale głowa Kocha opadła mu na piersi, twarz na wpół zasłaniały fałdy peleryny; chrapał donośnie. Przez chwilę rozważałem, czyby go nie obudzić, potem zabrałem się za drugi dokument.

Przede wszystkim rzuciłem okiem na datę u dołu czwartej strony. Ten raport także napisano niedawno, a dokładnie 23 stycznia 1804 roku, tydzień temu, czyli cztery miesiące po morderstwie, co nie najlepiej świadczyło o sprawności miejscowych władz. Czyżby właśnie drugie zabójstwo skłoniło je do ponownego przyjrzenia się pierwszemu? Wydawało się to nad wyraz nieprawidłowym sposobem prowadzenia sprawy. Druga ofiara nazywała się Paula Anne Brunner. I oto jak rozwiała się moja pierwsza hipoteza! Już wyrobiłem sobie pogląd, że przeoczono jakiś prosty, banalny, a zarazem ważny dla śledztwa szczegół. W końcu, gdy rzecz dotyczy mężczyzn uprawiających hazard i pijących ponad miarę w nędznych tawernach, nie ma nic zaskakującego w karcianych długach i odbieraniu ich przemocą.

Natomiast pruskie kobiety z zasady nie piją w publicznych miejscach ani nie grają w kości. Zwłaszcza w Królewcu, znanym z pobożności, a nawet dewocji.

22 września 1803 roku, czytałem, w parku przy Neumannstrasse znaleziono ciało Pauli Anny Brunner (z domu Schobart).

Oficer kawalerii austriackiej, pan pułkownik Viktor Rodiansky, służący jako najemnik w armii pruskiej, spacerował tam w oczekiwaniu na damę, której nazwiska nie zgodził się podać. Przybył do parku miejskiego o godzinie czwartej, w czasie gdy, jak wiedział, większość mieszkańców miała zgromadzić się w katedrze na uroczystościach pogrzebowych niedawno zmarłego i wielce żałowanego inspektora Brunswiga. Pułkownik Rodiansky zeznaje, że wieczór nie był zbyt chłodny ani deszczowy, ale od morza unosiła się mgła, która zmniejszyła widoczność do najwyżej pięciu lub sześciu metrów. Jak powiedział, słotna pogoda wielce odpowiadała jego zamiarom. Spacerując tam i z powrotem, pułkownik Rodiansky zauważył kobietę klęczącą obok drewnianej ławki i nie na żarty zdenerwował się jej obecnością. Akurat w tym momencie pojawiła się dama, na którą czekał, i przestał zwracać uwagę na nieznajomą. Nie zainteresował go zbytnio fakt, że klęczała w parku miejskim, gdyż uznał, że modli się za duszę inspektora Brunswiga, jak wiele innych kobiet w mieście, a z jakiegoś powodu nie mogła dołączyć do zebranych w katedrze.

Dama, przyjaciółka pułkownika Rodianskiego, czując się skrępowana obecnością trzeciej osoby przy spotkaniu, rzucała niespokojne spojrzenia w stronę klęczącej, z nadzieją, że ta dokończy modły i odejdzie z parku. W końcu, zastanawiając się, czy kobieta przypadkiem nie zasłabła lub nie padła ofiarą nieszczęśliwego wypadku, para podeszła bliżej. Zorientowali się, że modląca się była w istocie trupem w pozycji klęczącej, więc pułkownik Rodiansky wezwał policję, wpierw zatroszczywszy się o anonimowość swej kochanki i odsyłając ją do domu.

Raport podpisali ci sami dwaj funkcjonariusze, którzy sporządzili sprawozdanie z pierwszego morderstwa: Lublinsky i Kopka.

Odchyliłem się na skórzane oparcie siedzenia. Drugi opis obfitował w szczegóły, ale tak jak i w pierwszym, brakowało w nim elementów zbyt oczywistych, by ujść mojej uwadze. Żadnej wzmianki o tym, w jaki sposób ofiara została zabita. Ani jakiego użyto narzędzia.

Spojrzałem w stronę Kocha. Nadal spał, głowa podskakiwała mu niewygodnie w górę i w dół przy każdym niespodziewanym wstrząsie powozu na gliniastej, pełnej wybojów drodze. Kapelusz spadł mu na kolana, a peruka ześliznęła się na prawe ucho. Zamknąłem oczy i pozwoliłem się kołysać ruchom pojazdu, próbując w myślach narysować wyraźny obraz. Jak ci ludzie zginęli? Jakiemu celowi posłużyło zamordowanie ich? I dlaczego dwaj ludzie o sporym doświadczeniu w prowadzeniu śledztwa (jak wnioskowałem z faktu, że Lublinsky i Kopka byli obecni przy obu przypadkach) nie zadali sobie trudu wyjaśnienia tak istotnych kwestii?

Ogłuszający huk pioruna i znowu oślepiający blask błyskawicy zakończyły moje rozmyślania, a także drzemkę Kocha. Poderwał się, jakby trafiony kulą, usiadł prosto i instynktownie sięgnął jedną ręką ku peruce, a drugą się przeżegnał.

— Wielki Boże, panie! — poskarżył się głośno. — Przyroda została stworzona, by przeszkadzać poczynaniom człowieka.

— To tylko para wodna, sierżancie. — Uśmiechnąłem się.

— Elektryczne wyładowania na niebie. Nic więcej. Pewien wybitny mieszkaniec twojego miasta sporządził niegdyś pamflet na ten temat. „Nie ma niczego na świecie — powiedział — czego by prawa nauki nie potrafiły wyjaśnić".

Koch zwrócił ku mnie twarz, w której szare oczy połyskiwały z wyraźną pobłażliwością.

— Wierzy pan w to, panie Stiffeniis?

— W samej rzeczy — zapewniłem go.

— Zazdroszczę podobnej pewności — mruknął pod nosem i schylił się po kapelusz, który leżał na podłodze powozu. Otrzepał brązowy welwet i pieczołowicie umieścił nakrycie na czubku głowy. — A więc dla pana tajemnice nie istnieją, wasza wielmożność?

Nie mogłem zignorować tonu niedowierzania, którym wyraził swe wątpliwości.

— Zawsze starałem się kierować racjonalnością, podążać do logicznego zakończenia podjętego wątku, panie Koch.

— Nie dopuszcza pan możliwości istnienia Nieznanego, Niewyobrażalnego? — posiadał umiejętność wstawiania głosem dużych liter tam, gdzie ich być nie powinno. — Mogę zapytać, co pan uczyni, jeśli stanie pan twarzą w twarz z tym, co Niewytłumaczalne?

— Bynajmniej nie sugeruję, jakoby rozum potrafił wyjaśnić i usprawiedliwić każde ludzkie działanie — powiedziałem z ledwie skrywanym zniecierpliwieniem. — Istnieją granice naszego pojmowania. Nieznane, jak to nazywasz, pozostaje takie z tego prostego powodu, że nikt nie próbował wyjaśnić sprawy. Określiłbym to jako głęboką ignorancję, a nie klęskę Oświeconej Nauki.

Ponownie błysnęło; w prześwicie okna, na tle mijanych w pędzie ciemnych drzew i spływających po szybie kropli deszczu, cera sierżanta przybrała srebrnobłękitny odcień.

— Mam nadzieję, że to mnie przypadnie zaszczyt odwiezienia pana do domu, gdy śledztwo dobiegnie końca — oświadczył, pochylając się ku mnie. — Modlę się z całego serca, bym to ja był w błędzie, a pan miał rację, panie Stiffeniis. Gdyż w przeciwnym razie niech Bóg ma nas wszystkich w opiece!

— Zdaje się, że pan wątpi w moje możliwości dojścia do prawdy o tych zbrodniach — odrzekłem kwaśno, zirytowany.

— Nie ośmieliłbym się, panie sędzio śledczy. Co więcej, zaczynam pojmować, dlaczego pokłada się w panu tak wiele nadziei — odrzekł i odwrócił wzrok.

Potarłszy nos, podjąłem decyzję.

— Mam wątpliwości praktycznej natury, sierżancie Koch. W tych raportach nic nie wspomniano o przyczynie zgonu. Czego się więc po mnie oczekuje? Mam domyślić się rodzaju narzędzia, jakim zamordowano ofiary? Przejście z życia do śmierci nie jest wyłącznie sprawą religii. To trudne i szybkie wydarzenie, a tu podano niewiele faktów — powiedziałem, unosząc raporty i potrząsając nimi. — Nie wiem, jak wy w Królewcu, ale my w Lotingen uważamy, że jeżeli znikło jajko, to ktoś je ukradł.

Sierżant Koch zignorował docinek.

— Nie mam pojęcia, co przeczytał pan w tych raportach — stwierdził.

— Widział pan ciała, Koch? Wie pan, jak ci ludzie umarli?

— Nie, wasza wielmożność.

— Co takiego? Nawet pan, zaufany pracownik policji, nie orientuje się, w jaki sposób ich uśmiercono? Czyżby mieszkańcy stolicy nie omawiali tych kwestii? Ofiary zostały zasztyletowane, uduszone czy zatłuczone na śmierć?

— Chce pan powiedzieć, że w raportach nie ma wzmianki o narzędziu zbrodni? — wyglądał na autentycznie zaskoczonego. — Rozumiem potrzebę zachowania dyskrecji, ale żeby nawet p a n nie został dopuszczony do tajemnicy? Miasto huczy od plotek, jak zresztą potrafi pan sobie wyobrazić.

— Jakiego rodzaju plotek, Koch?

— Nie bardzo mam odwagę wspominać o czymś podobnym tak racjonalnemu myślicielowi jak pan, wasza wielmożność — Koch najwyraźniej pozwolił sobie na dowcip.

— Nie ma pan obowiązku rozbawiania mnie!

— Nie chciałem pana obrazić, wasza wielmożność. — Sierżant uchylił kapelusza i zrobił skruszoną minę. — Mieszkańcy Królewca twierdzą, że uczynił to diabeł. Fama głosi, że śmierć przyszła szybko i wielce okrutnie.

— Co jeszcze?

— To tylko czcza gadanina, nic więcej. — Nagle spoważniał. — Cóż dobrego może wyniknąć z plotek, panie?

— To się okaże, sierżancie Koch. No, dalej, chcę wiedzieć, o czym plotkują na mieście.

Oparł się wygodnie na siedzeniu i po chwili namysłu zdecydował się na opowieść.

— Mówią, że kobieta, która znalazła ciało Jana Konnena, widziała narzędzie zbrodni.

— Naprawdę?

— Tak m ó w i ą — poprawił mnie Koch.

— A więc, co mówią? Jakiej broni użył diabeł?

Sierżant Koch spojrzał na mnie i na jego wargach ukazał się świadczący o zażenowaniu uśmiech.

— Swoich szponów, panie.

— Szponów? A t o co ma niby znaczyć?

Znowu ociągał się z odpowiedzią.

— Chyba lepiej będzie, jeżeli porozmawia pan z prokuratorem Rhunkenem, wasza wielmożność. Ja w tej kwestii nie jestem kompetentny.

— Ale ja chcę wiedzieć, co p a n sądzi, panie Koch. Poproszę prokuratora Rhunkena o opinię, gdy przyjdzie na to czas.

31

— Mogę tylko powtórzyć, co słyszałem, panie Stiffeniis.
— Koch przesunął się niespokojnie na siedzeniu, zdjął kapelusz. — Te morderstwa popełniono w dziwny sposób. Wszystko na to wskazuje. Wszystkie fakty...
— Które f a k t y, Koch? — przerwałem mu. — Nie znalazłem nawet jednego jedynego f a k t u w tym, co przeczytałem.

Przez chwilę patrzył na mnie chłodno.

— W tym właśnie rzecz, panie Stiffeniis. Czyż nie? Tajemnica najlepiej służy szaleńczym spekulacjom. Plotka nie precyzuje, czy Konnen został zasztyletowany, uduszony czy zatłuczony na śmierć. Mówi tylko, że zamordował go diabeł. A diabeł użył swych szponów do dokonania dzieła.

— Szpony, coś podobnego! Powtarzam, idiotyczne przesądy!

— Jeśli jednak władze nie wyjawiają nawet p a n u, co było powodem tych zgonów, wasza wielmożność — syknął, wskazując na plik dokumentów w mej ręce — nasuwają się dwie możliwości. O n i nie wiedzą lub nie chcą, byśmy m y wiedzieli! Jedno i drugie stwarza warunki sprzyjające bzdurnym przesądom, jak je, panie, nazywasz.

Koch opadł na siedzenie, zacisnął powieki, wyraźnie wyprowadzony z równowagi tym, co mi właśnie powiedział. Na powrót zatopiłem się w dokumentach, bardziej udając, że pracuję, niż było w istocie, zaniepokojony sugestią sierżanta, jakoby władzom zależało na ukrywaniu szczegółów morderstw nawet przede mną, urzędnikiem powołanym do prowadzenia śledztwa. Wiedziałem niemal równie mało jak dzień wcześniej, gdy w ogóle nic nie było mi wiadomo o tej sprawie.

Postanowiłem przejrzeć trzeci raport w poszukiwaniu jakiegoś dowodu, który mógł ujrzeć światło dzienne poprzedniego dnia; miałem nadzieję, że miejscowa policja przyjęła wreszcie

jakąś metodę prowadzenia śledztwa i że ostatni przypadek okaże
się mniej tajemniczy od dwóch poprzednich.

31 stycznia roku Pańskiego 1804 ciało notariusza Jeronimusa Tiffer-
cha zostało znalezione o świcie przez Hilde Gnute, żonę farmera Abla
Gnutego. Jak świadek zeznaje, po całonocnej śnieżycy ranek wstał zim-
ny, oczy zachodziły jej wilgocią i nie widziała dostatecznie wyraźnie.
Gdy szła Jungmannenstrasse w stronę sklepu spożywczego, należącego
do pana Bendta Frodkego, któremu zamierzała sprzedać jajka, natknęła
się na ciało pana Tiffercha, wsparte o mur w pozycji klęczącej. Został
zamordowany przez nieznanego sprawcę lub sprawców.

Raport niezwykle, wręcz absurdalnie krótki. Poniżej widniał
jedynie podpis Antona Lublinskiego. Czyżby ten człowiek nie
miał nic więcej do dodania w sprawie sposobu dokonania i przyczyny zbrodni? Wsparłem czoło o zimną szybę okna i zamknąłem oczy, piekące i obolałe od czytania w zapadającym mroku.
Gdy otwarłem je ponownie, wjechaliśmy właśnie do lasu. Deszcz
wciąż padał obficie. W oczekiwaniu na koniec burzy pod drzewami schroniła się grupa wieśniaków. Przejeżdżaliśmy obok,
powóz opryskał ich błotem. W milczeniu modliłem się do naszego Pana, prosząc Go o opiekę zarówno nad tymi biedakami,
jak i nade mną. Zrozumiałem, że będę musiał z pokorą zbliżyć
się do mieszkańców Królewca, poświęcić im baczną uwagę i pilnie słuchać, co mają do powiedzenia. I spróbować pojąć, co oni
tak naprawdę myślą, a także zinterpretować to, w co wierzą, jak-
kolwiek niezwykłe czy pełne przesądów mogą mi się wydać ich
myśli. Pochyliłem się ponownie do okna i wykorzystując tę niewielką ilość światła, jaka pozostała, przeczytałem notatkę przy-
piętą do raportu:

Zapytana, czy widziała kogokolwiek w pobliżu miejsca zbrodni, Hil-
de Gnute odpowiedziała, że jedynie diabeł mógł popełnić podobny czyn.

A więc czarno na białym miałem ewentualną tożsamość mordercy. Diabeł we własnej osobie. Od tego powinienem zacząć. Tylko, zastanawiałem się, dokąd taki początek może mnie doprowadzić? Czy to wyłącznie kwestia wiary? Być może imię mordercy w istocie b y ł o znane i brakowało jedynie mej woli, by powstrzymać się od niewiary.

Nie potrafię powiedzieć, jak długo siedziałem wpatrzony w ponury krajobraz. Deszcz ustał i ponownie zacinał gęsty śnieg. Na moich oczach pola stopniowo zamieniały się z mętnie szarych w śnieżnobiałe, płaska tarcza bladego księżyca zawisła nad czarnym horyzontem, a z głębi lasu dobiegało chóralne wycie wilków. Nie pamiętam, o czym myślałem, w pewnym momencie chyba zasnąłem. Czy miałem przyjemne sny, czy koszmary, podróż mijała.

Nagle poczułem lekkie klepnięcie w ramię.

— Dotarliśmy na miejsce, panie — oświadczył sierżant Koch. — Królewiec.

iebo nad naszymi głowami przypominało ogromne, ciemne prześcieradło, pozawijane, wzburzone i pofalowane porywami wiatru. Odłamki i odpryski zorzy polarnej połyskiwały nisko na horyzoncie wzdłuż srebrzystej krawędzi Morza Bałtyckiego. Śnieg przestał padać. Zbliżaliśmy się do miasta po roziskrzonym dywanie bieli.

— Pogoda wyraźnie się poprawia — zauważyłem, gdy powóz podjechał pod ogromny gotycki łuk, zaznaczający wschodni wjazd do Królewca.

Sierżant Koch nic nie odpowiedział, gdyż z bramy wybiegła grupa uzbrojonych po zęby żołnierzy i natychmiast otoczyła powóz. Opuściwszy okno, Koch wychylił się do nich.

— Jestem pracownikiem sądowym. A ten oto pan to nowy prokurator Królewca — śmiało oznajmił strażom, zachęcając mnie do pokazania twarzy w oknie.

Żołnierze zlustrowali nas wzrokiem, potem, z karabinami wciąż gotowymi do strzału, wymienili między sobą spojrzenia, wreszcie jeden z powrotem wbiegł przez bramę. Czekaliśmy w milczeniu, a po kilku chwilach żołnierz powrócił wraz z innym, wyższym stopniem.

— Który z was jest tym urzędnikiem? — padło ostre pytanie.

Mimo granatowej peleryny, skórzanego kepi, przystrojonego długim purpurowym piórem, oraz imponującej wystawy srebrnych odznaczeń mężczyzna, który uważnie lustrował moją twarz, nie wyglądał zbyt imponująco. Miał worki pod tępo spoglądającymi oczami, nawoskowane wąsy opadały, twarz wyrażała drwiące niedowierzanie, doprawione sporą dozą czujności. W prawej, tłustej dłoni, którą Natura zaplanowała do przewracania ciężkich brył ziemi w jakiejś zabitej deskami wiosce w głębi Borów Tucholskich, trzymał kapiszonowy pistolet i celował mi prosto w twarz. Najwyraźniej nie zawahałby się z niego wypalić.

— Prokurator Hanno Stiffeniis — przedstawiłem się, równocześnie unosząc mą sakwę, by mógł jej się przyjrzeć. — Mam tu list podpisany przez samego króla...

— Przeszkadza pan prokuratorowi w wykonywaniu obowiązków — wtrącił się Koch, z nieoczekiwaną stanowczością w głosie.

— Proszę o wybaczenie, wasza wielmożność, jednakowoż muszę sprawdzić pańską przepustkę — nalegał funkcjonariusz.

— Otrzymałem rozkazy — zarządzenie generała K. na dzisiejszy dzień. Bez jego pozwolenia nikt nie może wjechać do Królewca drogą lądową. Nie słyszał pan? Mieliśmy tu morderstwo...

— Właśnie dlatego jestem! — warknąłem, podając mu nominację, którą sierżant Koch dostarczył mi dzisiejszego ranka.

Żandarm przeczytał pismo, spojrzał na mnie, potem oddał mi dokument.

— Proszę tego nie zgubić, panie — ostrzegł, odsyłając straże. Zasalutował i krzyknął na woźnicę, nakazując mu jechać dalej.

— O co chodziło, sierżancie? — zapytałem, gdy powóz potoczył się po bruku w stronę centrum miasta. Nie było jeszcze czwartej, a wszystkie sklepy stały zamknięte, z opuszczonymi kratami, wyludnionymi ulicami maszerowały jedynie oddziały wojska; tu i ówdzie mijaliśmy wartowników z bagnetami skierowanymi pod różnym kątem. — Czyżby ogłoszono stan wojenny?

— Nie mam pojęcia, panie — odrzekł Koch. I nie powiedział nic więcej przez jakiś czas, dopóki powóz nie zatrzymał się na obsadzonym drzewami placyku, przed dużym, pomalowanym na zielono, przypominającym stodołę budynkiem.

— Ostmarktplatz — oświadczył i wyskoczył z powozu z zadziwiającą sprawnością, po czym rozłożył dla mnie stopnie. — Pan Rhunken oczekuje pana, wasza wielmożność.

Powinienem był domyślić się, że prokurator Rhunken będzie chciał rozmawiać ze mną bez zwłoki. Czemu jednak sierżant Koch mnie nie uprzedził? Wziąłem głęboki oddech, jak mogłem najstaranniej, przygładziłem ubranie i próbowałem zapewnić sam siebie, że wnet wszystko się wyjaśni. W końcu Rhunken był najbardziej kompetentną osobą w kwestii poinstruowania mnie o moich obowiązkach. Liczyłem, że ustnie przekaże mi istotne fakty pominięte w dokumentach, które przeczytałem w czasie podróży.

— Powiedział pan, że jego kondycja nie pozwala mu mówić, Koch.

Sierżant nic nie odrzekł, tylko zajął się wydawaniem poleceń woźnicy, którego peleryna i skórzane rękawice w zapadającym mroku skrzyły się drobinami szronu. Musiałem dwukrotnie powtórzyć pytanie, zanim udało mi się zwrócić uwagę Kocha.

— Prokurator Rhunken doznał udaru mózgu, czyż nie?

— W istocie, tak było, panie — odrzekł. — Z panem prokuratorem Rhunkenem wspaniale się pracowało.

Postanowiłem zignorować implikacje tej pochwały.

— Choruje od dawna?

— Do wczoraj tryskał zdrowiem. Pan Rhunken upadł w swym gabinecie, doktor stwierdził udar mózgu.

Koch wskazał na cofniętą nieco od ulicy, tuż za paskudnym, pomalowanym na zielono budynkiem, zgrabną różową willę, w maleńkim, pokrytym śniegiem ogrodzie.

— To jego dom, panie. Naprzeciwko twierdzy, tej po drugiej stronie placu, jak zresztą sam pan widzisz. W niej także znajdują się pomieszczenia sądowe. Praca była dla niego wszystkim.

Podążyłem wzrokiem za krótkim, grubym palcem Kocha, przez rozległy, teraz pokryty śniegiem plac i dalej, wzdłuż potężnej bryły z szarego kamienia. Dziwaczny zlepek murów obronnych, wież i strażnic. Ogromny główny wjazd do twierdzy, zaopatrzony w stalową, opuszczaną kratę, w dużej mierze przypominał powszechnie używaną w Prusach pułapkę na szczury. Wąskie budki po obu stronach bramy zajmowali wartownicy w szarych zimowych pelerynach i wysokich czarnych czapkach z futra. Stali wpatrzeni przed siebie, na ich szerokich ramionach zastygły długie karabiny.

— Pewnie będę tu spędzać wiele czasu — zauważyłem nieśmiało.

Budynek można by nazwać architektoniczną okropnością. Równocześnie jednak, o czym należało pamiętać, reprezentował nieograniczoną władzę i autorytet, jakimi i ja będę teraz rozporządzał.

— Zaprowadzę tam pana o wyznaczonej godzinie, wasza wielmożność — odrzekł krótko Koch, brnąc ścieżką wiodącą ku willi; w pośpiechu ślizgał się i raz omal nie upadł w sięgającym do kolan śniegu. Gdy i ja dotarłem do drzwi, sierżant trzy razy mocno zapukał dużą mosiężną kołatką, obwieszczając nasze przybycie. Przez dłuższą chwilę drzwi pozostawały zamknięte i Koch musiał zapukać ponownie.

— Pan Stiffeniis do Jego Ekscelencji — zaanonsował bladej, młodej pokojówce, która otworzyła drzwi.

Służąca zmierzyła mnie swymi wodnistymi oczami i zaraz szybko opuściła wzrok.

— Doktor Plucker jest u mojego pana — szepnęła.

— Jak się pan Rhunken dzisiaj miewa? — zapytał sierżant Koch z wyraźną troską w głosie.

Dziewczyna potrząsnęła głową.

— Jest w opłakanym stanie, panie Koch. Takim był zawsze eleganckim, dumnym, przystojnym panem...

— Proszę zaprowadzić pana Stiffeniisa. Ja poczekam z woźnicą — ostatnie słowa skierował do mnie, nieuprzejmie przerwawszy skargi dziewczyny, której ostatnie zdanie utonęło w szlochu.

Zamknąwszy drzwi, spojrzała na mnie niepewnie, jakby nie wiedziała, co ma ze mną począć.

— Twój pan mnie oczekuje — powiedziałem, chyba zbyt ostro, podchwyciwszy ton Kocha.

— Tędy, panie — wybełkotała z pokorą w chusteczkę i poprowadziła mnie przez amfiladę małych pomieszczeń, których ściany zasłaniały oszklone szafy pełne oprawnych w skórę tomów. Na wszystkich stołach leżały wysokie sterty książek i dokumentów, a co nie mieściło się na półkach, zajmowało oparcia kanap i foteli. Prokurator Rhunken najwidoczniej zamienił swój dom w prywatną bibliotekę. Nic tu nie wskazywało na obecność innej kobiety poza służącą, nie widać było żadnych śladów łagodzącej atmosferę obecności matki, żony czy córki.

Wreszcie dziewczyna zatrzymała się przed uchylonymi drzwiami. Ze środka dochodził odgłos cichej rozmowy, lecz nagle powietrze przeszył bolesny jęk. Zanim dziewczyna zdążyła zapukać, przytrzymałem ją za ramię.

— Czy prokurator może mówić? — zapytałem.

— Dziś rano doktor dwa razy przystawiał mu pijawki. Ma zamiar zrobić to jeszcze raz... — urwała, by wytrzeć nos i osuszyć oczy. — Wysłał mnie rankiem do portu, panie, po te... paskudztwa. — Z powodu strachu lub wstrętu, lub może z zimna zadrżały jej ramiona. Temperatura wewnątrz domu była niższa niż na ulicy. — Statek przypłynął wczoraj wieczorem. Marynarze śmiali się i kazali nieść wiadro ostrożnie. Mówili, że jeżeli którejś dotknę, wyssie ze mnie życie. — Spojrzała na mnie wyraźnie wystraszona. — Nie wiedziałam nawet, że takie stworzenia istnieją, panie. Zrobiłam to dla mego pana — szepnęła i ponownie wysiąkała nos w chusteczkę.

Nie miałem pojęcia, o czym ona bredzi. Marynarze? Stworzenia, co to takiego może być?

— Jeżeli on naprawdę widział diabła — dodała — to cała medycyna świata nie jest w stanie go uratować.

Nawet nie próbowałem jej pocieszać, pomyślałem sobie tylko, że imię diabła cieszy się w Królewcu ogromną popularnością. W tym momencie drzwi otwarto na oścież i w słabo oświetlonym korytarzu pojawił się wysoki, chudy mężczyzna. Nie nosił peruki, głowę miał świeżo ogoloną. Obcisły ciemny strój sprawiał, że wydawał się jeszcze wyższy i chudszy niż w rzeczywistości. Na widok służącej zrobił zadowoloną minę. Potem zauważył mnie i uśmiech zniknął z jego twarzy.

— Kim jesteś, panie? — niemal warknął. Nie czekając na moją odpowiedź, odwrócił się do dziewczyny i syknął: — Stan Jego Ekscelencji nie pozwala na wizyty. Już przecież mówiłem!

— Jestem nowym prokuratorem — oświadczyłem. — Mam sprawę do omówienia z pańskim pacjentem, doktorze. Kwestię wielkiej wagi, nie cierpiącą zwłoki.

Doktor sprężył się niczym szykujący się do ataku okularnik. W mroku korytarza oczy zabłysły mu jak punkciki świetlne.

— A więc to w y, panie, jesteście przyczyną jego niepokoju! — rzucił bez ogródek, wręcz oskarżycielskim tonem. — Pan Rhunken przez cały dzień denerwował się z pańskiego powodu. Muszę przyznać, że jestem zaskoczony — ciągnął, bezczelnie mierząc mnie wzrokiem. — Oczekiwałem kogoś całkowicie... i n n e g o. A już z pewnością starszego. Urzędnika bardziej... doświadczonego.

— Nie zajmę mu dużo czasu — zapewniłem.

— No myślę! Mam zabieg do przeprowadzenia.

Grubiaństwo lekarza przypisywałem znużeniu i napięciu, w jakim teraz żył. Sam ledwo trzymałem się na nogach, gdy wchodziłem za nim do pokoju chorego. Prokurator Rhunken nie leżał, jak się spodziewałem, w łóżku, ale na obitej skórą leżance pod przeciwległą ścianą pokoju; spoczywał wsparty na poduszkach, twarzą zwrócony ku otwartemu oknu. Lodowato zimny pokój był bardziej zagracony niż cała reszta domu razem wzięta. Trzy cienkie świeczki wciśnięte w pojedynczy lichtarz oświetlały porozrzucane wszędzie książki i papiery, których wielkie sterty, niczym pijacy, wspierały się o ściany po obu stronach łóżka z baldachimem, stojącego w najciemniejszym kącie pomieszczenia.

Jeśli doktor Plucker oczekiwał kogoś starszego, także Jego Ekscelencja pan prokurator Wolfgang Rhunken był o wiele młodszy, niż się spodziewałem. Nie mógł mieć więcej niż czterdzieści pięć lat. Przypomniałem sobie, jak opisała go służąca — elegancki i przystojny — teraz nie mogłem się doszukać żadnych śladów tych cech. Duże poduchy podtrzymywały go w pozycji siedzącej, jego ramiona otulał ciemny wełniany szal, zatroskana twarz zapadła się od cierpienia, odkryte nogi trzymał wystawione na działanie mroźnego nocnego powietrza. Podchodząc bliżej, zauważyłem niezdrową barwę cery, usta zaciśnięte w czarną, wąską szczelinę, oczy na wpół zamknięte, jak u człowieka, który już patrzy na inny świat. Pomimo panującego tu lodowatego zimna na bladym czole chorego perliły się krople potu, niczym para wodna skroplona na ciepłym szkle, a włosy lepiły mu się od wilgoci. Na odgłos kroków na kamiennej posadzce zareagował jak ślepiec, zwracając twarz w moją stronę.

Niepewnie spojrzałem na doktora.

— Bliżej, panie. Jeszcze trochę — zachęcił mnie. — Sprawę należy załatwić jak najszybciej!

Gdy podchodziłem do pacjenta, usłyszałem, jak doktor, już w korytarzu, woła służącą:

— Przynieś stołek dla n o w e g o prokuratora. I wnieś wiadro!

Ogarnięte gorączką oczy Rhunkena błyskawicznie otwarły się na ten grubiański ton ironii w głosie lekarza. Spojrzał na mnie gniewnie, lecz się nie odezwał. Po chwili obok kanapy postawiono stołek. Zawahałem się, a wtedy chory z wręcz nadludzkim wysiłkiem uniósł drżącą prawą rękę i z hukiem opuścił ją na taboret.

Wziąłem głęboki oddech i usiadłem, a dziewczyna ustawiła na podłodze, w pobliżu chorego, dębowe, przykryte płótnem wiadro. Ostra woń, którą z początku brałem za stęchły zapach nie używanego pokoju, owionęła mnie mocniej. Odurzająca mieszanina potu, kału i uryny, z dodatkiem kamfory i innych medykamentów, opary ulatniającego się z Rhunkena rozkładu.

— Mam nadzieję, że wnet wrócisz do zdrowia, panie — zacząłem, nie bardzo wiedząc, co powiedzieć, głosem cichszym, niż zamierzałem.

Usta prokuratora Rhunkena otwarły się i zamknęły, dolna warga zadrżała, lewą stronę twarzy ścisnął gwałtowny skurcz. Zmagając się z odmawiającymi mu posłuszeństwa mięśniami, pochwycił mnie za ramię i przyciągnął bliżej — bijący od niego smród nie dał się wytrzymać. Następnie, rozpaczliwie łapiąc powietrze, opadł na poduszki, nie wypowiedziawszy słowa. Przez chwilę zdawało się, że odda ducha na moich oczach. Gwałtowny dreszcz wstrząsnął jego ciałem, gdy spróbował ponownie podnieść głowę.

— Proszę się nie męczyć, panie! — zalecił doktor Plucker. — Ten oto dżentelmen dysponuje doskonałymi młodymi uszami i dużym zasobem cierpliwości. A teraz proszę się nie ruszać, zaaplikuję lekarstwo. Wczoraj wieczorem wpłynął do portu statek z Rio de la Plata. Musiałem o nie stoczyć walkę z chirurgiem Francichem ze szpitala w twierdzy. Oniemiałby pan, panie Rhunken, gdyby pan wiedział, ile mnie kosztowały. *Haementaria ghilianii* — oświadczył. Zerwał płócienne przykrycie z wiadra i podsunął sobie naczynie pod nos. — Hm! Pierwotny fetor lasów Amazonii. Niemal można zobaczyć ciemne, mroczne bagna, gdzie pełzają te wijące się stworzenia. Okażą się dla ciebie zbawieniem, panie. Są stokrotnie bardziej skuteczne niż pijawki, które pan Broussais przywiózł z Egiptu. Władze wojskowe w całej Europie zaopatrują się w nie na wypadek wojny.

Patrzyłem oszołomiony, jak lekarz szczypcami wyciąga z wiadra olbrzymiego czarnego robaka. Stworzenie wiło się i skręcało, usiłując owinąć się wokół ręki Pluckera. Z chwilą gdy dotknęło nagiego ciała chorego, natychmiast zrezygnowało z walki. Doktor rozciągnął ogromną pijawkę wzdłuż łydki pana Rhunkena, od kolana po kostkę, i pozostawił tam, by się najadła.

— Gdybym mógł w jakiś sposób pomóc — zaproponowałem nieśmiało, nie mogąc oderwać przerażonych oczu od wielkiej pijawki. Miała co najmniej trzydzieści centymetrów długości. Gdy zaczęła napełniać się krwią, stopniowo nabrzmiewała i puchła. — Ja...

Żółta dłoń wychynęła spod szala chorego i znalazła się tuż przed moją twarzą tak błyskawicznie, że słowa zamarły mi na ustach.

— A więc przybyłeś — sapnął Rhunken. — Pewnie z Berlina?

— Z Berlina, panie? — powtórzyłem, nie bardzo wiedząc, co miał na myśli. Rzuciłem spojrzenie na lekarza, ale u niego nie znalazłem wsparcia. Był bez reszty zajęty rozciąganiem następnej gigantycznej pijawki na drugiej nodze chorego. — Przybyłem właśnie z Lotingen, Wasza Ekscelencjo.

Pan Rhunken zmarszczył czoło — wyglądało jak podzielone na dwie części.

— S k ą d?

— Lotingen. W zachodnim obwodzie — wyjaśniłem. — Jestem tam najwyższym urzędnikiem sądowym.

— L o t i n g e n?! — krzyknął Rhunken i przykro było patrzeć na jego wzburzenie. — Co tu robisz?

Ostatnią rzeczą, jakiej się spodziewałem, było dociekanie mej tożsamości przez człowieka, który mnie polecił.

— Otrzymałem od Jego Królewskiej Mości rozkaz zastąpienia pana w tej sprawie. Mam w kieszeni pana własny list!

Rhunken potrząsnął głową, niedowierzanie malowało się na jego obliczu.

— Z pewnością to pan mnie nominowałeś? — naciskałem.

44

Prokurator Rhunken odwrócił twarz do ściany, tymczasem Plucker przyłożył mu jeszcze dwa wygłodniałe wampiry do nagich ud.

— Ja nikogo nie nominowałem! — mruknął gniewnie chory. — To jego sprawka. Ten wąż czyni to, by się nade mną znęcać!

Postanowiłem nie zwracać uwagi na majaczenia Rhunkena. W końcu był on chory. Mogłem zrozumieć, w jakim był położeniu. W chorobie nie wiadomo kogo obwiniać, więc pada na każdego w lepszym stanie zdrowia.

— Oczekiwałem specjalnego posłańca — ciągnął. — Z Berlina. Z tajnej policji. Nie ciebie...

— On nigdy o panu nie słyszał — doktor Plucker syknął mi wściekle do ucha, układając mniejszego czarnego robaka na spoconym czole chorego i następnego na jego prawej skroni. — Każdy głupiec potrafi to dostrzec. Rozgrzewa mu pan mózg, zabije go pan! Został odsunięty od tej sprawy. Zwolniony! Zmuszony do rezygnacji. Na rzecz eksperta, jak sądził. Nie ma pan odrobiny litości, panie?

Nagle prokurator zaczął rozpaczliwie łapać powietrze. W gardle zabulgotała mu flegma, dostał gwałtownego ataku kaszlu i pluł do wiadra, które podsunął mu doktor.

— Proszę się nie męczyć, panie — nalegał lekarz. Spojrzawszy na mnie przez ramię, pełnym napięcia głosem zawołał: — Błagam, panie!

— Nie można mnie obwiniać o jego chorobę — zacząłem urażony i zaraz urwałem, nie wiedząc, co mówić dalej. Nie chciałem pogorszyć stanu cierpiącego. — Otrzymałem uprawnienia na mocy rozkazu króla. Pan Rhunken wie o tych morderstwach więcej od kogokolwiek innego. Potrzebuję jego pomocy.

Doktor Plucker odwrócił się do mnie, rozzłoszczony.

— Pan Rhunken potrzebuje o d p o c z y n k u. Jak na jeden dzień, dość już zabrałeś mu pan spokoju. Odejdź, zostaw go!

Jeżeli lekarz postanowił zakończyć to posłuchanie, pacjent najwyraźniej chciał je przedłużyć. Zacisnął dłoń na mym rękawie, ciągnął mnie ku dołowi i byłem zmuszony opaść na podłogę, na kolana, tuż u jego boku. Pijawka na skroni pulsowała i wyginała się, aż wreszcie, syta krwi, ześliznęła się na policzek, skąd lekarz pospiesznie ją zdjął.

— Idź do sądu — słabym głosem polecił chory. — Zobacz, czy zdołasz dokonać tego, czego mnie się nie udało.

Opadł na poduszki, zamknął oczy i spazmatycznie chwytał powietrze.

— W ten sposób się wykończy — zaprotestował Plucker, bezceremonialnie spychając mnie ze stołka, na którym sam usiadł, i położył dłoń na pulsie pacjenta.

— Ależ ja muszę wiedzieć, od czego zginęli! — krzyknąłem doprowadzony do rozpaczy, gdy prokurator Rhunken zamknął oczy i zdawało się, że zapada w śmiertelne omdlenie; robaki na jego twarzy i skroniach wiły się i skręcały niczym węże na portrecie Meduzy, który widziałem w Rzymie w Villa Borghese.

— Czyż nie pojmuje pan, w jakim on jest stanie? — wybuchnął doktor Plucker, biorąc mnie za ramię i pchając do wyjścia. — Nakazuję panu natychmiast opuścić to pomieszczenie.

Energicznie otworzywszy drzwi, doktor zaskoczył mnie siłą, z jaką wypchnął mnie na korytarz, gdzie czekała służąca.

— Wyprowadź pana Stiffeniisa! — zagrzmiał.

Musiałem przypominać zagubione dziecko, gdyż dziewczyna łagodnym tonem zachęcała mnie, abym poszedł za nią korytarzem w stronę frontowych drzwi.

— Proszę za mną, panie — powiedziała, odnajdując drogę powrotną przez zastawione pełnymi książek regałami pokoje i ciemne korytarze. — Wystarczy się mnie trzymać.

Gdy drzwi frontowe zatrzasnęły się za mymi plecami, przez chwilę stałem niczym głaz w chłodnym świetle nisko zawieszonego na niebie księżyca. Za ogrodzeniem czekał sierżant Koch. Odwrócił się, usłyszawszy trzaśnięcie, i ruszył w moim kierunku, z twarzą porysowaną niczym żyłkowany marmur kościoła. Kiedy byłem w środku, na zewnątrz temperatura spadła i na denku kapelusza sierżanta osiadł świeży śnieg.

— Wszystko w porządku, panie Stiffeniis?

Zignorowałem jego troskę.

— Kto polecił panu przyjechać dzisiaj do Lotingen, sierżancie Koch? — Trząsłem się z upokorzenia i wściekłości.

— Prokurator Rhunken, panie — odrzekł bez chwili wahania.

— Nie miał pojęcia, kim jestem — chłód, z jakim to powiedziałem, zaskoczył mnie samego.

Koch otworzył usta, jakby miał się odezwać, i zaraz je zamknął. W końcu wyznał:

— Pozwoliłem sobie założyć, że rozkaz pochodzi od pana Rhunkena. Dostałem go na piśmie, przez posłańca.

— Kto podpisał przesyłkę?

— Nie była podpisana, panie. Jestem pracownikiem prokuratora. Posłaniec poinformował mnie, że pismo przysłano z góry. Pan Rhunken nie ma obowiązku podpisywać rozkazów, które mi wydaje. Dostałem na piśmie wyraźne polecenia, co mam zrobić i dokąd się udać. Ten sam posłaniec wręczył mi list z królewską pieczęcią i dokumenty, które miałem panu przekazać w czasie podróży do Królewca. Jeżeli w czymkolwiek postąpiłem niewłaściwie, gorąco proszę o wybaczenie, panie.

47

— I wcale nie widziałeś pan prokuratora Rhunkena?

Koch potrząsnął głową.

— Nie, panie, nie widziałem.

— Natychmiast muszę się udać do budynku sądu — oświadczyłem, odwracając się na pięcie, i ruszyłem w stronę potężnej twierdzy wznoszącej się przy najbardziej odległym rogu placu. Przeszedłem kawałek, gdy zorientowałem się, że Koch nie idzie za mną.

— Do budynku sądu, panie? — zawołał. — Nie życzy sobie pan najpierw obejrzeć swojej kwatery?

Odwróciłem się do niego. Znajdowałem coś niedorzecznego w jego propozycji.

— Czyżbyś pan sądził, że jestem tu dla przyjemności? Przybyłem do Królewca poprowadzić śledztwo w sprawie morderstw, sierżancie!

Koch zrobił krok do przodu, zdjął z głowy kapelusz.

— Księżyc nie znalazł się jeszcze wystarczająco wysoko na niebie, panie — zauważył. — Mamy dość czasu na...

— Czy aby nie odmroził pan sobie mózgu, Koch? — zdumiałem się. — Co, na niebiosa, ma do tego k s i ę ż y c?

— Polecono mi przyprowadzić cię, panie, do twierdzy, gdy księżyc będzie w zenicie. Ani minuty wcześniej.

— Czy w Królewcu tak zwykle odmierza się czas, panie Koch? Według położenia księżyca? Czy to jeszcze jeden przyczynek do pańskiej zabobonnej ignorancji?

— W twierdzy odbędzie się spotkanie, wasza wielmożność, gdy księżyc znajdzie się w najwyższym punkcie swej drogi po niebie. To wszystko, co wiem — oświadczył beznamiętnie Koch.

— Nic o tym wcześniej nie wspominałeś, sierżancie — zauważyłem. — Nie pierwszy raz próbujesz wystrychnąć mnie na dudka.

Koch zmierzył mnie wzrokiem pełnym wyraźnego chłodu.

— Nie moją sprawą jest zadawanie pytań, panie. Wyznaczono ci pewną osobę do pomocy, to wszystko, co mi przekazano.

— Ludzie mają nazwiska, Koch — nalegałem.

Śnieg znów wirował dryfującymi, lekkimi płatkami; Koch spojrzał w niebo, zanim raczył odpowiedzieć:

— Osoba ta to niejaki doktor Vigilantius.

Otworzyłem usta, by zaprotestować, ale nie znalazłem słów. Drobiny śniegu mroziły mi wargi, topiły mi się na języku.

— N e k r o m a n t a? — zdołałem w końcu wydusić. — A co o n tu robi?

— Słyszałem — odrzekł z wahaniem Koch — że doktor ów przeprowadzi eksperymenty naukowej natury, panie.

— O jakiej to n a u c e pan mówi?

Sarkazm najwyraźniej nie trafiał do mego szacownego towarzysza.

— Podobno jest specjalistą w dziedzinie przepływu elektrycznych prądów przez mózg — odrzekł.

— No właśnie, Koch. Co Vigilantius ma wspólnego z t ą sprawą?

— Właśnie panu wyjaśniłem, wasza wielmożność. Przeprowadza eksperymenty.

— Spróbujmy z innej beczki, Koch — nie rezygnowałem. — Kto wezwał Agustusa Vigilantiusa do Królewca?

Koch stanął na baczność.

— Naprawdę niezmiernie mi przykro, panie sędzio śledczy Stiffeniis. Na to pytanie nie mogę odpowiedzieć.

— Nie może pan czy nie chce? To chyba pana osobiste motto — mruknąłem przez zaciśnięte zęby, jednak Koch nawet nie drgnął i nie dał ani słowa wyjaśnienia.

— Zostało panu dość wolnego czasu przed wyznaczoną godziną — upierał się. — Mam najpierw zabrać pana na kwaterę, wasza wielmożność. Powóz czeka.

Wskazałem ręką na twierdzę po drugiej stronie placu.

— A więc nie tam zamieszkam?

— O nie, panie — zapewnił mnie natychmiast. — Polecono mi zawieźć pana w inne miejsce.

Nagle poczułem się wyzuty z wszelkiej energii, jakby to mnie dopiero co przystawiono pijawki. Czy miało sens protestowanie lub skarżenie wobec podobnego uporu? Poszedłem za nim do powozu pokornie niczym jagnię prowadzone na rzeź.

owóz ruszył z wolna. Konie stąpały niepewnie po świeżym śniegu zalegającym bruk, woźnica zdawał się pozbawiony animuszu. Stukot kół odbijał się echem od wysokich ścian budynków z ciemnego kamienia, ciągnących się wzdłuż wąskich uliczek, które przemierzaliśmy, jednak nie zwracałem uwagi na otoczenie. Myślami wciąż krążyłem wokół prokuratora Rhunkena. Nie oczekiwał mnie. Nie miał bladego pojęcia, kim jestem ani w jakim celu przybyłem. W takim razie dlaczego ktoś wysłał mnie, bym m u złożył wizytę? Jeżeli nie on podsunął moje nazwisko królowi, k t o to uczynił? Rhunken przyznał, że oczekiwał urzędnika z Berlina. W stolicy królestwa znajdowała się siedziba tajnej policji. Czy spodziewał się kogoś stamtąd, śledczego z tajnej policji, eksperta w dziedzinie polityki i zbrodni? Te zagadki, jak również mnóstwo pozbawionych odpowiedzi pytań, ukrytych w tych nielicznych dokumentach urzędowych, które pozwolono mi przeczytać w drodze do miasta, spychały mnie w otchłań bliską desperacji. Co gorsza, nie otrzymałem solidnej asysty. Sierżant Koch był urzędnikiem niskiego stopnia, nie zorientowanym w sprawie, a tylko wykonującym czyjeś rozkazy. Był posłańcem równie służbistym, jak mało pomocnym.

Z zamyślenia wyrwało mnie chrapliwe skrzeczenie mew. Gdy uniosłem zasłonę i wyjrzałem z powozu, nozdrza wypełnił mi smród zatęchłych ryb i przyprawiający o mdłości zapach wodorostów. Za wąskim pasem piasku szare, nieruchome morze rozciągało się jak okiem sięgnąć. Akurat nadeszła pora odpływu i przy brzegu spoczywała niewielka flota rybackich jednomasztowców, niezgrabnie wspartych na kilu; maszty i takielunek przypominały las sopli lodu. Płytkie wody przy plaży, poza wąskim, bystrzej płynącym prądem pośrodku zatoki, pokrywała twarda tafla lodu. Czarny, kamienny falochron sięgał w morze niczym wyciągnięte ramię. Wysokie trzymasztowce, zacumowane jeden za drugim, przypominały martwe wieloryby, czekające na wyciągnięcie na brzeg. Po trapach w dół i w górę biegali marynarze z zarzuconymi na ramię marynarskimi worami i zrolowanym dobytkiem, a pamiętające dawne czasy żurawie trzeszczały i pojękiwały pod załadowywanymi i wyładowywanymi ciężarami. Pomijając patrolujących ulice żołnierzy, od momentu przybycia do Królewca, w porcie po raz pierwszy natknąłem się na oznaki codziennego życia. Miasto słynęło z pracowitości swych mieszkańców, ze sprytu i zachłanności kupców. W końcu był to największy port na wybrzeżach Bałtyku. Hamburg i Gdańsk do pewnego stopnia rywalizowały z nim, ale żadne z tych miast nie mogło pochwalić się przeładunkiem takiego tonażu. W zwykły dzień, jak poinformował mnie Koch, przybijał do kei z tuzin statków z najdalszych krańców ziemi, a podobna ich liczba podnosiła kotwicę i wypływała z portu. Robotnicy nadchodzili i odchodzili, i depcząc sobie po piętach, podążali tą samą ścieżką, wiodącą do portowych magazynów, a następnie spieszyli z powrotem na okręty, niczym mrówki znoszące po ziarnku zboża do wspólnego spichrza. „Któryś z tych statków — pomyślałem

— przypłynął z tropikalnych dżungli Ameryki Południowej, z ładunkiem przeznaczonych dla wojska pijawek".

— Gdzie mnie pan zabiera, Koch? — zaciekawiłem się.

— Do gospody, panie. Na dole, przy nabrzeżu. Z dala od miasta, ale powóz zawsze będzie...

— Gospoda? — oburzyłem się. — Jak dla wędrownego przekupnia?

Czyżby następna próba upokorzenia mnie? Dość już dostało mi się dzisiejszego dnia. Najpierw Rhunken wyraźnie odżegnał się od jakiejkolwiek wiedzy o moim istnieniu. Potem to mające nastąpić spotkanie ze znanym alchemikiem przy świetle księżyca, które zaaranżowano dla mnie, a teraz jeszcze mam zamieszkać w nędznej tawernie, w towarzystwie przemytników i piratów, z dala od twierdzy i pomieszczeń sądu, gdzie było moje miejsce.

— Nie jestem w Królewcu dla przyjemności, sierżancie — przypomniałem.

— Polecono mi pana tu właśnie umieścić — odrzekł Koch bez ogródek.

Już wtedy, na samym początku wydarzeń, które później nastąpiły, zaczynałem odczuwać, że przygotowano dla mnie dokładny plan. Ceremonia sprowadzenia mnie do Królewca pod wieloma względami przypominała skomplikowany dworski taniec. Koch, mój małomówny tancmistrz, z rozmysłem prowadził mnie krok po kroku. Ale w takt czyjej muzyki? I w jakim celu?

— Należy więc żywić nadzieję, że to miejsce okaże się wygodne — mruknąłem pod nosem, gdy powóz zakołysał się i stanął przed starym budynkiem z czerwonej cegły, o pofalowanym, nierównym dachu. Nad środkowym kominem gwałtownie obracała się chorągiewka, przedstawiająca wypływający w morze statek o wydętych wiatrem żaglach. W szarości zmierzchu matowa szyba okna w wykuszu połyskiwała bursztynowym blaskiem, co wskazywało na buzujący w środku potężny ogień. Pierwsza pocieszająca rzecz, jaka spotkała mnie tego dnia. Drewnianą tablicę nad drzwiami do tego stopnia oblepiał śnieg, że niemożliwe było odczytanie nazwy gospody.

— Bałtycki Wielorybnik — objaśnił mnie Koch. — Podają tu doskonałe jedzenie. Z pewnością o wiele lepsze, niż zapewnia kuchnia w koszarach.

Zignorowałem tę próbę poprawienia mi humoru. Gdy szliśmy do wejścia, lodowaty chłód przenikał mnie do kości. Wewnątrz natychmiast fala gorąca owionęła mi twarz; rozejrzałem się po izbie, podczas gdy Koch podszedł do mężczyzny dorzucającego drewno do ognia. Sam kominek był tak obszerny, że zajmował niemal całą ścianę na przeciwległym końcu izby. Stoły już nakryto do kolacji. Białe jak śnieg lniane obrusy i lśniące srebra sprawiały korzystne wrażenie. Miejsce to zdawało się dostatecznie czyste i przyjemne.

Sierżant Koch powrócił w towarzystwie wysokiego, mocno zbudowanego mężczyzny, z burzą niesfornych, skręconych siwych loków opadających mu na czoło, z miedzianymi kółkami w uszach; ten skinął mi głową na powitanie, a następnie zanurkował za bar. Nawoskowany kosmyk, związany na karku czerwoną wstążką, wyraźnie zdradzał, że człowiek ów był kiedyś wielorybnikiem. Powrócił z pękiem kluczy, uśmiechając się do mnie z pozbawionym służalczości szacunkiem.

— Ulrich Totz, do usług, właściciel gospody. Oczekiwaliśmy pana, wasza wielmożność, od samego rana — powiedział głębokim, mocnym głosem, młodszym, niż wskazywałyby na to jego siwe włosy. — Poślę chłopca na górę, by u pana w pokoju dołożył do ognia. Zaraz przyniosę z powozu pańskie bagaże.

Podziękowałem mu i ponownie rozejrzałem się po izbie, tymczasem Koch ogrzewał sobie dłonie nad huczącym ogniem. O tak wczesnej porze niewielu tu było jeszcze zwykłych wieczornych gości. Nieopodal kominka grupka klientów zajmowała wysokie drewniane krzesła i patrzyła na mnie i na Kocha z nieskrywaną ciekawością. Po upewnieniu się, że jesteśmy po prostu dwójką podróżnych, szukających schronienia przed śnieżycą, odwrócili się z powrotem do kufli z piwem i fajek i podjęli przerwaną rozmowę. Trzech nosiło mundury marynarki pruskiej, jeden ubrany był w strój rosyjskiego huzara, z krótką zieloną pelerynką i girlandami złotego szamerunku, przymocowanymi niczym żebra szkieletu na przedzie mundurowej kurtki. Mężczyzna siedzący najbliżej kominka miał ciemną cerę, odruchowo muskał potężne, podkręcone wąsy, na małej głowie sterczał mu, nasunięty ukośnie, jaskrawoczerwony fez. Uznałem, że to Marokańczyk lub Turek, najprawdopodobniej oficer floty handlowej. Nowości z Morza Śródziemnego zaczęły pojawiać się w Europie, nawet w Prusach, już od kilku lat. Powszechnie uważano, że gdyby Egipcjanie okazali tyle rozsądku, by egzotyczne sekrety zatrzymać dla siebie, Bonaparte zostawiłby ich w spokoju. Ale cesarz wręcz przepadał za owocami palm daktylowych, więc...

Zanim zdążyłem poczynić następne spostrzeżenia, pojawił się oberżysta z bagażem.

— Pański pokój znajduje się na pierwszym piętrze, drugi po lewej stronie. Może pan się tam udać, kiedy tylko zechce, wasza wielmożność.

Dołączyłem do tkwiącego przed kominkiem Kocha i ogrzałem dłonie.

— Zaiste, miły to widok — przyznałem.

Mruknął coś w odpowiedzi, godząc się z mym zdaniem, ale nie odwrócił wzroku od trzaskających polan; przez jakiś czas staliśmy tak obok siebie w milczeniu, jakby zaczarowani przez pląsające płomienie.

— Została nam godzina do pańskiego spotkania z doktorem Vigilantiusem — przypomniał mi.

— Ach, prawda, księżyc! — zażartowałem. — Mam nadzieję, że dotrzyma mi pan towarzystwa?

Koch spojrzał na mnie z zaskoczoną miną.

— Słucham, panie?

— Masz pan inne plany na dzisiejszą noc?

— Ależ nie, panie sędzio śledczy — pospieszył z pełnym entuzjazmu zapewnieniem. — Otrzymałem rozkaz pozostawać do pańskiej dyspozycji. Nie miałem pewności...

— A więc sprawa postanowiona — oświadczyłem stanowczo.

Sama myśl o konieczności wejścia do ponurej twierdzy na Ostmarktplatz napełniała mnie niechęcią, a co dopiero, gdybym miał uczynić to samotnie. Do tej chwili moje stosunki z sierżantem Kochem nie układały się ani serdecznie, ani łatwo, jednak w Królewcu tylko na jego pomoc mógłbym liczyć.

— Jak miałem okazję dzisiaj stwierdzić, sierżancie Koch, odznacza się pan zarówno skutecznością, jak i dyskrecją — po tych słowach zamilkłem na chwilę. Termin „dyskrecja" był najbardziej oględnym wyrażeniem, jakie zdołałem znaleźć na określenie zachowania, którym niejeden raz dopiekł mi do żywego. — Zastanawiałem się... to znaczy byłbym wdzięczny, gdybym mógł wykorzystać pańską znajomość miasta. Czy zechce mi pan asystować podczas mego tu pobytu?

— Chwilowo nie będę potrzebny prokuratorowi Rhunkenowi — stwierdził Koch, ze wzrokiem skierowanym w stronę ognia. — Nie wiem tylko, czy na coś się panu przydam, wasza wielmożność.

Pod maską surowej obojętności chyba dostrzegłem cień chęci do asystowania mi w moim zadaniu.

— Jestem następcą pana Rhunkena — odrzekłem z uczuciem ulgi, po czym bezceremonialnie zażartowałem: — Najwyraźniej otrzymałem pana w spadku. A teraz, jeśli pan pozwoli, muszę napisać list. Czy może zostać doręczony jeszcze dzisiaj wieczorem?

— Sam go zaniosę, panie — natychmiast zaoferował się Koch.

— Dziękuję, sierżancie. Proszę zamówić dwie szklanice gorącego grogu, dobrze? List nie zajmie mi wiele czasu.

Na piętrze bez trudu odnalazłem swój pokój. Drzwi były uchylone, więc od razu wszedłem do środka. Oberżysta, pan Totz, stał obok chłopca, który klęcząc, poruszał drewnianymi miechami do rozdmuchiwania płomieni. Byli odwróceni plecami do drzwi, więc przez chwilę żaden nie zauważył mojej obecności. Położyłem kapelusz na łóżku, świadom cudownego ciepła i ogólnej schludności pomieszczenia; zauważyłem niski, pochyły sufit z ciemnymi, pokrytymi smołą dębowymi belkami, pobielone ściany i dywan — lekko wytarty na samym tylko środku. Pod oknem ustawiono niewielkie biurko, stojąca na nim lampa olejowa świeciła jasnym blaskiem, a pod przeciwległą ścianą duży kufer i dobrana do niego toaletka stały po dwóch stronach łóżka; otaczające je zasłony wyglądały świeżo i czysto. Duży dzban z błękitnej drezdeńskiej porcelany i miska do mycia dopełniały umeblowania.

Zadowolony z tego, co zobaczyłem, rzuciłem okiem w stronę oberżysty i chłopaka, już otwierałem usta, by dać znać o mej obecności, gdy coś jednak w tym *tableau vivant** powstrzymało mnie. Chłopiec o zaczerwienionych policzkach wciąż klęczał przed kominkiem, wysoki oberżysta pochylał się nad nim, z dłońmi wspartymi na biodrach. Widziałem tylko profil Totza i niewątpliwie groźny wyraz jego twarzy. Przy syku miechów, szmerze płomieni i trzaskaniu drewna niewiele mogłem usłyszeć z tego, o czym rozmawiali. Totz ze złością przemawiał do chłopca, na karku wyraźnie uwypuklały mu się żyły, jakby powstrzymywał się od krzyku.

— Igraj z płomieniami, Moritz, a oparzysz palce! — rzucił szyderczym tonem.

— On to już na pewno wie, jak rozpalić ogień, panie Totz — odezwałem się głośno i zdjąwszy płaszcz podróżny, rzuciłem go na łóżko. Gdy ponownie odwróciłem się w stronę ognia, zdumiała mnie nagła zmiana sceny i emocje zastygłe na ich twarzach. Na pobladłej twarzy chłopca malował się strach; mimo wysiłku, by powitać mnie uśmiechem, przypominał lisa, którego w końcu dopadły psy i zaraz go rozszarpią. Ulrich Totz, tak rozzłoszczony jeszcze przed chwilą, teraz uśmiechał się uniżenie. Lewą ręką przytrzymywał mocno ramię młodego podopiecznego. Krótko mówiąc, oberżysta Totz przypominał wiejskiego żandarma, który właśnie zatrzymał chłopaka za kradzież.

— Oto pański pokój, wasza wielmożność — oświadczył gospodarz, konspiracyjnie puszczając do mnie oko. — Gdybyś, panie, czegoś potrzebował, to żona wróci od siostry jeszcze wieczorem. Ja zazwyczaj kręcę się na dole, w tawernie. Oto Moritz, mój siostrzeniec.

* *tableau vivant* (fr.) — żywy obraz

Palce dłoni na ramieniu służącego błyskawicznie się zacisnęły. Uszczypnął go i słaby uśmiech chłopaka zmienił się w grymas bólu.

— Ten ogień całkowicie mi odpowiada, Moritz — stwierdziłem, starając się nie okazywać zadowolenia, by nie powiększyć jeszcze wrogości gospodarza w stosunku do chłopca. Oberżysta na odchodnym znów uśmiechnął się szeroko, choć miałem wrażenie, że okazywanie dobrego humoru kosztuje go wiele wysiłku; chłopcu poleciłem zostać i rozpakować bagaż. Już samo oddalenie się gospodarza wpłynęło uspokajająco na młodzika. Był to dziarski, drobny chłopaczek o bystrych oczach, krągłych policzkach, o cerze chropowatej i błyszczącej jak złota reneta, i nie mógł mieć więcej niż dwanaście lat. Rzucił się na moją walizę niczym zwinna małpka, wyjmował jej zawartość, rozkładał na łóżku koszule, pończochy i bieliznę, z wielką starannością rozmieszczał obok miednicy moje grzebienie oraz szczotki, otwierał i zamykał szuflady. Zdawało się, że czerpie przyjemność z oceniania kroju, jakości i ciężaru wszystkiego, czego dotykał.

— Wystarczy, Moritz! — powstrzymałem go, gdy wreszcie moja cierpliwość się wyczerpała. — Jeszcze tylko nalej do miski trochę ciepłej wody, dobrze? Muszę się umyć, zanim znów wyjdę. Pewien dżentelmen czeka na mnie na dole.

— Ten policjant, panie? — zapytał pospiesznie Moritz. — Czy oberża znajduje się pod obserwacją?

— Całe miasto jest bacznie strzeżone — odrzekłem wymijająco, uśmiechem kwitując ten porywczy przejaw dziecięcej ciekawości. Potem usiadłem przy stole w pobliżu okna, wyjąłem przybory do pisania i zabrałem się do listu, który musiałem napisać.

Panie Jachmann,

Okoliczności, na które nie miałem wpływu, zmusiły mnie do ponownego przybycia do Królewca. Otrzymałem polecenie od króla w niezwykle ważnej sprawie, którą chciałbym przedstawić Panu osobiście w dogodnym dla Pana terminie. Spieszę powtórzyć moje słowo dżentelmena, że dopóki z Panem nie porozmawiam, postaram się unikać wszelkiego kontaktu z Magisterstrasse. Czekam na odpowiedź. Sługa uniżony,

Hanno Stiffeniis, sędzia

— Może pobiegnę na pocztę, panie?

Odwróciłem się, zaskoczony. Chłopiec zaglądał mi przez ramię. Tak byłem pochłonięty pisaniem, że zapomniałem o jego obecności w pokoju.

— Na pocztę? O tej porze? Nie boisz się wychodzić po zapadnięciu zmroku?

— O nie, panie! — odrzekł żywo. — Zrobię wszystko, o co jego wielmożność poprosi.

— Dzielny z ciebie dzieciak — powiedziałem, wyjmując monetę z kieszeni kamizelki — ale niemądry. Nocą ulicami Królewca krąży morderca. Bezpieczniejszy będziesz, pozostając w domu.

Rzucił ukradkowe spojrzenie w kierunku drzwi, potem niczym sroka złodziejka pochwycił monetę z mojej dłoni.

— Nie byłbym tak tego pewny, panie — szepnął. — W tej tawernie czyha więcej niebezpieczeństwa niż na ulicach. Wodę już panu przygotowałem.

Nie przejąwszy się słowami chłopca — uznałem je za dziecinne fantazje — z uśmiechem zdjąłem żakiet i kamizelkę, podwinąłem rękawy koszuli.

— Nie wierzysz mi, panie? — zapytał, przybliżywszy się o krok.

— Dlaczego miałbym ci n i e wierzyć, Moritz? — odpowiedziałem, niewielką uwagę przywiązując do tej rozmowy, pochłonięty myślami o czekającym mnie wieczorze.

— Dziwne rzeczy dzieją się w tym domu, panie — szepnął jeszcze ciszej niż przedtem. — Dlatego tu jesteś, czyż nie?

— Oczywiście — zażartowałem, opryskując twarz wodą. — Jakie to rzeczy masz na myśli?

— Mężczyzna, którego zamordowano, spędził tu swoją ostatnią noc. Jan Konnen...

Przerwało mu głośne pukanie do drzwi.

Nieproszony, do środka wkroczył pan Totz, gdy akurat wycierałem twarz.

— Jeżeli już nie potrzebuje pan chłopca, wasza wielmożność — oberżysta z trudem powstrzymywał gniew — przyda mi się na dole w kuchni. No już!

Zanim zdążyłem cokolwiek powiedzieć, mały, zręcznie omijając gospodarza, dopadł drzwi.

— Ten chłopak! — Totz przewrócił oczami i potrząsnął głową. — Kłamliwy łobuziak. Byle tylko wymigać się od roboty. Przepraszam uniżenie, wasza wielmożność.

— Mówił mi właśnie, że Jan Konnen przebywał w twojej gospodzie tej nocy, gdy został zamordowany, Totz. Czy to prawda?

Ulrich Totz nie odpowiedział od razu. Po chwili słaby uśmiech pojawił mu się na wargach, a odpowiedź popłynęła niczym ciepłe mleko i ciekły miód.

— To prawda, panie. Policji powiedziałem wszystko, co wiem. Konnen przebywał tu zaledwie chwilę i zaraz odszedł. Nic więcej nie mam do dodania, panie. Czy mogę już odejść? Akurat mamy na dole duży ruch.

Skinąłem głową; wyszedł, cicho zamykając za sobą drzwi. Czyżbym został wciągnięty w jakiś rodzaj dziwacznego labiryntu, a może to jedynie przypadek, że zakwaterowano mnie w gospodzie, gdzie pierwsza ofiara mordercy spędziła swoje ostatnie godziny? Postanowiłem przy najbliższej okazji odszukać zeznanie Ulricha Totza. Wyraźnie istniało więcej dokumentów odnoszących się do tych morderstw, niż Koch udostępnił mi po drodze.

Na dole w tawernie sierżant Koch siedział przed kominkiem, a na stoliku obok stały dwie szklanki ciepłego trunku z cukrem i cytryną. W gospodzie pojawiło się teraz więcej klientów, panowało wyraźne ożywienie — w centrum uwagi znajdowały się dwie kobiety w luźnych czerwonych spódnicach i wielce wydekoltowanych bluzkach — tylko rosyjski oficer w tym swoim ekstrawaganckim mundurze zasnął jak kamień przy stole, z głową wspartą o ścianę; przed nim, z przewróconej szklanki, skapywał na podłogę grog.

— Koch — klepnąłem mego asystenta po ramieniu.

Sierżant zerwał się na równe nogi i wcisnął kapelusz na głowę, zupełnie jakby poczuł się zaskoczony w niekompletnym stroju.

— Pojazd...

— Jan Konnen zginął w pobliżu gospody — przerwałem mu.
— Wiedziałeś o tym?

Koch wahał się z odpowiedzią wystarczająco długo, bym zaczął się zastanawiać, czy znowu czegoś przede mną nie ukrywa.

— Nie miałem najmniejszego pojęcia, panie — odrzekł wreszcie.

— Czyżby? — zdziwiłem się. — To dziwne. Całe miasto musi wiedzieć.

Zanim odpowiedział, zaczerpnął powietrza:

— Jak już mówiłem, wasza wielmożność, szczegóły utrzymywane są w wielkiej tajemnicy. Oczywiście wiedziałem, że człowiek ten został zamordowany gdzieś w pobliżu morza, ale n i e że akurat w tej konkretnej gospodzie.

— P o z a gospodą — poprawiłem go odruchowo. — Pan może tego nie wie, ale ten, kto mnie tu ulokował, z pewnością był poinformowany, sierżancie.

Staliśmy kilka chwil, patrząc na siebie w milczeniu, i chłód nieporozumienia znowu wyraźnie zmrażał nasze relacje. Uniosłem kopertę, którą trzymałem w dłoni.

— Oto wspomniany list. Jest przeznaczony dla pewnego dżentelmena w tym mieście. Nazywa się Reinhold Jachmann. Jeżeli Koch kiedykolwiek słyszał to nazwisko, niczym nie dał po sobie poznać.

— Dostarczę go po naszym pobycie w twierdzy, panie — oznajmił, skłoniwszy głowę. — Zaniosę go po drodze do domu.

Ta wspaniałomyślna propozycja ukazała mi Kocha w nowym świetle. Nagle uświadomiłem sobie, że przez cały dzień nie robiłem nic poza oskarżaniem go o spiskowanie, choć nie potrafiłbym znaleźć żadnego sensownego usprawiedliwienia mych zarzutów. To, co wziąłem za ingerencję i grubymi nićmi szytą manipulację z jego strony, mogło okazać się jedynie przesadną gorliwością w wykonywaniu przykrego obowiązku.

— Wystarczy jutro z samego rana, Koch — powiedziałem nieco łagodniejszym tonem. — Dom pana Jachmanna stoi przy Klopstrasse.

— Czy ma pan jeszcze jakieś życzenie, wasza wielmożność?

— Transport, Koch. Księżyc powinien już znajdować się na właściwym miejscu, nie sądzisz? — dodałem, próbując być jowialny.

Gdy szliśmy do drzwi, na wargach sierżanta pojawił się ledwie dostrzegalny cień uśmiechu.

— Tak, panie. Zapewne.

Na zewnątrz, na nabrzeżu, śnieg pokrywał nierówne kamienie bruku pagórkami zasp, jednak przestał już padać. Natomiast porywy wiatru wzmogły się; chłoszczące, syczące podmuchy huraganu znad morza przyprawiały nas o szczękanie zębów, napełniały nam niepokojem dusze.

— Niech Bóg ma nas w swojej opiece! — zamruczał Koch, idąc za mną do powozu.

Gdy kazał woźnicy ruszać, przypomniałem sobie o gorącym grogu, który zostawiliśmy nietknięty na stole w oberży. Owej nocy mieliśmy obaj żałować tego zaniechania.

a Ostmarktplatz zapanowały ciemności. Nigdzie nie było widać żywego ducha. Nawet budki strażników przed fortecą i gmachem sądu stały puste, gdyż żandarmów na noc wezwano do środka. Migoczące po obu stronach głównego wejścia pochodnie inkrustowały ponurą kamienną fasadę plamami światła, żłobiły w niej głębokie cienie. Gdy z Kochem wysiedliśmy z powozu i podchodziliśmy do bramy, potężna bryła piętrzyła się wysoko nad nami. W bladym świetle księżyca strzeliste szczyty, centralna budowla i wieże strażnicze rzucały złowieszczy cień na połyskujący dywan śniegu.

Sierżant Koch uniósł duży, żelazny pierścień i pozwolił mu opaść na klapę umieszczoną w gigantycznych obronnych drewnianych wrotach. Głośno szczęknął ciężki rygiel, klapka wizjera uniosła się i ujrzeliśmy dwie lustrujące nas źrenice.

— Prokurator Stiffeniis do doktora Vigilantiusa — zaanonsował Koch.

Wizjer zatrzasnął się z metalicznym odgłosem, drzwi stanęły otworem i weszliśmy na małe wewnętrzne podwórko.

— Czekać tutaj — nakazał nam wartownik i na kilka minut zostaliśmy sami na mrozie. Pośrodku podwórka dwaj wysocy żołnierze, w samych tylko koszulach, kopali śnieg łopatami, a obok nich stała długa drewniana skrzynia. „Przy takiej obfitości śniegu w mieście jakiż sens ma przechowywanie go w skrzyni", zastanawiałem się.

— Generał K.! — syknął nagle Koch i odwrócił się ku grupie oficerów w niebieskich płaszczach, wyraźnie zmierzających w naszym kierunku. — Jest komendantem garnizonu — dodał szeptem.

Z pewnym niepokojem czekałem na spotkanie z generałem; nagle znalazłem się przed człowiekiem o mniej niż średnim wzroście, natomiast nadmiernej tuszy. Miał obrzydliwie poczerniałe zęby, imponujące, zwisające znad górnej wargi siwe wąsy, czerwone policzki. Krótkie ramiona skrzyżował na potężnej piersi, zmarszczył już i tak mocno poorane bruzdami czoło, po czym szarpnął tak gwałtownie głową w lewo, że długi siwy harcap zatrzepotał w powietrzu i przylgnął do jego ramienia niczym wąż do gałęzi. Oficerowie wysokiej rangi wciąż gustowali w perukach według mody wprowadzonej przez Fryderyka Wielkiego.

— Stiffeniis? — warknął generał, wyciągając do mnie pulchną dłoń. Tu najwyraźniej byłem o c z e k i w a n y.

— Nie będę marnował czasu, powiem tylko, że cieszę się z pańskiego przybycia — zaczął, potężną dłonią gładząc rękojeść szabli. — Jak panu wiadomo, w mieście panuje niepokój. Te morderstwa! Król życzy sobie niezwłocznego wyjaśnienia sprawy. Ja nie mam wątpliwości, co tu się dzieje. — Pochylał się ku mnie zbyt blisko, czułem bijący od niego obrzydliwy zapach czosnku i innych, trudnych do określenia, na wpół przetrawionych produktów. — Jakobini! — zawołał. — Oto moja odpowiedź.

— Szpiedzy, wasza wielmożność? — zdziwiłem się.

Generał K. położył mi dłoń na ramieniu.

— No właśnie! Chcę wiedzieć, gdzie się ukrywają! — powiedział wyraźnie poruszony, a biały warkoczyk gwałtownie się zakołysał. Bardziej przypominał wodza barbarzyńców niż pruskiego generała. — Nie można wierzyć żadnemu Francuzowi! To chytre diabły dowodzone przez samego Lucyfera! Napoleon oddałby lewe ramię i nogę, by zawładnąć Królewcem. Rozmieściłem moje siły w mieście, w strategicznych miejscach. Uderzą bezlitośnie. Słowo ode mnie, słowo od ciebie, panie. Tylko tyle trzeba.

Położył prawą dłoń ma mym lewym ramieniu, spojrzał mi prosto w oczy i zacisnął palce.

— Jeżeli natkniesz się na cokolwiek, co w y g l ą d a na francuskie, c u c h n i e z francuska, chcę o tym wiedzieć. Rhunken podejrzewał spisek cudzoziemców przeciwko naszemu krajowi, ale brakowało mu dowodów. Co oczywiście związało mi ręce. Jeżeli zdołasz znaleźć coś wystarczająco udokumentowanego, przekonam króla, by przejął inicjatywę. Uprzedzimy ich, uderzymy pierwsi. Wszystko może zależeć od ciebie. Jakieś pytania?

Pierwsze, które przyszło mi na myśl, wystarczyłoby do wywołania lawiny. C o j a t u w o g ó l e r o b i ę? Ale nie zadałem go. Zresztą generał K. nawet nie czekał.

— Nie ma? Wyśmienicie! A teraz, jak wiem, oczekują cię, panie.

Generał i jego świta odmaszerowali na lewo, a z prawej strony wyłonił się przed nami kapral i zasalutował.

— Proszę za mną, panowie — z tymi słowami obrócił się na pięcie i ruszył przodem.

Co było motywem tych morderstw, czy należało szukać spisku jakobinów dążących do zburzenia spokoju Królewca i Prus? Szedłem za kapralem oszołomiony. Nasze kroki odbijały się echem w ciemnym przejściu, potem w pustym holu, wreszcie przeszliśmy pod niskim łukiem wejścia wiodącego do całego labiryntu ponurych korytarzy, aż dotarliśmy przed wąskie drzwi wycięte w wilgotnym, szarym murze.

— Tędy — powiedział kapral, wyjmując zapaloną pochodnię z uchwytu na ścianie, i lekko zbiegł spiralą schodów zmierzających do samych podziemi. Obrzydliwie zionęło tu pleśnią. Światło pochodni naszego przewodnika ledwo rozjaśniało czarne jak smoła ciemności.

— Czyżby biura nie znajdowały się na górze? — zapytałem Kocha.

— Ależ tak, w istocie.

— Dlaczego więc schodzimy do podziemi?

— Nie mam pojęcia, panie.

Zupełnie jakbyśmy zanurzali się w głąb krypty.

— Dziwne miejsce na spotkanie — zauważyłem, coraz bardziej zaniepokojony. — Dokąd nas prowadzicie, kapralu?

Żołnierz zatrzymał się, spojrzał na Kocha, potem na mnie; jego pospolitą twarz, ocienioną zniszczonym trójkątnym kapeluszem, obramowywała postrzępiona peruka, która co najmniej z miesiąc nie widziała pudru.

— Na spotkanie z doktorem, panie — odrzekł szorstko.

I w tym momencie na schodach nad nami rozległo się ciężkie stąpanie i łomot podkutych butów. Nasz przewodnik uniósł wysoko pochodnię, oświetlając postacie dwóch żołnierzy, tych samych, których zauważyłem zajętych kopaniem śniegu na dziedzińcu. Zbiegali teraz po schodach, znosząc dużą skrzynię. Zdawało się, że jej ciężar ciągnie ich w dół szybciej, niżby sobie życzyli, i musieliśmy ciasno przylgnąć do ściany, by uniknąć przygniecenia.

— Czy on już jest? — zawołał za nimi nasz przewodnik.

Gdy żołnierze przechodzili obok nas, dostrzegłem, jacy są wysocy. Fryderyk Wielki wprowadził tę modę, odwiedzał każdy kąt na kontynencie w poszukiwaniu nowych „eksponatów" do swej kolekcji żołnierzy olbrzymów. Obecnie także tłumnie przybywali do Prus. Tych dwóch stanowiło wspaniałe okazy. I mimo to uginali się pod ciężarem.

— Nie wiem! — zawołał przez ramię idący przodem. — Ruszaj się, Walter!

— Czy ci dwaj odbywają jakąś karę? — zapytałem kaprala, gdy żołnierzy pochłonęła ciemność.

— Po prostu wykonują rozkazy, panie — odrzekł i pospieszył za podwładnymi.

Gdy znaleźliśmy się na samym dole, klatkę schodową rozjaśnił blask z prostokątnego okienka umieszczonego nad naszymi głowami. Kapral spojrzał w górę z wyrazem konsternacji i lęku na twarzy.

— A niech mnie szlag! — zaklął. — W samą porę!

— O czym mówicie, żołnierzu? — zdziwiłem się.

Spojrzał na mnie, wyraźnie spięty.

— Doktor wielką wagę przywiązuje do szczegółów — mruknął. — Powiedział, że księżyc wychyli się spoza chmur, i oto jest! — Lęk malujący się na jego twarzy był dziecinnie komiczny. — Lepiej nie pozwólmy mu czekać, panie — z tymi słowami szybko ruszył dalej, w kierunku drzwi na drugim końcu korytarza, które prowadziły do obszernego, pustego pomieszczenia magazynu. Panował tam wręcz niemożliwy do zniesienia ziąb. Dwaj żołnierze ciężko pracowali, łopatami wyjmując śnieg ze skrzyni na czarną brezentową płachtę.

— Cóż, Koch... — gdy otworzyłem usta, unosząca się z nich para przypominała kształtem obłok ektoplazmy.

— Pojawiłeś się w samą porę, panie — rozległ się za moimi plecami wyniosły głos.

Odwróciłem się i zaskoczony, szeroko rozwarłem usta. Wydało mi się, że słowami tymi powitał mnie jeden z pokrytych patyną lat portretów moich przodków ze ścian wiejskiego domu mego ojca. Zwłaszcza zrobiła na mnie wrażenie jego peruka. Siwe loki kaskadą opadały z czubka głowy, tworząc dwie fale po obu stronach długiej, wychudłej twarzy. Duże, śnieżnobiałe dłonie przytrzymywały jak najciaśniej przy ciele obszerną pelerynę z lśniącego czarnego weluru.

— Nazywam się Vigilantius — stwierdził nad wyraz sztywno. — Doktor Vigilantius.

Nie wyciągnął do mnie ręki, nie wykonał żadnego powitalnego gestu, tylko przemknął obok, a jego czarna peleryna falowała i marszczyła się, gdy podchodził do czekających żołnierzy. Do niższego z dwóch gigantów brakowało mu wzrostu najwyżej na dłoń.

— Mam nadzieję, że dokładnie przestrzegaliście moich instrukcji.

Nie zabrzmiało to jak pytanie, ale jeden z żołnierzy wystąpił krok do przodu. Otarł rękawem czoło i powiedział:

— Wszystko jak rozkazałeś, panie.

— W takim razie zaczynajmy — zadecydował doktor, zwracając się do żołnierzy, którzy pocili się mimo panującego chłodu.

— Zaczynajmy c o? — zapytałem donośnym głosem, wysuwając się do przodu, by Koch i żołnierze nie mieli wątpliwości, kto tu rządzi.

Vigilantius uniósł krzaczaste brwi i spojrzał na mnie wyzywająco, jednak nie odpowiedział na moje pytanie.

— Co my robimy w tych lochach? — nie ustępowałem.

— Jestem tu, by wejść do Krainy Duchów — odrzekł po prostu, jak gdyby takowe miejsce rzeczywiście istniało i każdy o wystarczająco bystrym wzroku mógł odnaleźć je na mapach świata. Zanim zdążyłem cokolwiek powiedzieć, zwrócił się do Kocha z taką miną, jakby chciał go pożreć.

— Kim t y jesteś, panie? — jego głos przypominał dźwięk wydawany przez jaszczurkę połykającą muchy.

— Sierżant Koch jest moim asystentem — odparowałem równie ostro.

Doktor skrzywił się, ale nie zaprotestował.

— A więc zostanie. Ci dwaj potrzebni są do pierwszej części operacji. Kapralu — palcem wskazującym wycelował w stronę podoficera — już was nie ma!

Nasz przewodnik wybiegł z pomieszczenia, nawet się nie obejrzawszy.

— Dawać tu naszego gościa! — rozkazał Vigilantius.

Odruchowo cofnąłem się, sądząc, że to mnie zamierzali podprowadzić siłą. Z drugiej strony pomieszczenia, przy akompaniamencie dźwięku przypominającego odgłos rogu myśliwskiego w rękach nowicjusza, dwaj pomocnicy zaczęli przeciągać pokryty śniegiem brezent do miejsca, w którym staliśmy.

Zalała mnie fala gniewu. Czyżby próbował zrobić ze mnie głupca? Czy mój autorytet nie miał żadnego znaczenia dla tego wulgarnego komedianta? Król wyznaczył mnie do zajęcia się śledztwem. Cokolwiek miało się dziać, ja o tym zadecyduję.

— Ani kroku dalej! — krzyknąłem i ruszyłem w stronę żołnierzy.

— Czyż nie jesteś... c i e k a w, co kryje się pod śniegiem, panie prokuratorze? — zapytał Vigilantius z afektowanym uśmiechem.

— Nie zyska pan większej pomocy w Królewcu, mogę zapewnić.

— Co tu ukrywacie? — zażądałem wyjaśnienia.

— Oczyścić! — nakazał swym pomocnikom, nie odpowiedziawszy na moje pytanie.

Żołnierze gołymi rękami zrzucali z brezentu śnieg, a ja stałem, trzęsąc się z wściekłości. Czy dlatego zlecono mi tak trudne zadanie? By kierować mną, manipulować, straszyć mnie? Czy nie miałem żadnej władzy wykonawczej?

— Połóżcie go na stole — polecił Vigilantius, a żołnierze odsłonili to, co zostało określone tak niejasno. — A teraz precz!

Żołnierze z ochotą wykonali polecenie, zostawiając nas z Vigilantiusem samych.

Podszedłem bliżej i spojrzałem na zwłoki.

— Kim on był? — zapytałem.

— B y ł? — znów wyraźne wyzwanie w tym skrzekliwym głosie. — To j e s t Jeronimus Tifferch, trzecia ofiara terroryzującego Królewiec mordercy.

Widziałem zwłoki we Francji. Wiedziałem, czego może dokonać tnące ostrze świeżo naoliwionej gilotyny. Ale tamte doświadczenia nie przygotowały mnie na widok prawnika Tiffercha. Leżał na plecach, w całkowicie nienaturalnej pozycji. Wyprężony do góry tułów i zgięte kolana tworzyły nad stołem wysoki, strzelisty łuk, ramiona zwisały w dół. Wyglądał tak, jakby życie zostało z niego wydarte. Szklista cera miała nienaturalny, żółtawy odcień zmumifikowanych włoskich świętych. Policzki były zapadnięte, usta otwarte szeroko. Na twarzy wyraz całkowitego zaskoczenia. Włosy zamarznięte, sztywne i tak zbielałe, że wziąłem je za sople lodu. Długi, prosty nos prowadził do cienkich, podkręconych czarnych wąsów, o które Tifferch najwyraźniej wyjątkowo dbał. Miał na sobie eleganckie ubranie koloru oliwkowego, ze złotą lamówką przy kołnierzu, u dołu żakietu i wokół dziurek od guzików. Pończochy koloru biszkopta zwisały luźno ze szczupłych, stężałych pod wpływem zimna łydek. Oba kolana lepiły się od błota. Nie widać było żadnych śladów wskazujących na przyczynę zgonu. Nic, co mogłoby wyjaśnić, z jakich powodów prawnika Tiffercha spotkał taki koniec.

— Jak on umarł? — zapytałem, bardziej siebie niż któregoś z obecnych.

— Wnet się dowiemy — odrzekł chmurnie Vigilantius, zabierając się do roboty.

Gesty nekromanty kojarzyły mi się z jakimś rzymskokatolickim ceremoniałem. Kilka lat wcześniej w Rzymie uczestniczyłem we mszy i zafascynowały mnie pogańskie rytuały odprawiane przez tamtejszych księży. Położywszy dłonie po obu stronach twarzy zmarłego, doktor zamknął oczy, przybliżył czoło do czoła trupa i dotknął go, niczym ksiądz święcący chleb i wino podczas ofiarowania. Pozostał tak przez pewien czas, tak samo milczący i nieruchomy jak martwy mężczyzna. Nagle zaczął głośno pociągać nosem, węszyć przy nozdrzach i ustach trupa. Z czoła spływały mu strugi potu. Trząsł się gwałtownie, wszystkie członki mu drżały; zdawało się, że jest we władzy jakiejś potężnej, niemożliwej do opanowania energii.

— Jeronimusie Tifferch — zaintonował głośno. — Jeronimusie Tifferch. Wracaj z krainy cienia. Ja, Augustus Vigilantius, nakazuję ci...

Donośne warczenie rozległo się pod kamiennym sklepieniem, przez chwilę odbijało się echem od ścian pomieszczenia, wreszcie stopniowo zmieniając się w przewlekłe, rozpaczliwe jęki, ucichło.

— Ktoś się tu schował — powiedziałem na stronie do Kocha.

Zareagował, świdrując mnie wzrokiem. Miał zaciśnięte zęby, oczy płonęły mu w świetle pochodni.

— Nikogo tu nie ma, panie — zapewnił. — Tylko doktor, my i ciało.

Vigilantius gwałtownie zakołysał się do tyłu na obcasach.

— Zostaw mnie. Pozwól mi odpocząć w ciemnościach — syknął. Z jego olbrzymich, skrzywionych, bezkształtnych ust wydobywał się dziwnie ostry, przenikliwy głos. Dźwięczał w nim bezbrzeżny smutek; nigdy bym nie sądził, że Vigilantius był zdolny do wywołania podobnej emocji. Teraz oddychał z trudem, coraz ciężej, a — mój Boże, gdybym mógł temu zaprzeczyć! — jego obszerna peleryna zaczęła unosić się niczym groźna czarna chmura, omal nie pochłaniając go całego. Wszystko wydarzyło się tak szybko. Zupełnie jakbyśmy znaleźli się w samym środku rwącego prądu lub ryczącej burzy.

— Zabierz energię ode mnie! — wrzasnął Vigilantius, jakby niewidzialna ręka wyrywała mu serce z ciała. — Kim jesteś?

— Już nie istnieję — odpowiedział głos przerażającym wyciem i poczułem, że Koch przytrzymuje mnie za rękaw dla dodania sobie otuchy. Przez jakiś czas panowała cisza, potem znów wiatr rozhulał się jękami i wyciem. — Mnie... już... nie ma...

— Kto zabrał cię w ciemności? — zapytał Vigilantius z całkowitym spokojem, jakby było to najbardziej naturalne pytanie na świecie.

— Zbrodnia... zbrodnia... zbrodnia... — Wiatr zawył wściekle ze dwanaście razy, jakby ktoś bez końca uderzał młotem. Dźwięki odbijały się echem i pulsowały w moim mózgu. W migoczącym świetle zdawało mi się, że widzę, jak sztywne, zamarznięte wargi trupa rozchylają się i zaciskają wraz z wypowiadanymi słowami. Vigilantius drżał od stóp do głów. Zniekształcone słowa i urwane zdania wypadały mu z ust niezrozumiałą lawiną.

I nagle — ostry krzyk bólu.

— Kto to uczynił, Duchu? — natychmiast zaatakował Vigilantius. — Kto cię zamordował?

Usłyszałem pohukiwanie sowy, gruchanie gołębi, miauczenie kota, szalony bełkot, jakby słowa piosenki, wreszcie znów powrócił wiatr.

— Język płomienia. Ogień u podstawy mej cza... — słowa rozmazały się nagle, potem znów stały się wyraźniejsze, wymawiane z gwałtownym, donośnym nosowym sykiem. Czy taki właśnie miał głos prawnik Tifferch? — Ciemno... ciemno... jakiś głos...

— Jaki głos?! — Vigilantius próbował przekrzyczeć tę kakofonię oderwanych dźwięków, przypominających zniekształcony ton katarynki, gdy korbką obrócimy w niewłaściwym kierunku.

— Kto do ciebie przemówił? Opisz go, rozkazuję ci!

Ujrzałem, lub tylko tak mi się wydawało, że usta zmarłego poruszają się w odpowiedzi.

— Głos szatana... to twarz... już nie ma... — powiedział trup i nastała cisza, jakby opadła grobowa płyta.

Czas się zatrzymał, ale w mózgu wirowały mi niezliczone pytania. Przedstawienie niewątpliwie było imponujące, moje serce wciąż przypominało miechy. Starałem się złapać więcej powietrza i musiałem oczyścić gardło, by się nie zadławić. W tym momencie zdałem sobie sprawę, że Vigilantius mnie obserwuje. Prawdziwy Vigilantius, jeżeli coś można by nazwać rzeczywistym w tym ciemnym miejscu. Nagle skrzywił usta, w jego czarnych oczach pojawił się błysk i nekromanta złowieszczo uśmiechnął się od ucha do ucha.

— Słyszałeś pan, czyż nie? — zapytał. — Ludzkie ciało jest zbiornikiem witalnych sensacji. Mój mistrz, Emanuel Swedenborg, dawno temu nauczył mnie je uwalniać. Otwórz swój niewidzący umysł na tajemnicę, panie prokuratorze. Bardziej uczeni od ciebie nauczyli się widzieć bez użycia oczu.

Zrobił krok w moją stronę, zasłaniając mi widok na ciało. Miał absurdalne, niepodważalne przekonanie o własnych możliwościach. Cała jego osoba emanowała arogancją, pot spływał mu z czoła, drążąc strużkami twarz i szyję.

— Wykorzystaj jak najlepiej to, czego miałeś zaszczyt być świadkiem — powiedział, czekając na moją reakcję, i uśmiech powoli zniknął mu z warg.

Zrobiłem krok do przodu.

— Jestem pod wrażeniem, panie — oświadczyłem, świadom, jak mocno przyspieszył mi puls. — Minął się pan z powołaniem. Powinien był pan zostać aktorem. Tylko co zostaje z przedstawienia po opadnięciu kurtyny?

Przez chwilę patrzyłem mu w oczy, ale nie odpowiedział.

— Nie przekazał mi pan nic pożytecznego — ciągnąłem, coraz bardziej rozgniewany. — Jak ten człowiek zmarł? Jakim narzędziem został zabity? I dlaczego nie mógł opisać twarzy zabójcy? Jest pan brzuchomówcą, panie, sztukmistrzem. Nie usłyszałem ani słowa prawdy z ust zmarłego. Ani z twoich. Marnujesz pan mój czas, przeszkadzasz mi w śledztwie. Król otrzyma raport o tym, co tu się dzieje.

Czarne jak węgiel oczy nekromanty patrzyły na mnie wyzywająco, a denerwujący, wyrażający zadowolenie z siebie uśmiech raz jeszcze wykrzywił cienkie wargi.

— Co ma do tego król, panie Stiffeniis?

— Z pewnością pamięta pan o jego istnieniu? — odrzekłem z sarkazmem. — Nasz monarcha, Fryderyk Wilhelm III. Osoba, która przekazała tę sprawę w moje ręce. Mam tu nominację, w mojej...

— Mylisz się pan wielce — przerwał mi Vigilantius, machając w powietrzu dłonią, jakby odganiał natrętną muchę. — Król Fryderyk Wilhelm nie wie nic o panu ani o mnie. Pewna wysoko postawiona osobistość, zaufany człowiek Jego Królewskiej Mości, obiecała mu rozwiązanie tej zagadki. Z twoją pomocą i z moją. Pański list nominacyjny nie jest wart papieru, na którym został spisany. Założyłbym się, że podpisał go i opieczętował jakiś bezimienny sekretarz w Berlinie. To tylko pretekst do ściągnięcia pana tutaj.

Dłonie zaczęły mi drżeć z wściekłości, więc wcisnąłem je głęboko pod pelerynę i próbowałem mówić spokojnie i ostro:

— Wysoko postawiona osobistość? Zaufany króla? I ten wielki człowiek obiecał królowi wyjaśnić morderstwa za pomocą zręcznych dłoni prestidigitatora? Imponujące! Z wielką ochotą poznam tego mistrza krętactwa. Miasto Królewiec nie mogłoby się znaleźć w lepszych rękach.

Vigilantius przez chwilę patrzył na mnie bez słowa, kpiący uśmiech ustąpił miejsca zawziętemu, gniewnemu spojrzeniu.

— Obrażasz wielkiego człowieka, panie prokuratorze. Mam nadzieję, że będę obecny przy waszym spotkaniu.

— W tym świecie czy na tamtym? — mruknąłem pod nosem, wpatrzony w zwłoki; potem zwróciłem się do Kocha: — Pomóż mi. Chcę zbadać pustą skorupę tego człowieka, gdy już d u c h się oddalił.

Pochyliliśmy się nad Jeronimusem Tifferchem. Na jego odzieży nie dostrzegłem ani kropli krwi, na skórze żadnego zadrapania ani śladu ciosu czy duszenia. Wystający spomiędzy pożółkłych zębów koniec języka był jasnoróżowy, a nie czarny lub napuchnięty. Położyłem obie dłonie na piersiach zmarłego, ucisnąłem żebra. Wszystko w porządku. Rozpiąłem koszulę i nie znalazłem śladu noża ani jakiegokolwiek ataku. Co to za zbrodnia? Które drzwi otworzył rabuś Śmierć, by wejść do ciała prawnika Tiffercha?

— Pomóż mi go odwrócić, Koch.

Zmusiłem się do ponownego dotknięcia sztywnego, chłodnego trupa i razem ułożyliśmy zmarłego na lewym boku. Ubranie zatrzeszczało, gdy go przesuwaliśmy, skóra w dotyku była twarda jak kamień. W dawnych czasach medycy musieli czuć się podobnie, gdy praktykowali zabronioną sztukę anatomicznej sekcji. Miejsce było odpowiednie — tajemne pomieszczenie w cuchnących trzewiach ziemi. Na zewnątrz noc. W środku także noc, ale o wiele ciemniejsza. Czy to, czym się zajmowaliśmy, byłoby do pomyślenia w surowym świetle dnia? Nasze czynności miały w sobie coś z profanacji.

— Ma pan nóż, Koch?

— Co pan zamierza?! — zaprotestował Vigilantius.

Zignorowałem go, wziąłem scyzoryk z dłoni Kocha i przeciąłem żakiet zmarłego, od kołnierza do samego dołu. Oddarłem sztywną materię i powtórzyłem to samo z lnianą koszulą. Obaj patrzyliśmy zdumieni na widok, jaki się przed nami odsłonił.

— Dobry Boże! — wyrwał się Kochowi głośny szept.

Ponownie założyłem rękawice, by uniknąć infekcji. Górną część pleców zmarłego pokrywały stare blizny, a także świeże razy. Gdyby Tifferch był dywanem, można by pomyśleć, że wytrzepano go i wyszczotkowano żelaznym zgrzebłem. Powoli, ostrożnie, czubkiem palca odsunąłem skorupę zeschłej krwi, by odsłonić pod spodem zamarznięte ciało.

— Wysmagany — szepnął Koch.

— Co do tego nie ma wątpliwości — potwierdziłem, przesuwając wzrokiem po wygarbowanej skórze, jakby była pergaminem zapisanym w tajemniczym języku, który jeszcze musiałem odczytać.

— Czy t o mogło być przyczyną śmierci, panie? — zapytał Koch, niepewnie wskazując na umęczone ciało tego człowieka.

— Przecież powiedział wam sam! — wybuchnął doktor Vigilantius. — Mówił o płomieniach. O ogniu w swym mózgu. Od t e g o powinniście zacząć.

— Ja zadecyduję, od czego zacząć! — warknąłem w odpowiedzi.

— Te rany n i e są przyczyną, panie Stiffeniis — upierał się nekromanta. — Pańska iście ośla niewiara to zatruty owoc dogmatyzmu. Logika jest zaledwie jednym ze sposobów zrozumienia. Nie rozumie pan? Ze sto dróg prowadzi do Prawdy.

— Tego człowieka bito — odrzekłem z naciskiem. — Wiem, że nie zmarł od chłosty, ale może mieć ona związek z morderstwem. Nie wolno mi tej sprawy zignorować! Od tego należy rozpocząć śledztwo.

Augustus Vigilantius uśmiechnął się szeroko. Najwyraźniej fakty nie psuły mu humoru.

— Tifferch osobiście opowiedział nam coś innego. Nie postąpi pan rozważnie, lekceważąc jego słowa.

— Jeżeli to b y ł y jego własne słowa — odparowałem.

— Moje informacje nie pochodzą z fizycznego badania ciała — odrzekł sztywno. — Ja zajmuję się energią życia, uwięzioną wewnątrz delikatnej ludzkiej powłoki. Sam jestem zaledwie rezonatorem, akustyczną płytą.

— Hokus-pokus — rzuciłem szyderczo. — Jestem zdumiony, że nie wyciągnąłeś królika z kapelusza zmarłego, panie!

Strzała trafiła do celu.

— Gdy księżyc zajmuje swą najwyższą pozycję na niebie — nekromanta nie rezygnował — ludzki duch osiąga największą moc. Wtedy można się z nim skomunikować — potrafi to uczynić uczony, ekspert w dziedzinie astrologii. To ciało zostało zachowane w tym właśnie celu. Ale najważniejszy moment minął i już nie wróci. Pan pozwala się omamić zewnętrznymi oznakami, panie Stiffeniis.

— Proszę mi pomóc odwrócić go z powrotem, sierżancie Koch — celowo zignorowałem szarlatana.

— Powinien pan być mi wdzięczny, panie prokuratorze — natarczywie domagał się zza pleców Vigilantius. — Niech pan nie lekceważy pomocy, jaką oferuję.

Nie odpowiedziałem, ale w ciszy, która zapadła, usłyszałem ten sam obrzydliwy dźwięk, który jeszcze przed chwilą przyprawił mnie o dreszcze. Odwróciwszy się, napotkałem drwiący wzrok nekromanty. Jego rozedrgane nozdrza wydymały się i zaraz ściągały, wdychając powietrze z wielką zachłannością. Głowę trzymał tuż obok mojej i obwąchiwał mnie.

— Czyżbyś był psem, panie? — burknąłem i cofnąłem się.

— Ta sztuczka może działać w przypadku zmarłych. Ja wciąż jestem żywy.

Odsunął się ode mnie, ale nic nie mogło zetrzeć złośliwego uśmieszku z jego twarzy.

— Tylko pozornie, panie Stiffeniis. Wyczuwam w tobie śmierć, którą wszędzie za sobą wleczesz. — Dotknął palcem nosa. — Czuć ją. Ciemne, stojące bajoro, a w nim rozkładająca się padlina. To ścierwo zatruwa ci umysł i życie. Czy mylę się, panie prokuratorze? Co osacza cię w koszmarach? Jakie tajemnice kryją te mętne wody? Żyjesz w strachu przed tym, co może w każdej chwili ukazać się na powierzchni?

Jego słowa rozbrzmiewały pod sklepieniem krypty i odbijały się echem.

— Dziękuję ci za twe nieocenione uwagi — mruknąłem. — Już nie mamy tu nic do roboty, Koch.

Zaskoczony Vigilantius uniósł brwi.

— Pozostało coś, co chciałbym ci, panie, pokazać. Coś jeszcze ważniejszego można wyciągnąć z tego trupa.

— Mam już dość zwłok i ich strażników — odrzekłem ostrym tonem.

— Ależ, panie! — zaprotestował i dosłyszałem w tym proteście jakiś fałszywy akcent, ostro kontrastujący z uniżonością jego następnych słów. — Istnieje jeszcze inny aspekt mojej s z t u k i, który mógłbyś uznać za użyteczny dla siebie, panie.

— Twoje umiejętności nie interesują mnie — rzuciłem z pogardą.

— Jak sobie pan życzy, panie prokuratorze — powiedział i skłonił się z przesadną kurtuazją. — Nie mogę zatrzymać cię wbrew twej woli.

Pospiesznie wyszedłem z pomieszczenia, sierżant Koch tuż za mną, i odtworzyliśmy drogę powrotną przez ciemne i zakurzone korytarze, którymi przyszliśmy. Schodami wydostaliśmy się na powierzchnię, nie zamieniając po drodze słowa; nasze dobrane rytmem kroki rozbrzmiewały echem w wąskich korytarzach i na kamieniach ciasnych, przyprawiających o klaustrofobię podwórek.

— Co za impertynencja! Jak mógł się tak do pana odezwać, wasza wielmożność! — rzucił wyraźnie przejęty Koch, gdy wyszliśmy na środkowy dziedziniec. — Jak pan sądzi, co on knuje?

— Bez trudu można się domyślić — odrzekłem lekceważąco. Nie miałem ochoty wyobrażać sobie, co Vigilantius może robić tam na dole z martwym ciałem. Ostry wiatr przegnał chmury, a gdy uniosłem wzrok i ujrzałem gwiazdy, lśniące na ciemnym niebie niczym drogocenne drobiny cukru niechcący rozsypane na stole, odetchnąłem, głęboko nabierając w płuca świeżego powietrza. — Czy wiedziałeś coś o tym, Koch, by ktoś jeszcze, poza prokuratorem Rhunkenem, był zaangażowany w śledztwo?

Sierżant nie odpowiedział od razu.

— Nie, panie — przyznał w końcu. — Nie miałem najmniejszego pojęcia. Ale czy dziwiłoby pana, gdyby ojcowie miasta zwracali się do każdego, kogo uznaliby za zdolnego do udzielenia im pomocy w kłopocie?

Jedną z niewątpliwie dobrych cech Kocha był jego zdrowy rozsądek. Znalazłszy w nim nieco otuchy, nie powstrzymałem się od uśmiechu.

— Powóz czeka — przypomniał.

— Niech jeszcze poczeka — oświadczyłem. — Zabierz mnie do biura pana Rhunkena. Dość czasu zmarnowaliśmy dziś wieczorem. Trzeba poważnie rozpocząć śledztwo. Obwąchiwanie zmarłego donikąd nas nie zaprowadzi.

J eżeli piwnice twierdzy przypominały mi niemile o dolnych poziomach Hadesu, górne piętra stanowiły istny labirynt, jak ten na Krecie. Od głównego korytarza w lewo i w prawo prowadziły słabo oświetlone i niczym nie różniące się od siebie pasaże.

— Budowlę tę w trzynastym wieku wznieśli rycerze zakonu krzyżackiego i służyła im podczas walk z poganami — objaśniał sierżant Koch z wyraźną dumą, gdy podążaliśmy krużgankami labiryntu. — Oczywiście wielokrotnie ją przebudowywano. Stała się twierdzą nie do zdobycia. Sam Bonaparte nie poważyłby się na próbę opanowania jej szturmem.

— Ilu żołnierzy liczy stacjonujący tu garnizon? — zaciekawiłem się.

— Zazwyczaj trzy tysiące — zapewnił mnie sierżant, a przecież tej nocy nie spotkaliśmy ani jednego.

— No więc gdzie oni się wszyscy podziali?

— Generał K. wysłał oddziały na manewry.

W tym momencie przed nami ukazał się drewniany pomost, przerzucony nad żelazną, wpuszczoną w posadzkę kratą. Gdy, stukając butami, przechodziliśmy po tym prowizorycznym moście, pod naszymi stopami rozbrzmiewały rzucane ochrypłymi głosami przekleństwa i błagalne okrzyki proszących o pożywienie i wodę. Wokół nas unosiła się chmura lepkich oparów potu i zdławionych oddechów, niczym para z sagana na kuchennej płycie. Zupełnie jakby dookoła rozpościerało się bagno. Powietrze cuchnęło, panujący tu hałas przypominał diabelskie zawodzenie — przerażająca wizja Piekła Dantego stanęła mi przed oczami. „Czyżby ten poeta z Italii — przemknęła mi przez głowę myśl — w poszukiwaniu natchnienia odwiedzał więzienia w rodzinnej Florencji?"

— Co tam się na dole dzieje, sierżancie?

— Więźniowie czekają na transport.

Przystanął i skłonił ucho ku kracie, gdy nad ogólny zgiełk wzniósł się czysty kobiecy głos, zawodząc smutną piosenkę. Znałem tę balladę bardzo dobrze. Mój dziadek nieraz ją nucił. Nauczył się jej, jak mówił, podczas wojny siedmioletniej, była jedyną, jaką kiedykolwiek śpiewał. Gdy już stracił głos, wygwizdywał melodię. W kobiecym głosie pobrzmiewała tęskna, nostalgiczna nuta, dodająca nowych, tragicznych wymiarów żołnierskiej opowieści: „Nakarmi mnie śnieg, śnieg ukoi me pragnienie, śnieg ogrzeje me martwe kości".

— Mezzosopran — stwierdził z uśmiechem Koch i potrząsnął głową.

Poszliśmy dalej i wkrótce, po pokonaniu niewysokich schodów prowadzących na piętro, stanęliśmy przed ciężkimi drewnianymi drzwiami, niczym nie różniącymi się od chyba setki innych, które minęliśmy po drodze.

— Jesteśmy na miejscu, panie — oświadczył Koch. — Oto biuro pana Rhunkena.

Byłem zbyt zdumiony, by cokolwiek powiedzieć. Na drzwiach nie dostrzegłem tabliczki z nazwiskiem, żadnego znaku władzy, jaką zapewne pan prokurator musiał dysponować; na zewnątrz pomieszczenia nic nie wskazywało na osobę właściciela wprawnych rąk, którym powierzono spokój i bezpieczeństwo miasta.

— Tak blisko tego plugastwa tam na dole?

— Prokurator Rhunken miał w swej gestii sektor D, panie. Jeśli wolałbyś przebywać gdzie indziej...

— Nawet nie przyszłoby mi to do głowy — pospieszyłem z odpowiedzią. — Jeżeli to pomieszczenie było dość dobre dla niego, ja też się nim zadowolę.

— W klatkach na dole trzymani są przestępcy przeznaczeni do deportacji na Syberię. Pan Rhunken był w trakcie przygotowywania listy. Na pokładzie statku zostały wolne miejsca. Gdy tylko lody zaczną pękać...

Przez ostatnie trzy, cztery lata prowadzono nad tą kwestią burzliwe debaty. Król Fryderyk Wilhelm III postanowił raz na zawsze oczyścić naród z recydywistów, na resztę życia wysyłając ich do jakiejś odległej kolonii karnej, pod groźbą śmierci, gdyby kiedykolwiek ważyli się na powrót. Oferty przedstawiane przez Jego Wysokość przeróżnym zagranicznym mocarstwom, łącznie z Stanami Zjednoczonymi i Wielką Brytanią, dysponującym koloniami lub nie zaludnionymi terytoriami, zostały odrzucone, ale w końcu rosyjski car zadeklarował chęć zabrania naszych przestępców, oczywiście za sowitą zapłatą. Ta decyzja nadal wywoływała wśród liberalnych myślicieli wiele kontrowersji. Kryminaliści w Prusach ani gdziekolwiek indziej nie wzbudzają zbytniego współczucia, ale pomysł sprzedania ich w rosyjskie niewolnictwo napotkał wiele sprzeciwów w oświeconych kręgach. Określenie „szlachetny dzikus" nadal cieszyło się popularnością, a rząd francuski, jak wcześniej amerykański, ogłosił, że wszyscy ludzie są równi. Jednak 28 lutego 1801 roku porozumienie zostało podpisane. Naczelnicy więzień w całym kraju otrzymali rozkaz wyselekcjonowania na zesłanie najpoważniejszych i całkowicie niepoprawnych przestępców.

— Pan Rhunken osobiście wybrał to pomieszczenie, wasza wielmożność — mówił dalej Koch. — Tutaj przeprowadzał przesłuchania. Krzyki i wrzaski zamkniętych na dole wywierały pewien wpływ na odpowiadających na pytania.

— Mogę sobie wyobrazić podobną scenę — zauważyłem, mimo woli wzdrygając się.

— Pan prokurator cieszył się wielkim szacunkiem z powodu surowości swych metod — dokończył Koch, wyciągnął z kieszeni olbrzymi klucz i otworzył drzwi.

Odsunął się, by mnie przepuścić; z rosnącą niecierpliwością czekałem w ciemnościach, gdy próbował skrzesać iskrę, aż wreszcie udało mu się zapalić świecę. Obszerne pomieszczenie wieńczył wysoko zawieszony sufit, brudne, szare ściany wręcz domagały się świeżej farby. Duży, pordzewiały żelazny piec wypełniał przeciwległy kąt pokoju, ale nie było w nim ognia. Przez wąskie szczeliny okien można było dostrzec więzienną kratę na krużganku piętro niżej. Jako oświetlenie służyły zawieszone na ścianach cztery latarnie i Koch zaraz pospieszył je zapalić, ale nawet gdyby było ich tuzin więcej, na niewiele by się zdały.

— Do tego pomieszczenia przylegają dwie mniejsze komnaty, panie. W jednej jest archiwum pana prokuratora. W drugiej stoi łóżko polowe, na którym pan Rhunken ucinał sobie drzemkę, gdy obowiązki zatrzymywały go do późna.

„I tu właśnie powinienem był zostać od razu umieszczony", pomyślałem. Nie w portowej gospodzie, choć Bałtycki Wielorybnik niewątpliwie dysponował wygodami. W surowej i niegościnnej twierdzy moja nowo otrzymana władza sędziego śledczego byłaby bardziej widoczna dla wszystkich. Usiadłem wygodnie przy ciężkim, pięknie rzeźbionym biurku, stojącym dumnie na środku. Już sam ten mebel świadczył o władzy i pozycji. Karafka wina i kryształowy puchar miały zapewne służyć do wzmacniana się podczas godzin mozolnej pracy. Teraz karafka była pusta, korek pokrywała gruba warstwa kurzu, a pod odwróconym do góry dnem kielichem leżał wielki, martwy pająk.

— Chcę zaznajomić się z raportami prokuratora Rhunkena i aktami dotyczącymi morderstw. Powinny tu gdzieś być, Koch. Te, które pokazał mi pan w powozie, są niekompletne. Ulrich Totz powiedział mi, że prokurator Rhunken przesłuchał go osobiście zaraz po zabójstwie Jana Konnena. Chciałbym przeczytać, co miał do powiedzenia w tej sprawie.

Koch rozejrzał się niepewnie.

— Nie mam pojęcia, gdzie one się znajdują. Papiery przekazane mi przez prokuratora trzymam pod kluczem we własnym biurku. Reszta znajduje się zapewne w archiwum. Ale mój pan nie pozwoliłby nikomu tam wejść.

— Masz m o j e pozwolenie, sierżancie.

Wstałem i podszedłem do okna, by uciąć jego ewentualne zastrzeżenia.

Skrajem peleryny przetarłem z kurzu brudną szybę i spojrzałem piętro niżej, na żelazną kratę, spod której wydobywały się głosy uwięzionych nieszczęśników. W najciemniejszym kącie podwórka jeden ze strażników, pierwszy, jakiego ujrzałem, kucał w mroku; białe spodnie miał opuszczone do kostek i załatwiał się. Wspomnienie przyjemnego biura w Lotingen powróciło do mnie oślepiającą błyskawicą światła i ciepła. Radosne klomby kwiatowe i porządnie przycięte trawniki pod moimi oknami zachęcały matki i niańki do zabawy z pociechami wiosną i latem.

Żołnierz zakończył swą potrzebę, podciągnął pantalony i nim się oddalił, zręcznie rozdeptał fekalia ciężkim butem.

Ponownie odwróciłem się w stronę pokoju, widok za oknem niewiele przyczynił się do poprawienia mi samopoczucia. Nawet tu dochodziły rozpaczliwe skargi uwięzionych pod ziemią. Miałem nadzieję, że dotrę przynajmniej o krok dalej niż Rhunken. Pomimo dużego doświadczenia pan prokurator Rhunken był równie bezradny w powstrzymywaniu tych morderstw jak każda z ofiar zabójcy. Czy mogłem poważyć się mieć nadzieję na sukces tam, gdzie on poniósł klęskę?

Czekałem na powrót sierżanta Kocha, wzdłuż i wszerz przemierzając ten wstrętny grobowiec, miejsce pracy mego poprzednika, i przygotowując się do podjęcia postawionego przede mną zadania; wrócił po kilku minutach.

— Znalazłem te oto. — Wręczył mi żałośnie cienką stertę papierów. — Leżały upchane na półce.

— Nic więcej? — zdumiałem się.

Koch przecząco pokręcił głową. — Nic, panie Stiffeniis. Poza listem, który umieściłem na samym wierzchu. Pomyślałem, że będzie pan chciał do niego zajrzeć.

— List? Od kogo?

— Jest zaadresowany do prokuratora Rhunkena — wyjaśnił, kładąc papiery na biurku. — Nie pozwoliłbym sobie na otworzenie go. Jak pan kazał, przyniosłem wszystko, wasza wielmożność.

Usiadłem i zabrałem się do przeglądania cienkiego pliku dokumentów. Pomimo braku solidniejszego materiału dowodowego poczułem pewną satysfakcję. „W końcu — pomyślałem — zajmuję krzesło pana Rhunkena, trzymam łokcie na jego biurku. Jego dokumenty i jego raporty znajdują się w m o i c h rękach. Jego sierżant jest teraz m o i m asystentem". Po raz pierwszy od przybycia do miasta zaczynałem czuć się swobodnie. I czerpać zadowolenie z poczucia autorytetu towarzyszącego nowej pozycji. Dysponowałem — po raz pierwszy w życiu — ogromną władzą wykonawczą, przy której pozorne możliwości, którymi rozporządzałem w dziedzinie cywilnej w Lotingen, wypadały śmiesznie mdło. Będę, uświadomiłem sobie, odpowiedzialny za los mieszkańców Królewca. Ich życie i śmierć znajdują się teraz w gestii mojej i generała K. Lub Napoleona Bonaparte i jego rewolucyjnej armii, jeżeli postanowi dokonać inwazji na Prusy.

Wziąłem do ręki pierwszy dokument i zabrałem się do przeglądania nazwisk skazanych, mężczyzn i kobiet wyznaczonych do transportu na odległe bezdroża Syberii i Mandżurii.

Sierżant Koch głośno odchrząknął. — Nie mogło umknąć mej uwagi — powiedział, wskazując palcem — że list ten przybył z Berlina.

Natychmiast obejrzałem pismo dokładniej i od razu zauważyłem tę samą potężną pieczęć Hohenzollernów, która do góry nogami wywróciła mi życie.

— *Wielmożny Panie...* — zacząłem czytać,

W związku z nadciągającym nad kraj niebezpieczeństwem, z zagrożeniem ze strony parweniusza Bonapartego i wciąż rosnącym ryzykiem francuskiej inwazji, zbyt długo zwlekano z uporaniem się z serią morderstw w Królewcu. By zaradzić tej pożałowania godnej sytuacji, zarekomendowano Nam osobę o wysokich kwalifikacjach i wyjątkowych umiejętnościach. Jej zadaniem będzie dokończenie śledztwa, które Ty rozpocząłeś — przy największym możliwie pośpiechu. Poleca się Panu zrezygnować ze swych obowiązków i przekazać wszystkie dotyczące sprawy dokumenty urzędnikowi, w którym obecnie pokładamy Nasze nadzieje, i powrócić do poprzednich obowiązków. Tyle na razie.

Pod poleceniem widniał zamaszysty podpis króla Fryderyka Wilhelma III, całkowicie różniący się, co natychmiast zauważyłem, od zakrętasów na liście, który mi przysłano.

Czyżby doktor Vigilantius się nie mylił i moje wezwanie do Królewca zostało sfałszowane?

Ten list wysłano ze stolicy królestwa trzy dni wcześniej, więc Rhunken otrzymał go dwa dni temu. I akurat tego dnia stan jego zdrowia gwałtownie się pogorszył. To, co uznałem za oznaki zwykłej choroby — drżenie twarzy i członków, odór fizycznego rozkładu — spowodowane zostało wstrząsem, jakiego Rhunken doznał po otrzymaniu listu. Bezpośrednią przyczyną udaru, a następnie paraliżu było upokorzenie, jakiego z pewnością przysporzyła mu zapowiedź mojego przybycia.

Przywołałem wizję dogorywającego człowieka, którego spotkałem w jego własnej sypialni kilka godzin temu. Jak ten oschły list musiał zepsuć jego opinię o mnie! Straciłem wszelkie iluzje co do jego oceny mej osoby. Urzędnik wyznaczony, by go zastąpić, „osoba o wysokich kwalifikacjach i wyjątkowych umiejętnościach", człowiek, który pozbawił go posady i zdobył poparcie króla, nie tylko był młody, ale całkowicie bez doświadczenia. I przybył z Lotingen, małej w i o s k i przy odległej granicy zachodniego okręgu. Rhunken oczekiwał poważnego rywala, kogoś wyższej rangi, członka tajnej policji lub rady bezpieczeństwa, jakiegoś utalentowanego urzędnika z Berlina, starszego wiekiem i stanowiskiem. A dostał mnie!

— Powinien pan znaleźć w tych dokumentach zeznania świadków — zniecierpliwił się Koch, przerywając mi tok myśli.

Przerzuciłem ów nędzny plik i bez trudu odszukałem złożone na policji oświadczenie oberżysty z Bałtyckiego Wielorybnika. Było krótkie i nie wnosiło nic więcej do relacji przekazanej mi osobiście przez Ulricha Totza. Jan Konnen pił tamtej nocy w tawernie, choć nie ponad miarę. Znajdował się w towarzystwie grupy cudzoziemskich marynarzy, którzy być może — to nie jest pewne — grali w karty o pieniądze, ale w tej sprawie Totz nie powiedział nic więcej. Jak się wydaje, w przeszłości wystąpiły poważne zastrzeżenia co do odnowienia mu pozwolenia na sprzedaż alkoholu, po przypadkach gwałtownych bójek między hazardzistami, a także skargach o oszustwo. Sumy, o które poszło, były poważne, a jeden człowiek stracił dwa palce podczas walki na noże. Ale tamtej nocy nikt nie grał, upierał się Totz. Przesunąłem wzrokiem w dół strony i przeczytałem:

Pan Totz oświadcza, że nie od razu skojarzył człowieka, którego widział w swej tawernie tamtej nocy, z ciałem znalezionym na nabrzeżu następnego ranka. Gdy policja przepytywała go po raz pierwszy, zaprzeczył, by w ogóle znał ofiarę.

Żadnej wzmianki o jakichkolwiek dziwnych zdarzeniach w Bałtyckim Wielorybniku, o których jeszcze dziś po południu z takim przekonaniem zapewniał mnie ten wścibski chłopak do posług. Nawet imię Moritza nie pojawiło się w raporcie. Najwyraźniej nie zgłosił, że ma jakieś wiadomości, gdy pojawiła się ku temu okazja. Zdziwiło mnie, że nie powiedział nic, co by wzbudziło zainteresowanie żandarmów, którzy z pewnością tamtego ranka tłoczyli się w tawernie, wymieniając uwagi o ofiarach mordu. Ten sam Moritz, który czynił tyle zamieszania w mojej obecności w gospodzie. Czyżby nie było go tamtego dnia? A może Totzowie nie dopuścili go do słowa? Mieli coś do ukrycia? I dlaczego Moritz nie został wezwany przed oblicze prokuratora Rhunkena, gdy ten przesłuchiwał oberżystę i jego żonę?

Żona...

Trzy linijki deklaracji złożonej pod tekstem głosiły, że pani Totz podała Janowi Konnenowi piwo i gorące parówki. Zeznała, że mężczyzny tego nie widziała nigdy wcześniej i że nie zrobił na niej szczególnego wrażenia. Według niej wyszedł z gospody sam, około dziesiątej, choć nie była tego pewna. Nie sądziła, by odwiedził ich gospodę z innego powodu niż w poszukiwaniu solidnego pożywienia i dobrego piwa.

Pojedyncza kartka papieru, następna z pliku, zawierała opis pierwszej ofiary, sformułowany tak, że całkiem dobrze mógłby służyć za epitafium. Jan Konnen, kowal, pięćdziesiąt jeden lat, mieszkał samotnie. Nigdy się nie ożenił i nic nie wiadomo, by posiadał żyjących krewnych. Ten małomówny, dyskretny mężczyzna był całkowitą zagadką nawet dla najbliższych sąsiadów. Rhunken polecił zbadać jego życie prywatne, jednak niczego niewłaściwego nie ujawniono. Konnen nie miał długów ani przyjaciół, nie zadawał się z kobietami złej reputacji, nie należał do żadnego politycznego stronnictwa. Do nikogo nie żywił urazy, nigdy nie popełnił przestępstwa ani nie został aresztowany. Wszystko wskazywało, że był człowiekiem bez skazy, który znalazł się w nieodpowiednim miejscu o nieodpowiedniej porze i za błąd ten zapłacił życiem. U dołu strony Rhunken dodał uwagę: „Przeprowadzono śledztwo pod kątem zagranicznych powiązań ofiary, ale niczego nie znaleziono". Na widok ostatnich słów prokuratora Rhunkena aż zaparło mi dech: „ofiara — kategoria C — protokół 2779 — czerwiec 1800, I.M.O. Berlin".

Jak każdy młody sędzia rozpoczynający karierę właśnie w pierwszym roku nowego wieku, wkrótce po rewolucji we Francji i dojściu do władzy Napoleona, przeczytałem ten konkretny protokół. Ostrzegał przed możliwością infiltracji szpiegów i rewolucjonistów zmierzających do osłabienia stabilności państwa i wprowadzenia republikańskich porządków. Rhunken zdawał się przekonany, że śledztwo winno podążać w tym kierunku, i nadał Konnenowi wprawdzie niską, ale ważną kategorię w skali zagrożenia, jakie dana osoba może stanowić dla państwa. Przewróciłem stronę w poszukiwaniu czegoś więcej, ale następny arkusz dotyczył już przypadku Pauli Anny Brunner, drugiej ofiary mordercy. Według zeznania złożonego przez męża ofiary, „biedna pani" w dniu, gdy zginęła, robiła mniej więcej to samo co zawsze, czyli karmiła kury, zbierała jajka i sprzedawała je sąsiadom oraz w jednym lub dwóch sklepach w mieście. „Jedyną nowością — skarżył się pogrążony w żałobie małżonek — było to, że dała się zabić!"

Pani Brunner, osoba towarzyska, dwa razy dziennie udawała się do zgromadzenia pietystów, w niedzielę chodziła tam nawet trzy razy. Była znana z uczciwości, zasad moralnych, pracowitości i cieszyła się wielką popularnością wśród sąsiadów. Uważano nawet, że przez całe życie ani razu z nikim się nie pokłóciła. Rhunken najwyraźniej skierował swe podejrzenia na jej męża. Heinz-Carl Brunner dwa dni spędził w więzieniu i poddano go „surowemu przesłuchaniu". Krótko mówiąc, bito go, aż błagał o litość, a gdy nie zeznał niczego obciążającego, zwolniono. W czasie popełnienia morderstwa, jak zaświadczyło kilku konkurujących z nim rolników, Brunner pracował na polu wraz z dwoma pomocnikami — dowód okazał się nie do obalenia. Tak więc o n był czysty. Ponownie Rhunken dodał notatkę, która najwyraźniej podsumowywała kierunek, w jakim zdążało śledztwo: „Żadnych politycznych powiązań czy radykalnych sympatii nie zgłoszono ani nie stwierdzono. Prot. 2779?".

W tym momencie musiałem chyba wydać głośny jęk.

— Wszystko w porządku, panie Stiffeniis? — zaniepokoił się Koch.

— Czy prokurator Rhunken współpracował z jakimś innym sędzią? To znaczy, czy ktoś pomagał mu zbierać dowody lub przeprowadzać przesłuchania świadków?

— O nie, panie — odrzekł Koch natychmiast. — Pan prokurator zawsze pracował sam. Wiem to na pewno. Nikomu nie ufał.

Skinąłem głową i zająłem się następną kartką papieru, raportem odnoszącym się do trzeciego morderstwa tej serii. Gdy przeczytałem nazwisko ofiary, doznałem wstrząsu. „Johann Gottfried Haase"? Jakże przeklinałem swój brak kompetencji! Przeglądając dokumenty w drodze do Królewca, świadomie ominąłem nazwisko najważniejszego człowieka, który zginął z ręki zabójcy. Johann Gottfried Haase był uczonym o międzynarodowej sławie, autorem wielu publikacji. Kilka lat wcześniej czytałem jedną z jego prac. Ten profesor języków orientalnych i teologii na uniwersytecie w Królewcu wywołał sensację oświadczeniem, że ogród Edenu to bynajmniej nie fikcja. Adam i Ewa rzeczywiście byli kuszeni przez Węża, twierdził uczony, a odbywało się to mniej więcej w miejscu, w którym teraz staliśmy. Według Haasego, Królewiec został wzniesiony na terenie ogrodu biblijnego. Kto ośmieliłby się zamordować tak wybitnego człowieka?

Spojrzałem w dół strony, szukając szczegółów, i nie zdołałem powstrzymać się od śmiechu. Nawet roześmiałem się w głos, na co sierżant Koch zareagował wielce zaniepokojonym spojrzeniem.

— Ależ idiota ze mnie! — zawołałem.

— Tak, panie?

Ofiara nazywała się Johann Gottfried Haase, ale nie była to ta osoba, o której myślałem. Zwykły przypadek — dwóch mężczyzn o tym samym imieniu i nazwisku! Zamordowany Johann Gottfried Haase był pozbawionym środków do życia, cofniętym w rozwoju człowiekiem, kretynem. Prowadził pożałowania godną egzystencję, żebrząc o resztki chleba i ciasta z miejskich piekarni, o grosze od przypadkowych przechodniów. Wszyscy w mieście znali go z widzenia, ale nikt bliżej. Prokurator Rhunken zanotował, że nie znaleziono wpisu w rejestrach o jego urodzeniu — na pewno nie był krewnym uczonego. Nikt nie potrafił stwierdzić, czy kiedykolwiek uczęszczał do szkoły ani czy spędził noc w przytułku, miesiąc w sierocińcu lub rok w więzieniu, choć policja starała się tego dociec. Pan Haase był, pod każdym względem, absolutnie nikim. — „Żadnych oczywistych oznak politycznego powiązania" — zanotował Rhunken. Nawet nie skomentował oczywistego zbiegu okoliczności, identyczności nazwiska nieznanej ofiary i wybitnego obywatela. I powróciło niepokojące pytanie, które już wcześniej sobie zadawałem, tym razem z większą jeszcze natarczywością: Po co ktoś miałby mordować taką biedną i wyraźnie bezużyteczną istotę? Popularny znawca języków orientalnych mógł wywołać wrogość w pewnych kręgach, ale żebrak bez grosza? I znów numer protokołu 2779 pojawił się u dołu strony.

Powracający motyw. Mogłem tylko zastanawiać się, co sprawiło, że prokurator Rhunken zdecydował, iż te morderstwa zostały dokonane z przyczyn politycznych. Jedynym łączącym je elementem, którego zdołałem się doszukać, był absolutny brak w życiu ofiar czegoś nawet w dalekim przybliżeniu zabarwionego politycznie. Czyżby tę oczywistą obojętność na politykę Rhunken uznał za fasadę? Napisał nawet zdanie sugerujące, że Konnen mógł działać jako tajny agent. Czy co do pozostałych także w to wierzył? A jeżeli tak, to na rzecz którego obcego mocarstwa mieliby szpiegować? Kompletnie zbity z tropu powoli przeszedłem do następnego arkusza.

Tekst odnosił się do pierwszej zbrodni, miałem przed oczami zeznanie akuszerki, która odkryła ciało Jana Konnena. We wszystkich przeczytanych przeze mnie dotąd dokumentach wspominano tylko zawód tego świadka, nigdy nie wymieniono zaś jego nazwiska, co zdawało się dziwne. Szybko przejrzałem całą informację. Znowu nie podano nazwiska. Wczesnym rankiem, jak zeznała ta tajemnicza kobieta, idąc do żony rybaka, mieszkającej na nabrzeżu, natknęła się na ciało człowieka bezwładnie wspartego o mur. Jedyny szczegół, jaki dodała do skąpego opisu, z którym zaznajomiłem się w powozie, posiadał pewną wagę. „Wiedziałam, że było w tym coś diabelskiego — oświadczyła. — Szatan skorzystał ze swych szponów".

Oderwałem wzrok od tekstu. Przecież sierżant Koch użył tych samych słów, gdy po raz pierwszy mówił mi o zbrodniach, ale co o n a dokładnie miała na myśli? Przesądna kobieta na własne oczy ujrzała trupa. Dlaczego by miała użyć akurat tego określenia? Imię diabła, jak zdążyłem się zorientować, w Królewcu zawsze przewijało się w pobliżu. Bardzo poufale wspominał go Koch, podobnie służąca pana Rhunkena, doktor Vigilantius oraz żołnierze pozostali w fortecy. Czy była to tylko powierzchowna reakcja na religijny fanatyzm, z którego to miasto słynęło w Prusach? Pietyzm miał tu dominujący wpływ; na uniwersytecie roiło się od zwolenników tej doktryny.

Pokręciłem głową i przeczytałem zeznanie do końca. Lublinsky i Kopka, którzy złożyli podpisy pod zeznaniem kobiety i oparli na nim własny raport, nie wypytali jej o szczegóły. W istocie w ogóle jej o nic nie zapytali. Nawet o nazwisko! Tyle że także nie uczynił tego ten wspaniały sędzia śledczy, mój poprzednik, prokurator Rhunken...

— Pański przełożony przechowywał niewiele notatek, Koch — zauważyłem, odkładając kartkę.

— To prawda, panie. On wszystko nosił w głowie.

Nie skomentowałem tej uwagi, pomyślałem tylko, że sposób, w jaki prokurator Rhunken prowadził śledztwo, pozostawia wiele do życzenia. Pewien stopień zawodowej zawiści mógł tłumaczyć jego postanowienie, by nie powiedzieć mi podczas naszego spotkania więcej, niż mogę wyczytać z jego skąpych notatek, ale nie świadczyło to o nim dobrze i moje zadanie czyniło jeszcze trudniejszym.

W końcu znalazłem krótką wzmiankę o ostatniej ofierze, o Jeronimusie Tifferchu, notariuszu, którego zwłoki badałem w piwnicy nie dalej jak godzinę temu. W tym przypadku istniała zauważalna i znacząca różnica. O osobistym życiu i obyczajach ofiary w ogóle nie wspomniano. Sporządzono tylko oświadczenie o śmierci prawnika. Ani słowa więcej nie pozostawiono na papierze. Nikogo nie przesłuchano, nie przeprowadzono szczegółowej obdukcji zwłok. I najwyraźniej nie wezwano nawet lekarza, by potwierdził śmierć czy wystawił jej świadectwo. W rezultacie nie było żadnej wzmianki o ewentualnej przyczynie zgonu. Jak w przypadku notatek, które czytałem w powozie poprzedniego dnia — stopniowo zaczynałem przyzwyczajać się do tych braków — nie było śladu informacji o rodzaju narzędzia użytego do zbrodni i ani słowa na temat zadanych ran. W każdym razie normalna procedura sądowa zdawała się tu zawieszona. Może w oczekiwaniu na moje przybycie?

Zastukano do drzwi. Usłyszałem, że Koch szepcze z kimś w progu, ale nie odrywałem się od pracy.

„Przede wszystkim — pomyślałem sobie — w tym, co do tej pory przeczytałem, wręcz rzuca się w oczy jedno zaniedbanie. Brak nazwiska tej «wybitnej osobistości», która powołała mnie i Vigilantiusa do zbadania serii zbrodni w mieście". Nie znalazłem żadnej wzmianki na ten temat w uwagach, które Rhunken zechciał ująć w sprawozdaniach. Czyżby nie był świadom, że jakaś konkurencyjna władza przeprowadza równoległe śledztwo?

— Panie Stiffeniis, wasza wielmożność?

Głos Kocha przerwał moje rozważania. Uniosłem wzrok i ujrzałem, że stoi sztywno wyprostowany przed biurkiem, z lnianą chusteczką przyłożoną do ust, a oczy ma zaczerwienione i podpuchnięte.

— O co chodzi, Koch?·

— Jego Ekscelencja, pan prokurator Rhunken, wasza wielmożność. Wartownik właśnie przyniósł wiadomość. Mój pan nie żyje.

Rzadko kiedy zdarzało mi się widzieć tak szczery smutek na czyjejś twarzy. Pełen współczucia dyskretnie odwróciłem wzrok i spojrzałem na stertę porozrzucanych na biurku papierów.

— Kiedy odbędzie się pogrzeb? — zapytałem.

— Już został złożony do grobu, panie — powiedział, powoli przesuwając dłonią po oczach. — Najwyraźniej godzinę temu.

— Ależ to niemożliwe! — zaprotestowałem. — Pan Rhunken był ważną osobistością. Miasto będzie chciało mu oddać honory...

— Taka była jego ostatnia wola, panie. Nie życzył sobie niczyjej obecności na pogrzebie.

Zmieszany, uciekłem wzrokiem w stronę najbardziej oddalonego, najciemniejszego kąta pokoju. Koch był wielce przywiązany do urzędnika sądowego, który właśnie zmarł. I przecież nie mógł mnie obwiniać o śmierć Rhunkena. A jednak dosłyszałem w jego głosie ukrytą nutkę potępienia. Nic nie mogłem poradzić, nagle poczułem się nieswojo. Pół godziny wcześniej gratulowałem sobie faktu, że oto siedzę przy biurku pana Rhunkena, a jego asystent stoi przede mną na baczność, że mam do dyspozycji prywatne archiwum prokuratora i mogę do woli przeglądać oszczędne sprawozdania z przebiegu jego śledztwa, krytykować je i kwestionować. A teraz, nagle, był martwy.

W jakiś bliżej nie określony sposób czułem się tak, jakbym to ja stał się przyczyną jego zgonu.

Minęła już dziesiąta, gdy sierżant Koch zostawił mnie na noc w Bałtyckim Wielorybniku. W tawernie panował ożywiony ruch, więc usiadłem przy stole w najspokojniejszym zakątku, w miejscu najbardziej oddalonym od kominka, by, zanim poproszę o kolację, skreślić kilka słów do żony. Ale to pozornie łatwe zadanie okazało się o wiele trudniejsze, niż przewidywałem. Co mam przekazać Helenie o wydarzeniach w Królewcu? Które szczegóły śledztwa mogłyby ją uspokoić, a które lepiej zatrzymać dla siebie? Zastanawiałem się przez chwilę, potem ponownie uniosłem pióro, zanurzyłem je w kałamarzu i pisałem dalej:

Wierz mi, moja droga, że n i e robię tego dla odzyskania afektów mego ojca. To, co się wydarzyło, nigdy — przenigdy — nie zostanie wymazane z jego pamięci, cokolwiek bym uczynił, czegokolwiek zaniechał. Zbyt długo żyłem z tym cieniem, a i Ciebie zmuszałem do dzielenia mej samotni w Lotingen. Przyszedł czas na zbudowanie lepszej przyszłości dla nas i dla naszych pociech. Lotingen było bezpieczną przystanią, ale burza już minęła. Nie zamierzam dłużej się ukrywać. To śledztwo otwiera drzwi...

Przerwałem, niepewny, co pisać dalej. Nie miałem ochoty zwierzać się małżonce z trudności, jakie piętrzyły się przede mną tego dnia, ani pisać jej o okropieństwach, które widziałem. Cóż mogłaby uczynić, by mi pomóc? Zamieszałem w atramencie ostrzem gęsiego pióra, myślami wróciłem do przyjemniejszych spraw.

Pan Koch i ja przybyliśmy bezpiecznie do Królewca zaraz po południu. Piszę z mojej kwatery w pobliżu portu. Powietrze jest tu świeże, mogę Cię zapewnić! A sypialnię mam ciepłą, czystą i zachęcającą do odpoczynku. Niemal jak dom z dala od domu...

— Wasza wielmożność? — słodki jak miód głos przywołał mnie do rzeczywistości. Czterdziestokilkuletnia kobieta obfitych kształtów, o twarzy okrągłej jak księżyc i dużych, jasnozielonych oczach stała przede mną z pustą tacą w rękach, demonstrując fałszywą uniżoność.

— Jestem Gerda Totz, panie — oświadczyła z paskudnym, wymuszonym uśmiechem — żona gospodarza. Czy mam podać obiad? Miałby pan ochotę na coś szczególnego?

— Zadowolę się czymkolwiek — odrzekłem, pospiesznie zwijając list do żony. Nie miałem nic w ustach od czasu przybycia do Królewca przed sześcioma godzinami i wypełniający izbę zapach dobrego jedzenia wystarczająco zaostrzał mi apetyt.

— W takim razie podam, co mamy najlepszego — odrzekła i, dygnąwszy, oddaliła się w stronę kuchni. Zauważyłem, że po drodze zatrzymała się, by szepnąć słówko trzem sprawiającym wrażenie zamożnych mężczyznom, skupionym przy stole niedaleko od mojego.

Coś w sposobie, w jaki zwróciła się do nich, ściągnęło moją uwagę, i gdy szła przez salę, podążałem za nią wzrokiem, zastanawiając się, czy zachowa się podobnie wobec pozostałych bywalców gospody, ale znikła w kuchni, nie zważając na resztę gości. Z rozbudzonym zainteresowaniem przyjrzałem się zebranemu towarzystwu. Za dżentelmenami, z którymi pani Totz właśnie się porozumiała, najbliżej kominka umieścił się ten sam pulchny, ciemnoskóry mężczyzna w czerwonym fezie i jaskrawym, orientalnym marynarskim stroju, którego zauważyłem po południu. Siedział intensywnie wpatrzony w strzelające płomienie, jakby chciał przywołać wspomnienie ciepłych stron ojczystego kraju. W odległym kącie izby grupa rybaków raczyła się mocnym piwem i śpiewała szanty. Inni, mniej przyciągający uwagę bywalcy, siedzieli przy stołach po dwóch lub trzech. Kilka kobiet o jaskrawo umalowanych ustach i uróżowanych policzkach towarzyszyło oficerom obcej marynarki, których mundurów nie potrafiłem zidentyfikować. Mężczyźni pili i grali w karty, kobiety z błyskiem w oczach i z ożywionymi uśmiechami śledziły ruch monet przesuwających się na stoliku. Nietrudno było domyślić się, co je tak naprawdę interesuje i jakich sposobów użyją do osiągnięcia celu. Krótko mówiąc, był to obrazek, jaki można ujrzeć w każdej tawernie na wybrzeżu Bałtyku w chłodną zimową noc, i wnet znudziłem się oglądaniem go.

Właśnie ponownie rozłożyłem list i przygotowałem pióro, gdy na kartkę padł cień. Uniosłem wzrok, spodziewając się pani Totz z obiadem, zaskoczony tak niezwykłą żwawością. Jednak obok mnie stał Moritz, chłopiec na posyłki, z rękami sztywno założonymi za plecy, w postawie szeregowca czekającego na właściwy moment, by zwrócić się w zaufaniu do oficera.

— Co mogę dla ciebie zrobić? — zapytałem.

— Ci mężczyźni przy następnym stole — wycedził chłopiec kątem ust. Pochylił się i z oczami szeroko otwartymi i wzrokiem utkwionym gdzieś w przestrzeń dodał: — Spotykają się w piwnicy w samym środku nocy, panie. Proszę, udaj, że coś zamawiasz, inaczej się połapią.

Spróbowałem spojrzeć za jego plecy, ale chłopak stał przy samym stole, zasłaniając mi widok.

— Słuchaj no, chłopcze... — zacząłem surowo.

— Błagam, panie! — szepnął natarczywie. — Proszę głośno coś zamówić albo będę ugotowany.

Zdumiony, odchyliłem się na oparcie. Potem, głosem, którym mógłbym zbudzić nieboszczyka, wrzasnąłem na całą karczmę:

— Przynieś mi nowe pióro, chłopcze! I pospiesz się! Ostrze tego oto jest całkiem do niczego, nie mogę dokończyć listu.

Moritz aż podskoczył, stanął na baczność.

— Już się robi, panie! — krzyknął.

W jednej chwili go nie było.

Przyjrzałem się uważnie trójce siedzących w pobliżu mężczyzn. Każdy z nich palił długą, glinianą fajkę i popijał haustami piwo z potężnych rozmiarów kufla; wszyscy sprawiali wrażenie wielce szanownych obywateli.

Oberżystka ponownie wyłoniła się z kuchni i pospiesznie podeszła do mego stołu, choć wciąż nie widziałem śladu obiadu.

— Wszystko w porządku, panie Stiffeniis? — zapytała, nadal się uśmiechając. — Czy Moritz naprzykrza się panu?

— Potrzebne mi pióro — wyjaśniłem. — Moritz się tym zajął.

— Och, powinien był pan zwrócić się do m n i e — oświadczyła, wierzchem dłoni ocierając twarz. Odniosłem wrażenie, że odczuła ulgę, usłyszawszy moje wyjaśnienie. — Co za utrapieniec z tego chłopca! W niczym nie można na nim polegać! Gdyby coś napsocił, powie mi pan, dobrze?

— Oczywiście — zapewniłem ją.

— W takim razie wracam do kuchni — stwierdziła pani Totz i oddaliła się pospiesznie, a po drodze skinęła głową mężczyznom przy stole obok.

Odłożyłem list i skupiłem całą uwagę na trzech cudzoziemcach, gdyż wzbudziło moje zainteresowanie to dziwne porozumienie między nimi a oberżystką. Czyżby chłopiec nie kłamał? Niewątpliwie było coś statecznego i wyważonego w zachowaniu tych trzech klientów, zupełnie nie pasującego do nabrzeżnej tawerny. Nie żartowali, nie śmiali się, i nie wiedzieć czemu rozmawiali ściszonym głosem.

Kierowany impulsem, podniosłem się od stołu i zbliżyłem do buzującego ognia, niby ogrzać sobie dłonie. Gdy mijałem ich stół, usłyszałem zdanie po francusku. Czyżby fakt, że ci ludzie mówili językiem Napoleona Bonaparte, pobudził fantazję chłopca?

— Pańskie pióra, wasza wielmożność! — zawołał głośno Moritz od mojego stołu, trzymając je w górze, bym ja i wszyscy obecni mogli zobaczyć. Wróciłem na miejsce, myśląc o uwagach, zarówno oberżystki, jak i jej męża, o niegodnym zaufania charakterze chłopca.

— Czy zaostrzyłem je wystarczająco, panie? — dopytywał się głośno. A szeptem dodał: — Ci mężczyźni to Francuzi. Przybyli trzy dni temu.

— Tak? I co z tego? — odrzekłem cicho, ujmując pióra i wypróbowując końcówki na papierze, by odegrać swoją rolę w tej komedii.

Moritz znów podniósł głos:

— Tak jest, panie! Oto ostry nóż, na wypadek gdyby końcówki znów się rozdzieliły.

Stał dalej, najwyraźniej nie zamierzając zostawić mnie w spokoju, tymczasem gospodyni przeszła obok, zanosząc rybakom weselącym się w odległym kącie następne kufle z pieniącym się piwa. Gdy znikła, Moritz ponownie zniżył głos:

— Powstrzymaj ich, panie. Zanim znów uderzą.

Popatrzyłem badawczo na chłopca. Rozglądał się po izbie, z uśmiechem jakby zastygłym na wargach. Wyraźnie widziałem, że jest przerażony.

— Powstrzymać k o g o? — zdziwiłem się.

— Tych Francuzów, panie! Dwa dni temu zginął tamten mężczyzna. Oni byli tu już wcześniej, znowu zabiją.

— Dlaczego mieliby kogokolwiek zabić? — zapytałem cicho; trzymając pióro pod światło, badałem końcówkę; znów odgrywałem swoją rolę.

— Proszę m n i e pozwolić spróbować — powiedział Moritz głośno, wyrwał mi pióro z ręki i wyjął kartkę ze stosiku, który wcześniej położyłem na stole. Napisał coś — gdy stawiał litery, ręka mu się trzęsła — potem uniósł wzrok, by ocenić moją reakcję.

— „Napoleon planuje inwazję na Prusy" — przeczytałem.

Zanim zdążyłem cokolwiek powiedzieć, chwycił papier, zwinął w ciasną kulkę, odszedł w stronę ognia i wrzucił w sam środek płomieni. Nie wrócił do mojego stołu. Za to pojawiła się pani Totz. Musiał widzieć, jak nadchodziła.

— Oto pański obiad, wasza wielmożność — z tymi słowami postawiła na stole duży, kopiaty talerz jedzenia. — Mam nadzieję, że nie kazałam czekać panu zbyt długo?

Jej bystre oczy podążały za Moritzem, gdy oddalał się od ognia i znikał w drzwiach wiodących do kuchni.

— Czy chłopak usłużył panu należycie? — upewniała się.

— Wydaje się bardzo uczynnym młodzieńcem.

— Zawsze robi wiele szumu wokół nowych gości — wyjaśniła. — Ale jest strasznie wścibski, urwis jeden! W końcu wpędzi moją siostrę do grobu! Jest dla niej wszystkim, tylko on jej został. Pracując u nas w oberży, przy tych marynarzach, którzy się tu przewijają, zupełnie zgłupiał. Zamiast dbać o swoje sprawy, interesuje się poczynaniami innych. Smacznego, wasza wielmożność.

Czyżby taka była prawdziwa przyczyna dziwnego zachowania chłopca? Czy zbieg okoliczności, że pierwsza ofiara niezidentyfikowanego mordercy spędziła swój ostatni wieczór w tawernie Bałtycki Wielorybnik, może leżeć u podstaw pomysłów dzieciaka? Ale uderzył mnie inny aspekt sytuacji. A jeśli tajemnicza osobistość, która wezwała mnie do Królewca i kryje się za wszystkim, co się dotąd wydarzyło, zdecydowała także, że powinienem zamieszkać w Bałtyckim Wielorybniku? Czy człowiek ten podejrzewał, że dzieje się tu coś nielegalnego? A jeżeli tak, co mam z tym zrobić?

Zdecydowałem się na dwa posunięcia. Porozmawiam na osobności z Moritzem o jego absurdalnych oskarżeniach. Następnie dokładniej przesłucham oberżystę Totza w sprawie zeznania, które złożył przed prokuratorem Rhunkenem. Ale przede wszystkim musiałem zająć się pustym żołądkiem. Przysunąłem sobie widelec i łyżkę i z zapałem zabrałem się do gęstej jarzynowej zupy, pieczonego kurczęcia i obfitej porcji rzepy. Wino podano mi białe, z owoców z regionu Nahr, i było ono nadspodziewanie dobre.

Gdy jadłem obiad, nie spuszczałem z oka trzech mężczyzn, którzy wzbudzili podejrzenia Moritza. Zwłaszcza jeden przyciągał moją uwagę. Wyższy, starszy, potężniejszej budowy od pozostałych. Niby obojętny, ale wyraźnie czujny, pozornie nie biorący udziału w ogólnej rozmowie, zdawał się bardziej od tamtych dwóch zainteresowany wszystkim, co działo się w gospodzie. Od czasu do czasu opuszczał głowę i cicho rzucał towarzyszom jakieś słówko.

Francuscy szpiedzy konspirujący przeciwko Prusom? Mordują niewinnych przechodniów? Trzeba by niesłychanie wysilić wyobraźnię, by uwierzyć w to, co Moritz o nich bajdurzył. Jakiemu to celowi wojskowemu mógłby posłużyć równie diabelski zamysł? Ofiary to mężczyźni i kobieta bez żadnego społecznego znaczenia. Ich śmierć w żaden sposób nie wpłynie na miasto, jego obronność, może jedynie przez sianie paniki. Ale czy rozprzestrzenianie strachu pomogłoby Bonapartemu najechać Prusy, gdyby zdarzyło się to tylko w Królewcu?

Zbyt późno zorientowałem się, że trzej cudzoziemcy patrzą w moją stronę. Gdy zastanawiałem się nad nimi, oni zwrócili na mnie baczniejszą uwagę. Nagle ten najwyższy — przywódca, jak nazwałem go w myślach — podniósł się z miejsca i podszedł do mojego stołu.

— Dobry wieczór, panie — zaczął, skłoniwszy się uniżenie.

— Nazywam się Gunter Stoltzen. Mam nadzieję, że nie przeszkadzam?

— Ani trochę. Skończyłem już posiłek, panie Stoltzen. — Usiadłem wygodniej i spojrzałem na niego. — W czym mogę pomóc, panie?

— Moi przyjaciele i ja jesteśmy jubilerami — zaczął, ruchem głowy wskazując za siebie, w kierunku swych towarzyszy. — Chłopiec usługujący tu powiedział nam wczoraj, że w mieście wydarzyła się seria morderstw, panie. Mówił też, że jest pan tu, by prowadzić śledztwo.

A więc Moritz także z nimi prowadził jakąś grę.

— Proszę mi wybaczyć, panie — ciągnął Stoltzen — nie chciałbym w pańskich oczach wyglądać na kogoś, kto interesuje się cudzymi sprawami, ale niepokoimy się o nasze bezpieczeństwo. Mamy przed sobą jeszcze długą drogę i... cóż, chyba sam pan rozumie. Wieziemy do Tallina drogie kamienie. To co usłyszeliśmy, przeraziło nas. Paść ofiarą rabunku to jedno. Ale zostać obrabowanym i zamordowanym to już coś całkiem innego!

Upiłem trochę wina z kieliszka i zebrałem myśli. Najwyraźniej ten cały Moritz był niezłym plotkarzem. Wystraszył Bogu ducha winnych kupców, bez trudu wzbudził moje podejrzenia. Pani Totz miała co do niego rację. Ten chłopak niewątpliwie sprawiał kłopoty.

— Jest pan Francuzem, nieprawdaż? — zapytałem.

— Niemcem, panie, moi towarzysze są Francuzami. Wcześniej wielokrotnie podróżowaliśmy przez Prusy i nigdy nie spotkało nas nic nieprzyjemnego. Ale te wiadomości są alarmujące. Jeżeli morderstwa popełnili rabusie, moglibyśmy znaleźć się w niebezpieczeństwie. Czy nie mam racji?

— Gdzie słyszał pan, że te zbrodnie popełnili złodzieje? — zapytałem go, oczekując, że znów pojawi się imię Moritza.

— A jaki inny miałby być powód do mordowania niewinnych ludzi?

— Po co zabijać, jeśli nie dla zysku? Tak pan sądzi?

Stoltzen uśmiechnął się i skinął głową.

— Czy uspokoiłoby pana trochę, gdyby dowiedział się pan, że zbrodni tych dokonano z przyczyn politycznych? — zaryzykowałem.

— Polityka? — Zmarszczył czoło, wyraźnie zaskoczony. — Czy dlatego zabito tych ludzi, panie?

Potrząsnąłem przecząco głową. — Pan wyrobił sobie własną opinię, ja podsuwam możliwość, która zagwarantowałaby bezpieczeństwo pana i pańskich towarzyszy, a także kosztowności, które wieziecie.

— Spisek polityczny? — zastanawiał się na głos. — W jakim celu, panie?

Wzruszyłem ramionami i wsunąłem do ust kawałek chleba; zanim odpowiedziałem, przez chwilę przeżuwałem powoli.

— Proszę sobie wyobrazić, że ktoś pragnąłby, z powodów jak dotąd nie znanych, wywołać panikę w Królewcu. Seria pozornie nie powiązanych ze sobą morderstw załatwiłaby sprawę, nie sądzi pan?

— Jeżeli pańskie śledztwo wskazuje na ten kierunek, życzę sukcesu. A teraz, panie, zostawię cię, byś spokojnie mógł przetrawić posiłek — powiedział z serdecznym uśmiechem i jasnym błyskiem w oku; wyraźnie spieszno mu było do własnego stołu.

— A więc możliwość politycznego przewrotu nie niepokoi pana? — powiedziałem, by przeciągnąć rozmowę.

Spojrzał na mnie z uwagą. — Oczywiście, że tak, ale podobne wytłumaczenie oznaczałoby, że podróżujący kupcy, tacy jak ja i moi przyjaciele, mogą dalej swobodnie prowadzić interesy. Każdy rząd jest taki sam, gdy chodzi o handel.

— Cieszę się, że mogłem pana uspokoić — powiedziałem z uśmiechem.

Stoltzen skłonił głowę i odwzajemnił uśmiech.

— Moi przyjaciele i ja wzniesiemy toast za pańskie zdrowie. Pozwoli pan, wasza wielmożność?

Lekko stuknął obcasami, wrócił do towarzyszy i cicho z nimi porozmawiał. Wszyscy unieśli kufle i posłali w moją stronę serdeczny uśmiech.

Ja też wzniosłem kielich i odpowiedziałem podobnie uprzejmym gestem.

„Właśnie przesłuchałem pierwszego podejrzanego", pomyślałem.

Wypiłem wino do dna. Następnie, skinieniem głowy życząc dobrej nocy trzem kupcom, podniosłem się od stołu i oddaliłem na górę, do sypialni. Na noc ogień został przygaszony, miedziany dzban z wodą grzał się na palenisku. Pomimo wręcz śmiertelnego zmęczenia usiadłem przy biurku, by dokończyć list do żony.

Przeczytawszy ponownie, co Ci napisałem, moja droga, stwierdziłem, że zapomniałem zrelacjonować Ci, jak posuwa się śledztwo. Być może udało mi się trafić na jakiś trop wart kontynuowania i mam nadzieję, że nie pozostanę w Królewcu zbyt długo. Tak więc, droga małżonko, tą dobrą wiadomością żegnam Cię czule.

Dodałem kilka serdecznych słów miłości dla dzieci, potem zapieczętowałem kopertę i odłożyłem na bok. Pozostawiwszy świecę na stole, przebrałem się w nocną koszulę i od niechcenia wyjrzałem za okno, by zobaczyć, czy śnieg dalej prószy. Niebo zakrywały ciężkie, kłębiące się chmury, księżyca prawie nie było widać. Właśnie miałem się odwrócić i położyć do łóżka, gdy nagłe poruszenie w oknie nad najdalszym zakątkiem podwórka przyciągnęło moją uwagę. Wytężywszy wzrok, przez zamgloną szybę zauważyłem w pokoju po przeciwnej stronie, daleko od mojego, ciemną postać z głową przechyloną na bok, jakby człowiek ten podsłuchiwał. W migoczącym świetle świecy twarz sprawiała groteskowe wrażenie: oczy — dwie ciemne, zionące czernią dziury, czoło i nos — potwornie zniekształcone przez cienie. Postać odłożyła lichtarz na parapet i w tym momencie poznałem, kto to: Moritz.

Co ten chłopiec zamierzał?

Uniósł wzrok i pomachał dłonią. Wiedział, w którym mieszkam pokoju, i wydawało się, że chce ściągać moją uwagę. Pomyślałem o trzech podróżujących kupcach. Czyżby ośmielił się ich szpiegować? Ten chłopiec do posług to rzeczywiście zaraza. Postanowiłem następnego ranka porozmawiać z nim o jego zachowaniu. Wcześniej czy później łobuz narobi sobie kłopotów. Energicznie zaciągnąłem zasłony i wymazałem z myśli jego osobę; nie zamierzałem więcej zawracać sobie głowy Moritzem czy jego gadaniną. Za sobą miałem długi, ciężki dzień i byłem kompletnie wykończony. Pospiesznie umyłem twarz i ręce i położyłem się. Szeleszcząca, czysta pościel, mocny zapach mydła z tłuszczu wieloryba, wykrochmalona świeżość płótna sprawiały, że z przyjemnością układałem się pod grubą, puchową kołdrą. Wiedziałem, że zaraz zasnę jak kamień. Ale w tych rozkosznych chwilach, zanim delikatny Morfeusz całkowicie oszołomił moje zmysły, nagle poczułem strach. Czyżbym śnił, czy rzeczywiście dostrzegłem cień czyhający za plecami Moritza? Jakieś blade zjawisko mignęło tak ulotnie, że nie zarejestrowałem go w świadomości?

Przerażony, usiadłem, wyskoczyłem z łóżka i podbiegłem do okna. Odsłoniłem je i spojrzałem poprzez podwórko na drugą stronę. Wszystko tonęło w ciemnościach. Nic nie można było zobaczyć.

Żadnej świecy. Ani śladu Moritza. Ani człowieka, ani ducha.

Pierwszy świt bielejący za oknem musnął zasłony wokół mego łóżka, ale już od godziny leżałem z otwartymi oczami, całkowicie przebudzony. Powtarzający się koszmar gwałtownie wyrwał mnie ze snu, dławiącego się, z włosami lepiącymi się do czoła, zesztywniałego z przerażenia. A jednak w jakiś sposób ten okropny majak był mniej bolesny, mniej żywy, nie tak makabryczny jak zazwyczaj. Kamień ledwie przebił mu czaszkę. Trawa nie czerwieniła się od krwi. Szkliste oczy patrzyły z mniejszą intensywnością, nie były aż tak oskarżycielskie jak przedtem. Po raz pierwszy w snach, które dręczyły mnie nocami od siedmiu lat, nie czułem się sparaliżowany strachem. P o r u s z a ł e m   s i ę. Próbowałem go dosięgnąć; zbiegając w dół z wysoko wznoszącej się skały, spieszyłem mu na ratunek. Tym razem nie będą mogli obwiniać mnie o zaniechanie. Wyjąłem flaszeczkę z kieszeni, szkło chłodziło mi palce, w blasku słońca jej zawartość połyskiwała i mieniła się niczym stopiony bursztyn...

Przegnałem wspomnienia i wyskoczyłem z łóżka; drżąc z zimna, rozgrzebałem szary popiół na kominku i podłożyłem garść wiórów i kilka grubszych szczapek z zapasu, jaki Moritz przygotował poprzedniego wieczoru. Pierwszy płomień dodał mi energii i zaraz postawiłem miedziany dzban na ogniu, by na nowo podgrzać wodę do mycia, którą wczoraj mi dostarczono. Podszedłem do okna i wyjrzałem na dwór. W nocy napadało jeszcze trochę śniegu, ale perłowoszare niebo wolne było od chmur zapowiadających dalsze opady. „Mroźny dzień", pomyślałem, zauważywszy niezwykłej długości sople lodu zwisające z rynny na dachu nad moim pokojem. Okno po drugiej stronie podwórka, gdzie wczoraj widziałem Moritza, było ciemne, odbijało jedynie blask mojej świecy. Co ten chłopak tam robił? Czy ktoś go śledził, może jakiś wspólnik, czy po prostu wyobraziłem sobie całą scenę?

Kapą z łóżka otuliłem ramiona i usiadłem przy biurku, by sporządzić listę wszystkich spraw, którymi miałem zająć się tego dnia. Na pierwszej pozycji umieściłem prawnika Tiffercha. Nie żył już od trzech dni, więc trop stygł. Postanowiłem poważnie zabrać się do roboty. Poprzedniego wieczoru dość czasu zmarnowałem z nekromantą Vigilantiusem. Jednak nie na długo dane mi było skupić się nad planem dnia, gdyż w korytarzu, tuż za moimi drzwiami, usłyszałem ciężkie kroki.

„Moritz!", pomyślałem, szybko podniosłem się i podszedłem do drzwi, w intencji przyłapania wścibskiego łobuza. Chłopak znowu szpiegował. Tym razem mnie.

Gwałtownie otworzyłem drzwi na oścież.

Na podłodze klęczała pani Totz, wpatrzona w miejsce, gdzie przed chwilą znajdowała się dziurka od klucza. Upadła do tyłu na szeroki zad, nogami fiknęła w powietrzu i krzyknęła ze zdumienia. Ale zaraz podniosła się i jakby nigdy nic obdarzyła mnie sztucznym uśmieszkiem, który zwykle nosiła na twarzy. Wyglądał jak namalowany na niej.

— Dzień dobry, panie prokuratorze — wyrecytowała z ożywieniem. — Tuszę, że nie przeszkodziłam panu? Wydawało mi się, że widzę światło pod pańskimi drzwiami, i nie wiedziałam, czy zapukać. Zastanawiałam się, czy życzyłby pan sobie jakiś specjał na śniadanie.

— Wczoraj wieczorem powiedziałem, czego sobie życzę, pani Totz — odrzekłem ostro. — Chleb, miód, gorąca herbata.

Uśmiech nie zniknął ani się nie zmienił, pomimo mej nieuprzejmości. Był przylepiony do jej ust na stałe, nie do ruszenia, nieznośnie natarczywy, zwłaszcza tak wcześnie rano.

— Mamy świeży ser, a w chłodni wyborną szynkę — ciągnęła niezrażona. — Może chciałby pan skosztować...

— Kiedy indziej — powiedziałem, ucinając jej naleganie.

Oberżystka szpiegowała mnie. Moritz szpiegował innych gości poprzedniego wieczoru. I ktoś jeszcze śledził Moritza. Czyżby szpiegowanie było w domostwie Totza zaraźliwą dolegliwością? Nie zdołałem powstrzymać się od nutki sarkazmu:

— Pani troska o moje dobro wielce dodaje mi otuchy, madame. Proszę natychmiast przysłać mi Moritza, jeśli łaska.

Spod lnianego czepka na jej głowie — był o jeden rozmiar za mały — rudawe loki oberżystki wymykały się z niezwykłą zawziętością. Czepek przekrzywił się w stronę prawego ramienia, a groteskowy uśmiech powoli znikał z jej oblicza, aż stał się własnym nędznym cieniem.

— Moritz? — zaszemrała. — Chłopak już od godziny powinien krzątać się w kuchni, a nigdzie go nie widziałam. Sądziłam, że może przyszedł pana obudzić, wasza wielmożność.

— Moritz, tutaj? — Czyżby właśnie z tego powodu zaglądała przez dziurkę od klucza? Ogarnęły mnie wątpliwości: a jeśli umieszczono mnie w jakimś nędznym zamtuzie? — Jego sypialnia znajduje się w najbardziej ode mnie oddalonej części domu, po drugiej stronie podwórka, czyż nie?

Lekko zmarszczyła czoło.

— Och nie, panie. Moritz sypia w kuchni za piecem. — Westchnęła ciężko. — Lepiej pójdę i sprawdzę, gdzie się podziewa. Za łaskawym pozwoleniem, panie...

— Któż więc z a j m u j e tamten pokój naprzeciwko?

— Tamten? — zapytała zaskoczona, rzuciwszy okiem na drugą stronę dziedzińca. — Nikt, panie. Stoi pusty, odkąd dwaj podróżujący dżentelmeni z Hanoweru wyjechali w czwartek.

— Jednak widziałem tam kogoś wczorajszej nocy. Byłbym przysiągł, że Moritza.

— Musiał się pan pomylić, wasza wielmożność — odrzekła pospiesznie, a uśmiech, który powrócił na jej twarz, przypominał karnawałową maskę, tyle że jeszcze bardziej sztywny i fałszywy niż zwykle.

— Jak go już pani znajdzie, pani Totz, proszę go przysłać z moim śniadaniem, dobrze?

Kobieta wydęła usta jak aroganckie dziecko powstrzymujące się od odpowiedzi, która, jak dobrze wie, ściągnęłaby by mu na głowę reprymendę. Cokolwiek zamierzała, powiedziała tylko:

— Jak pan sobie życzy, panie Stiffeniis.

Powróciłem do biurka i dodałem kilka pozycji do listy spraw do załatwienia, potem starannie umyłem się i ogoliłem, przebrałem w czystą płócienną koszulę i w moje najlepsze, brązowe ubranie, następnie wyjąłem perukę z podróżnego pudła. Lotte pamiętała, by mi ją zapakować, pomimo pośpiechu, z jakim odjeżdżałem. Nie znosiłem peruki — pod nią głowa pociła się i swędziała — i na ogół unikałem zakładania jej, ale w obecnych okolicznościach nie byłem prywatnym obywatelem: mieszkańcy Królewca mogli oczekiwać przestrzegania wymogów etykiety przez człowieka, któremu powierzono ratunek ich miasta. Liczyłem zapewne, że obfitość siwych loków doda mojej osobie autorytetu, którego mogłoby mi brakować z powodu młodego wieku. „A także — pomyślałem — ochroni mi uszy przed zimnem".

Zapukano do drzwi i znowu pojawiła się pani Totz, ze śniadaniem na tacy.

— Nigdzie go nie widać, panie — oświadczyła ponuro. Tym razem nawet nie próbowała się uśmiechnąć. Oderwała ode mnie spojrzenie swych zielonych oczu i gorączkowo obiegła wzrokiem pokój, zupełnie jakby przypuszczała, że chłopiec bawi się w chowanego, a ja jestem jego towarzyszem w tej grze.

— Czyżby sądziła pani, że schował się pod moim łóżkiem? — zapytałem.

— Och nie, panie! Cóż za pomysł!

Niemniej znów zerknęła w stronę łoża z baldachimem.

— Powinien być na dole, w kuchni, przygotowywać posiłki — szepnęła z wolna.

— Pewnie wysłano go z jakimś poleceniem — stwierdziłem, by zakończyć temat. — Zechce mi pani podać śniadanie?

Pani Totz zaczerwieniła się mocno i krzyknęła:

— O rany! Proszę o wybaczenie, panie!

Wziąłem tacę z jej rąk i spojrzałem jej prosto w oczy. Drobne paciorki potu już zaczynały pokazywać się na jej czole, wzdłuż linii rudych włosów.

— Czego pani się obawia, pani Totz? — zapytałem.

— Cóż, panie, właściwie... nie obawiam się — mruknęła niepewnie. — Tyle że Moritz to straszny narwaniec. Głowę ma pełną zwariowanych pomysłów.

Miała irytujący, pełen niejasnych aluzji sposób wyrażania się.

— Zwariowane pomysły, na jaki t e m a t, pani Totz?

— Mówiłam panu, wasza wielmożność. I wczoraj wieczorem próbowałam pana ostrzec. On zmyśla. — Wbiła wzrok w swe mięsiste dłonie; zdawały się zaangażowane w nerwowych zmaganiach, nad którymi nie panowała. — Ten chłopak bez przerwy ładuje się w kłopoty — ciągnęła. — Mój Ulrich mówił wczoraj wieczorem, że od pańskiego przybycia Moritz zachowuje się dziwnie. Zadaje pytania na pański temat, chce wiedzieć, kim pan jest, jaki jest cel pańskiego przybycia i tym podobne. Moritz, zdaje się, uważa, że jeśli zamieszkał pan tutaj zamiast w mieście, to po to, żeby obserwować, co dzieje się w gospodzie.

Znów nerwowo rozejrzała się po izbie, potem spojrzała na mnie i odniosłem niejasne wrażenie, że moje przybycie do Bałtyckiego Wielorybnika wzbudziło ciekawość nie tylko chłopca na posługi.

— Nie ma pani powodów do niepokoju, pani Totz — zapewniłem, by się jej pozbyć. — Pani dom jest o wiele wygodniejszy od twierdzy. A teraz, jeżeli pani łaskawie pozwoli, chciałbym zacząć rozkoszować się tym wspaniałym śniadaniem, póki herbata gorąca.

Drgnęła, jakby ktoś ukłuł ją w plecy ostrą igłą.

— Wybaczcie, panie! — zawołała. — Że też tak marnuję pański czas, gdy z pewnością ma pan o wiele ważniejsze sprawy na głowie! W razie potrzeby proszę pociągnąć za dzwonek. Ma pan rację co do Moritza, wasza wielmożność. Na pewno niebawem wróci.

Wychodząc, skłoniła się, jakby miała przed sobą samego króla.

Dziesięć minut później byłem już po śniadaniu, dokończonej toalecie i zszedłem na dół, do głównej sali, gdzie przed kominkiem czekał na mnie Amadeus Koch.

— Dzień dobry, Koch — pozdrowiłem go żywo. — Cieszę się, że pana widzę.

I nie skłamałem. Poprzedniego dnia nawet nie potrafiłbym sobie wyobrazić, że będę tak uszczęśliwiony ponownym widokiem tej surowej, bladej twarzy.

Koch skłonił się z szacunkiem.

— Mam nadzieję, że spał pan dobrze, wasza wielmożność? Dostarczyłem pańską wiadomość do domu pana Jachmanna pół godziny temu — poinformował mnie.

— Czy napisał coś w odpowiedzi?

— Nie, panie.

Zdziwiłem się.

— Jakaś słowna wiadomość?

— Nic, panie. Powiedziałbym, gdyby tak było. Jego służący wziął list, następnie zamknął drzwi. Czekałem mniej więcej pięć minut, ale bez rezultatu.

— Oczywiście, ja... dziękuję panu, sierżancie.

Wbiłem wzrok w płomienie i zastanawiałem się, co mogło oznaczać to milczenie ze strony Jachmanna. Zawiadomiłem go o zamiarze złożenia mu wizyty o dwunastej w południe. Czy mam sądzić, że brak jakiejkolwiek odpowiedzi oznacza zgodę?

— Powóz czeka — oznajmił Koch, wyrywając mnie z zamyślenia. — Życzy pan sobie udać się do twierdzy, wasza wielmożność?

— Czy Kliesterstrasse znajduje się daleko stąd?

Koch spojrzał na mnie z zaciekawieniem.

— Jakąś milę, nie więcej. Leży w handlowej części miasta.

— Dziś rano mamy lepszą pogodę, prawda?

— Śnieg przestał padać, jeżeli to pan ma na myśli.

— No to chodźmy piechotą, Koch, spacer dobrze zrobi nam obydwu, a ja muszę zacząć się orientować w topografii miasta.

Pani Totz z niepewną miną stała w pobliżu kuchennych drzwi; za nic nie mogłem rozgryźć przyczyny intensywności, z jaką się we mnie wpatrywała.

— Jestem przekonany, że Moritz wnet się pokaże! — zawołałem do niej przez izbę.

Sztuczny uśmiech raz jeszcze zmaterializował się na jej twarzy w okropnym grymasie jak u etruskiej figurynki.

— Na pewno, panie Stiffeniis — odrzekła i skłoniła głowę. Przez chwilę zdawało mi się, że zaraz się rozpłacze. Ale tylko skuliła ramiona, odwróciła się i znikła w kuchni.

Oddalając się od skutego lodem portu, ruszyliśmy długą, wspinającą się na wzgórze Königstrasse; sierżant Koch kroczył obok mnie w milczeniu. Tu i ówdzie w sklepach po obu stronach ulicy otwierano okiennice, przygotowując się do dnia pracy, choć oprócz nas nie było żadnych przechodniów — poza chłopcem w białej jarmułce na kędzierzawej czuprynie, którego spotkaliśmy w połowie drogi na wzgórze. Klęczał z wiadrem i szmatą i próbował zmyć plamę z muru, gdzie jakiś nocny marek białym wapnem namalował gwiazdę Dawida i napis — dużymi literami: „Wszystkiemu winni są synowie Izraela!".

Odwróciłem wzrok, nawet nie chcąc pomyśleć, co by się stało, gdyby jacyś fanatycy postanowili poważnie potraktować to oskarżenie, jak stało się w Bremie trzy lata wcześniej. Dwudziestu siedmiu Żydów straciło życie, a tysiące zmuszono do ucieczki.

— Odkąd zaczęły się te morderstwa, panie — oznajmił Koch — nie brakuje gróźb przeciwko Hebrajczykom. Ziejący wrogością pastorzy otwarcie obwiniają Żydów o zamordowanie naszego Zbawiciela. Zabójstwo jakiegoś nabożnego obywatela Królewca może sprowokować krwawą łaźnię.

Zamilkł, gdy zbliżaliśmy się do sklepu z wyrobami tytoniowymi.

Właściciel, wysoki, chudy mężczyzna, odziany w brudny brązowy chałat, z czarną jarmułką na głowie, stał leniwie wsparty o framugę drzwi, paląc zapewne swą pierwszą fajeczkę tego ranka; patrzył na nas z uwagą i, jakby zapraszająco, kiwał ku nam głową. Mruknął coś wyraźnie niezadowolony, gdy mijaliśmy jego królestwo, nie zatrzymując się. Rzuciłem okiem na zakurzoną wystawę: widać było wyraźnie, jakiego rodzaju klientelę może przyciągać swym towarem. Wszędzie kłęby kurzu; z haków zwisały pęki liści pospolitego czarnego tytoniu; krótkie, gliniane fajki i jeszcze krótsze lufki z białej glinki, pożółkłe od starości, leżały porozrzucane obok sterty zapleśniałych krążków sera. W takiej bliskości portu, pomyślałem, zaopatrujący się tu klienci najpewniej byli dość nieokrzesani i prymitywni, nie za wybredni, a już bez wątpienia nie odznaczali się zbyt ekstrawaganckim gustem. Byli to głównie marynarze lub żołnierze stacjonujący w koszarach, mężczyźni poszukujący czegoś taniego i mocnego do palenia oraz fajki, która wiele zdoła przetrzymać.

Na wieszaku przed sklepem wisiały kurtki ze sztywnego płótna; brzydkie, poplamione morską wodą, wyraźnie używane. Dwurzędowy, uszyty z grubej wełny płaszcz Kocha był prawie nowy, a moją czarną pelerynę z importowanej angielskiej wełny — zamówiła ją Helena dwa miesiące temu, gdy zostaliśmy zaproszeni na bożonarodzeniową kolację do domu barona von Stiwalskiego, którego dobra znajdują się nie dalej niż o milę od Lotingen — można by wprawdzie uznać za nieco lekką jak na tę porę roku, ale nikt nie mógłby nie zauważyć dobrej jakości materiału. Mimo to właściciel sklepu wyszedł aż na chodnik, kłaniając się i nalegając, byśmy weszli do środka i zmierzyli ubrania przeciwdeszczowe, z „gwarancją oparcia się wszelkim surowym warunkom najzimniejszych mórz", jak głosił z pewną pompą. Jakbyśmy byli jedynymi klientami, których widział od miesiąca lub jeszcze dłuższego czasu.

— Dziękujemy, nie skorzystamy — odmówiłem z uśmiechem.

— Dla panów połowa ceny! — zawołał za nami.

— Handel najwyraźniej nie kwitnie — zauważyłem i poszliśmy dalej, obserwowani przez sklepikarzy wzdłuż całej ulicy.

— W tym cały kłopot, panie. I nie tylko tutaj, ale wszędzie w mieście — odrzekł Koch. — Większość kupców zamyka około trzeciej. Nikt nie wychodzi po zapadnięciu zmroku. Na targu warzywnym w pobliżu katedry w południowej porze zbiera się niewielki tłum, a na targu rybnym na Sturtenstrasse, bliżej centrum, wciąż bywa dużo kupujących, zależnie od pory przypływu, ale nie tylu, ilu bywało dawniej. Proszę tylko spojrzeć, panie! — sierżant Koch ruchem dłoni wskazał przed siebie, gdy skręciliśmy za róg, w szeroką, wybrukowaną ulicę o nazwie Pillaustrasse.

Ponad czterdzieści metrów przed nami zauważyłem dwóch zamożnie odzianych dżentelmenów, podążających w tym samym co my kierunku. Po drugiej stronie ulicy służąca w lnianym czepeczku i fartuszku w biało-czerwone paski energicznie zmiatała śnieg ze schodów eleganckiej miejskiej rezydencji. Inna, w podobnym stroju, z przykrytym koszem pod pachą wbiegła do domu trochę dalej i zatrzasnęła za sobą bramę. Poza tym ulica była pusta. Żadnych koni, wozów czy karet, nic nie zakłócało spokoju. Nie dostrzegłem nic specjalnego.

— Co masz pan na myśli? — zdziwiłem się.

— Pillaustrasse była najbardziej ruchliwą ulicą w Królewcu, panie — odrzekł z przejęciem. — Rok temu nie dałoby się zrobić kroku, by na kogoś nie wpaść.

— Gdzie się podziali ci wszyscy ludzie?

— Zabarykadowani w domach, panie. Czekają, aż morderca znajdzie się pod kluczem.

— Możesz pan mieć rację — przyznałem z westchnieniem niepokoju. Nigdy bym nie sądził, że podjęcie śledztwa będzie równoznaczne z przywróceniem normalnego życia w Królewcu i zapewnieniem bezpieczeństwa potencjalnym ofiarom zbrodni.

— Co nowego dzisiaj rano, Koch? — zapytałem, zdając sobie nagle sprawę, jak milczący i nieprzystępny musiałem wydać się memu asystentowi.

— Generał K. powołał do czynnej służby wszystkich posiadających wojskowe doświadczenie mężczyzn poniżej trzydziestu lat, panie Stiffeniis — Koch odpowiedział mi ze zwykłym wigorem. — To jeszcze jedna przyczyna tych pustek w mieście. Generał chce wprowadzić ścisły nadzór nad wszelkimi agitatorami, cudzoziemcami i w ogóle obcymi.

— Istnieje ich lista, Koch?

— Przypuszczam, bez wątpienia.

— Mogę dostać jej kopię?

— Postaram się, panie. Bóg jeden wie, jak dalece będzie kompletna. Hotele sprawdzi się bez trudu — Koch dyszał z powodu tempa, jakie narzuciłem, i z każdym słowem wydychał obłoczki pary — ale co do okolic portu, to już inna sprawa. Musiał pan sam zauważyć. Tam ludzie pojawiają się i odchodzą, a jeżeli w Bałtyckim Wielorybniku poproszono pana o wpis do rejestru gości, to tylko dlatego, że wiedzą, kim pan jest.

Zamilkł na dłuższą chwilę.

— Czy zamierza pan przeprowadzić przesłuchania? — zapytał z powagą, jak gdyby sądził, że powinien wyrazić słowami myśl, której ja nie miałem odwagi wypowiedzieć na głos.

— Na Boga, nie! Podzielam niechęć generała K. względem tłumu. Musimy opanować sytuację bez wytaczania ciężkich dział. Jeżeli te zbrodnie popełniono z przyczyn politycznych, należy utrzymać przestępców w poczuciu fałszywego bezpieczeństwa. Przesłuchamy kogoś, i całe miasto będzie wiedziało, w jakim kierunku podążamy. Gdy powiedziałem, że należy ich sprawdzić, miałem na myśli odbycie rozmów z właścicielami hoteli, ale w zaufaniu. Trzeba wybadać, jakie mają podejrzenia, wypytać, czy nie wydarzyło się coś niezwykłego. Policja zna się na tego rodzaju strategii, czyż nie?

— Czy taką zamierza pan przyjąć metodę śledztwa?

— Co masz na myśli, Koch?

— Politykę, panie Stiffeniis. Sama myśl o inwazji francuskich łotrów wystarczy, by wystraszyć na śmierć każdego mieszkańca Królewca. Jeżeli istnieje taka możliwość, generał K. powinien zostać natychmiast poinformowany. Król także...

Raptownie zatrzymałem się i zwróciłem w jego stronę.

— Co możemy im powiedzieć, Koch? Nie mamy nic do zakomunikowania. Jak dotąd po Bonapartem ani śladu. Tutejsi jego agenci może robią, co w ich mocy, by podkopać autorytet rządu, a za pomocą terroru siać panikę wśród mieszkańców, jednak tę hipotezę należy zweryfikować. Trzeba także rozważyć inne możliwości.

Koch wysiąkał nos w chustkę.

— Czy mogę zapytać jakie, panie?

Tym pytaniem zbił mnie z tropu. W istocie — jakie?

— Cóż, sierżancie — zacząłem, idąc dalej — sam pan podałeś jedną wczoraj w powozie.

— Naprawdę, panie?

— Wspomniałeś szatana.

— A pan, wasza wielmożność, wyśmiał tę sugestię — powiedział z pretensją Koch, bacznie lustrując moją twarz, jakby niepewny, czy przypadkiem nie żartuję.

— Nie mogę sobie pozwolić na wykluczenie jakiegokolwiek rozwiązania, Koch — powiedziałem z uśmiechem. — Choćby pomysł wydawał mi się krańcowo absurdalny.

Szliśmy dalej w milczeniu, a Koch od czasu do czasu objaśniał, co mijamy.

— Oto Kliesterstrasse — oświadczył w końcu. — Którego domu szukamy, panie?

Nie odpowiedziałem, lecz ruszyłem ciemną, wąską, o nierównym bruku uliczką. Siedziby ludzkie rozmaitych kształtów i rozmiarów skupiały się po obu stronach płytkiego, cuchnącego rynsztoku, płynącego środkiem jezdni. Niektóre z nich sklecono ze związanych gliną prętów i gałązek, inne, porozrzucane tu i ówdzie, zbudowano z piaskowca, teraz sypiącego się na skutek trwającego dziesiątki lat niszczycielskiego działania wichrów. Może postawiono je tu, by zasłonić te lichsze lepianki. Wydawało się, że górne piętra domów z obu stron ulicy stykają się, całkowicie odcinając szare niebo. Witrażowe okienka, wyglądające jak plastry miodu z butelkowego szkła, przepuszczały światło, ale nie pozwalały ciekawskim zaglądać do pomieszczeń na parterze. Cała okolica miała w sobie coś chybotliwego, dryfującego, pochyłego, jakby gwałtowny podmuch wichru za chwilę miał wszystko z hukiem powywracać.

— Prokurator Rhunken nie dokończył dzieła, sierżancie. Sprawdźmy, czy człowiek, którego ciało leżało wczoraj na sekcyjnym stole, pozostawił po sobie coś, co mogłoby pomóc rozwikłać zagadkę jego zabójstwa.

Tabliczka z brązu przybita do drzwi głosiła: „Jeronimus Tifferch, Notariusz i Sędzia Koronny".

rzwi otwarły się, ukazując na progu maleńką, karłowatą postać. Twarz i włosy kobiety przysłaniała koronka tej samej barwy co jej prosta, czarna sukienka.

— Biuro zamknięte — wyrecytowała wysokim, śpiewnym głosem. — Pan Tifferch odszedł już z tego świata.

— Pani Tifferch? — zapytałem, zablokowawszy stopą drzwi, zanim zdążyła zatrzasnąć je nam przed nosem.

Od razu otworzyła drzwi na całą szerokość, energicznie kiwając z boku na bok osłoniętą welonem głową; wreszcie z jej ust wydobył się gdaczący dźwięk:

— Och, nie! Życzy pan sobie widzieć panią? Wyrazy współczucia, o to chodzi? — Odrzuciwszy welon do tyłu, odsłoniła masywną, wysuniętą mocno do przodu szczękę i spiorunowała nas spojrzeniem. Z zapadniętych dziąseł sterczały dwa pożółkłe kły.

— To nie jest towarzyska wizyta, proszę pani — wyjaśniłem.

— Nazywam się Hanno Stiffeniis. Jestem urzędnikiem sądowym prowadzącym śledztwo i chcę porozmawiać z panią tego domu o śmierci jej męża.

Kobieta zagdakała ponownie, potem powiedziała wprost:

— Nie na wiele wam się to zda!

Nie wydawała się poruszona, że jej pan padł ofiarą morderstwa, a pani została wdową. Pomimo żałobnych szat, zachowywała się zupełnie nieadekwatnie do sytuacji.

— Po co panowie chcecie się z nią widzieć? — zapytała.

— Muszę przejrzeć rzeczy należące do pana Tiffercha.

— Proszę bardzo — wzruszyła ramionami. — Co pana powstrzymuje?

— N a j p i e r w chciałbym uzyskać pozwolenie twojej pani.

Służąca cofnęła się o krok i gestem zaprosiła nas do środka, ruchem głowy wskazując na drzwi po prawej stronie holu.

— Jej wielmożność jest w salonie. W całym swym splendorze! Proszę pytać ją, o co panowie chcecie.

Zaskoczyła mnie tym tajemniczym określeniem. Jaśnie wielmożna pani? Czyżby pani Tifferch należała do arystokratycznego, junkierskiego rodu? Oczywiście, nazwisko przybrane po zamążpójściu nie miało w sobie nic szlacheckiego. Zanim zdążyłem zapytać, służąca zatrzasnęła drzwi wejściowe i odeszła bez słowa długim, ciemnym korytarzem, ciągnącym się po lewej stronie domu; jej chodaki głośno stukały na wyłożonej kaflami podłodze.

— To nie ten rodzaj służącej, jaki trzymałbym w m o i m domu — mruknąłem pod nosem, wspominając sterroryzowanych domowników mego ojca i naszą własną, uległą Lotte, gdy delikatnie pukałem wierzchem dłoni do drzwi salonu.

— Wejdźcie do środka! — zaskrzeczał głos służącej z końca korytarza. — Ona nie odpowie, choćbyście czekali cały piękny dzień.

Koch pchnął drzwi, wszedłem za nim. Panował tu ponury mrok, a pomieszczenie bardziej przypominało zakład pogrzebowy niż pokój dzienny podmiejskiej rezydencji. W lichtarzach obwiązanych szerokimi pasami czarnej wstążki paliły się długie, cienkie świece. Połyskujące czarne całuny przysłaniały meble, okucia, nawet obrazy na ścianach, wszystko prócz wysokiej niemal na półtora metra gipsowej figury umieszczonej na stole w odległym kącie pokoju — postaci Jezusa Chrystusa, wokół której wzniesiono coś w rodzaju kapliczki. Czerwone wotywne lampki oświetlały Jego przeszyte serce i bose stopy. Zbawiciel rozchylał swe szaty szeroko, w wysoce niestosowny sposób wystawiając Serce Jezusowe na wzrok obojętnego świata. Jaskrawoczerwony, pulsujący krwią organ wieńczyła korona złocistych języków płomieni. Spojrzałem na sierżanta Kocha — wytrzymał mój wzrok. Weszliśmy na terytorium katolickie. Pośrodku pokoju, w fotelu o wysokim oparciu, siedziała kobieta; podobnie jak pokojówka, była cała w czerni, tyle że jej wyszukany strój, o wiele bogatszy, z kosztownego jedwabiu, przyozdobiony falbanami i wstążkami, należał do innej epoki. Na piersi pysznił się wspaniały naszyjnik z gagatów, a dobrane do niego bransolety zwisały z drobnych nadgarstków żałobnicy. Śmierć na stałe zagościła w domu tej kobiety.

— Pani Tifferch? — zacząłem, idąc przez pokój w jej stronę.
— Czy wolno mi złożyć najszczersze kondolencje z powodu niepowetowanej straty?

Dama skierowała na mnie wzrok. A dokładnie — na dźwięk mego głosu uniosła głowę. Spod welonu zabłysły żarzące się punkty, przypominające główki szpilek, ale na wargach nie pojawiło się żadne słowo podziękowania czy powitania.

— Pani mąż, szanowna pani... — urwałem, czekając na odpowiedź.

Pani Tifferch nie poruszyła się. Zdawała się wręcz nie oddychać.

— Badam okoliczności dotyczące jego tragicznej śmierci — uznałem za stosowne kontynuować. — Jestem zmuszony zadać pani kilka pytań na temat zmarłego. Interesuje mnie każda sprawa, jaką mógł być pochłonięty w czasie, gdy zginął. Przebywał na dworze po zapadnięciu zmroku, więc...

Kobieta wyciągnęła rękę. Bransoletki zachrzęściły, gdy sięgnęła po czarną chustkę leżącą na stoliku obok, wsunęła ją pod welon i rozpłakała się.

— Pani Tifferch — spróbowałem łagodnie.

Odpowiedziało mi milczenie.

— Pani Tifferch? — powtórzyłem.

Koch przeszedł na palcach przez pokój i stanął za fotelem damy. Pochylił się do przodu i szepnął jej do ucha:

— Pani Tifferch?

Wyprostował się na całą wysokość za plecami kobiety, uniósł palec wskazujący i dwa razy dotknął swej skroni; potem potrząsnął głową.

— Proszę zawołać służącą — poleciłem mu i czekałem w milczeniu, dopóki po chwili nie nadeszła, powłócząc nogami i głośno przy tym stukając sabotami o kafle posadzki; Koch pojawił się tuż za nią.

— Czego pan chce? — wymamrotała. Jej złe nastawienie do nas ani trochę nie złagodniało.

— Czy twoja pani nie czuje się dobrze? — zapytałem.

— Można by tak to określić — odrzekła. — Brak piątej klepki, tak j a bym to nazwała. Pani Tifferch żyje we własnym świecie. Nigdy się nie odzywa, ani słowem.

— Co jej dolega?

Wzruszyła ramionami.

— Nie mam pojęcia. Przecież nikt mi nie powiedział. Ja jestem tylko pielęgniarką. To stało się chyba przed pięcioma laty. Wtedy jeszcze nie pracowałam w tym domu. Ale sąsiedzi mi opo-

wiedzieli. Wydarzyło się nagle. Wcześniej była silna i ruchliwa.
— Wskazała na podopieczną i potrząsnęła głową. — Jak sądzę,
musiała się czegoś nieźle wystraszyć.

Zaskoczyła mnie.

— Co masz na myśli?

Ponownie wzruszyła ramionami.

— Nie zostaje się roślinką bez powodu, czyż nie?

Zesztywniałem, odganiając obrazy kłębiące się w mej wyobraźni. Zamiast pogrążonej w żałobie kobiety ujrzałem własną
matkę, siedzącą tu, przede mną; widziałem jej wbity we mnie
wzrok, gdy zadawała pytanie, na które nie było odpowiedzi: „Jak
mogłeś to zrobić, Hanno?!". Ostatnie sensowne zdanie, jakie
udało jej się sklecić. Potem dreszcz przebiegł przez jej ciało i bez
ducha padła u mych stóp. Jej grobowe milczenie trwało wiele
dni. Wezwano lekarzy — nie znaleźli lekarstwa. Pastor przybył
i pozostał, by odczytać modlitwę. Przez cały ten czas ojciec nie
odezwał się do mnie słowem, ale w jego spojrzeniu można było
wyczytać pytanie matki: „Jak mogłeś, Hanno? Zrobiłeś to?".

Zamknąłem oczy, by uwolnić się od bolesnych wspomnień,
a gdy znów je otwarłem, ujrzałem przed sobą szeroko rozwarte
usta służącej.

— Jak się nazywasz? — zapytałem.

— Agneta Süsterich.

— Jak długo służysz w tym domu, Agneto?

— Zbyt długo.

W tej starej kobiecie nie było nic służalczego. Takie wyraże-
nia jak „wasza wielmożność" czy powiedzenia typu „jeśli pan pozwoli" nie istniały w jej ograniczonym słowniku. Jej szorstkość
graniczyła z nieuprzejmością. Czyżby notariusz Tifferch nigdy
nie skarcił tej zgorzkniałej sługi za jej fatalne maniery?

— Bądź łaskawa wyrażać się ściślej! — zwróciłem jej uwagę.

— Dwa lata — wyraźnie zmusiła się do odpowiedzi. — I niech będzie przeklęty dzień, w którym tu nastałam! Gdy to wszystko się skończy, odejdę. Powinnam go była zostawić z tym...

— Czy twoja pani ma jeszcze kogoś? Synów, córki? — naciskałem.

— Nikogo — odrzekła kobieta. — Żadnych krewnych. Przez cały ten czas, odkąd nastałam, nigdy nie widziałam tu żywej duszy. Nikt nie przychodzi do tego domu. Nikt...

Zrobiła wielce znaczącą pauzę, jakby zachęcając mnie do dokończenia zdania.

— Oprócz k o g o?

— Księży! — rzuciła wściekle. — Katolickich! Bluźniercze robactwo! A teraz węszy tu policja...

— A ty nie jesteś tego wyznania, jak rozumiem?

Służąca zmrużyła oczy, jakbym właśnie oskarżył ją o najbardziej ohydną pod słońcem zbrodnię.

— Należę do pietystów! — oznajmiła. — Wszyscy w Królewcu są pietystami. Każdego wieczoru uczęszczam na czytanie Biblii, by oczyścić płuca z zatrutego katolickiego powietrza, które zmuszona jestem wdychać w tym domu. Powiedziałam memu panu. Powiedziałam mu od razu: „Chodzę na spotkania badaczy Biblii, panie Tifferch", chyba tak mu powiedziałam. Ale teraz nie ma nikogo, kto mógłby się nią zająć. Więc co mam zrobić?

— Czy to ty zapaliłaś te świece? — próbowałem przerwać potok gniewnych słów, nim zamieni się w powódź.

— Musiałam, a jak inaczej? — wymamrotała. — Jedyny sposób, by siedziała spokojnie. Lubi świece. Wszyscy katolicy je lubią. Pogańskie gusła, tak bym to nazwała!

— Co należy do twoich obowiązków w tym domu? — zapytałem z całą cierpliwością, na jaką udało mi się zdobyć.

— Wszystko — zaczęła wyliczać na palcach. — Mycie jej, wycieranie, ubieranie, czesanie, karmienie. Wystroiłam ją na czarno, na wypadek gdyby pojawiła się jedna z tych pijawek.

— A wezwano „pijawkę"? — zapytałem.

— Papiści! — splunęła. — Jak na razie, trzymają się z daleka.

— Twojego pana zamordowano trzy dni temu — ciągnąłem. — Późnym wieczorem. Czy mówił, dokąd się wybiera, gdy wychodził z domu?

Kobieta uniosła oczy do góry, wysunęła brodę i skrzywiła się szyderczo.

— Pan nigdy nikomu się nie opowiadał. Nie wiadomo było, co o n tam sobie myśli. Wielka niewiadoma, oto czym był.

— Prowadził swoje sprawy w domu — nalegałem. — Jacy klienci przyszli do niego owego dnia?

— Nie mam pojęcia. Absolutnie. Drzwi frontowe zawsze były otwarte. Od siódmej do piątej, od poniedziałku do soboty. Wchodził, kto chciał.

Spróbowałem z innej beczki.

— Czy słyszałaś, by ktoś krzyczał lub kłócił się z panem Tifferchem?

— Ja trzymam się kuchni — odrzekła. — Tam jest ciepło.

— Może wiesz, czy twój pan miał wrogów? — zapytałem.

Agneta Süsterich przez chwilę rozważała tę kwestię. Potem spojrzała na mnie z uśmiechem i moje nadzieje wzrosły.

— Tylko panią — oświadczyła. — Na jego widok darła się wniebogłosy. Czy to panu wystarczy?

Zdecydowanie nie. Na pewno za te rany i blizny na ciele notariusza Tiffercha nie odpowiadała jego żona.

— Czy coś niezwykłego wydarzyło się tego dnia? — nie ustępowałem.

Agneta Süsterich głośno westchnęła, z każdym następnym pytaniem wyraźnie coraz bardziej rozzłoszczona.

— Pracował w godzinach rannych. Jak zwykle. Zjadł obiad z żoną. Jak zwykle. Siedział w gabinecie do piątej. Jak co dzień. A ja, jak każdego popołudnia, poszłam do Grüsterstrassehaus...

— Co to takiego?

— Świątynia pietystów. Jak zawsze zostawiłam państwu zimną kolację. Wróciłam o wpół do ósmej, by położyć panią spać — jak zwykle. J e g o już w ogóle nie widziałam, ale to nic nowego. Wychodził co wieczór...

— Dokąd? — przerwałem jej.

Brzydka twarz skrzywiła się z niesmakiem.

— Mogę sobie jedynie wyobrażać. Wiele razy widziałam go rano, gdy zataczając się, schodził po schodach. Z obolałą miną, jakby koń kopnął go w jądra. W niektóre dni ledwie trzymał się na nogach! Ci katolicy uwielbiają grzeszyć, to pewne. Ksiądz za dwa, trzy talary bez zwłoki udzieli rozgrzeszenia.

— Czy zazwyczaj słyszałaś, gdy wracał nocami? — zapytałem, kaszlem pokrywając rozbawienie tym krytycznym opisem konkurencyjnej religii.

— Odmawiam modlitwę i idę spać. Nie ma po co czekać na szatana. Zwłaszcza tamtej nocy, przecież w ogóle nie wrócił do domu, czyż nie? Nocny strażnik zastukał do nas po pierwszym pianiu koguta.

— Gdzie jest jego gabinet?

— Z korytarza prowadzi czworo drzwi — oświadczyła. — Jedne do mojej komory, drugie do jej pokoju, trzecie do jego gabinetu. Czwartymi przechodzi się na górę do pomieszczeń sypialnych.

— Pokaż mi gabinet pana — poleciłem.

Zanim wyszliśmy z salonu, ponownie zwróciłem się do wdowy. Siedziała równie nieruchoma i milcząca jak gipsowa figura w kącie. Odkąd weszliśmy, nie dała znaku życia, a gdy wychodziliśmy, także się nie poruszyła.

Agneta Süsterich wskazała na zamknięte drzwi po drugiej stronie holu.

— Tutaj pracował — powiedziała. — Drzwi są zamknięte.

— Masz klucz?

— Pan trzymał go przy sobie — odrzekła.

— Ale z pewnością sprzątałaś w jego pokoju?

— Robił to sam. Pan Tifferch nie wpuszczał nikogo do środka, chyba że w swojej obecności. Klientów i tak dalej. No już, włamcie się — zachęcała wyzywająco. — Jesteście policjantami, czyż nie?

Koch wysunął się do przodu ze składanym nożem.

— Spróbować szczęścia, panie?

Skinąłem głową, a sierżant opadł na kolana i wsunął ostrze w starodawny zamek. Ostrożnie wiercił i przekręcał, a służąca stała nad nim, obserwując go, jakby był złodziejem, i potrząsała głową z obrzydzeniem, które najwyraźniej żywiła wobec całego świata. Nagły trzask i drzwi się otworzyły.

— Ma pan talent do tej roboty, Koch! — wykrzyknąłem.

— Oby tylko potrafił ponownie je zamknąć — mruknęła służąca, jakby pan Tifferch mógł wrócić do domu i złajać ją za zniszczony zamek.

Na środku pokoju, obszerniejszego od salonu, z którego przyszliśmy, stało biurko. Przed nim ustawiono dwa krzesła o wysokich oparciach. Jak doniosła nam służąca, notariusz nie zatrudniał sekretarza, lecz wszystkimi sprawami zajmował się sam.

Oszklone szafy na książki, którymi zabudowano ściany, mieściły ciasno zwinięte rulony, obwiązane wstążkami o rozmaitych kolorach. Ułożone w alfabetycznym porządku dokumenty świadczyły o systematyczności i pracowitości zmarłego.

— Pora przebrać panią — ogłosiła służąca od drzwi, zerkając niepewnie do środka gabinetu, jakby miała przed oczyma zakazany teren. Znikła, nie czekając na pozwolenie, i zaraz potem usłyszeliśmy jej krzyki w pokoju po drugiej stronie holu. W odpowiedzi pani domu też się rozwrzeszczała. Wysokie zawodzenie nie cichło przez dłuższy czas.

— Sytuacja pana Tiffercha była nie do pozazdroszczenia — zauważył Koch.

— Zapal kilka świec, sierżancie — poleciłem. — Mam nadzieję, że dowiemy się czegoś więcej o jego życiu.

Przez następne dwie godziny przeglądaliśmy zakurzone dokumenty, zwijaliśmy z powrotem i odkładali na miejsce te, które wydawały się nieprzydatne i bez związku ze sprawą. Niektóre pochodziły sprzed trzydziestu lat — papier pożółkł i skruszał — prawnicze transakcje różnego rodzaju: kontrakty małżeńskie, rachunki kupna, pokwitowania sprzedaży i listy przewozowe, spadki podjęte i kwestionowane. Pewnie wszystko w tych papierach mogło mieć znaczenie, ale nie odkryliśmy niczego, co pozwoliłoby bezpośrednio powiązać zabójstwo prawnika z którąś z poprzednich zbrodni.

Dokumenty dotyczące ostatniej sprawy, którą Tifferch się zajmował, leżały schludnie uporządkowane na biurku. Bogaty mieszczanin, Arnolph von Rooysters, pozostawił cały ruchomy majątek swemu kamerdynerowi, mężczyźnie o nazwisku Ludwig Frontissen. Najwyraźniej krewni zmarłego próbowali podważyć jego wolę, ale Tifferch miał w swojej pieczy zaprzysiężony testament podpisany ręką testatora na korzyść służącego, i to załatwiało sprawę ostatecznie. Usiadłem przy biurku Tiffercha, by przeczytać te dokumenty; Koch po drugiej stronie pokoju zajęty był ostatnimi rulonami.

— Panie Stiffeniis — powiedział nagle — tej szafy nie da się otworzyć, zamknięta na głucho.

Zauważywszy duży pęk kluczy w jednej z szuflad biurka, wyjąłem je i rzuciłem Kochowi.

— Sprawdź, czy któryś pasuje.

Przez chwilę Koch próbował uporać się z zamkiem, szczękając coraz to innym kluczem, ja zaś nadal czytałem urywki listów i oświadczenie nawiązujące do sporu między krewnymi von Rooystersa a kamerdynerem. Potomkowie zmarłego zwrócili się do pewnego ministra w Berlinie, który napisał do Tiffercha z prośbą o wyjaśnienie. Tifferch podtrzymał swą opinię, że prawo leży zdecydowanie po stronie kamerdynera, do którego uśmiechnął się los. Minister Aschenbrenner, daleki krewny von Rooystersów, zgodził się z notariuszem, ale zaproponował kompromis, by zakończyć spór. Podejmując wskazówkę ministra, Tifferch wystąpił z ofertą przekazania krewnym zmarłego połowy spadku, czemu kamerdyner nie tylko się nie sprzeciwił, ale wręcz przyjął takie rozwiązanie z zadowoleniem. Daty na niektórych dokumentach pochodziły sprzed kilku lat, a Tifferch właśnie doprowadził sprawę do końca ku korzyści i satysfakcji obu stron. Nie było tu absolutnie niczego, co mogłoby sugerować możliwą przyczynę zabójstwa.

— Nic z tego — głos Kocha przerwał tok mych myśli. — Żaden nie pasuje.

— W takim razie proszę skorzystać z rady służącej.

— To znaczy, panie?

— Proszę wyłamać zamek, sierżancie. Jeżeli ukrywał klucz, prawdopodobnie przechowywał tu pieniądze i kosztowności.

Koch skinął głową i zabrał się do roboty. Po kilku minutach chrząknął z zadowoleniem. Potem zapadło milczenie.

— Tak, Koch? — zapytałem z niecierpliwością, oderwawszy się od dokumentu, który czytałem. — Znalazł pan coś?

— Lepiej niech pan sam zobaczy, wasza wielmożność.

Klasnąłem, strzepując z palców kurz, i dołączyłem do niego. Koch ustawił świecę na krześle, by oświetlić wnętrze szafki, głębokie i ciemne. Na górnej półce stało popiersie uśmiechniętego Napoleona Bonaparte. Wyciągnąłem rękę, by podnieść figurkę, i omal nie upuściłem jej po dotknięciu palcami podstawy. Nacisk mego kciuka uruchomił cieniutką niczym włos sprężynę: kapelusz cesarza uniósł się w górę i z przylizanych włosów na jego głowie wyłoniły się dwa diabelskie różki.

— Cóż za niezwykła zabawka! — wybuchnąłem śmiechem. — Co tam jeszcze masz?

Na niższej półce leżała sterta broszurek i drukowanych kartek, które Koch przeglądał ze wzrastającym zaciekawieniem. Zawierały treści trywialne, nawet erotyczne, i odnosiły się w niezwykle obscenicznym języku do cesarza Francji. Gdyby uwierzyć anonimowym karykaturzystom, Bonaparte przejawiał zdecydowaną preferencję seksualną względem zwierząt. Zwłaszcza upodobał sobie osły, chociaż w jednym przypadku został przedstawiony w miłosnym uścisku z samicą słonia. Jak Koch nie omieszkał zauważyć, satyryczne uwagi pod rysunkami były w języku niemieckim, a obsceniczne ryciny najwyraźniej wydrukowano na ręcznej maszynie drukarskiej, używając drewnianych płyt — sposobu tego już dawno zaniechano.

— Ciekaw jestem, gdzie on je kupił — zastanawiałem się, wertując strony.

— Sądzi pan, że należał do jakiejś politycznej grupy, wasza wielmożność? — zapytał Koch.

— Raczej do domokrążnej biblioteki sprośności! Choć może pan mieć rację, sierżancie. Najwyraźniej Tifferch wiódł bogate sekretne życie.

„Czyżby te przewrotne materiały były przyczyną jego domowych kłopotów? — zastanawiałem się w duchu. — Może jego żona przypadkowo natrafiła na obrzydliwe ryciny i szok okazał się zbyt silny dla jej zdrowia?" Nagła świadomość, że pozornie szacowny małżonek jest perwersyjnym radykałem, z łatwością mogła zmienić kobietę o mocnych religijnych przekonaniach w żywy posąg.

Żywy posąg...

Znów przed oczami stanął mi obraz matki. Na czoło wystąpił mi pot, nerwowy skurcz krtani wywołał atak kaszlu.

— Pełno tu kurzu, prawda, panie? — zareagował Koch natychmiast. — Życzy pan sobie, bym przyniósł mu szklankę wody?

— To nie będzie konieczne — odrzekłem, i nie było. Matczyny duch, jej zrozpaczona, nieustannie oskarżająca mina znikły na dźwięk jego głosu.

— Czy musimy przejrzeć wszystkie te broszury, panie prokuratorze? — zapytał Koch, nie kryjąc niechęci.

— Obawiam się, że tak, Koch. Nie możemy pozwolić sobie na pozostawienie bez wyjaśnienia jakiegokolwiek wątku.

— Rozumiem, panie — z tymi słowami Koch pospiesznie zajął się tym, czego tak nierozważnie chciał zaniechać jeszcze przed chwilą.

Próbowałem jednak ułatwić mu zadanie. Sprawdzaliśmy pierwsze i ostatnie strony broszurek, szukaliśmy nazwisk. Nie znaleźliśmy żadnego, oczywiście, tylko sprośności, ewidentnie zmyślone i wrogie wobec wszystkiego, co francuskie: *Cul de*

Monsieur, Seigneur Duc de Porc, Milord Mont du Merde, i tak dalej. Odłożyliśmy pamflety na półkę, na której znajdowały się wcześniej, i zajęliśmy się następną. Stała tu duża, obita brązowym aksamitem skrzynka, zamknięta na małą kłódkę. Koch ponownie sprawdził kółko z kluczami, nie znalazł nic odpowiedniego i na moje polecenie otworzył kłódkę nożem. Podniesiona pokrywa odsłoniła sielską scenę wyrzeźbioną z wosku: Bonaparte ze swą ukochaną Josephiną Beauharnais. Cesarz stał, cesarzowa siedziała na stołku, twarzami zwróceni do siebie. Na urodziwym obliczu kobiety malował się dziwny wyraz, usta miała rozchylone, oczy szeroko rozwarte, jakby właśnie doznała szoku lub coś ją wystraszyło. Za naciśnięciem dźwigni w podstawie modelu spodnie Napoleona opadły mu do kostek, a w górę sztywno uniosła się trzecia noga — równie długa jak dwie pozostałe — i znieruchomiała tuż przy ustach damy. Po naciśnięciu drugiej dźwigni mechanicznego cacka kobieta opuściła głowę, by dokonać owego perwersyjnego i zwierzęcego aktu, jakiego żadna szanująca się cesarzowa Francji nie powinna robić publicznie.

— Wysoce... niezwykłe poczucie humoru — wymamrotał niepewnie Koch.

Nawet nie widząc jego twarzy, wiedziałem, że się zaczerwienił.

Czy pana Tiffercha mogli zamordować rezydujący w Królewcu sympatycy Napoleona? Zdołał ukryć swe zabawki przed żoną i służącą, ale na pewno dzielił się nimi z przyjaciółmi. A w czasach równie niebezpiecznych jak nasze przyjaciół należy traktować ostrożnie. Od wybuchu rewolucji we Francji nie każdy mieszkaniec Prus jest takim patriotą, jak by można się spodziewać.

— Jak mocne są sympatie profrancuskie w tym mieście, sierżancie?

Zanim odpowiedział, podrapał się po brodzie.

— Od kilku miesięcy Prusy pozostają odcięte od politycznych wydarzeń, panie. Mamy nielicznych sprzymierzeńców, a Bonaparte robi wszystko, byśmy nie mieli żadnych, i wtedy zaatakuje. I m a zwolenników w Królewcu. Jak w całej Europie... — przerwał, spojrzał na mnie. — Ale czy naprawdę sądzi pan, że jakiś fanatyk zamordował pana Tiffercha za jego nieprzystojny stosunek do cesarza Francuzów? Co oznaczają te blizny na jego ciele? Jak pasują do całości?

— Nie wiem — odrzekłem z westchnieniem. — Nie znajduję żadnego związku. W raporcie Rhunkena nie ma wzmianki o śladach pejcza na pozostałych zwłokach, ale on wierzył w polityczny związek między tymi morderstwami. Podejrzewał istnienie spisku, choć nie umiał określić jego r o d z a j u. A to — wskazałem na kolekcję przedmiotów wyjętych z szafy — prowadzi nas w ogólnych zarysach w podobnym kierunku.

I właśnie wtedy wdarło się do pokoju światło słońca. Niczym promień przebijający ciemne wnętrze *camera obscura* zatrzymało się na moment na wepchniętej na sam tył półki rolce czerwonego jedwabiu. Niepewny co do istoty następnej pośmiertnej sztuczki pana Tiffercha, ostrożnie wyjąłem zawiniątko. Rolka była długa i gruba jak pieprzna duńska sucha kiełbasa.

Położyłem przedmiot na biurku i ostrożnie rozwinąłem. Przez kilka chwil razem z Kochem z niedowierzaniem patrzyliśmy na zawartość zawiniątka.

— To tłumaczyłoby wyraz twarzy Tiffercha, gdy schodził na śniadanie — zauważyłem.

— Nigdy czegoś takiego nie widziałem — stwierdził Koch przytłumionym głosem.

Podniosłem ciemny skórzany pręt i potrząsnąłem nim. Trzy długie rzemienie o końcach powiązanych w węzły uwolniły się złowieszczą kaskadą.

— Przynajmniej wiemy, skąd te rany na ciele Tiffercha, Koch. Stare blizny, świeże skaleczenia...

Sierżant z trudem odzyskał głos.

— Sądzi pan, że robił to sobie s a m, wasza wielmożność?

— Najpewniej — przyznałem. — Ale czy po to, by ukarać się za grzechy, czy aby dostarczyć sobie seksualnych rozkoszy, nigdy się nie dowiemy. Może jedno i drugie?

— Że też coś podobnego mogło zaistnieć w Królewcu! — Było oczywiste, sądząc po wyrazie prostej, uczciwej twarzy Kocha, że stanął wobec nowych dla siebie, wielce niepokojących okoliczności. — We Francji, jak słyszałem, praktykują takie rzeczy. W Paryżu. Ale tutaj, w Prusach?

— Proszę odłożyć wszystko dokładnie jak było — poleciłem spokojnie, obserwując go, gdy chował każdy przedmiot na przypisane mu miejsce w szafie. Obchodził się z nimi tak, jakby mogły oparzyć mu końce palców, wreszcie energicznie zamknął drzwiczki.

Gdy wychodziliśmy, Agneta Süsterich przygotowywała się do nakarmienia swej pani. Madame Tifferch dalej siedziała na fotelu z wysokim oparciem, ale teraz już bez welonu, a jej wykwintny strój chroniła biała, lniana materia. Z okrągłej, obrzękłej i bladej, nieruchomej twarzy jasnobłękitne oczy, przypominające puste źrenice ślepca, wpatrywały się w miskę kaszy ustawioną na stoliku przed nią.

— Mam nadzieję, że znaleźliście, co potrzeba do złapania mordercy pana Tiffercha — fuknęła przez ramię służąca. Była to pierwsza nutka współczucia dla jej pana, odkąd postawiliśmy nogę w tym domu. — Znacie drogę do drzwi frontowych. Ta papka to jedyne, co wzbudza zainteresowanie pani. Nie mogę pozwolić jej czekać.

Na zewnątrz, na ulicy, poczułem się jakby mroczna opończa pokryła mą duszę. Jakie życie czeka panią Tifferch bez męża? Jaką ma przed sobą przyszłość bezradna kobieta w towarzystwie zgorzkniałej służącej, w pustym domu? Zamyśliłem się także nad losem Agnety Süsterich. Wyznawczyni pietyzmu zmuszona do przebywania w ostoi katolicyzmu, którego nienawidziła, wcześniej czy później musiała odkryć sekrety szafy swego pana. Czy po tej szokującej rewelacji będzie mniej dbała o panią, jeszcze bardziej niechętna wobec jej grzesznego małżonka? Czy będzie dalej pielęgnować panią Tifferch? A jeżeli nie, kto ją zastąpi? Osoba czy osoby, które zamordowały Jeronimusa Tiffercha, wniosły nieszczęście do tego domostwa. Ileż zamieszania, ile zniszczenia spowodowały i spowodują jeszcze w przyszłości zgony Jana Konnena, Pauli Anny Brunner i Johanna Gottfrieda Haasego? Z własnego doświadczenia znałem ten przeogromny smutek, który poprzez jeden bezmyślny czyn może zaciążyć na życiu rodziny dotkniętej tragedią.

— Panie?

Uniosłem głowę i rozejrzałem się wokół. Zimowe słońce świeciło słabo nad niemal stykającymi się dachami, na wąskim pasie błękitnego nieba. Na bruku połyskiwał stalowoniebieski, twardy lód. Zimny wiatr, nadciągając znad morza, ciął ostrzej niż nóż.

— Do jakich wniosków pan doszedł, panie Stiffeniis? — zapytał nieśmiało Koch, gdy skierowaliśmy się w stronę końca ulicy.

— W szafie znaleźliśmy pejcz. Ale nadal nie wiemy, jak i dlaczego umarł pan Tifferch. A także nie byliśmy w stanie doszukać się jakichkolwiek powiązań między nim a innymi zamordowanymi. Niełatwo sformułować jakieś wnioski.

Zapadłem w ponure milczenie, a tymczasem wyszliśmy na mały, zasypany śniegiem plac, na którego środku stała kępa bezlistnych drzew. Miałem nadzieję, że odkryjemy o wiele więcej.

— Czy uważa pan wojnę z Francją za nieuniknioną, wasza wielmożność? — zapytał nagle Koch.

— Z pewnością mam nadzieję, że do tego nie dojdzie — odpowiedziałem bezzwłocznie — ale niewiele możemy zrobić, by jej zapobiec. Rosja zbiera siły przy naszej wschodniej granicy, Francja od zachodu, i to całe gadanie o Bonapartem! Kto jest za nim, kto przeciwko niemu? Czy król Fryderyk Wilhelm może utrzymać Prusy z dala od zawieruchy? I czy Francuz mu na to pozwoli? Dyskusje trwają bez końca. W atmosferze wzrastającej podejrzliwości morderstwa ani trochę nie przyczyniają się do polepszenia sprawy.

Generał K. ostrzegł mnie, że to, czy kraj ruszy na wojnę, czy nie, może zależeć od mojej sprawności w uwinięciu się ze śledztwem. Na wspomnienie jego niepokoju znowu zakręciło mi się w głowie. Nerwowym ruchem odczepiłem zegarek od breloczka i spojrzałem na tarczę: prawie dziesięć po dwunastej.

— Czy Klopstrasse jest daleko stąd? — zapytałem pospiesznie.

Nie chciałem się spóźnić. Pan Jachmann był pedantem, gdy chodziło o punktualność. Zupełnie jak jego najstarszy i najdroższy przyjaciel.

— Po drugiej stronie, panie.

— Wyśmienicie! — zawołałem.

Zanim Koch zdążył powiedzieć słowo, popędziłem przez zaśnieżony plac.

a tle barwnego sąsiedztwa dom przy Klopstrasse wyróżniał się jak zepsuty ząb. Zielona niegdyś farba poszarzała, łuszczyła się. Martwe pędy bluszczu trzymały fasadę w uścisku niczym ręka szkieletu, dławiąc resztki życia budynku. Biegnący na całej długości piętra pordzewiały balkon wyglądał tak, jakby miał odpaść przy następnym ataku zimy. Okiennice, nie domknięte i pogruchotane, zwisały smutno z zawiasów. Nie był to miły widok. Dni dostatniego i modnego stylu życia pana Reinholda Jachmanna należały już chyba do odległej przeszłości.

— Mam wejść z panem? — zapytał Koch.

— Nie, sierżancie — odrzekłem pospiesznie. Nie życzyłem sobie świadka przy rozmowie, która mnie czekała. — Niech pan idzie do sądu i dowie się, co z listą cudzoziemców, o którą prosiłem. Proszę wysłać żandarma, by to sprawdził.

Koch skłonił się sztywno. Czy mi się zdawało, że na jego twarzy na moment ukazało się niezadowolenie? Patrzyłem za nim, gdy odmaszerował tak szybko, jak tylko pozwalał mu świeży śnieg, potem zwróciłem się w stronę domu. Furtka z kutego żelaza zaprotestowała głośno, gdy jednym pchnięciem otwarłem ją na oścież. Po przenikliwym pisku nastąpił długi, bolesny jęk, gdy usiłowałem zamknąć ją z powrotem; pordzewiałe zawiasy od wielu miesięcy nie zaznały tłuszczu wieloryba. Poza zaskorupiałymi śladami, jakie Koch pozostawił tego ranka, gdy przyszedł tu z moim listem, żadnych innych odcisków na śniegu nie było.

Stuknąłem żelazną kołatką o drzwi — zdawało się, że dźwięk odbija się w lodowatym powietrzu powtarzającym się echem. Samotny kos odfrunął z gniewnym świergotem. Nagły hałas przerwał królującą w ogrodzie ciszę. Nieruchome krzewy i zarośla ukryte pod grubą warstwą śniegu mogłyby być zapomnianymi grobowcami na opuszczonym cmentarzu. Rozglądałem się wokół zagubiony, gdy drzwi cicho otworzyły się za moimi plecami.

— A więc przyszedł pan, Stiffeniis.

Poznałem głęboki, dudniący głos Reinholda Jachmanna, choć nie poznałem człowieka, gdy odwróciłem się do niego twarzą. Chłodna, nieziemska zima owiała także i jego. Rzadkie włosy, białe niczym wybielona pościel, brwi jak spiętrzone zaspy śniegu nad przeszywającymi, czarnymi węglami oczu. Jego sztywna powaga przeraziła mnie. Z naszego pierwszego i ostatniego spotkania przed siedmioma laty zapamiętałem serdecznego, przyjaznego człowieka, a ten podejrzliwy nieznajomy, patrzący na mnie gniewnym wzrokiem z najwyższego stopnia schodów, był jego przeciwieństwem. Przez chwilę myślałem, że nie wpuści mnie do domu. Wpatrywaliśmy się w siebie w milczeniu.

— Tędy proszę — powiedział w końcu i poprowadził mnie przez korytarz do skąpo umeblowanego salonu na parterze. Wskazując kanapę przed kominkiem z kutego żelaza, gdzie tliło się i dymiło samotne polano, poprosił, bym usiadł. Prośba bardziej przypominała rozkaz. Bez słowa patrzył, jak siadam, potem podszedł do okna i wyjrzał na ogród.

— Co pana sprowadza? — zapytał, nie odwracając się w moją stronę.

— Niezwykle pilna sprawa, panie Jachmann. Misja zlecona mi przez króla.

— Wspomniał pan o tym w liście — zauważył. — Czy mógłbym poznać jej naturę?

Miałem nadzieję, że nie zapyta o to.

— Wyznaczono mnie do zbadania serii morderstw w mieście — powiedziałem cicho.

Odwrócił się do mnie nagłym ruchem, jakby powróciła część jego dawnej energii.

— Pan, Stiffeniis? Pan ma poprowadzić śledztwo w sprawie tych zbrodni?

Zdawał się oszołomiony.

— Sądziłem, że zajmuje się tym prokurator Rhunken, czyżbym się omylił?

— On zmarł, panie Jachmann.

Potrząsnął głową, zupełnie zaskoczony.

— Nic nie słyszałem o jego śmierci ani o pogrzebie.

— Odszedł wczoraj wieczorem — wyjaśniłem. — Pan Rhunken został od razu pochowany. Nie było ceremonii. Takie było jego ostatnie życzenie.

— Na Boga! Co się stało z tym miastem? — szepnął, znów odwracając się w stronę okna. Pozostał tak przez dłuższą chwilę, wpatrzony w śnieg.

— Ostrzegałem pana, m ó w i ł e m, by nigdy pan tu nie wracał — warknął przez ramię, z twarzą pobladłą z gniewu, jakbym to ja przywiódł ze sobą z Lotingen te nowe nieszczęścia.

Po tym wybuchu znowu nastąpiła chwila brzemiennego groźbą milczenia.

— Wyznaczenie mnie na śledczego w tej sprawie niezwykle mnie zaskoczyło — odważyłem się w końcu powiedzieć. — Przyjąłem tę misję z obawami, panie. W imię...

— Czy już widział się pan z n i m? — Jachmann przerwał mi szorstko, ze wzrokiem nadal wbitym w ogród i ulicę.

— Och nie, panie — odrzekłem. — Nigdy bym nie pozwolił sobie na coś podobnego bez skonsultowania się z panem... — urwałem, by po chwili wypalić: — Pański list wielce mnie wzburzył. Nie złamałem danego słowa. Spokój jego umysłu jest dla mnie równie drogocenny jak dla pana. Nie zapomniałem pańskiego ostrzeżenia.

Odwrócił się do mnie twarzą.

— Ale teraz zamierza go pan odwiedzić, czyż nie? — znów podniósł głos, krew nabiegła mu do policzków i patrzył na mnie z widoczną niechęcią.

Poruszyłem się na kanapie, nieco zmieszany.

— Bynajmniej, jeżeli nie okaże się to konieczne — oznajmiłem — choć zawsze istnieje możliwość, że spotkamy się przypadkiem. Uważałem, że powinienem pana uprzedzić. Dlatego tu jestem — zamilkłem na chwilę, ale nie umiałem powstrzymać ciekawości. — Jak on się miewa?

— Całkiem nieźle — odrzekł Jachmann krótko. — Jego lokaj składa mi co tydzień sprawozdania.

— Jego służący? — przyszła moja kolej na zdziwienie.

— Jego służący — potwierdził ostrym tonem, nie dodając słowa wyjaśnienia.

— Ależ pan jest jego najbliższym przyjacielem, panie Jachmann...

— B y ł e m — przerwał mi, głos mu się załamał. — Wciąż zajmuję się prowadzeniem jego prywatnych spraw, ale nie widziałem go od dwunastu miesięcy, może dłużej. Zrobił się skryty, stał się niemal odludkiem. Już nie odwiedzam go w domu. Wszystkie ważne wiadomości przekazuje mi przez lokaja.

— Jak to może być?

Lekceważąco machnął dłonią.

— Nie doszło między nami do żadnej sprzeczki, żadnej kłótni, jeżeli o to pan pyta. Profesor nie ma czasu dla starych przyjaciół. Jego drzwi pozostają zamknięte dla wszystkich bez wyjątku. Służący ma polecone informować, że jego pan jest zajęty i nie życzy sobie, by mu przeszkadzano. Praca i studia były zawsze, jak pan wie, siłami napędowymi jego egzystencji.

Odwrócił się na pięcie i w milczeniu przemierzał pokój tam i z powrotem, potem znów wrócił i stanął przed kanapą. Głębokie, świadczące o latach zmarszczki z bliska jeszcze wyraźniej widać było na długiej twarzy Jachmanna, gdy usiłował opanować gwałtowne wzburzenie i gniew.

— Dlaczego jakakolwiek odpowiedzialna osoba miałaby życzyć sobie, byś t y przejął śledztwo, panie Stiffeniis? — zapytał.

Wiem, co bym z chęcią odpowiedział. Że król poznał się na moich zdolnościach i uznał, że właśnie mnie uda się tam, gdzie wszyscy inni śledczy, łącznie z prokuratorem Rhunkenem, zawiedli. Ale czułem się w obowiązku wyznać prawdę.

— Nie wiem, panie Jachmann.

— Oczekiwałem gniewnej odpowiedzi na mój ostry list — powiedział nagle. — Wiedziałem, że jeśli pana nie powstrzymam, powrócisz pan do Królewca. Gdybyś zareagował, nakazując mi zająć się własnymi sprawami lub zażądał wyjaśnienia motywów tego listu, nie byłbym w najmniejszym stopniu zaskoczony. Ale gdy nadeszła pańska odpowiedź, w której pokornie zgodził się pan zadośćuczynić mej prośbie, powiem panu, jeszcze bardziej byłem zdziwiony. Wręcz zaniepokojony.

— Wziąłem pana za słowo — zacząłem, ale on nie słuchał.

— Pan wiedział, d l a c z e g o nie życzyłem sobie nigdy więcej pana widzieć — ciągnął gniewnie. Przerwał, wziął głęboki oddech, potem dodał: — Wiele razy próbowałem sobie wyobrazić, co zaszło między wami w tej mgle.

Wbiłem wzrok w jego oskarżycielskie oczy i wstrzymałem oddech na wspomnienie tych dni sprzed siedmiu lat, gdy dostąpiłem zaszczytu osobistej rozmowy z najsławniejszym człowiekiem w Królewcu, przyjacielem Jachmanna i jego kolegą z uniwersytetu, profesorem filozofii, Immanuelem Kantem.

— Rozkazał mi pan unikać tego miasta dla dobra profesora Kanta — szepnąłem. — Nie miałem pojęcia dlaczego, ale nie widziałem powodu, by wątpić w pana szczerość. Był pan jego najbliższym przyjacielem. Wiedział pan, co dla niego dobre, a co złe, więc...

— P a n byłeś dla niego złem! — jego blada twarz nagle poczerwieniała z niechęci. — W tym rzecz. Nie rozumie pan? Jaki mógłbym mieć powód zabraniać panu widzenia się z Kantem? Jaka inna przyczyna mogła spowodować mój lęk o stan umysłu najbardziej racjonalnego człowieka na ziemi?

— Jesteś niesprawiedliwy, panie — zaprotestowałem, ale Jachmann nie pozwolił mi mówić dalej.

— Zdałem sobie sprawę, że dzieje się z nim coś niedobrego za każdym razem, gdy wspominano pańskie nazwisko — ciągnął niezwykle zapalczywie. — Takie wywierało na nim wrażenie. Stawał się nad wyraz poruszony, w oczach pojawiało się dziwne roztargnienie. To nie pasowało do jego zwykłego zachowania, zupełnie nie był sobą. Jego szaleństwo zaczęło się w dniu, gdy zaprosił pana na obiad. Już t o samo w sobie było wydarzeniem bez precedensu.

— Dlaczego? — zdziwiłem się.

— Wcześniej nigdy nie zapraszał nikogo nieznajomego do domu. Ani raz! — Spojrzał na mnie oskarżycielsko. — Coś w panu wzbudziło jego zainteresowanie. Coś, co pan uczynił lub powiedział.

— Przecież pan wie, dlaczego mnie zaprosił — zaprotestowałem z pasją. — Właśnie wróciłem z Paryża, a profesor Kant był ciekaw, co tam widziałem.

Jachmann niechętnie skinął głową.

— Przypominam sobie pana opowieść o tym, co widział pan tego dnia, gdy jakobini zamordowali prawowitego władcę...

Zamknąłem oczy, by odegnać wspomnienie. Czy obraz tamtej chwili nigdy nie pozostawi mnie w spokoju? Jak długo będzie mnie dręczył? Widok ludzkiej krwi na ziemi. Jej woń w powietrzu.

— ...Paryż, 21 stycznia 1793 roku — ciągnął pan Jachmann, pedantycznie podając szczegóły.

Obrazy przemknęły w mej pamięci. Radosny szmer tłumu. Skazaniec, w wytwornym, teraz brudnym stroju, dumnie pokonuje stopnie szafotu. Naoliwiony niebieskawy trójkąt stalowego ostrza połyskuje w świetle poranka. Zgrzyt metalu, ostrze spada. I ta krew! Ocean purpury tryskający z odciętej szyi, jak woda z jednej z tych ozdobnych fontann, które król kazał zbudować dla siebie w Wersalu, zalewający twarze gapiów. Opadający jak deszcz także na moją twarz, moje usta, język...

— Tego dnia zamordowali króla.

Króla? Na moich oczach zarżnięto człowieka. Jedno naciśnięcie dźwigni rzuciło cień na mą duszę. Jakaś tajemna cząstka mego jestestwa powstała wraz z tłumem i zawładnęła mym zmąconym umysłem.

— Kant spotkał się także z innymi, którzy byli we Francji — ciągnął pan Jachmann. — Z innymi, którzy brali udział w tych tragicznych wydarzeniach. Nie zdenerwowały go ich opowieści.

Ale pan, Stiffeniis! Tamtego dnia ściągnął pan złośliwą zarazę do jego domu.

Świdrował mnie wzrokiem.

— Cokolwiek zaszło między wami, Stiffeniis, zmieniło go. Całkowicie. I to wszystko zaczęło się od rozmowy o wpływie elektrycznych wyładowań na ludzkie zachowanie.

— To nie j a poruszyłem ów temat — wybełkotałem w obronie własnej. — To p a n.

— Ale to p a n, Stiffeniis — odrzekł Jachmann, oskarżycielsko celując we mnie palcem — sprowadził rozmowę na tak niepożądane tory. Gdy cię słuchałem, krew ścięła mi się w żyłach!

Odwrócił się, teraz wpatrywał się w ogień.

— Ileż to razy żałowałem tej przeklętej konwersacji! W tym czasie Kant prowadził badania nad wpływem elektryczności na system nerwowy i niewiele poza tym go interesowało. A poprzedniej nocy mieliśmy wyjątkowo gwałtowną burzę.

Każdy szczegół wciąż pozostawał wyraźny w mej pamięci.

— Wyjrzawszy przez okno — mruknąłem — zauważył pan w swoim ogrodzie kogoś obcego. Nie zwracając uwagi na potoki deszczu, pioruny i błyskawice, człowiek ów, jakby w transie, stał zapatrzony w niebo. Zaniepokojony jego zachowaniem, zapytał pan Kanta, czy ładunek elektryczny może mieć coś z tym wspólnego.

— A on wyjaśnił, że to nie wyładowania elektryczne, lecz nieograniczona energia Przyrody zafascynowała tego człowieka — kontynuował Jachmann. — Zahipnotyzowała go niszczycielska siła żywiołów. Kant nawiązał do *incantamento horribilis*. Rodzaj ludzki, powiedział, czuje fatalne w skutkach upodobanie do przeraźliwej grozy.

Usiadł ciężko w fotelu, wsparł czoło na dłoni. — Byłem zaszokowany. Nie wierzyłem własnym uszom. Immanuel Kant?

Ojciec Racjonalizmu opiewający moce Nieznanego? Siłę ciemnej strony ludzkiej duszy?

— Pamiętam, panie. Zaprotestowałeś, utrzymując, że taka moc należy tylko do Boga. Człowiek związany został moralnymi więzami, w które nigdy nie powinien wątpić...

— I wtedy p a n przemówił — przerwał mi Jachmann, wciąż zasłaniając oczy i unikając mego wzroku. — Nagle ten miły młody student, który zdobył nasz szacunek dobrymi manierami i zdrowym rozsądkiem, ukazał się w innym świetle.

— Ja tylko powiedziałem...

Uniósł dłoń, nakazując mi zamilknąć.

— Pańskie słowa zostały na zawsze wyryte w mojej pamięci.

— Jest jedno ludzkie doświadczenie, które można przyrównać do nieograniczonych mocy Natury — powiedział pan. — To najbardziej diaboliczne. Morderstwo z zimną krwią. Zbrodnia bez motywu.

Jachmann wpatrywał się we mnie przymrużonymi, pełnymi niechęci oczami. Czułem się, jakby pozbawiono mnie ciała i odsłonięto mą duszę.

— Gdy profesor Kant zmienił temat — ciągnął — poczułem dla niego wdzięczność. Ale duch, którego pan przywołał tamtego dnia, nie zniknął. Kant pragnął z panem pójść na spacer wokół zamku, choć całą zimę nie wychodził z domu, chyba że tylko na uniwersytet. Była okropna mgła, jak pan pamięta. Ale wiedziałem, że on chce znowu z panem porozmawiać.

— A więc jest pan ciekaw, czy dalej poruszaliśmy ten temat. Czyż nie? — zapytałem w defensywie.

— Mylisz się pan, Stiffeniis — odrzekł. — Całkowicie! Nie chcę wiedzieć, co zostało powiedziane. Ale niech pan posłucha, jakie były konsekwencje. Gdy Kant wrócił do domu, czekałem na niego. Zanim zdołałem wypatrzyć go we mgle, słyszałem jego kroki. I to wystarczyło, bym zorientował się, że coś jest nie w porządku. Kant biegł. Uciekał! Ale przed kim? Przed czym? Pospieszyłem mu na spotkanie, wyraz jego twarzy był przerażający. A raczej — przeraził mnie. Sądziłem, że ma gorączkę. Wyraziłem swe zaniepokojenie. Ale on stwierdził, że ma pracę, która nie może czekać ani chwili dłużej. Krótko mówiąc, kazał mi pilnować własnego nosa! I następnego dnia oświadczył, że zaczął pisać nowy traktat filozoficzny.

Zmarszczyłem czoło.

— Nie słyszałem o nowej książce.

Jachmann lekceważąco potrząsnął głową.

— Dzieło nie zostało opublikowane. Dlatego nigdy pan o nim nie słyszał. Nikt nie miał okazji przeczytać choćby jednej linijki. A nawet skłonny jestem sądzić, że w ogóle nie istnieje. W tamtym czasie żył w wielkim napięciu. Kilku młodych filozofów oskarżyło go o ignorowanie głębszych pokładów ludzkiej duszy. Emocja, sugerowali, jest silniejsza od logiki i Kant załamał się pod tą ostrą krytyką. W ostatnich latach profesury jego klasy świeciły pustkami. Młodzi nie chcieli już płacić za słuchanie jego wykładów.

— Doszło to do mych uszu — przyznałem.

— Było to bardzo smutne. Został niemal zapomniany. „Staromodny" — jak się teraz mówi. Sprawy przybrały taki obrót, że jeden z jego dawnych pupili, zdolny młody człowiek o nazwisku Fichte — słyszałeś zapewne o nim — w książce świetnie się sprzedającej w całej Europie opisał Kanta jako „filozofa duchowego lenistwa".

— To musiało być upokarzające.

— Pamięta pan jego legendarną punktualność? — snuł wspomnienia Jachmann. Wydawał się spokojniejszy, gdy mówił o dawniejszych czasach. — Jak obywatele Królewca nakręcali zegary na widok nadchodzącego Kanta? Cóż, nowa generacja studentów wymyśliła sobie świetny dowcip: postanowili zaburzyć jego zajęcia, przychodząc kolejno jeden po drugim, z zegarkiem w ręce i słowami: „Spóźniłem się, panie? Ja, panie? To pański zegarek z pewnością stanął". Co przepełniło czarę i Kant zdecydował się odejść na emeryturę.

— Mogę sobie wyobrazić jego smutek.

— Śmiem w to wątpić! — warknął Jachmann, wzburzony rozpaczliwą energią starca, który widzi swoją klęskę. — Ale najbardziej zmartwioną osobą był Martin Lampe.

— Jego lokaj? — zapytałem, zdumiony.

— Musiałem go odprawić. Po trzydziestu latach wiernej służby! Był doskonałym sługą. Porządek i dyscyplina umysłu mogą przyczynić się do powstania wspaniałej myśli, ale nie wystarczą do odpowiedniego prowadzenia gospodarstwa domowego. Kant ma trudności z założeniem pończochy! Lampe opiekował się nim, podczas gdy jego pan koncentrował się na swych książkach.

— Więc dlaczego pan go odprawił?

— Dla dobra samego Kanta, Stiffeniis! — Patrzył na mnie intensywnie, jakby szukając odpowiedniego tonu do wypowiedzenia następnych słów. — Już nie ufałem Lampemu. Co więcej, bałem się go.

— Bał się go pan?

— Dziwne pomysły odnalazły drogę do umysłu Lampego — ciągnął Jachmann. — Zaczął zachowywać się tak, jakby to on był profesorem Kantem. Nawet powiedział mi kiedyś, że nie byłoby filozofii Kanta, gdyby nie on! Twierdził, że ta nowa książka, nad którą pracował Kant, była jego, Lampego, autorstwa. Gdy studenci stopniowo przestawali przychodzić na wykłady Kanta, najbardziej burzliwie zareagował Lampe. Stał się gwałtowny, wrzeszczał, powtarzał, że Kant musi pokazać światu, na co go stać.

— Musiał odejść — zgodziłem się. — Ale kto teraz zajmuje się profesorem?

Jachmann głośno odchrząknął.

— Młody człowiek, niejaki Johannes Odum, prowadzi dom i najwyraźniej dobrze sobie radzi.

Zamilkł. Uznawszy, że powiedziałem już wszystko, z czym przyszedłem, sięgnąłem po kapelusz, by się pożegnać.

— Czemu, na niebiosa, wybrałeś akurat prawo? — zapytał cicho.

Zastanowiłem się, zanim odpowiedziałem. Pewnie powinienem poczuć się urażony, ale w mej odpowiedzi zawarta też była pewna doza satysfakcji.

— Tego dnia, gdy przybyłem do Królewca, sam profesor Kant poradził mi, bym został urzędnikiem sądowym.

— Naprawdę? — Jachmann zmarszczył brwi, najwyraźniej zaskoczony. — Biorąc pod uwagę pana szalone poglądy, mogę się tylko zastanawiać nad logiką jego rozumowania!

— To stało się po obiedzie, podczas spaceru wokół twierdzy — pospieszyłem z odpowiedzią, ignorując sarkastyczną uwagę.

Pan Jachmann ze smutkiem potrząsnął głową.

— Ten spacer! Wszystko chyba tam się zaczyna, we...

Rozległo się mocne stukanie do drzwi i mężczyzna w niechlujnej, brązowej liberii wsunął głowę do pokoju, nie wchodząc do środka.

— Ktoś przyszedł, panie — oświadczył, a na jego twarzy wyraźnie malowało się zdziwienie, jakby jego pan nie przyjmował gości, i już moja wizyta była więcej niż wystarczająca na jeden poranek. — Mówi, że chce rozmawiać z prokuratorem Stiffeniisem.

Na korytarzu czekał Koch — śmiertelnie blady, z twarzą zapadniętą i stężałą.

— Przepraszam, że przeszkadzam, panie, ale sprawa nie cierpi zwłoki.

— O co chodzi?

— Chłopiec z gospody, panie.

— Moritz? — zapytałem ostro. — Co z nim?

— Znaleziono go, panie.

Przez chwilę piorunowałem go wzrokiem.

— Cieszę się z tego, sierżancie, ale nie rozumiem tej nagłej potrzeby...

— Przykro mi, panie — przerwał mi gwałtownie. — Być może nie wyraziłem się jasno. Chłopak nie żyje, wasza wielmożność. Podejrzewa się czyn przestępczy.

agle wokół nas rozległy się dzikie, gniewne okrzyki.

— Król! Gdzie jest król?

— Napoleon nas wymorduje, a nikogo to nie obchodzi!

— Śmierć królowi! Na szafot! *Vive la révolution!*

Powóz z turkotem potoczył się po długim drewnianym moście łączącym brzegi rzeki Pregel*; towarzyszyły nam gwizdy mężczyzn i wrzaski kobiet, tłumnie podążających w stronę miejsca zbrodni. Wśród ogłuszającego hałasu nie sposób było wyróżnić podżegaczy do buntu. Być może motłoch nawet nie miał przywódców. Ogarnęło mnie niemiłe wrażenie, że nasz powóz zamienił się w łódkę, zmuszoną do wpłynięcia między zbliżające się z dwóch stron ruchome rafy, które lada moment nas zatopią.

— Obwiniają władze o to, co się dzieje — zauważyłem, gdy już pozostawiliśmy za sobą rozszalały tłum.

— Strach rośnie z każdym nowym trupem — stwierdził Koch. — Tego właśnie obawiał się generał K., wasza wielmożność. Plotki, nielegalne zebrania, zamieszki. Te morderstwa doprowadzą do poważnych kłopotów. Społeczne niepokoje mają tendencję do zataczania coraz szerszych kręgów.

* pol. Pregoła

— Tu chodzi o wprowadzenie terroru. — Poczułem na barkach ogromny ciężar zadania, które mi zlecono. — Ale co mówiłeś, zanim nam przerwano?

— O poławiaczu węgorzy. Znalazł ciało, gdy zastawiał sieci. Żołnierze przywiedli go do budynku sądu, potem wezwali mnie. Rozmawiałem z nim, ale nie miał niczego do dodania, poza tym makabrycznym odkryciem. Jeżeli życzy sobie pan przesłuchać go, wasza wielmożność, zapisałem nazwisko i adres...

— Później się z nim spotkamy, Koch. Jak daleko jest stąd do Bałtyckiego Wielorybnika?

— Pół mili, panie. Nie więcej.

Wróciłem myślami do słów Moritza z poprzedniego wieczoru i do sceny, której później byłem świadkiem z okna sypialni. Jakiego więcej dowodu potrzebowałem, że chłopiec i pozostali zginęli z rąk spiskowców?

— Czy oberżystę i jego żonę zabrano do aresztu?

— Tak, panie.

— Jak tylko obejrzę ciało, przesłucham ich. Może uda mi się zdobyć więcej informacji dla generała K.

Powóz gwałtownie skręcił i wpadł w poślizg, przez moment toczył się i podskakiwał, wreszcie stanął pod niebezpiecznym kątem do balustrady mostu.

— Zawracać! Wynocha stąd! — Drogę blokowali żołnierze, z muszkietami groźnie wycelowanymi w naszego woźnicę. Sierżant Koch zeskoczył na ziemię i po kilku minutach otrzymaliśmy, na moją odpowiedzialność, pozwolenie przejazdu. Muszę przyznać, że choć raz w życiu brutalna postawa wojska dała mi pewne poczucie bezpieczeństwa.

Po przejechaniu mostu skręciliśmy w lewo i ruszyliśmy wzdłuż wybrzeża, wreszcie pojazd zatrzymał się sto metrów dalej, obok stromych, śliskich, pokrytych mułem schodów, którymi zeszliśmy na poryty koleinami gliniasty brzeg rzeki. Obrzydliwa, cuchnąca błotem okolica. Spod płytkiej wody sterczały czarne, zatęchłe wodorosty, rozpłaszczone naporem wody. Pospieszyliśmy do miejsca, w którym grupka żołnierzy stała w ciasnym kręgu, twarzami ku nam, z bronią gotową do strzału. Bagnetami przymocowanymi do wylotu luf machali do nas, byśmy odeszli.

— Jestem nowym prokuratorem. Pilnujcie, by nikt się nie zbliżał! — rozkazałem ostrym tonem, a gdy żołnierze cofnęli się, rzuciłem okiem na drugą stronę rzeki. Na przeciwległym brzegu stał tłum gapiów. Chyba z połowa mieszkańców miasta zebrała się tam, jakby w oczekiwaniu jakiegoś makabrycznego publicznego widowiska lub na powitanie wędrownego cyrku. Z uczuciem wstrętu dla rodzaju ludzkiego już miałem obejrzeć miejsce zbrodni — i nagle znieruchomiałem. Klęcząca w błocie postać, z charakterystyczną, połyskującą teraz kroplami wilgoci peruką, pochylała się nad zwłokami Moritza — spod zabłoconego ubrania prześwitywało blade, jakby teraz bezkształtne ciało. Niczym dzikie zwierzę, gotowe na ucztę ze świeżej krwi i jeszcze parującego mięsa, doktor Vigilantius węszył i ślinił się nad trupem.

— Na Boga! — krzyknąłem.

Vigilantius nie zwrócił na mnie uwagi. Kontynuował bluźnierczy rytuał.

— To haniebne! — wybuchnąłem. — Kto go tu wezwał?

— Ja, panie Stiffeniis.

Głos za moimi plecami zabrzmiał cicho, ale poznałem go, jeszcze zanim się odwróciłem.

— J a posłałem po doktora Vigilantiusa.

Nisko wsunięty na głowę Immanuela Kanta trójkątny kapelusz niemal zasłaniał jego twarz. Żadnej peruki. Delikatne nitki srebrzystych włosów opadały mu na zdeformowane lewe ramię. Otulony lśniącym, nieprzemakalnym płaszczem z ciemnobrązowego materiału, mocno wspierał się na ramieniu młodego człowieka, wysokiego, silnego i tak opiekuńczego, że mogliby być ojcem i synem.

Jego nieoczekiwane przybycie na brzeg rzeki odebrało mi mowę. Oczywiście wiedziałem, że spotkania z nim nie da się uniknąć w Królewcu. Ale nie w takim miejscu, nie w równie żałosnych okolicznościach. Kto doniósł mu o znalezieniu zwłok Moritza? Czy Jachmann poinformował go o mej obecności w mieście i o przyczynie mego pobytu? Pan Jachmann uprzedził mnie o zmianach, jakie wiek spowodował u filozofa, ale ja mogłem tylko porównywać widok, który miałem przed oczami, z tym, co zapamiętałem z owego popołudnia przed siedmioma laty, gdy pożegnaliśmy się i Kant samotnie ruszył w drogę do domu, z trudem kuśtykając w gęstej mgle. Nie wydał mi się teraz ani o dzień starszy.

— Drogi Hanno, jakże jestem szczęśliwy, że cię widzę! — powiedział serdecznie.

W pierwszym odruchu chciałem ująć jego dłoń i unieść ją do ust, ale powstrzymała mnie wrodzona rezerwa.

— Nie oczekiwałem pana, wasza wielmożność — powiedziałem, próbując ukryć zmieszanie i zażenowanie.

— A ja owszem — odrzekł z życzliwym uśmiechem. — Poznałeś już doktora Vigilantiusa wczoraj w nocy, czyż nie?

Nie czekał na odpowiedź, tylko podszedł do przodu, wciąż kurczowo trzymając się ramienia służącego, i z bliska przyjrzał się okropnej scenie, która rozgrywała się obok nas.

— Jak widzę, jeszcze nie dokończył badania — zauważył.

Vigilantius klęczał obok martwego chłopca, pochrząkując niczym wieprz nad miską odpadków. Na dźwięk swego imienia pospiesznie uniósł głowę, kiwnął Kantowi na powitanie i ponownie wrócił do swego zajęcia. Makabryczny, przyprawiający o mdłości, obrzydliwy spektakl, ale profesor Kant nie zdawał się ani trochę wzburzony tym, co zobaczył.

— Mam nadzieję, że doktor będzie mógł powiedzieć nam coś konkretnego — oświadczył spokojnie, spojrzawszy na mnie przez ramię. Jego niezwykłe zaangażowanie w to, co się tu działo, jeszcze podkreślał ten charakterystyczny spokój. Malująca się w oczach przenikliwa inteligencja świadczyła, że ani trochę nie stracił ze swych słynnych władz umysłowych. — Zastanawiasz się, co on tu robi, prawda?

Kant zamilkł w oczekiwaniu na odpowiedź.

— To zwolennik Swedenborga — ostrożnie sformułowałem zarzut. — Twierdzi, że potrafi rozmawiać ze zmarłymi. Pan sam potępiłeś jego nauczyciela jako oszusta i naciągacza.

— Ach, to! — odrzekł Kant ze śmiechem. *Marzenia jasnowidza* są moim jedynym dziełem, za które kiedykolwiek przepraszałem. Czy potępiasz mnie za to, że wezwałem duchowego następcę Swedenborga do pomocy w mym śledztwie?

— P a ń s k i m śledztwie? Rzeczywiście, jestem zaskoczony — przyznałem.

— Czyż nie byłeś pod wrażeniem tego, co miał ci do pokazania w fortecy? — zapytał i słaby uśmiech ukazał się na jego bladych wargach.

Nie wiedziałem, co odpowiedzieć.

— Chodzi o seans?

Kant żachnął się.

— Seans? Czy to wszystko, co widziałeś wczoraj w nocy?

— A jak inaczej miałbym to nazwać? Człowiek zadaje pytania martwemu ciału, a trup ponoć odpowiada. Zostawiłem Vigilantiusa, nie dowiedziawszy się niczego poza tym, co mogły powiedzieć mi własne oczy, gdy badałem ciało.

— Ach! — wykrzyknął Kant z uśmiechem. — Straciłeś cierpliwość i nie zostałeś do końca. Powinienem był przewidzieć taką możliwość — mruknął pod nosem. — A więc z d z i w i ł a cię obecność Vigilantiusa tutaj, ale n i e zaskoczyła nominacja na miejsce Rhunkena. Mam rację?

Tę wyraźną ironię odnośnie do mej nominacji odebrałem jak policzek.

— Zdaje się, że to panu mam podziękować za ten honor... — zacząłem, ale przerwał mi donośny głos:

— Ta śmierć różni się od pozostałych, panie profesorze.

Vigilantius pochylał się nad ciałem Moritza.

— To robota innego zabójcy — orzekł.

— Innego? — powtórzyłem, zwracając się do profesora Kanta. — Na Boga, o czym on mówi?

Kant zignorował mnie. Zwracając się do Vigilantiusa, rozkazał:

— Wyrażaj się jaśniej!

Doktor, nim się odezwał, posłał mi triumfujący uśmiech.

— Na tych zwłokach nie ma takich śladów, jakie znaleźliśmy na innych ciałach, panie profesorze. Tutaj woń jest... całkowicie inna. Energia, z którą dusza opuściła ciało, różni się dalece od tej, jaką udało mi się określić w innych przypadkach. Tamtych zaskoczono; tego chłopca nie. Zdawał sobie sprawę, co go zaraz czeka. Ujrzał cios, jeszcze zanim padł; był przerażony.

Kant milczał, zamyślony.

— Rozumiem — powiedział w końcu. — A czy ten trup mówi ci coś jeszcze?

Nic już nie rozumiałem. Jakąż to diabelską sztuczką nakłoniono profesora do zwracania się z takim szacunkiem do nekromanty mającego złą sławę? Kant sformułował kod społecznej etyki i racjonalną analizę, które wyniosły rodzaj ludzki z mroku do światła. A teraz zachęcał złotoustego szarlatana do wyjawienia, co trup powiedział mu podczas prymitywnego wywoływania duchów?

— Profesorze Kant! — wybuchnąłem, już niezdolny się powstrzymać. — Dla nikogo posiadającego oczy ciało pana Tiffercha nie miało tajemnic — całe plecy pokrywały blizny po starych i świeżych ranach...

— Powiedziałem przecież, jak został zamordowany — prychnął pogardliwie doktor Vigilantius. — Nie zmarł od tych ran. Miałbyś pan dowód, gdybyś był na tyle uprzejmy, by zaczekać zeszłej nocy.

Kant odwrócił się i przeszył mnie wzrokiem.

— Rzeczywiście, panie prokuratorze, co sądzisz o tych obrażeniach? — napadł na mnie znienacka, niczym sokół na zająca.

— Wiem, że nie one go zabiły — mruknąłem. — Zadał je sobie sam.

— Sam? — przerwał mi Kant. — Co przez to rozumiesz?

— Rano przeszukałem jego dom — zacząłem — i tam znalazłem wyjaśnienie, skąd wzięły się te skaleczenia...

Urwałem, wstydząc się rozmawiać z Kantem o podobnych sprawach.

— A więc? — naciskał.

— W szafie, pod kluczem, przechowywał pejcz — mruknąłem. — Pan Tifferch wiódł niezwykle ekscentryczne życie prywatne.

— Jakie interesujące! — wykrzyknął Kant. — Ściągnąć maskę pierwszemu lepszemu, i co się pod nią znajdzie? Czarne serce za fasadą uśmiechniętej twarzy, karłowaty krzak ludzkości. Sądzisz, że to motyw kryjący się za jego zabójstwem?

162

— W żadnym wypadku. Jest jeszcze coś, co może wskazywać na wspólne ogniwo łączące także te wszystkie morderstwa.

Zanim zacząłem relację, wziąłem głęboki oddech. Immanuel Kant był osobą, którą podziwiałem najbardziej ze wszystkich znanych mi intelektualnych autorytetów. Jego rozważania nad priorytetami nędznej istoty, człowieka, wyznaczyły drogę racjonalnej analizie i oświeconemu zachowaniu. Wezwał mnie do Królewca, bym mu pomógł rozwiązać zagadkę, i nie zamierzałem go rozczarować.

— Pan Tifferch miał ukrytą w szafie kolekcję antynapoleońskich śmieci, mogli go więc zamordować wrogowie państwa. Prokurator Rhunken był podobnego zdania. Czytałem jego raporty...

— Ale j a k ten człowiek zginął?! — Kant plunął pytaniem niczym rozwścieczona żmija. — Ten aspekt nas interesuje, Stiffeniis.

— Ja... jeszcze nie wiem — przyznałem z wahaniem. — Mógł...

Kant już nie słuchał. Bez ceregieli zwrócił się do Vigilantiusa.

— Czy są ślady szponów na ciele tego dziecka? — zapytał.

Zdumiałem się. Profesor Kant użył takiego samego terminu, jakim posłużyła się kobieta, która znalazła zwłoki Jana Konnena. S z p o n y   d i a b ł a.

— Nie ma nic, panie. Nie tym razem — odrzekł z powagą Vigilantius.

— O czym wy mówicie?! — zawołałem zrozpaczony, wyłączony z rozmowy tą przedziwną tajemniczością ich słów. Czyżby Jachmann nie mylił się, wyrażając troskę co do psychicznego zdrowia Kanta? — Nie ma śladu c z e g o?

— Później ci pokażę — odrzekł Kant z nagłym zniecierpliwieniem. — Jeżeli mamy dwóch morderców, nie potrzeba nam paranormalnych mocy, by dostrzec problem, jaki fakt ten stawia przed władzami. Chodź, Stiffeniis, przyjrzyjmy się bliżej dowodom materialnym.

Położywszy mi na ramieniu szczupłą dłoń, pociągnął mnie do przodu i razem zbliżyliśmy się do ciała. Vigilantius usunął się na bok, falując peleryną niczym aktor, który zadowalająco odczytał swą kwestię; zmusiłem się do spojrzenia w dół. I bynajmniej nie patrzyłem na martwego chłopca z Bałtyckiego Wielorybnika. Widziałem inne ciało leżące na mokrej ziemi, ze zmiażdżoną czaszką — kawałki kości białe i wyraźne na tle mieszaniny krwi i mózgu, oczy wpatrujące się we mnie przez szklistą mgłę. Z trudem odegnawszy nieproszone wizje, skoncentrowałem uwagę na tym, co znajdowało się w tej chwili przed moimi oczami.

— To on — ledwie zdołałem wydobyć z siebie głos. — Moritz.

Na twarzy chłopca pozostały ślady straszliwej przemocy, a w każdym razie jej rezultat. Lewa strona czaszki została zgnieciona niczym cienka skorupka jajka. Do włosów, skroni, czoła i policzków kleiły się kawałki mózgu i skrzepy stężałej krwi. Lewe oko wpatrywało się w zachmurzone niebo mniej więcej z kącika ust, jakby spełzło tam samo, niby jakiś okropny ślimak.

Kant zdawał się czytać w mych myślach.

— Czy ten widok wyprowadza cię z równowagi? — zapytał, obserwując mnie bacznie, badając moją twarz uważniej niż zniekształcone oblicze martwego dziecka na ziemi. — Oczywiście, nic dziwnego. Twój brat doznał podobnych urazów czaszki, czyż nie?

Z trudem przełknąłem ślinę, osłabły ze współczucia.

— To... to zmiażdżenie... było po drugiej... po prawej stronie — udało mi się wydukać.

— Czy kazano ci zbadać jego ciało? — zapytał Kant, nie spuszczając wzroku z mej twarzy. — Nie pamiętam, by wtedy wspominano coś o kryminalnym śledztwie.

— Nie, panie — mruknąłem. — Nie było śledztwa.

Wahał się przez moment.

— No to kontynuujmy nasze dzieło.

— To... musiał być wyjątkowo mocny cios — stwierdziłem, zmuszając się do skierowania uwagi na makabrę przede mną. — Śmierć nastąpiła zapewne natychmiast.

— I chłopak widział, jak nadchodzi — dodał Kant. — Założę się, że dłonie ma zaciśnięte w pięści. Ściągnij te szmaty, dobrze?

Zanim zdążyłem zareagować, Koch padł na kolana i zerwał mokry materiał z dłoni chłopca, a to, co ujrzeliśmy, potwierdziło celność przewidywania Kanta.

— Sierżant Koch jest moim asystentem — pospieszyłem wyjaśnić; zupełnie zapomniałem o jego obecności kilka kroków za moimi plecami. — Dawniej pracował dla prokuratora Rhunkena.

— Jego nazwisko nie jest mi obce — odrzekł Kant, z zaciekawieniem patrząc na Kocha. Przybliżył się i obserwował wszystko, z dłonią wciąż na mym ramieniu, drugą wspierał się na milczącym służącym.

— Zwróć uwagę na wyraz twarzy chłopca, Stiffeniis — powiedział głosem drżącym z emocji. — Fizjonomia, rodzaj miny wiele nam może powiedzieć, czyż nie?

Wpatrzony w twarz martwego dziecka, nie byłem w stanie sformułować ani jednej myśli.

— Nie widzisz?! — ostro skarcił mnie Kant. — Tu wszystko jest inne. Zwróć uwagę na pozycję nóg — ciągnął, ignorując nas obu, całkowicie pochłonięty tym, co robi. — Inni klęczeli w chwili, gdy zostali zamordowani. Ale nie ten chłopiec. Wczoraj w nocy widziałeś ułożenie ciała pana Tiffercha. Teraz masz możliwość porównania. Kazałem żołnierzom zachować jego zwłoki pod śniegiem, abyście z doktorem mogli je zbadać.

A więc o to chodziło. Oto odpowiedź na pytanie, jakim zanudzałem Kocha. Za tym wszystkim stał profesor Kant. To on zaaranżował i prowadził wszystkie ruchy, które wykonałem od przybycia do Królewca. On posłał mnie do pana Rhunkena, który wcale mnie nie oczekiwał. Potem skierowano mnie do gabinetu okropności Vigilantiusa. To Kant zdecydował, że powinienem zamieszkać w Bałtyckim Wielorybniku. Policja nie miała z tym nic wspólnego. Ani król. Immanuel Kant wiedział o tych morderstwach więcej niż ktokolwiek inny w Królewcu.

— Sprawdźmy, czy Vigilantius ma rację — zarządził. — Niech pan łaskawie odwróci chłopca na brzuch, panie Koch.

Koch delikatnie położył Moritza twarzą w błocie. Włosy zabitego i jego szyja lepiły się od krwi i gliny.

— Przynieście wody, sierżancie — polecił Kant i Koch pospieszył w stronę mostu, by zaraz powrócić z pełną manierką, którą zabrał jakiemuś żołnierzowi.

— Polejcie twarz — poinstruował Kant. — Odciągnijcie do tyłu włosy. Zmyjcie błoto.

Dyrygował Kochem ze stanowczością, jaką mógłby okazać, prowadząc dłoń asystenta w uniwersyteckim laboratorium.
— Więcej wody. Oczyścić szyję. O tak, tam! — wskazywał niecierpliwie.

Gdy zeszły krew i brud, wyłoniło się białe ciało. Kant pochylił się i uważnie badał wystające kręgi na szyi chłopca.

— Brak śladów na karku. Czaszkę uszkodzono młotkiem lub jakimś ciężkim przedmiotem. Rany powinny obficie krwawić, a jednak na ziemi nie ma krwi.

— Zimno mogło zatamować krwawienie — zasugerowałem.

— Temperatura nie wyjaśnia nieobecności krwi — warknął Kant z irytacją.

— Co pan więc sądzi, profesorze? — zapytałem.

— Nie został zamordowany tutaj. Ani przez osobę, której szukamy. Dowody jasno na to wskazują. Chłopiec zginął z innej przyczyny.

Nie wiedziałem, co o tym sądzić. Kant doszedł do tego samego wniosku co Vigilantius.

— Przecież w Królewcu n i e m o ż e działać dwóch morderców! — zaprotestowałem. — Moritz zginął w gospodzie. Widziałem go tam. Jego ciało porzucono tutaj, by zbić mnie z tropu. Mam istotne powody, by sądzić, że on wiedział coś o tych morderstwach. Przecież rozmawiałem z nim jeszcze wczoraj wieczorem!

Oczy Kanta rozbłysły podnieceniem.

— Rozmawiałeś z tym chłopcem? Chcesz powiedzieć, że przybyłeś do gospody i natychmiast zyskałeś jego zaufanie? To rzeczywiście imponujące! Miałem rację, że cię wybrałem, a także, że posłałem cię do Bałtyckiego Wielorybnika.

Przez chwilę sądziłem, że sobie ze mnie kpi. Ale zaraz pomyślałem: może rzeczywiście j e s t pod wrażeniem. W końcu umieścił mnie tam właśnie z tego powodu.

— Ta tawerna to siedlisko szpiegów i wywrotowców — oświadczyłem. — Ale o tym wiedziałeś już wcześniej, panie, czyż nie?

Kant spojrzał na mnie i przysiągłbym, że łobuzersko mrugnął.

— Twoje przybycie zapewne wywołało niejakie napięcie — zauważył cicho.

Stanęły mi przed oczami wydarzenia z poprzedniego wieczoru. Złość na twarzy pana Totza, podejrzane zachowanie jego żony, strach chłopca przed tą parą. Powtórzyłem Kantowi wszystkie rewelacje Moritza na temat przebywających w gospodzie cudzoziemców i opowiadałem o tym, co wczorajszej nocy sam widziałem z okna.

— Dokładnie tak, jak podejrzewał prokurator Rhunken — zauważyłem. — Rewolucyjne spiski, zagraniczni agitatorzy. Jaki lepszy motyw można by znaleźć dla tych morderstw?

— Ja sam mógłbym podać ze sto — odrzekł Kant natychmiast. — Jeden z pewnością przychodzi mi do głowy.

Wpatrzył się w rzekę Pregel, jakby ciemne wody pomagały mu się skoncentrować.

— Jaki, panie? — zapytałem pokornie.

— Wysublimowana przyjemność zabijania, Stiffeniis — odrzekł, wolno wymawiając każde słowo.

Zdumiałem się. Czy dobrze usłyszałem?

— Czy mówi pan poważnie, wasza wielmożność?! — wybuchnął sierżant Koch. — Proszę o wybaczenie, panie Stiffeniis — pospieszył z przeprosinami. — Nie chciałem przeszkadzać.

— Doceniam pańską szczerość, panie Koch — powiedział Kant. — Niech pan mówi dalej, sierżancie. Niech pan powie to, co ciśnie się panu na usta.

— Czy ktoś przy zdrowych zmysłach mógłby zabić z takiego powodu? — zapytał Koch. Nie zdawał się ani trochę onieśmielony wspaniałą reputacją Kanta. — Dla przyjemności i z żadnej innej przyczyny?

Kant przez chwilę badał jego twarz.

— Byliście kiedyś na wojnie, sierżancie?

Koch zmrużył oczy, zaprzeczył ruchem głowy.

— Ale ma pan przyjaciół lub znajomych w armii?

— Tak, panie, ale...

Kant uniósł dłoń.

— Niech pan się na chwilę powstrzyma, Koch. Gdyby obstawał pan przy tym, że zabicie wroga na polu walki jest kwestią obowiązku, nie spierałbym się z panem. Ale w popełnieniu tego czynu istnieje pewna dwuznaczność, która może okazać się warta zastanowienia. Niewielu znałem żołnierzy, którzy wstydziliby się swych morderczych możliwości czy zachowywali powściągliwość w opowieściach o okrucieństwach, jakie popełnili w imię obowiązku. I nie tylko na polu walki. Choćby pojedynki, tak częste wśród oficerów naszej armii. — Kiwnął głową w stronę zwłok. — Człowiek w posiadaniu śmiercionośnych zdolności może odkryć niewypowiedzianą przyjemność w wykorzystaniu ich.

— Żołnierz, panie? Czy to pańska teoria?

Kant zwrócił teraz uwagę na mnie, jakby Koch w ogóle nie istniał.

— Wyobraź sobie władzę nad życiem i śmiercią w rękach takiej osoby, Stiffeniis. Wybiera sobie ofiarę. Określa czas i miejsce egzekucji. — Kant odliczał na swych białych palcach. — Tylko Bóg posiada tak nieograniczone możliwości na tej ziemi. Sam akt zabójstwa może być źródłem niezwykłej mocy, zadośćuczynienia samemu sobie, ale to jeszcze nie koniec. Spójrz tam — powiedział, wskazując na tłum zebrany na przeciwległym brzegu rzeki. — Widzisz tych żołnierzy blokujących most. Pomyśl o naszej tu obecności, o strachu, który kazał władzom nas wezwać. Kimkolwiek on jest, jakimikolwiek kieruje się motywami, ten człowiek rozpętał chaos w Królewcu. On steruje nami wszystkimi!

— Moc, panie? — niedowierzał Koch, marszcząc brwi. Wydawało się, że ta hipoteza niepokoiła go bardziej niż wszelkie inne możliwości.

— Moc, która nie akceptuje ludzkich ograniczeń, sierżancie Koch. Bóstwo. Lub demon, jeżeli wolisz.

Zimny wiatr powiał znad rzeki Pregel. Gdy przemówił doktor Vigilantius, jego głos zabrzmiał tak ostro, że przypominał odgłos pękania kry, gdy na daleką północ zawita wiosna.

— Profesorze Kant, nic więcej nie mogę dla pana uczynić. Mam sprawę nie cierpiącą zwłoki. Jeżeli będzie mnie pan znowu potrzebował, wie pan, gdzie mnie znaleźć.

— Pańska pomoc w tej sprawie jest wręcz bezcenna, doktorze — odrzekł Kant tak uprzejmie, jakby zwracał się do Davida Hume'a czy Descartes'a. — Stiffeniis zrobi dobry użytek z pańskich wniosków.

Z ostatnim, lekceważącym, spojrzeniem w moją stronę Augustus Vigilantius, błyszczący meteor swedenborgiańskiego uniwersum, odwrócił się i odszedł brzegiem rzeki, by więcej nie ujawniać swej obecności w Królewcu w czasie, gdy tam przebywałem, poza szpaltami „Hartmanns Zeitung". Jego „sprawa nie cierpiąca zwłoki" okazała się rozmową z capem, zwierzęciem ponoć opętanym przez duszę farmera, który kiedyś był jego panem.

Kant posłał mi serdeczny uśmiech.

— Mam nadzieję, że w przyszłości już nie będziemy go potrzebować — oświadczył. — A teraz — co do pańskiej teorii spisku, Stiffeniis. Powinien pan ją zweryfikować.

Zaskoczył mnie.

— Sądziłem, że nie podziela pan mojej opinii?

— To pańska własna teoria, Stiffeniis — oświadczył ciepło. — Musi pan ją poddać próbie. W tym właśnie tkwi esencja nowoczesnej naukowej metodologii. Niech pan natychmiast uda się do twierdzy i przesłucha tych ludzi z gospody. Potem chciałbym coś panu pokazać.

— Proszę o wybaczenie, panie Stiffeniis — przerwał nam Koch. — Co z tym rybakiem, który znalazł zwłoki? Będzie pan musiał z nim porozmawiać, wasza wielmożność.

Zanim zdążyłem odpowiedzieć, Kant gwałtownie odwrócił się do sierżanta.

— Proszę nie marnować czasu pańskiego przełożonego! Ten biedak o niczym nie wie, jestem tego pewien. Przyjadę po pana o czwartej — ostatnie słowa skierował do mnie, zanim ruszył w stronę mostu. Po kilku niepewnych krokach obejrzał się z enigmatycznym uśmiechem. — Nie chciałby pan dowiedzieć się czegoś więcej o diabelskich szponach, Hanno?

Nie czekał na moją odpowiedź.

— Jestem do pańskiej dyspozycji — mruknąłem, patrząc za nim, aż bezpiecznie dotarł do schodów prowadzących na drogę. Potem, poleciwszy zabrać ciało Moritza, czekałem, aż żołnierze dokonają tego smutnego dzieła. Gdy przykryli mu głowę, przypomniałem sobie służalczy grymas na twarzy pani Totz i jej udaną troską o tego dzieciaka dzisiaj rano. Ogarnęła mnie fala gniewu.

— Do twierdzy, Koch! — rzuciłem ostro. — Pora rozwiązać kilka języków.

och rozejrzał się po pokoju z zatroskaną miną.
— Kazałem przynieść pańskie rzeczy z gospody, wasza wielmożność. Nic lepszego nie udało mi się znaleźć w tak krótkim czasie.

Pomieszczenie na pierwszym piętrze twierdzy było niewielkie. Miejsca starczyło w nim akurat na wąskie łóżko i drewniane krzesło, na którym położono moją torbę podróżną. Skisła woń starej uryny, wydobywająca się z popękanego porcelanowego nocnika pod łóżkiem, ciężko zawisła w powietrzu. Wysoko umieszczone okno wpuszczało mało światła, panował przeszywający chłód. Nikt nie zadał sobie trudu rozpalenia w niewielkim piecu. Krzyki i wrzaski uwięzionych na dole dochodziły stłumione, co przyjąłem z ulgą, ale nie zdziwiłoby mnie, gdyby pojawił się więzienny strażnik i zamknął nas tutaj na zawsze.

— Nie będzie mi tu źle — powiedziałem z mniejszym ożywieniem, niż w istocie odczuwałem. Objąłem w posiadanie pokój prokuratora Rhunkena, pomieszczenie, które wykorzystywał na odpoczynek, gdy z powodu nawału pracy nie mógł wrócić do własnego domu. Obrzuciłem spojrzeniem wszystkie cztery ściany, jakbym chciał przyzwyczaić się do ich szarej ponurości. — Tu powinienem był zamieszkać od samego początku — dodałem z przekonaniem pustelnika, badającego jaskinię, w której miał spędzić resztę pokutniczego życia.

— Poczynił pan pewne ważne odkrycia w Bałtyckim Wielorybniku, wasza wielmożność — przypomniał mi sierżant.

— Trzeba się cieszyć z każdego, nawet najdrobniejszego osiągnięcia.

— Profesor Kant zdawał się zadowolony — ciągnął Koch, choć jego zaciśnięte wargi zadawały kłam wypowiedzianej na głos pochwale.

— Czy coś pana niepokoi, Koch?

Nie próbował zaprzeczyć, tylko szarpnął za kołnierzyk koszuli, jakby w pomieszczeniu panowała temperatura o dziesięć stopni wyższa.

— Kilka spraw, panie — zaczął z wahaniem. — Zastanawiałem się nad profesorem Kantem, wasza wielmożność.

— O czym pan myśli? — zdziwiłem się.

— Bardzo zaskoczyła mnie obecność tego pana nad rzeką dzisiaj rano, panie. W jego wieku... wydaje się dziwne, że okazuje takie... niezdrowe zainteresowanie morderstwem. Nie sądzi pan?

— Nie chodzi tu o pospolite zainteresowanie zbrodnią, Koch, jeżeli o tym pan myśli — odrzekłem pospiesznie, gdyż sierżant ujął w słowa wątpliwości, które podzielałem. — Pan profesor Kant nie może ścierpieć nieporządku, jaki towarzyszy zbrodni, to wszystko. Lęka się o Królewiec i dla miasta, które kocha, zniesie wszelkie niedogodności.

— Niemniej chyba nie podziela pańskiej teorii, że powodem tych morderstw jest rewolucyjny spisek — ciągnął Koch.

— Profesor, Koch, nie jest ani sędzią, ani policjantem — wyjaśniłem. — Przyznał wszakże, że to najbardziej oczywiste wytłumaczenie. To największy teoretyk racjonalizmu w Prusach. Szuka hipotezy, którą można by oprzeć na solidnych podstawach. Gdy spotkamy się z nim dzisiaj po południu, zamierzam dostarczyć mu ostatecznego dowodu, którego potrzebuje.

— Tak jest, panie. — Koch nie wydawał się do końca przekonany.

— A ta inna sprawa?

Przyłożył dłoń do piersi, jakby chciał uspokoić bicie serca lub z góry przeprosić za to, co powie.

— Dotyczy pańskiego brata, wasza wielmożność. Pan Kant wspomniał o nim dziś rano w związku z tym chłopcem. Czy został zamordowany, panie?

Odwróciłem się nieco, otworzyłem torbę i udałem, że czegoś szukam.

— Nic takiego — warknąłem. — Jak mu powiedziałem, sierżancie, to był wypadek. Wielce nieszczęśliwy zbieg okoliczności.

Grzebałem w torbie, by uniknąć jego spojrzenia. Gdy znów uniosłem wzrok, zdawało mi się, że przez moment na brzydkiej twarzy Kocha ukazał się wyraz zdumienia. Przeszedłem obok niego do sąsiedniego pokoju.

— Gdzie są zatrzymani? — zapytałem.

— Funkcjonariusz Stadtschen czeka na pańskie rozkazy, zanim przyprowadzi ich na górę, panie — odrzekł Koch, obciągając kurtkę, a na jego twarzy znów pojawiła się obojętność.

— Każ mu najpierw wejść samemu, dobrze?

I jakbym wywołał diabła, przyszedł na wezwanie. Rozległo się energiczne pukanie do drzwi i pokazał się Stadtschen z stertą papierów w rękach. Był to olbrzymi mężczyzna o nabiegłej krwią twarzy, świetnie prezentujący się w nieskazitelnym, granatowym mundurze z białymi paskami na rękawach i wzdłuż szwów bryczesów. — Cudzoziemcy przebywający z wizytą w Królewcu, panie — powiedział, skłoniwszy się, i wręczył mi odpis listy nazwisk sporządzonej dla generała K.

Wziąłem od niego kartkę i przebiegłem wzrokiem te nazwiska.

— Dwadzieścia siedem osób? W całym Królewcu?

— Ostatnio nie mamy tu wielu gości z zagranicy, panie — odrzekł oficer. — W porcie stoją żaglowce, oczywiście, ale one przeważnie przypływają i odpływają tego samego dnia albo załoga śpi na pokładzie. Przypadkowi goście omijają to miasto, wasza wielmożność. Nikt o zdrowych zmysłach nie marzy, by paść ofiarą mordercy.

— Czy którekolwiek z nazwisk na liście jest notowane na policji?

— Nie, panie. Sprawdziłem osobiście.

Zapisałem nazwiska trzech handlarzy diamentów, którzy poprzedniej nocy przebywali w Bałtyckim Wielorybniku.

— Przeszukaliście gospodę, czy tak?

— W samej rzeczy, panie — odrzekł, kładąc duży rulon papierów na biurku przede mną. — Oto, co znaleźliśmy.

— Gdzie to schowano?

— W tajemnym pomieszczeniu, panie prokuratorze. Wejście odkryliśmy pod klapą umieszczoną pod dywanem w jednej z sypialni na piętrze.

Obraz szpiegującego Moritza stanął mi przed oczyma. Czy o tym chciał mi powiedzieć wczorajszego wieczoru? O spotkaniu wywrotowców, odbywającym się w pokoju naprzeciw mojego?

— Dokumenty i plany, panie — ciągnął Stadtschen.

— Plany?

— Królewca, a także innych miejsc. I pamflety napisane po francusku. Nazwisko Bonapartego często widnieje w tych tekstach.

— Znaleźliście jakąś broń?

— Żadnej, panie — Stadtschen skrzywił się — poza starym pistoletem w sypialni Totza. Zardzewiały jak porzucona kotwica; gdyby ktoś okazał się tak nierozsądny, by oddać z niego strzał, wybuchnąłby mu prosto w twarz.

— Ile osób zatrzymano?

— Tylko oberżystę i jego żonę. Ci kupcy, o których sierżant Koch wspominał, że się, panie, nimi interesujesz, opuścili miasto wcześnie rano. Mogli odpłynąć jakimś statkiem. Żandarmi usiłują właśnie czegoś się o nich dowiedzieć.

— Czy Totz lub jego żona powiedzieli coś w momencie aresztowania?

— Nie zwracałem na nich specjalnej uwagi, panie — odrzekł Stadtschen. — Musiałem zająć się ważniejszą sprawą.

— Co macie na myśli?

— Cóż, panie — Stadtschen otarł dłonią usta. — Odkąd zaczęły się te morderstwa, moi chłopcy żyją w ciągłym napięciu. Miałem wiele kłopotu z utrzymaniem ich w ryzach. Nie chciałem, by wzięli sprawy w swoje ręce, jeżeli rozumie pan, o czym mówię.

— Wyśmienicie — odrzekłem. — Możemy zaczynać.

Stadtschen stanął na baczność.

— W pierwszej kolejności, panie, generał K. życzy sobie, by więźniowie z sekcji D zostali oddzieleni od pozostałych.

— Sekcja D? — zdziwiłem się.

— Przeznaczeni do deportacji, panie. Pan generał chce, by przeniesiono ich do portu Pillau*, by byli gotowi do natychmiastowego zaokrętowania. Jeżeli istnieje jakiś francuski spisek, więzienie zacznie zapełniać się politycznymi agitatorami i wywro-

* pol. Piława, ros. Bałtijsk

towcami. Twierdza Królewiecka mogłaby zmienić się w pruską Bastylię, panie. Tak określa to generał. Sześćdziesięciu deportowanych opuściło wczoraj więzienie w Świnoujściu na pokładzie „Tsar Pet". Powinien zawinąć do Pillau w ciągu jutrzejszego dnia. Prokurator Rhunken sporządził prowizoryczną listę — Stadtschen zaczerpnął powietrza i opuścił wzrok — ale nie zdążył złożyć podpisu ani przyłożyć pieczęci.

Wręczył mi dokument spisany na grubym pergaminie. Znałem królewski edykt, na który powoływano się w tytule. Kopię oryginału przysłano mi do biura w Lotingen kilka miesięcy wcześniej. Prusy owładnął strach przed rewolucją jakobinów; wszyscy naczelnicy więzień dostali polecenie spisania nazwisk osób mogących być zagrożeniem dla bezpieczeństwa państwa, więźniów, którzy użyli przemocy przy próbie ucieczki lub przeszkadzali w misji karnych instytucji powołanych do zreformowania ich i wymierzenia im kary.

— Prokurator Rhunken wybrał sześciu z nich do deportacji, panie. Generał K. dodał jeszcze dwóch. Prosi, byś pan sfinalizował sprawę.

Przebiegłem oczami nazwiska spisane na pergaminie:

Geoden Wrajewsky, 30, dezerter.
Matthias Ludwigssen, 46, fałszerz monet.
Jakob Stegelmann, 31, złe skłonności, 53 razy skazany za pijaństwo i awantury.
Helmut Schuppe, 38...

— Wielki Boże! — wykrzyknąłem z przerażeniem, gdy przeczytałem postawione mu zarzuty. — Wilki syberyjskie nie będą miały dużo szans z takimi jak ci.

— To prawda, panie — przyznał Stadtschen z ponurym uśmiechem. — Paskudna zgraja, zaiste.

Andreas Conrad Segendorf, morderstwo i porwanie.
Franz Hubtissner, 43, złodziej bydła.
Anton Lieberkowsky, 31, zamordował brata siekierą...

Serce zaczęło mi bić jak szalone. Ile lat ciężkich robót, chłosty, lodu i ostrego wiatru potrzeba, by ukarać podobnego Kaina?

— Jeżeli chce pan dodać Totza i jego żonę do listy, panie — zauważył Stadtschen — zaraz każę ich przenieść do sekcji D.

Zanurzyłem pióro w kałamarzu i grubą linią odkreślając nazwiska, zamknąłem listę. Składając podpis, zastanawiałem się, ile dodatkowych dni życia podarowałem tą decyzją mordercy Ulrichowi Totzowi i jego wspólniczce. Więźniowie skazani na ciężkie roboty w Rosji na ogół nie wytrzymywali dłużej niż dwa, trzy miesiące.

— Chcę dokończyć dochodzenie, nim zdecyduję, co z nimi zrobić. Wyśmienita robota, Stadtschen. Dobrze się pan spisał — powiedziałem, oddając mu dokument. Zaczerwienił się z dumy. Zdobywszy moją przychylność, mógł liczyć na przyspieszenie awansu. — A teraz na pierwszy ogień weźmiemy Gerdę Totz.

Spieszyło mi się, by zacząć. Czy gospodyni wiedziała o losie Moritza dziś rano, gdy okazywała niepokój o bezpieczeństwo chłopca? Czy będzie nadal tak skora do uśmiechu teraz, gdy Moritz nie żyje, a sama znalazła się pod zarzutem morderstwa?

Więźniarkę wprowadzono do mego gabinetu kilka minut później.

— Proszę bliżej, pani Totz — powiedziałem; wyraźnie ją ignorując, przekładałem papiery pozostawione na biurku przez

Stadtschena — czerwone szmatławce, agitujące za politycznym niepokojem, upstrzone nazwiskiem Bonapartego i sloganami, z jakimi zetknąłem się we Francji: Wolność, Równość i barbarzyńska przemoc. — A teraz...

Uniosłem wzrok — i słowa zamarły mi na ustach. Kobietę potraktowano brutalniej, niż myślałem. Twarz opuchnięta, poraniona i obrzmiała, dolna warga rozcięta i krwawiąca. Niemniej, wciąż udawało jej się przywołać krzywą wersję przesłodzonego uśmiechu, którym powitała mnie dzisiaj rano.

— Pan prokurator? — powiedziała, składając dłonie w służalczy sposób, jakby chciała przyjąć ode mnie zamówienia na jedzenie i picie.

— Siadać! — rozkazałem, unikając jej wzroku.

Stadtschen położył ciężką dłoń na jej ramieniu i posadził kobietę z taką siłą, że krzesło zaskrzypiało. Już miałem go skarcić, ale wspomnienie zmiażdżonej czaszki Moritza, oka zwisającego z kącika ust przemknęło mi przez głowę.

— Cóż, Gerdo Totz, co masz do powiedzenia?

Uniosła wzrok, w jej oczach malowała się fałszywa troska.

— Panie Stiffeniis, pokornie proszę o wybaczenie — wymamrotała, ocierając łzy dłońmi zaciśniętymi w pięści. — Zamknęli gospodę, panie. Co pan teraz zrobi? Gdzie się pan zatrzyma?

— To najmniejsze z twoich zmartwień — odrzekłem. — Powiedziałaś mi dzisiaj rano, że szukasz Moritza. Wiedziałaś, że nie żyje?

— Och, panie Stiffeniis! Co pan mówi, wasza wielmożność? Odchodziłam od zmysłów. Ten chłopiec to same kłopoty. Sądziłam, że się panu naprzykrza...

— Dlaczego miałby mnie nachodzić? — przerwałem jej.

— Wiedział, że jest pan sędzią. On...

— Czy dlatego został zamordowany?

— Co za pomysł, panie — wyjąkała. — Miałam rację, że się niepokoiłam, czyż nie?

— W waszym domu działo się coś złego — ciągnąłem. — Moritz odkrył spisek. Wiedział, że morderstwa w Królewcu zostały zaplanowane i dokonane przez ciebie, twego męża i inne osoby odwiedzające gospodę.

Nie zaprzeczyła moim słowom. Nie wprost.

— Czy to właśnie powiedział ci Moritz, panie? — zapytała. Złożyła dłonie jak modlące się dziecko i oparła się o biurko, zmagając się z usiłującą ją powstrzymać dłonią oficera Stadtschena; obficie cieknąca z rozcięcia dolnej wargi krew spływała jej na brodę i szyję. — Mój Ulrich obawiał się czegoś podobnego. Wczoraj wieczorem zauważył, jak Moritz kręcił się koło pańskiego stołu. Oboje to widzieliśmy. Ostrzegłam dzieciaka. A potem ostrzegłam pana, prawda?

Nie zadałem sobie trudu, by odpowiedzieć.

— Uczyniłam tak, panie. Ale ten chłopak miał szaloną wyobraźnię — ciągnęła. — Stanowił zagrożenie. Kto umiałby powiedzieć, gdzie u niego zaczynała się prawda, a gdzie kończyły kłamstwa? Gdy mój mąż dowiedział się o pańskim przybyciu, pierwsze jego słowa brzmiały: „Musimy odesłać tego chłopca, Gerdo". Ulrich bał się, że nic dobrego z tego nie wyniknie, jak tylko Moritz dowie się o pańskim zadaniu w Królewcu. Ale nie stać nas było na innego posługacza.

— Bałtycki Wielorybnik jest znaną przystanią zagranicznych spiskowców — nie ustępowałem. — Trzech takich było obecnych na kolacji wczoraj wieczorem, dwóch Francuzów i mężczyzna pochodzenia niemieckiego, którzy podawali się za handlarzy szlachetnych kamieni. Co masz do powiedzenia na ich temat?

— Ci podróżni, panie? Nie po raz pierwszy zatrzymali się w gospodzie. Bardzo przyzwoici, ciężko pracujący dżentelmeni. Zawsze punktualni w uiszczaniu należności.

— To jakobini — upierałem się. — Francuscy szpiedzy.

Kobieta aż zmrużyła oczy, widząc moją gwałtowną reakcję.

— Nie rozumiem, co panu przychodzi do głowy, wasza wielmożność — zaprotestowała. — To uczciwi ludzie, mogłabym przysiąc!

— Ty i twój mąż spiskowaliście z nimi, pani Totz — nie ustępowałem. — Dlatego Moritz został zamordowany.

— To nieprawda, panie — jęknęła. — Nic podobnego. Mój Ulrich cieszył się z tego, co wydarzyło się we Francji, nie będę ukrywać. Kto by się nie radował? Rewolucja wybuchła, bo Francuzi mieli okropnego króla, a nie dżentelmena wprowadzającego sprawiedliwe prawa i szanującego lud, jak nasz drogi Fryderyk Wilhelm. Te francuskie ideały nie są takie okropne. Wolność, Równość, Bra...

— Nie rozmawiamy o ideałach — przerwałem jej. — Istniał spisek przeciwko rządowi, pani Totz.

— Spisek? — chlipnęła, unosząc ramiona ku niebu i trzęsąc głową na znak protestu. — Czy to powiedział panu Moritz?

— Mówiłem pani, że na własne oczy widziałem Moritza w pokoju naprzeciw mojego, po drugiej stronie podwórza. Zaprzeczyłaś temu dzisiaj rano. A jednak w tym pokoju właśnie, w t y m   s a m y m, żandarmi odkryli wywrotowe materiały.

— To jedynie skład, panie! — krzyknęła. — Zaprzeczyłam, bo nie chciałam, byś się niepokoił głupstwami istniejącymi tylko w głowie tego chłopca.

— Ten chłopiec nie żyje! — wrzasnąłem. — Zamordowany z powodu tych g ł u p s t w!

— Wszyscy używamy tego magazynu, panie — jęknęła rozpaczliwie. — Wszyscy. Ja, mój mąż, Moritz. Tak, Moritz, panie! Pełno w nim połamanych sprzętów, trzymamy tam także zapasy pościeli oraz rzeczy zapomniane przez naszych gości. Niczego nigdy nie wyrzucamy, na wypadek, gdyby ktoś się po nie zgłosił. Cokolwiek tam znaleziono, nie używa się tego w gospodzie, nie należy do nas, panie. Przysięgam.

— Stadtschen, gdzie dokładnie znaleziono wywrotowe pamflety?

— Dobrze ukryte w kufrze pod kocami, wasza wielmożność — potwierdził żandarm.

— Te papiery nie należą do nas, panie — zaprotestowała Gerda Totz. — Nigdy ich nie widziałam. A co do Moritza, przyjęłam go pod swój dach tylko dlatego, by pomóc siostrze. Nie miał wszystkich klepek w głowie. A te morderstwa jeszcze pogorszyły sprawę. Całkiem możliwe, że wierzył, iż morderca kryje się w naszym domu, ale pan chyba tak nie uważa? Nie pan, panie Stiffeniis? Ulrich i ja tak samo baliśmy się wychodzić na ulicę jak każda niewinna dusza podczas tych miesięcy. To nie było łatwe, interes szedł gorzej. Odkąd tamten człowiek został znaleziony martwy na nabrzeżu, ledwie wiązaliśmy koniec z końcem.

Wszystko to powiedziała tak szybko, że miałem kłopoty z zapisywaniem. Cyniczna baba kłamała i wiedziałem, że będę zmuszony przełamać jej opór, jeżeli zamierzam oskarżyć ją i Totza.

— Te kłamstwa wystarczą, by cię pogrążyć — stwierdziłem, wbijając w nią zimne spojrzenie.

Miałem przed sobą inną Gerdę Totz — przewrotną, zbrodniczą wersję prostej, dobrze dbającej o klientów, nieco wścibskiej gospodyni, którą po raz pierwszy spotkałem dzień wcześniej.

Wszystko przez ten przyklejony do jej warg uśmieszek. Przeszedł mnie dreszcz na widok tak wyrafinowanego fałszu. Była oskarżona o morderstwo, a jednak wciąż uśmiechała się, jakby ten grymas był jej najbardziej wypróbowanym i sprawdzonym środkiem obrony. Jeszcze dotąd mnie straszy.

— Zamierzasz mnie torturować, panie, czy tak?

Zamarłem.

Czyżby czytała w mych myślach, zinterpretowała jakiś niemiły wyraz mej twarzy? Chociaż król Fryderyk Wilhelm III oficjalnie zabronił tortur, nie zaprzestano tej praktyki. Karl Heinz Starbeinzig, wybitny pruski jurysta, ostatnio opublikował rozprawę opowiadającą się za ich ponownym wprowadzeniem, co przyjęto z dużym entuzjazmem. „Tortura działa szybko i niewiele kosztuje — dowodził. — Zawiera w sobie dwie główne zasady nowoczesnego państwa: oszczędność i skuteczność". Tortury mogły okazać się nieocenione w dostarczeniu mi dokładnych szczegółów, dlaczego i jak Moritz został zabity.

Pani Totz wydała jęk przerażenia.

— Ma pan moc zabić mnie i Ulricha, panie. Ale to, co dzieje się w Królewcu, nie skończy się na nas.

— Zobaczymy. Ma pani coś jeszcze do dodania?

Rozpłakała się w głos i wydzierała sobie włosy, ale nie powiedziała ani słowa. Skinąłem na Stadtschena, by ją wyprowadził. Gdy próbował poderwać ją na nogi, kobieta padła przede mną na stół. Krwawa ślina z jej warg spłynęła na moje notatki. Spojrzała na mnie z pogardą i wciąż z tym okropnym uśmiechem, ale teraz zniekształconym wściekłością.

— Dlaczego przybyłeś do Bałtyckiego Wielorybnika? — warknęła. — Czego od nas chciałeś?

Odsunąłem się do tyłu przed fontanną krwi i wściekłości.

— Ktoś cię przysłał, by zastawić na nas pułapkę.

Stadtschen złapał ją za szyję i usiłował odciągnąć od biurka.

— Ktoś, kto trzyma miasto w kleszczach strachu, moja droga — uciąłem.

— Ktoś, kto chce nas zniszczyć — zaskrzeczała w odpowiedzi i wczepiła się paznokciami w blat. — Diabeł cię przysłał! Diabeł!

— Nigdy się nie dowiesz, jak bardzo się mylisz.

— To t y zabiłeś Moritza! — splunęła mi w twarz. Krew splamiła mi ręce i mankiety lnianej koszuli. — Ty i ten, co cię przysłał do gospody!

— Stadtschen, wyprowadź ją! — zawołałem, ale pani Totz jak wcielona furia trzymała się biurka i napierała na mnie.

— Wiedziałam, że ściągniesz na nas nieszczęście. Jak tylko zobaczyłam twoją twarz. To ty sprowokowałeś Moritza! Opowiadał te swoje idiotyczne historyjki, a ty mu uwierzyłeś. Nic nie było do odkrycia w naszej gospodzie. Ty pojawiłeś się, i Moritz zginął. P a n żeś go zamordował, panie Stiffeniis. A teraz zamorduje pan nas...

To stało się tak szybko, że mnie zaskoczyło. Zanim zdążyłem pomyśleć, poderwałem się, a moja pięść wystrzeliła i trafiła kobietę prosto w nos. Nie było to wyjątkowo silne uderzenie, ale wystarczające, by pociekła krew. Ciało Gerdy zadrgało z bólu, gdy osuwała się na podłogę.

— Zabierzcie ją na dół! — rozkazałem.

Obaj, Koch i Stadtschen, wpatrywali się we mnie w milczeniu.

— Odprowadź ją na dół do celi, Stadtschen — powtórzyłem.

Stadtschen zamrugał powiekami, potem zrobił krok do przodu i podniósł kobietę z podłogi. Wyprowadzając przez drzwi, uderzył ją w tył głowy.

— Powinni cię byli spętać, bezwstydna kurwo! — wrzasnął.
— Sprawimy ci tu powitanie, którego nie zapomnisz!

Usiadłem za biurkiem, wziąłem długi, głęboki oddech, potem kawałkiem szmaty, której używałem do czyszczenia piór, dokładnie starłem krew z siebie i z papierów.

— Wyrządzą jej krzywdę, panie — ostrzegł mnie Koch zniżonym głosem. — Wartownicy uczynią jej coś naprawdę złego.

Nie spojrzałem na niego. Ani nie odpowiedziałem. Jakie okrutne myśli przelatywały mi przez głowę w tamtej chwili? Na jaką karę skazywałem ją za to, co zrobiła Moritzowi?

Uniosłem pióro, zanurzyłem głęboko w kałamarzu, potem z namaszczeniem podpisałem i opatrzyłem datą zeznanie tej kobiety. Stopiłem wosk nad świeczką i uważnie przyłożyłem swoją pieczęć.

I wtedy, dopiero wtedy zwróciłem się do sierżanta Kocha:
— Niech Stadtschen przyprowadzi jej męża.

erda Totz podała mi imię zabójcy Moritza. Pomimo absurdalności jej oskarżenia nie mogłem otrząsnąć się z poczucia odpowiedzialności, a nawet winy. Czyżbym niechcący przyczynił się do śmierci chłopca? Czy sam fakt, że rozmawiał ze mną, wystarczył, by sprowokować zabójcę?

Próbowałem zastąpić ponure myśli rozważaniami nad przedsięwzięciem bardziej stanowczych kroków. Będę musiał zaostrzyć metody przesłuchania, jeśli chcę potwierdzić swe podejrzenia co do istnienia politycznego spisku w Bałtyckim Wielorybniku. Niewiele dowiedziałem się od pani Totz. Jeżeli jej mąż nie okaże się bardziej skłonny do rozmowy, będę zmuszony uciec się do tortur. Czy podoba mi się ten pomysł, czy nie, pogarszająca się sytuacja polityczna zobowiąże mnie do zastosowania rozżarzonego żelaza i ciężarków do miażdżenia kości.

Po chwili do pokoju wszedł Stadtschen, popychając przed sobą Ulricha Totza. Oberżystę najwyraźniej potraktowano łagodniej niż jego żonę. Tylko wysoko na czole miał ciemnego siniaka, poza tym nic poważniejszego. Żadnych skaleczeń. Ani dokumentom, ani mojemu ubraniu nie groziło poplamienie kroplami krwi.

— Proszę usiąść, Totz — poleciłem mu, dłonią wskazując krzesło.

— Wolałbym stać — odrzekł.

Stadtschen szturchnął go w plecy.

— Rób, jak ci każą — warknął.

Wyjmując nową kartkę papieru i przygotowując się do przesłuchania, kątem oka obserwowałem Ulricha Totza. Na jego wydętych w niemiłym grymasie wargach plątał się wyniosły uśmiech.

— Czy coś was bawi, panie Totz? — zadziwiłem się.

— Za pozwoleniem, panie Stiffeniis — zaczął — ta cela cuchnie. Pełno w niej szczurów. Pod moim dachem znalazł pan wygody.

— Jest przytulna w porównaniu z bezimiennym grobem mordercy — odpaliłem.

Zareagował obojętnym wzruszeniem ramion.

— No dobrze, panie prokuratorze Stiffeniis, przystąpmy do rzeczy. Nie zabierze nam to wiele czasu. Przyznaję się do zbrodni. Zabiłem Moritza tymi oto rękami.

Podsunął mi je pod oczy — wielkie i mięsiste. Wyobraziłem sobie, jak chwyta nimi jakiś ciężki przedmiot i gruchoce skroń Moritza. „Ile trzeba było uderzeń — pomyślałem przejęty dreszczem — zanim oko chłopca wyskoczyło z oczodołu, a czaszka splunęła krwawą pulpą?" Pomimo uczucia wstrętu serce zabiło mi żywiej. Morderca był gotów się przyznać.

— Potrzebuję faktów, Totz — oświadczyłem spokojnie.

Skinął głową, potem przez dziesięć minut — bez przerwy — opisywał, co wydarzyło się w Bałtyckim Wielorybniku poprzedniej nocy. To obszerne zeznanie powinno było mnie usatysfakcjonować, a jednak w opowieści było coś niepokojąco gładkiego i jakby wyuczonego na pamięć. Jedynie pokusa, że gdy przyjmę w dobrej wierze tak bezpośrednie przyznanie się do winy, uwolnię się od trudów śledztwa, uciszyła moje wątpliwości.

— Zawsze byłem zwolennikiem wydarzeń z roku osiemdziesiątego dziewiątego — oświadczył z dumą. — Królowie i arystokraci paradują sobie, podczas gdy my dniami i nocami harujemy niczym niewolnicy. Zgadza się, jestem jakobinem, a pan Robespierre moim bogiem. Nic a nic nie dbam o religię. Następni krwiopijcy! Klechy! Odrąbać im te cuchnące łby. I dobrze. Nie tylko we Francji, ale także u nas, w Prusach. Przeklęci pietyści! Niech no tylko Napoleon tu zawita! On już im pokaże! Wiedziałem, że gospoda znajduje się pod obserwacją, ale nikt nie mógł mi niczego udowodnić. Do pańskiego przybycia!

Totz otarł usta rękawem i wpatrywał się we mnie z nonszalancką obojętnością.

— Jak tylko się pan pojawił, wiedziałem, że grozi nam niebezpieczeństwo — ciągnął. — No cóż, pomyślałem, pan i ja możemy zabawić się w kotka i myszkę, i nie najgorzej wywiązałem się ze swej roli. Ale potem Moritz musiał się wtrącić. Zeszłej nocy przyłapałem go na szpiegowaniu. Wnet zdradziłby nas przed panem...

— Dlatego go zabiłeś, Totz?

Oczy Totza zabłysły nienawiścią.

— Rewolucja wymaga ofiar! To tak, jakbyś sam go zabił, prokuratorze Stiffeniis. Gdybyś się pan u nas nie pojawił, nikt w Królewcu nie zechciałby poświęcić drogocennego czasu, by po raz drugi wysłuchać bajdurzeń Moritza.

— Gdzie zginął?

Ulrich Totz westchnął głęboko.

— Nie wiem, po co zadaje pan sobie trud tymi pytaniami — zadrwił. — Sam pan widziałeś go z okna, Gerda mi powiedziała. Jeden Bóg wie, dlaczego mnie pan nie zauważył! Nakryłem go na węszeniu przed magazynem, więc po prostu zrzuciłem go ze schodów.

A więc to twarz Totza widziałem za plecami Moritza zeszłej nocy. To wyznanie powinno przepędzić wszelkie wątpliwości, jakie jeszcze plątały się po mej głowie. A więc skąd to wrażenie, że on mówi mi dokładnie to, co chciałem usłyszeć?

— Zepchnął go pan ze schodów, Totz? Zrobiłeś pan o wiele więcej!

— Gdy zastałem go pod drzwiami, nie miałem wątpliwości, że wszystko panu wygada. Musiałem go zabić, czyż nie? Zbytnio się panu podlizywał.

— Przejdźmy do szczegółów, Totz — przerwałem mu. — Złapałeś pan chłopaka i zepchnąłeś ze schodów. Czy tak?

— Ujrzałem, jak zdmuchnął pan świecę i zaciągnął zasłony, by udać się do łóżka. Wtedy postanowiłem działać.

— No dobrze. Zrzuciłeś go pan ze schodów, a następnie?

— Zbiegłem za nim i uderzyłem go tak mocno, by zabić.

— Czym go uderzyłeś?

— Pierwszą rzeczą, jaka wpadła mi w ręce.

— C z y m? — naciskałem.

Nie zawahał się.

— Młotem, którego używamy do otwierania beczek. Poszło mi łatwo. Bał się. Ale o tym wiedział pan już wcześniej, prawda? Powiedział panu, że grozi mu niebezpieczeństwo.

— Nie jesteś tu, by zadawać pytania, Totz — skarciłem go.

— A więc czego pan chce, wasza wielmożność? — spytał, unikając mego wzroku.

— Chcę wiedzieć, dlaczego zamordowałeś chłopca w piwnicy. We własnym domu. Czemu nie wywabiłeś go z oberży, Totz?

Wzruszył ramionami.

— Nigdzie by ze mną nie poszedł. A wcześniej czy później pan by się nim zainteresował. Co jeszcze mogłem zrobić? Musiałem go uciszyć. I to szybko.

189

— Mogłeś wysłać go z Królewca. Do domu, do matki.

— Wtedy dopiero nabrałbyś pan podejrzeń! Nie, potrzebna była następna ofiara mordercy z Królewca. Jeszcze jedno martwe ciało znalezione na ulicy.

— A żona pomogła ci dokonać tego czynu, czyż nie?

— Gerda nie ma o niczym pojęcia — zaprotestował pospiesznie. — Ona nie skrzywdziłaby nawet muchy.

— A więc zabiłeś go sam? Nikt ci nie pomagał?

— Zgadza się, panie. Jeden porządny cios, i chłopak nie żył. Wszędzie było mnóstwo krwi.

— Jeżeli mogę dodać słówko — wtrącił się oficer Stadtschen — stwierdziliśmy na miejscu zbrodni, że próbowano zmyć krew, ale pozostało wiele jej śladów.

Ponownie zwróciłem się do Totza.

— Dlaczego zabrałeś trupa nad rzekę?

— Chciałem, by go znaleziono, wasza wielmożność. Jak tamtych. Ale nie ponownie przed moją oberżą. Z powodu Konnena mieliśmy mnóstwo kłopotów. Ponieśliśmy duże straty. A rzeka znajduje się tylko kilkaset metrów od nas, jeżeli pójść bocznymi uliczkami.

— Jak przetransportowałeś ciało, Totz?

— W worku zarzuconym na grzbiet mego starego jucznego konia. Chłopak ważył tyle co nic. Szmaty, którymi ścierałem krew, wrzuciłem do wody. Wszystko trwało może dziesięć, piętnaście minut, nie dłużej. Wróciliśmy nie zauważeni, i...

— M y? — gwałtownie uniosłem głowę znad słów, które właśnie zapisałem. — Ty i kto jeszcze, Totz? Twoja żona? Któryś z gości?

— J a i j u c z n y k o ń. Niech pan się nie upiera, panie prokuratorze. Gerda nic nie wie o całej sprawie.

— Wie, że zamordowałeś Moritza, czyż nie? — nie ustępowałem, podejrzewając, że jakaś resztka człowieczeństwa może skłaniać go do osłaniania żony przed odpowiedzialnością za udział w zabójstwie siostrzeńca.

— W żadnym wypadku, panie. Nigdy mi nie wybaczy. Moritz był jedynym synem jej siostry. Zawsze czuła się w obowiązku pomagać temu chłopcu.

— Ale kto pomógł t o b i e, Totz? Nie mogę uwierzyć, by jeden człowiek...

— Panie prokuratorze, już panu powiedziałem — oświadczył Totz stanowczym tonem. — Zrobiłem to zupełnie sam. Własnoręcznie. Nikt mi nie pomagał.

— A co z cudzoziemcami, którzy przebywali w gospodzie zeszłej nocy?

Wzruszył ramionami.

— Ci Francuzi? To klienci, płatni goście. Nic poza tym — odrzekł bez wahania, tym razem patrząc mi w oczy z wściekłością.

— Nie wierzę ci.

Przez chwilę spoglądał na mnie zimno, potem paskudny grymas wykrzywił mu twarz.

— Niech pan wierzy lub nie, panie prokuratorze. Więcej nic panu nie powiem o moich sprawach.

— To się zobaczy. — Zmierzyłem go chłodnym spojrzeniem, pozwalając groźbie zawisnąć w powietrzu. — Mamy wypróbowane metody, jak zachęcić opornych do mówienia.

— Tortury, panie? A więc tak pan gra? Założę się, że sprawia panu przyjemność przyglądanie się rozciągniętym na kole tortur, wrzeszczącym wniebogłosy nieszczęśnikom, czyż nie, wasza wielmożność?

Jeżeli Ulrich Totz próbował mnie sprowokować, udało mu się. W konsekwencji czułem mniej oporów przed poddaniem go próbie bólu. A nawet perspektywa ta sprawiała mi pewną przyjemność. Będzie się inaczej śmiał tymi swoimi bezczelnymi ustami!

— Niech pan da sobie spokój z groźbami, panie prokuratorze — znów patrzył na mnie z nie skrywaną nienawiścią. — Ja już jestem martwy, nie zdoła mnie pan nastraszyć gadaniem o torturach. Z ochotą umrę za swe przekonania.

— To byli niewinni ludzie, Totz — syknąłem. — Nie ma nic szlachetnego w morderstwach, które rozpleniły się w Królewcu. Czy naprawdę wierzysz, że bunt wybuchnie tylko dlatego, że uśmierciłeś kilka niewinnych dusz?

— Posłużyło to celowi!

— Celowi?

— Rewolucji, panie.

Zignorowałem zaczepkę.

— Poza Moritzem, jak wybierałeś pozostałe ofiary, Totz?

Nie odpowiedział od razu i milczał tak długo, jakby wcale nie usłyszał pytania. A przez cały ten czas świdrował mnie wzrokiem, pełnym, jak mi się wtedy wydawało, urazy i wyrzutu. Dopiero później pojąłem, że w jego zachowaniu tkwiła zwykła kalkulacja. Próbował oszacować, ile wiem, podczas gdy ja nie miałem wątpliwości, że to on jest diabłem, który wprowadził chaos do miasta. Jego oczywisty brak wyrzutów sumienia jeszcze umacniał mnie w tym przekonaniu.

— Powtórzę pytanie, Totz — powiedziałem wolno. — Jak wybierałeś ofiary?

— Czas, miejsce — mruknął. — Brak świadków w pobliżu. Rzecz polegała na odpowiedniej okazji. W tym cała jej uroda. Pomysł przyszedł mi do głowy po raz pierwszy w tę noc, gdy w gospodzie ujrzałem Konnena.

— Żadne polityczne motywy nie kryły się za twoją decyzją? Totz wyprostował się na krześle, ściągnął usta w sztucznym uśmiechu, ale nic nie odpowiedział. Wpatrywał się we mnie, wyraźnie próbując mnie zmusić do odwrócenia wzroku.

— Znałeś pana Tiffercha, czyż nie? Był wybitnym prawnikiem, sławnym ze swej nienawiści do Napoleona...

— Wszyscy Prusacy nienawidzą Napoleona! — wybuchnął. Twarz wykrzywił mu grymas nienawiści. — Moim zdaniem, każdy mieszczuch mógłby zostać politycznym celem. Ten prawnik był pasożytem! Żył z j u n k r ó w! Pomagał im w sprzedaży i w kupnie, wysyłał ich dzierżawców do więzienia za długi i nie spłacone czynsze. Z nimi wszystkimi wyrównam rachunki!

— Zawiśniesz na szubienicy — oświadczyłem zimno.

W raporcie zamieściłem wzmiankę o antyfrancuskich uczuciach przedostatniej ofiary, jako prawdopodobnej przyczyny jej śmierci. Wszystko nagle wydało mi się wyraźne i jasne niczym projekcja z magicznej latarni, gdy lampa została zapalona, obiektyw nastawiony i pojawia się pierwszy obraz. Z jednym tylko zastrzeżeniem.

— Nie obawiałeś się, że zostaniesz rozpoznany?

Ulrich Totz jakby z ulgą rozsiadł się wygodniej na krześle.

— Miejscowi mnie znają. To ułatwia sprawę. W końcu jestem oberżystą, prawda? Znam wszystkich. Bez ściągania na siebie specjalnej uwagi mogłem podejść do kogoś, zatrzymać się na krótką rozmowę, a gdy widziałem, że w pobliżu nie ma nikogo, uderzałem. Nie zdążyli nawet zorientować się, co się dzieje.

— No dobrze. A teraz opiszesz mi narzędzie, którym się posługiwałeś.

Wbił we mnie wzrok.

— Już powiedziałem.

— Użyłeś młota do zabicia Moritza, jak twierdzisz. Ale co z innymi?

Pomimo jego gotowości do przyznania się do winy nadal nie miałem pojęcia, jak zginęły pozostałe ofiary.

Ulrich Totz potarł knykcie, spojrzał na mnie czujnym wzrokiem.

— Brałem, co wpadło mi pod rękę — rzekł wolno. — Młot, kamienie, własne dłonie.

— A jak uśmierciłeś pana Tiffercha? Na jego ciele nie było wyraźnych obrażeń. Jakiej użyłeś broni w jego przypadku?

Po raz pierwszy Totz zareagował milczeniem.

— A co powiesz o szponie diabła, o którym aż huczy w mieście? — naciskałem.

Ulrich Totz przeniósł wzrok ze mnie na Kocha i znów popatrzył na mnie. Uśmiechnął się, z początku słabo, potem z rosnącą pewnością siebie.

— Aha, rozumiem, o co panu chodzi, wasza wielmożność — powiedział z chytrym błyskiem w oczach. — Powiem panu wszystko, co wiem, pan spakuje manatki i wróci do domu. Czekają na pana żona i dzieciaki, nie mylę się? Dowiedział się pan ode mnie aż nadto, panie prokuratorze. Resztę będzie pan musiał odkryć na własną rękę.

Ni stąd, ni zowąd pochylił się do przodu i oparł przedramiona na biurku. Uniosłem dłoń, by powstrzymać Stadtschena i sierżanta Kocha. Już poderwali się, by mnie chronić.

— A więc, Totz? Co masz do dodania?

Przez chwilę w milczeniu świdrował mnie wzrokiem.

— Niech pan posłucha, panie Stiffeniis, i to uważnie — powiedział powoli, opryskliwym tonem. — Może mnie pan torturować, jeśli sprawi to panu przyjemność, ale nic panu nie po-

194

wiem. Może pan posłać moją żonę na męki, a ona przyzna się do wszystkiego, o co pan tylko zapyta, choć nie ma o niczym pojęcia. Ale na tym koniec. Nie zamierzam powiedzieć nic więcej ani panu, ani nikomu innemu, do chwili gdy poprowadzą mnie na szubienicę.

— To jeszcze nie koniec naszej rozmowy, Totz — odpaliłem, próbując przeniknąć wzrokiem jego na wpół zamknięte oczy. — Przesłucham cię ponownie i wyznasz, co wiesz. Każdy szczegół! O pamfletach i cudzoziemskich agentach, którzy pomogli ci spiskować. Następnym razem wszystko ujrzy światło dzienne.

— Niech pan robi, co chce, panie Stiffeniis — mruknął oberżysta. — Na tym polega pański obowiązek; moim jest stawianie oporu.

— Zobaczymy wkrótce, kto wywiąże się lepiej ze swego zadania — rzuciłem lekceważąco, wyciągając zegarek. Zbliżała się czwarta, pora mojego spotkania z profesorem Kantem. Jak na jeden dzień poczyniłem wystarczające postępy.

— Zabierzcie go, Stadtschen.

Pokój wydał się nagle pusty. Ulrich Totz wypełniał go gniewem, okrucieństwem i nie skrywaną nienawiścią do władz. Koch pozostał milczący i byłem pewien, że czeka, bym zrobił jakąś uwagę. Wstałem i podszedłem do okna. Na dworze szarzało. W gardle czułem suchość, w głowie jakąś lekkość. Ulrich Totz przyznał się do zamordowania Moritza. Moja teoria co do politycznego spisku, którego celem było wprowadzenie terroru, potwierdziła się, morderca otrzymał imię. Powinienem był poczuć się z siebie dumny, a jednak, z jakiegoś niepokojącego powodu, nie zostałem całkowicie przekonany. Czyż to wszystko nie okazało się nieco zbyt łatwe? Czy tajemnica Królewca mogła być czymś równie prostym? Przecież prawnik o doświadczeniu prokuratora Rhunkena z pewnością powinien był dojść do podobnego wniosku kilka miesięcy wcześniej.

— Jeżeli mogę zasugerować — odezwał się Koch — publiczna chłosta na placu przed twierdzą nie przeszłaby nie zauważona. Mógłbym poprosić o zgodę generała K., jeżeli pan sobie życzy. Prokurator Rhunken był gorącym wyznawcą skuteczności bata. Dwa lata temu pewnego człowieka poddano chłoście za zamordowanie ojca. Oczywiście, kilka miesięcy później został ścięty. Ale ten przykład wywarł trwałe wrażenie na ludności.

Czy powinienem pójść w ślady Rhunkena? Kary cielesne i fizyczne okaleczenie wciąż były dopuszczalne według obowiązującej *Constitutio Criminalis Carolina,* mimo że kodeks ten został uchwalony w szesnastym wieku przez Karola V.

— Czasy się zmieniają, Koch — odrzekłem. — Król Fryderyk Wilhelm jest monarchą oświeconym. On uważa, i słusznie, że publiczne okrucieństwo może wzbudzić współczucie tłumu, a tym samym udaremnić cel kary. Jeżeli Totz i jego żona należą do jakiejś aktywnej grupy jakobinów, publiczna chłosta mogłaby wzburzyć innych jej członków. Próbując zagasić płomienie, jeszcze byśmy je podsycili. Najpierw porozmawiam z podejrzanymi, ostrzegę ich. Mamy mnóstwo czasu.

Pozbierałem papiery i zacząłem pakować je do torby.

— Tak czy owak — powiedziałem, rzuciwszy okiem na zegarek — musimy pospieszyć na spotkanie. Czekają na nas profesor Kant i ten tajemniczy szpon diabła.

— Czy to ma sens, panie? — próbował protestować Koch.

— Chciałem powiedzieć, że chyba jest pan na najlepszej drodze do rozwiązania sprawy bez jego pomocy.

Oczywiście miał rację. Powinienem był bardziej naciskać, przesłuchując Totzów. „Kuj żelazo, póki gorące", tak mówi się w Lotingen. Ale profesor Kant nigdy by mi nie wybaczył, gdybym go zawiódł.

— Ponieważ przypadek ten stał się już tak oczywisty — powiedziałem z uśmiechem — możemy sobie pozwolić, by przez godzinę dogadzać kaprysom starego człowieka.

Gdy wyszliśmy z pokoju i zbiegali schodami, zacząłem w głowie układać list, w którym opowiem Helenie o sukcesie i o rysującej się możliwości rychłego powrotu do domu.

W tamtej chwili euforii nawet nie umiałbym sobie wyobrazić, jak trudno mi będzie, zanim jeszcze skończy się dzień, utrzymać pióro i kreślić litery trzęsącą się dłonią.

Przed bramą twierdzy czekał na mnie wytworny, czarny powóz.

Podchodząc, nie zdołałem powstrzymać uśmiechu. Za zamkniętym oknem profesor Kant gorliwie sprawdzał godzinę na zegarku. Wręcz maniakalnie obstawał przy punktualności, wiedział o tym każdy. Ale gdy uniosłem dłoń, by zapukać w szybę i zawiadomić go o przybyciu, czyjaś ręka lekko dotknęła mego łokcia i usłyszałem szept:

— Czy mógłbym z panem porozmawiać, wasza wielmożność?

Służący, ten sam, który rano nad brzegiem rzeki tak troskliwie opiekował się Kantem, nieśmiało zerkał na mnie zza karety. Szeroka, grubo ciosana twarz, rano jakby pozbawiona wyrazu, teraz zdawała się napięta i zmartwiona.

— Johannes Odum, nie mylę się?

Znaczącym spojrzeniem dał mi do zrozumienia, że powinienem do niego podejść.

— Twój pan nie pochwali marnowania czasu — ostrzegłem go.

— Jedno słowo, panie, nie więcej — upierał się. Kciukiem wskazał na powóz i pasażera. — Ostatnie wypadki były dla niego wielce męczące, wasza wielmożność. To, na co patrzyliśmy dzisiaj rano nad rzeką, nie jest widokiem odpowiednim dla nikogo, panie, a już z pewnością nie dla człowieka w jego wieku i o słabych nerwach.

— Byłeś tam, widziałeś go na własne oczy — szepnąłem. — Profesor Kant być może jest słaby, ale świetnie się trzymał.

Może powinienem powiedzieć służącemu, że niebezpieczeństwo minęło, a sprawa została zamknięta, ale nie zamierzałem marnować równie doniosłych wiadomości na lokaja Kanta dopóki nie przekażę ich jemu samemu.

— Pracował dniami i nocami nad tym śledztwem, panie — odrzekł sługa. — Czasami całe noce...

— Całe noce? — przerwałem mu. — Co robił?

— Chyba pisał, panie.

Pomyślałem o traktacie, o którym wspomniał pan Jachmann, o jego niedowierzaniu co do istnienia dzieła.

— Czy wiesz, co on pisze?

Johannes Odum lekceważąco wzruszył szerokimi ramionami.

— Jest w niebezpieczeństwie, panie — upierał się. — W prawdziwym niebezpieczeństwie. Widziano go z panem nad rzeką dziś rano. A teraz ujrzą pana podróżującego jego powozem. No i rano, przed wyjściem z domu, znalazłem coś, co powinien pan zobaczyć.

— Johannes! — Obaj podskoczyliśmy na dźwięk poirytowanego głosu. — Gdzież jest prokurator Stiffeniis?

Dałem znak służącemu, by obiegł powóz z drugiej strony, a sam wyszedłem i ściągnąłem na siebie uwagę profesora Kanta.

— Jestem tutaj, panie — oznajmiłem ożywionym głosem.

— Zostawiłem w gabinecie pewne dokumenty i musiałem po nie wrócić. Czy będzie panu przeszkadzało, jeżeli dołączy do nas sierżant Koch?

Skinąłem na Kocha, by wyszedł z cienia.

— Oczywiście, że nie — odrzekł Kant niecierpliwie. — Musimy się pospieszyć. Drogę mamy daleką, a zapowiada się wyjątkowy chłód.

— Czyżbyśmy wybierali się na Syberię, panie? — zażartowałem. Wiedziałem, że trafiłem w sedno. Apetyt Kanta na informacje i plotki był równie znany jak jego przywiązanie do zegarka. Nie mogła mu umknąć wiadomość o statku, który miał właśnie zawinąć do portu w Pillau. Ostatnio informacja ta górowała nad innymi we wszystkich pruskich gazetach.

— Nie aż tak daleko — odrzekł z uśmiechem — ale czeka nas równie zimna aura.

Roześmiałem się serdecznie. Byłem w wyśmienitym humorze. Sprawa, poza robotą papierkową, została zakończona. Nawet jeśliby udało się im uniknąć szubienicy, Ulrich i Gerda Totz zostaną deportowani na mroźne bezdroża. Nie miałem pojęcia, dokąd zabiera nas profesor Kant ani co zamierza nam pokazać. Cokolwiek mogło to być, pomyślałem, zabawianie starego dżentelmena nie doda niczego istotnego do śledztwa. Ale też mu nie zaszkodzi.

Pojazd nabierał prędkości, a ja oczekiwałem pytania o postępy, jakie uczyniłem tego popołudnia. Czy nie był ciekawy, co się wydarzyło? Dzisiaj rano, mimo wyraźnie okazywanego sceptycyzmu, nalegał, bym przesłuchał Ulricha i Gerdę Totzów. Chyba chciałby wiedzieć, co wyznali?

— Czy odpowiada panu nowa kwatera? — zapytał nagle.

— Idę o zakład, że trudno by ją porównać z rozkoszami Bałtyckiego Wielorybnika. Pani Totz szeroko słynie z pieczeni wieprzowej.

Czyżby sobie ze mnie drwił? Czy nie interesowało go nic poza kulinarnymi osiągnięciami mojej byłej gospodyni?

— Oberża niewątpliwie dysponowała wygodami — przyznałem niechętnie.

— Wiedziałem, że będziesz się tam czuł jak w domu, Stiffeniis — powiedział Kant z serdecznym uśmiechem. — Oczywiście, twierdza to zupełnie inna sprawa.

Czy właśnie takim zachowaniem zaniepokoił pana Jachmanna? Kant zdawał się pochłonięty szczegółami bez znaczenia, zainteresowany sprawami, które mógł znać tylko ze słyszenia. Przez ostatnie dwadzieścia lat jadał wyłącznie we własnym domu, jak donosiły wszystkie gazety interesujące się jego zwyczajami. Znakomitości nie mają tajemnic przed nachalną prasą.

— Jakże przygnębiającym budynkiem jest ta twierdza! — powiedział następnie, nagle zmieniając nastrój. — Jej widok napędzał mi strachu, gdy byłem dzieckiem. Musieliśmy z matką przechodzić obok niej każdego ranka, w drodze do świątyni pietystów. Lęk, jaki czułem, powtarzała mi wciąż, jest niczym w porównaniu z tym, jaki ogarnie mnie w dniu, gdy stanę przed Stwórcą i spojrzę Mu w oczy!

Profesor Kant wyjrzał przez okno z miną zagubionego dziecka. Twierdza została daleko za nami, ale wydawało się, że wciąż ma ją przed oczyma.

— Zdołasz zasnąć tam dzisiaj, Hanno? Mówią, że to miejsce nawiedzane przez duchy zmarłych w tych lochach ofiar Krzyżaków.

Co miałem odpowiedzieć? Wymieniliśmy z Kochem spojrzenia, ale ani on, ani ja nie odważyliśmy się nic odrzec. Gdy nasz pojazd ze stukotem przejeżdżał przez stary, drewniany most, gęsta mgła wirowała spiralą obłoków nad nieruchomymi wodami ciemnej fosy. Tylko strażnica twierdzy na wzgórzu była widoczna w bladym wieczornym świetle. Wydawało się, że blanki wyzierają znad niskiego muru chmur.

Kant spojrzał na mnie.

— Jesteśmy prawie na miejscu! — oświadczył radośnie, gdy powóz ostro skręcił w prawo i przejechał przez następny most. Najwyraźniej był podekscytowany tym, co nas czekało. — Pewnie przeliczyłeś te mosty? — zapytał.

— Mosty, panie? — nie miałem pojęcia, o czym mówi.

— Chyba znasz tę historię? — odrzekł pytaniem. — Wielki matematyk Leonhard Euler przed śmiercią sformułował zagadkę: „Czy można znaleźć drogę przez Królewiec, która prowadziłaby przez dziewięć mostów łączących brzegi rzeki Pregel, bez przejeżdżania dwukrotnie po tym samym?". Powinieneś spróbować odpowiedzieć na to pytanie, gdy tu jesteś.

Zacząłem przypominać mu o powodach, jakie przywiodły mnie do Królewca, ale on nie zamierzał słuchać.

— Gdy zaczynałem wykładać na uniwersytecie — ciągnął — wygrałem zakład z kolegą, który był wielkim przyjacielem owego matematyka. Powiedział mi, że sam Euler nie znał rozwiązania zagadki! No cóż, dostarczyłem dwa...

Nie dokończył zdania. Odwrócił się w moją stronę, położył mi dłoń na ramieniu i zapytał natarczywie:

— Co nowego w sprawie Totzów?

Przez chwilę nie mogłem znaleźć słów. Czy miałem mu powiedzieć, że rzecz została wyjaśniona, a zamknięci w celach winowajcy czekają na sąd? Że szpony diabła, cokolwiek to jest, nie mają żadnego znaczenia?

— Mąż przyznał się, panie. I to natychmiast — odrzekłem. Starannie, ograniczając się do kolejności wydarzeń, najspokojniej jak umiałem, relacjonowałem Kantowi fakty.

— A więc to tak — powiedział. — Polityczny spisek u korzeni zła, które zatruło Królewiec. Akty terroru skierowane przeciwko...

Urwał gwałtownie i spojrzał na mnie.

— Przeciwko c z e m u? Czy winowajcy odkryli swój ostateczny cel?

— Nie słowami, panie — przyznałem. — Ulrich Totz jest przekonany, że powszechny strach spowodowany morderstwami osłabi zaufanie obywateli do władzy i sprowokuje jakiś rodzaj rewolucji. Przypuszczam, że wybierał osoby znane z wrogości do Francuzów.

Profesor Kant opadł na siedzenie. Promieniał zadowoleniem.

— Och, rozumiem! Co za spryt! I pewnie opisał narzędzie, którym zamordował Moritza, czyż nie?

Niespokojnie poruszyłem się na obitym skórą siedzeniu.

— Użył młotka.

Moja odpowiedź najwyraźniej wprowadziła Kanta w jeszcze lepszy nastrój.

— Dużego młota, Stiffeniis, czy małego? — zapytał.

— To... było tylko wstępne przesłuchanie — wyjąkałem. Pragnąłem jego pochwały. A tymczasem przenikliwy umysł filozofa odsłonił braki metody w przesłuchaniu. — Totz przyznał się do korzystania z różnych narzędzi przy zabójstwie pozostałych ofiar.

— A więc nie jednego? — Kant zmarszczył brwi.

— Co tylko znalazł pod ręką, panie, tak powiedział — dodałem pospiesznie. — Oczywiście, będę wypytywał go, dopóki nie poznam szczegółów.

— Szczegóły mają wielkie znaczenie — przyznał Kant. — Król zechce poznać dokładną siłę i liczbę swych wrogów.

Czyżby okazywał mi sarkazm? Poczułem się jak student, któremu nauczyciel właśnie zwrócił poprawiony esej z uwagą, że choć praca była dobra, nawet bardzo, mogłaby być o wiele lepsza. Nagle Kant roześmiał się w głos. Nie powiedziałem niczego, co mogłoby go rozbawić. Ten jego zmienny humor był dla mnie całkiem nowy i bynajmniej nie działał na mnie kojąco. Ani na Kocha, co wyraźnie widziałem z jego miny.

— Cieszę się, że odnalazłeś główną drogę do prawdy, Hanno — powiedział Kant. — Czy przypadkiem zapytałeś Ulricha Totza o te szpony diabła, jak je nazywają?

— Nie można oczekiwać od pana prokuratora, by zamknął śledztwo w ciągu jednego dnia, profesorze — pospieszył mi z odsieczą sierżant Koch. Jego szacunek dla mojego autorytetu był tak wyraźny jak wcześniej lojalność wobec prokuratora Rhunkena. System biurokratyczny w Prusach słynie z produkcji podobnych ludzi. Są nieskończenie posłuszni i służalczy. A czasem także obcesowi.

— Czymkolwiek są owe diabelskie szpony — ciągnął Koch — cokolwiek mówią na ich temat prości ludzie, nie wydaje się, by miały istotne znaczenie, profesorze Kant. Prokurator Stiffeniis zdemaskował spisek.

— Drogi sierżancie Koch — potulnie odrzekł Kant — radziłbym panu nie domniemywać zbyt wiele. Doświadczenie mówi mi, że więcej prawdy tkwi w głosie prostych ludzi niż gdziekolwiek indziej.

— Ulrich Totz przyznał się do zamordowania chłopca — nie ustępował sierżant Koch. — Także do pozostałych zbrodni. Pan Stiffeniis ujął właściwego człowieka.

Ku mojemu zdziwieniu, profesor Kant nie zdawał się urażony tą repliką. Zamyślony, pokiwał głową.

— Potrafię zrozumieć pańską niechęć co do użyteczności dowodów, jakie zamierzam wam zademonstrować, sierżancie Koch — ciągnął. — I doceniam pańską otwartość tam, gdzie mój mło-

dy przyjaciel okazuje jedynie pełną szacunku powściągliwość.
Chcę prosić was obu o jeszcze chwilę cierpliwości. To, co zaraz
wam pokażę, jest owocem najbardziej oryginalnych badań naukowych, jakie przeprowadziłem w ciągu całego mojego życia.

Serce zaczęło mi bić szybciej. Czyżby Immanuel Kant miał
odkryć mi to, co skrywał przed swymi najlepszymi przyjaciółmi?

— Z pewnością to genialne dzieło, panie — powiedziałem
serdecznie. — Każda książka twego pióra...

— Książka? — Na jego wychudłej twarzy pokazało się zdziwienie. — Czy tego się spodziewasz, Stiffeniis?

— Świat zbyt długo czekał na twą nową pracę, panie.

Nie odpowiedział mi od razu. Gdy przemówił, zdawał się
jeszcze bardziej ożywiony niż wcześniej.

— Książka... książka! Czemu nie? — powiedział, wspierając
brodę na złożonych dłoniach. — A jaki mógłby być tytuł? No
cóż, biorąc pod uwagę okoliczności, *Krytyka zbrodniczego rozumu*,
tak myślę.

— Nie mogę się doczekać, kiedy przeczytam twe dzieło, panie
— entuzjazmowałem się, gdy powóz z trudem piął się pod górę.

Kant uśmiechał się radośnie, ściągnięte wargi odsłaniały nieliczne, pożółkłe zęby, jakie jeszcze posiadał. Muszę przyznać, że
widok nie był przyjemny.

— Jak sądzę, przejąłeś biuro Rhunkena. Czy przeczytałeś raporty, które pospiesznie sklecił w sprawie tych morderstw?

— Jeszcze wczoraj — zacząłem gorliwie. — Okazały się
wielce użyteczne, panie. W istocie, jego teoria znajduje potwierdzenie w zeznaniach oberżysty Totza, złożonych dzisiejszego
popołudnia.

— Polityczny spisek? A więc to uważasz za powód owych
morderstw? — przerwał mi Kant, lekceważąco machnąwszy dło-

nią. — Vigilantius dotarł bliżej prawdy! — energia, z jaką wypowiedział ostatnie słowa, przypominała atak wściekłości. — Wczorajszej nocy straciłeś do niego cierpliwość. Powinieneś był zostać do końca. Pan Rhunken jest śledczym starej szkoły. Zbieraczem informacji, niczym więcej. Liczy na dotarcie do prawdy, budząc w ludziach strach, i czasami mu się udaje. Ale nie w tym przypadku. Ze swoją ograniczoną wyobraźnią nie ma szans przy mordercy. Vigilantius odkrył o wiele więcej, ale ty nie zechciałeś wziąć pod uwagę jego spostrzeżeń.

Zerknąłem na Kocha. Ściągnięte policzki, napięte mięśnie twarzy, zacięta mina. Wyraźnie wiele go kosztowało powstrzymanie się od wypowiedzi w obronie zmarłego człowieka, któremu służył tak wiernie i tak długo. Ale jedno nie ulegało wątpliwości: profesor Kant nie został powiadomiony o śmierci sędziego.

— A więc? — drążył Kant. — Dlaczego nie zostałeś?

— Uznałem to za kuglarskie sztuczki, panie — zaprotestowałem niepewnie.

— One czasem pokazują prawdę — odrzekł. — Spodziewałem się, że początek nie przypadnie ci do gustu, ale miałem nadzieję, że dowiesz się od Vigilantiusa czegoś użytecznego. Z tego samego powodu przesłałem ci służbowe raporty Rhunkena. A więc co masz do powiedzenia?

Nie widziałem żadnej spójności w jego argumentach. Jaki mógłby istnieć związek między Vigilantiusem a policyjnymi raportami, które pozwolono mi przeczytać w drodze do Królewca?

Pochylił się bliżej i mówił teraz cicho:

— Wiedziałem, że mogę polegać na twoim poczuciu obowiązku. Kto pozwoliłby sobie na odrzucenie misji zleconej przez króla? Zwłaszcza sędzia, który z własnej woli zakopał się w niewielkiej i odległej wiosce? Jak się to miejsce nazywa? Lotingen?

Przez chwilę czułem strach, że może mnie zapytać, dlaczego postanowiłem nigdy nie wracać do Królewca po naszym pierwszym spotkaniu przed siedmioma laty i czemu nigdy nie zadałem sobie trudu, by do niego napisać. W żadnym wypadku nie powinien dowiedzieć się o ingerencji Jachmanna w nasze sprawy. Co mógłbym mu powiedzieć? Gorączkowo szukałem wymówek, poczynając od własnego stanu zdrowia, po — niech mi Bóg przebaczy! — poważne choroby, jakie mogły dotknąć Helenę lub dziecko.

Ale nawet nie przyszło mu do głowy mnie zapytać.

— Za pomocą tych raportów próbowałem zainteresować cię ciemną stroną ludzkiej natury, Hanno — ciągnął. — Miałem nadzieję, że zaintryguje cię zagadkowość tych śmierci. Dobrze pamiętam z naszego pierwszego spotkania, jak zdradziłeś swą wrodzoną skłonność do... jak to nazwać, t a j e m n i c y? — Odchylił się do tyłu. — Oczekiwałem zaciekawienia z twej strony. Nie tak bardzo tym, co przeczytasz, lecz tym, czego n i e znajdziesz w raportach.

Zaczął odliczać na palcach:

— Dlaczego nie zawierały wyjaśnienia sposobu, w jaki ofiary zginęły? Dlaczego nie było żadnej wzmianki o narzędziu zbrodni? Skąd ten całkowity brak hipotezy sugerującej wspólny motyw wszystkich zabójstw? Nic na temat kradzieży czy namiętności, żadnego widocznego ogniwa łączącego ofiary. Nie mogło ujść twojej uwagi, że wydarzenia w Królewcu miały w sobie coś dziwnego. Sędzia śledczy o renomie Rhunkena nie był w stanie rozwiązać zagadki. Och, nie przeczę, Rhunken wykonał swoją robotę. Zrobił to, na co było go stać. Ale jego ciężkie stopy nigdy nie uniosły się nad ziemię. Ze swoją powolną inteligencją nie mógł dotrzymać kroku mordercy. Zdarza się, że sędziom śledczym się poszczęści, ale nie w tym przypadku.

Spojrzał na mnie badawczo.

— Jeżeli chcesz zrozumieć, co tu się dzieje, mój młody przyjacielu, musisz nauczyć się unosić w górę. I zwracać uwagę nawet na najbardziej mętne i tajemnicze źródła, jakie napotkasz. Nawet na kogoś takiego jak Vigilantius. Jeżeli nadal będziesz upierał się przy tym, co racjonalne, szukał wyjaśnień, polował na dowody — jak zacząłeś z chwilą przybycia do Królewca — nigdy nie zbliżysz się do prawdy bardziej niż twój poprzednik.

Mówił coraz ciszej. Widziałem, że jest rozczarowany. W jakiś sposób zawiodłem go, chociaż nie potrafiłem dokładnie określić, w czym nie spełniłem jego nadziei. Nagle drgnął i zmienił temat, zupełnie jak ryba, która, gdy już niemal złapaliśmy ją w ręce, rzuca się w innym kierunku, pozostawiając tylko ślad na wodzie.

— A przy okazji, jak się miewa twój ojciec? — zapytał.

Na szczęście w powozie panowały ciemności. Poczułem, jak w jednej chwili krew odpływa mi z twarzy. Już drugi raz nawiązał do tragedii w mojej rodzinie. Jakież dziwne skojarzenie akurat w tym momencie wywołało to pytanie? I dlaczego zupełnie nie przejawiał zainteresowania moją n o w ą rodziną? Czyżby moja żona i dzieci całkiem go nie obchodziły? Nazwałem na jego cześć mego jedynego syna, Immanuela. A jednak ta część mego życia jakby dla niego nie istniała. Natomiast wciąż powracał do przeszłości, do mojej osoby z tamtych lat, do tego Hanno Stiffeniisa, któremu siedem lat wcześniej pomagał uwolnić się od demonów.

— Słyszałem, panie, że czuje się trochę lepiej — odrzekłem, choć Kant wyraźnie nie czekał na odpowiedź. Zdawał się podążać jakimś delikatnym tropem, który jego umysł już przed nim zarysował. Pomachał w powietrzu palcem wskazującym, towarzysząc gestowi wzrokiem, jakby umysłowe i fizyczne aspekty jego osoby były całkowicie od siebie odseparowane, lecz jednakowo fascynujące.

Właśnie wtedy powóz zaczął zwalniać.

— Nareszcie! Jesteśmy na miejscu! — wykrzyknął, przerywając własne myśli nagłym przypływem ożywienia. — Nie marnujmy więcej czasu.

Johannes opuścił składane schodki i pomógł swemu panu zejść na ciemną alejkę. Nie miałem najmniejszego pojęcia, gdzie jesteśmy, ale po chwili w ciemności dostrzegłem wyniosłą bryłę twierdzy. A więc objechaliśmy mury obronne i zbliżyliśmy się do warowni z innej strony, zatrzymując się przy nędznej budzie, stojącej przy dojeździe do bramy ze spuszczaną kratą. Przed wiekami budynek ten mógł służyć za rogatkę celną. Teraz popadł w ruinę i powinien zostać zburzony. Zbity z tropu zastanawiałem się, co sprawiło, że profesor Kant wybrał tak opuszczone miejsce do pracy nad ostatnim dziełem?

Na energiczny znak swego pana — skinięcie głową — Johannes Odum wyjął z kieszeni wielki klucz i zaczął się zmagać z zamkiem starych, zżartych przez korniki drzwi.

— Zaczekaj tutaj — polecił mu Kant. — A teraz, panie Stiffeniis, raczy mi pan podać ramię, a sierżant Koch niech łaskawie wejdzie do środka i zapali lampę. Zaraz za drzwiami wisi latarnia.

Brukowana droga, pokryta lodem i cieniutką warstwą zmarzniętego śniegu, była zdradliwie śliska. Jeżeli potrzebowałem dowodu co do wieku i fizycznej słabości Immanuela Kanta, otrzymałem go. Wsparł swoje lekkie niczym piórko ciało na mym ramieniu i przeszliśmy przez próg, za którym Koch czekał na nas z latarnią sztormową uniesioną wysoko nad głową.

— Niczego nie dotykajcie — ostrzegł Kant.

Znajdowaliśmy się w czymś w rodzaju opuszczonego magazynu. Po jednej stronie pomieszczenia leżały w niechlujnej, dużej stercie połamane skrzynki do transportu broni. Z sufitu zwisały lśniące całuny pajęczyn. Wszędzie zalegała gruba warstwa kurzu. W klatce pośrodku połyskiwał szkielet olbrzymiego szczura, który, złapawszy się w pułapkę, został objedzony do czysta przez swych mniej pechowych towarzyszy.

— Ruszaj przodem, Koch — rozkazał Kant. — Pójdziemy za panem.

Wskazał na wąski, sklepiony tunel, na którego białych niegdyś ścianach widniały czarne plamy pleśni i dymu. Kant puścił moje ramię, po czym, zupełnie jakby nabrał jakiejś demonicznej wręcz siły, ruszył za sierżantem Kochem, i byłem zmuszony przyspieszyć, by dotrzymać mu kroku. Przejście tunelem utrudniało nisko zawieszone sklepienie z cegły, o które zahaczał trójkątny kapelusz Kanta; ja i Koch musieliśmy schylać głowy. Nozdrza wypełniły mi się intensywnym odorem zgnilizny, któremu towarzyszyła jakaś nieokreślona, ostra, kwaśnawa woń. Gdyby doktor Faust i jMefistofeles wyskoczyli nam na powitanie z tej ciemnej otchłani, nic a nic bym się nie zdziwił.

Gdy weszliśmy do rozległego pomieszczenia na końcu korytarza, a Koch wysoko podniósł lampę, dostrzegłem duże szklane naczynia do destylacji i kręcone szklane rurki, lśniące na półkach, a na stole roboczym stertę porządnie poukładanych skrzynek.

— Czujecie ten chłód? — zachwycał się Kant. — Syberia jest bliżej, niż myślicie.

Nakazał Kochowi od płomienia latarni zapalić lampy, zawieszone w pewnych odległościach na ścianach wokół całego pomieszczenia. W miarę jak sierżant ożywiał następne światła, przedmioty zebrane w pokoju wyłaniały się z mroku.

Profesor Kant zwrócił się w stronę przeciwległej ściany.

— A teraz, Stiffeniis, przedstawię cię tym, którzy zmuszeni są zamieszkiwać tu na dole, w tej niezdrowej krainie mroku.

Z najciemniejszego kąta puste, wodniste oczy wpatrywały się w nas w bladym, migoczącym świetle lamp.

Domyślasz się, kim oni są, Stiffeniis? Immanuel Kant ochrypł z zimna. Rozbrzmiewająca w nim wyraźna nuta triumfu zaparła mi dech. Nie mogąc wydobyć z siebie słowa, stałem ze wzrokiem wbitym w ustawione rzędem na półce szklane słoje, w których, w bladym, słomkowej barwy płynie, unosiły się cztery ludzkie głowy.

— Podejdź bliżej — zachęcał Kant, ująwszy mnie za ramię. — Pozwól, że przedstawię cię Janowi Konnenowi, Pauli Annie Brunner, Johannowi Gottfriedowi Haase i temu oto nowemu przybyszowi, którego prawdopodobnie poznajesz, jako że widziałeś go wczoraj w piwnicy budynku sądu. Może pan przynieść eksponat pierwszy od lewej, sierżancie, i postawić go na stole?

Z widocznym na twarzy osłupieniem i przerażeniem Koch posłuchał bez słowa.

Nie byłem zdolny do sformułowania choćby jednej sensownej myśli, jak zahipnotyzowany wpatrywałem się w makabryczną zawartość słoja, który Koch postawił przed nami na stole; tymczasem Kant zdawał się istną duszą towarzystwa. Jakby właśnie rozplanowywał ustawienie krzeseł na proszonym podwieczorku.

— Przynieś jeszcze jedną lampę, sierżancie. O tak, właśnie. Ustaw ją tutaj. O, dobrze! — głos Kanta boleśnie drażnił mi ucho. — A teraz powiedz mi, Stiffeniis, co widzisz wewnątrz słoja?

Padające z obu stron wiązki światła zmieniały ludzkie rysy w wyraźnie żłobioną płaskorzeźbę.

Mocno przełknąłem ślinę i głosem przypominającym szept wydukałem:

— To... głowa, panie.

— Niegdyś Jan Konnen, pierwsza ofiara mordercy. A teraz proszę, zechciej opisać dokładnie to, co widzisz, tak szczegółowo, jak tylko potrafisz. No już, Stiffeniis! — zachęcał mnie. — Głowa?

— Ludzka głowa — poprawiłem sam siebie — która należy... to znaczy należała do mężczyzny w wieku około pięćdziesięciu lat. Pomimo zniekształcającego działania szkła słoja rysy twarzy są regularne, a...

Urwałem. Nie wiedziałem, co powiedzieć dalej.

— Opisuj, co w i d z i s z — nalegał Kant. — O nic więcej nie proszę. Zacznij od czubka głowy, potem stopniowo schodź w dół.

Próbowałem otrząsnąć się z paraliżującej mnie teraz nieudolności.

— Włosy przetykane siwizną. Na czubku głowy rzadkie, niemal łysina, długie za uszami.

— Zakrywają uszy — poprawił mnie Kant.

— Tak, zakrywają uszy. Czoło jest...

Znów się zaciąłem. Co, na Boga, miałem powiedzieć?

— Nie przestawaj! Dalej! — popędzał mnie niecierpliwie Kant.

— Czoło szerokie i bez zmarszczek.

— A ta pionowa linia w miejscu, gdzie schodzą się brwi? Czy była tam, nim ten człowiek zmarł? A może pojawiła się w chwili śmierci?

Podszedłem krok bliżej i przyjrzałem się dokładniej.

— Nie da się tego ustalić — wybełkotałem.

— Użyj swej intuicji!

— Wygląda na zmarszczkę ze zdziwienia — zaryzykowałem, dokładniej badając wgłębienie.

— Nie spodziewałbyś się, że taka zmarszczka zniknie po śmierci?

— Jednak tak się nie stało — stwierdziłem w końcu.

— To była ostatnia mina, jaka ukazała się na jego twarzy. W chwili śmierci. Mięśnie zastygły w tym właśnie wyrazie. To szeroko znane zjawisko. Każdy żołnierz z doświadczeniem z pola walki widział podobne grymasy setki razy. I nie jest to bez znaczenia — dodał Kant. — No dobrze, a co byś powiedział o oczach?

Spojrzałem w niewidzące źrenice, patrzące ze słoja. Jeśli człowiek posiada duszę, jej światło, jak mawiali starożytni, widać właśnie w nich. Jeżeli ciało kryje w sobie witalnego ducha, można go dostrzec przez owe okna. Zdawało się, że odcięta głowa Konnena w jakiś niepokojący sposób obserwowuje nas z równą intensywnością jak my ją.

— Oczy ofiary, wywrócone w górę, ukazują całe białka — zmusiłem się, by mówić dalej.

— Czym można by to wytłumaczyć?

Poczułem konsternację.

— Nie ma literatury na podobne tematy, panie. Ja.... Są oczywiście podręczniki anatomii, ale nie dotyczą takiego przypadku jak ten. Nie morderstwa.

— Świetnie, Stiffeniis. Wkraczamy na grząski grunt, dostrzegasz to, prawda? Brakuje autorytetu, który mógłby posłużyć nam za przewodnika. Musimy wykorzystać własne oczy, zawierzyć naszym spostrzeżeniom i wyciągnąć logiczne wnioski. Oto nasza metoda.

— Może cios spadł z góry? — zastanawiałem się na głos. — A on właśnie uniósł wzrok?

Kant wydał aprobujący dźwięk.

— Cios z góry, a może z tyłu? Jak na razie, nie mamy pewności, nie damy się wszakże zniechęcić. A teraz spójrz na nos, Stiffeniis! Co z niego potrafisz wyczytać? — zapytał, ale nie czekał na odpowiedź. — Że jest długi, wąski i absolutnie przeciętny? I tak dochodzimy do ust. Jak byś je opisał?

— Otwarte? — zaryzykowałem.

— Szeroko otwarte?

— Nie całkiem — powiedziałem w obronie własnego sformułowania.

— Jak sądzisz, krzyczał, gdy umierał?

Na widok drapieżnego wyrazu twarzy Kanta przeniknął mnie dreszcz. Przez chwilę kręciło mi się w głowie, przestraszyłem się, że zaraz zemdleję.

— Krzyczał, panie? — powtórzyłem jak echo.

— Otwarte usta sugerują, że wołał coś w chwili, gdy dopadła go śmierć, nie sądzisz?

Zmusiłem się, by spojrzeć uważniej.

— Nie sądzę, panie, według mnie on nie krzyczał.

— No to skąd te otwarte usta? Jaki rodzaj dźwięku mógł się z nich wydobywać?

— Westchnienie spowodowane zaskoczeniem? Jęk?

— Czy powiedziałbyś, że coś dramatycznego i gwałtownego musiałoby się wydarzyć, by spowodować podobny wyraz twarzy? — ciągnął Kant.

— Nie, panie.

— A ja bym się z tobą zgodził. A teraz, Stiffeniis, przyczyna śmierci. Czy potrafisz zasugerować, co spowodowało zgon?

— Na twarzy nie widać żadnej rany — plątałem się. — Czy gdzieś na ciele znaleziono jakiś wyraźny ślad?

— Ciało nas nie interesuje. To głowa, g ł o w a właśnie ma swoją historię do opowiedzenia. Mógłbyś odwrócić słój, sierżancie?

Światło świecy rzuciło żółtawy, niezdrowy blask, gdy głowa wolno obracała się w mętnej formalinie.

— Przypatrz się, Stiffeniis. Tu, u podnóża czaszki. Nie było oporu. Narzędzie weszło niczym rozgrzany nóż w sadło. Ale to nie był nóż...

Tymi słowami zacząłem pierwszą wersję niniejszej opowieści. Wtedy chciałem uhonorować niewiarygodną wszechstronność geniuszu Immanuela Kanta i miałem nadzieję na wniesienie mego własnego, niewielkiego wkładu w wyjaśnienie tajemnicy, która paraliżowała strachem Królewiec. Ale słowa te wyznaczyły pierwszy jasny ślad na mojej osobistej drodze w labiryncie korupcji, zdrady i zła, jaki przede mną starannie zbudowano.

— Widzisz? — Kant pochylił się i wskazał palcem. — Śmiertelny cios zadano tutaj. Śmierć przyszła szybko i niespodzianie. To nie było brutalne uderzenie, nie ma żadnego śladu rozrywającej tkanki penetracji. Coś ostrego i spiczastego weszło w szyję Konnena właśnie w tym miejscu, i zmarł na kolanach, nim uświadomił sobie, co się dzieje. Ta maleńka kropka to cały dowód zbrodniczego ataku.

Urwał na chwilę, jakby dla podkreślenia wagi swych następnych słów.

— Jeśli dobrze zrozumiałem, pośród rozmaitych narzędzi, o których użyciu wspomniał Ulrich Totz, nie było żadnego mogącego zostawić podobny ślad. — Szybko spojrzał na mnie swymi przenikliwymi oczami, poczułem mdłości, jakbym to ja otrzymał brutalny cios w głowę.

— Zdejmijcie następny słój, Koch. Wszystko jedno, który — głos profesora Kanta drżał z podniecenia; ujął najbliższą lampę i podsunął bliżej drugiej odciętej głowy. — Ten sam ślad mamy tutaj — powiedział, ostro stukając palcem w szkło. — Widzisz? Włosy Pauli Anny Brunner zostały wygolone z tyłu głowy, długie rude kosmyki pozostały tylko na czubku i po bokach. Dla moich młodych oczu było w tym coś z profanacji, ta nagość kobiecej czaszki w jakiś sposób mówiła o podstępnej przemocy, jaką zastosowano wobec ofiary.

— Identyczny ślad znajduje się na szyi Tiffercha — tym razem Kant powiedział wprost. Potem z westchnieniem dodał:

— Gdybyś wczorajszej nocy został i przyjrzał się poczynaniom Vigilantiusa, od razu wiedziałbyś, że Moritza nie zamordowała osoba, którą przybyłeś ująć. Totz nie jest poszukiwanym przez nas mordercą.

— Te głowy to dzieło Vigilantiusa? — zapytałem szeptem.

W przyćmionym świetle zdawało mi się, że widzę na mizernej twarzy Kanta wyraz satysfakcji.

— Doktor należy do śmietanki europejskich anatomów! — potwierdził z dumą, jakby osobiście wykonał tę obrzydliwą pracę.

Schlebiający uśmieszek na ustach nekromanty mignął mi przed oczami, przyjmując nowe i bardziej złowrogie znaczenie. „Nic więcej nie mogę dla pana uczynić — powiedział zeszłej nocy. — Mam sprawę nie cierpiącą zwłoki".

Wyobraziłem go sobie wyciągającego narzędzia spod obszernej peleryny. Co to mogło być? Ostre noże, medyczna piła, spiczaste skalpele, a on pochylał się nad sekcyjnym stołem i atakował zwłoki; bezlitośnie ciął bezbronne szczątki prawnika Tiffercha.

Zareagowałem gniewem na pochwały, których nie szczędził mu Kant.

— To dowodzi, że człowiek ten jest szarlatanem, panie. Nie musiał żądać od ducha zmarłego, by powiedział mu, jak został zabity. Już znał odpowiedź!

Kant uspokajająco położył mi dłoń na ramieniu.

— Jesteś niesprawiedliwy, Stiffeniis. Doktor jeszcze nie przeprowadził pierwszej sekcji, gdy w ten swój aktorski i nieco denerwujący sposób sugerował, że przyczyny zgonu należy szukać u podstawy czaszki zmarłego. Ciało do niego przemówiło. Cięcie przyszło potem.

Martwy człowiek przemówił?

— Profesorze Kant... — zacząłem protestować.

— Jak pan to odgadł, wasza wielmożność?

Pytanie Kocha zaskoczyło nas obu.

— Proszę wybaczyć, profesorze Kant — mitygował się sierżant, czerwony z zażenowania — nie zamierzałem przerwać pańskich rozważań, ale nie mogę tego zrozumieć. W jaki sposób tak szybko pojął pan znaczenie zabójstwa Jana Konnena? Wtedy jeszcze nic nie wskazywało, że wydarzą się podobne zbrodnie.

Kant przymknął oczy, uśmiech satysfakcji rozjaśnił mu twarz.

— Od wielu lat zbieram istotne informacje w związku z przypadkowymi zgonami w Królewcu, sierżancie — oświadczył. — Jakiś rok temu otrzymałem cotygodniowe sprawozdanie z miejscowej policji. Wspomniano tam o zwłokach, nie podając przyczyny śmierci. Uznałem to za w i e l c e niecodzienne. Lekarz wezwany do wydania świadectwa zgonu przeoczył niewielkie wgłębienie na szyi Konnena. Przyczyna śmierci — nieznana. Jak miałem coś takiego włączyć do mojej statystyki? Czy człowiek ten zmarł, czy został zamordowany? Poprosiłem o podarowanie ciała uniwersytetowi, a w wyniku szczęśliwego splotu przypadków doktor Vigilantius właśnie tego tygodnia wykładał w Collegium Albertinum. Ktoś w rozmowie ze mną wspomniał o nim, podkreślając także jego zasługi w dziedzinie anatomii, więc wykorzystałem okazję w dwojaki sposób. Po pierwsze, byłem ciekawy, jak zwolennicy Swedenborga komunikują się z duszami zmarłych. Po drugie, chciałem zachować dowód, który właśnie mieliście okazję ujrzeć. Gdy podobne morderstwo wydarzyło się kilka miesięcy później, dostrzegłem związek między nimi, poprosiłem o zwłoki i posłałem po doktora Vigilantiusa, by powtórzył operację.

— Czy prokurator Rhunken znał to miejsce, panie? — zapytał Koch, dłonią wskazując laboratorium.

Kant zareagował błyskawicą gniewu.

— Twój pan nie był gotów do uznania wagi dowodów, jakie tu gromadziłem. Wyśmiał moje spostrzeżenia jako błądzenie starczego umysłu! Przy zastosowaniu standardowych policyjnych procedur nigdy nie złapałby mordercy. Zabójca znajdował w swym dziele coraz więcej przyjemności, miasto opanował strach, król martwił się o możliwość najazdu Francuzów, a on chciał, by sprawa została rozwikłana bez zwłoki. To ja podpowiedziałem Jego Królewskiej Mości kilka tygodni temu, by zdjąć prokuratora Rhunkena ze stanowiska. Tu potrzebne były specjalne umiejętności. Talenty, jakie posiada Augustus Vigilantius...

— I ja — dodałem.

Kant położył mi ponownie dłoń na ramieniu i uśmiechnął się serdecznie.

— Teraz więc wiesz, czemu po ciebie posłałem, Hanno. Tylko ktoś, kto odwiedził krainę cieni, podoła temu, co dzieje się w Królewcu. A jak dobrze wiesz, najciemniejszych stron ludzkiego serca nie da się objąć rozumem i logiką.

Impulsy ludzkiego serca, których nie da się objąć rozumem...

Zamarłem. Sam użyłem tego sformułowania, gdy spotkaliśmy się po raz pierwszy.

— Właśnie dlatego wysłałem cię do Bałtyckiego Wielorybnika — oświadczył z przekornym błyskiem w oczach. — Gospoda wydawała się właściwym miejscem do rozpoczęcia śledztwa. Była sceną pierwszego morderstwa, a plotka głosi, że jej właściciel sympatyzuje z Bonapartem. Niestety, Moritz, chłopiec do posług, najwyraźniej wzbudził podejrzenia gospodarza. Cóż, tego n i e przewidziałem — dodał zamyślony. — No więc Totz zabił go, posłużywszy się młotkiem, jak ci wyznał. Tym czynem wyłączył swą osobę z naszego śledztwa. Mam nadzieję, że teraz jest to dla ciebie jasne.

— Dlaczego nie powiedziałeś mi od razu, panie? Pozwoliłeś mi błądzić w imię logiki.

Tak łatwo dałem się przekonać do motywów politycznych. A raczej — sam siebie zbyt pochopnie do nich przekonałem. Wszystko pasowało: szokująca zawartość szafy Tiffercha, czcze spekulacje Moritza, to co widziałem i słyszałem w gospodzie, wyznanie Ulricha Totza, uśmiech jego nieszczęsnej żony! Nagiąłem fakty, by dopasować je do swojej teorii. I czyniąc tak, zrobiłem z siebie bezmyślnego głupca w oczach osoby, która tak bardzo wierzyła w moje umiejętności.

— Uznałeś, że uzyskałeś ostateczny dowód — ciągnął Kant.

— Nie przyjąłbyś niczego, co mogłoby zburzyć twą teorię, nawet czegoś całkowicie oczywistego; nie patrzyłeś dalej swego nosa. Zapamiętaj, co ci powiedziałem, Hanno. Twoje śledztwo musi dążyć do rekonstrukcji s p o s o b u, w jaki sprawy się potoczyły. Nie dowiesz się d l a c z e g o. Motyw wciąż jest ukryty w mroku. Logika i racjonalność nie kierują ludzkim sercem, choć mogą wyjaśnić jego namiętności.

Wyciągnął z pliku akt arkusz i położył na stole.

— Spójrz na to — powiedział.

W migoczącym świetle świec Koch i ja pochyliliśmy się nad dokumentem. Była to zwykła kartka papieru, a na niej rysunek. Nic artystycznego, niewyraźny zarys klęczącego ciała, opartego o mur. Techniczna niedoskonałość szkicu stwarzała makabryczny kontrast z prostotą przedstawionej postaci. Jakby dziecko, oderwane od bazgrania kwiatków i wróżek, przypadkiem natknęło się na jakąś potworną scenę i w swej niewinności próbowało ją uchwycić na papierze.

— Co to takiego, panie? — zapytał zaniepokojony Koch.

— Rhunken wysłał dwóch żandarmów na miejsce pierwszej zbrodni. Ja już wcześniej, korzystając z własnych metod, zacząłem równoległe śledztwo, o którym poufnie poinformowałem króla. Kazałem tymże żandarmom naszkicować, co zapamiętali ze sceny zbrodni. I stało się to standardową procedurą przy każdym z następnych morderstw. Pozostałe rysunki, gdybyś ich potrzebował, znajdziesz w tamtych teczkach — wskazał dłonią Kant. — Oddają dokładną pozycję każdego znalezionego ciała.

— Wysłałeś żołnierzy, by n a r y s o w a l i ciała, panie?

Kant zaśmiał się piskliwie, zanim odpowiedział na pytanie Kocha.

— Niezwykłe, nieprawdaż? Jeden z nich okazał się przydatny. Poleciłem Lublinskiemu, by za każdym razem, gdy znajdą podejrzane zwłoki, wykonał dla mnie szkic miejsca zbrodni. Oczywiście, płaciłem mu za to.

— Krzyżyk na liście płac to najwięcej, na co na ogół ich stać — stwierdził zaskoczony Koch. — Mogę zadać jeszcze jedno pytanie, profesorze Kant?

Wzrok Kocha niespokojnie błądził po pomieszczeniu.

— To wszystko, te... — wybąkał nerwowo — ...ciała bez głów! Przecież to... potworność, panie. Co ma pan nadzieję przez to osiągnąć?

Kant zwrócił się do mnie z uśmiechem, jakby Koch w ogóle nie otwierał ust:

— Umarli p r z e m a w i a j ą do nas, wiesz o tym, Hanno. Ale nie zrozum mnie źle. Nie stałem się wyznawcą Swedenborga. W tym pokoju, w tej chwili zamordowany człowiek jest przedmiotem naszych obserwacji. Badając dowody fizyczne i analizując okoliczności, będziemy mogli wyciągnąć racjonalne wnioski co do miejsca i czasu morderstwa. Te czynniki z kolei pomogą nam zrozumieć, jak dokonano zbrodni i jakiego użyto narzędzia. W końcu, jeżeli intuicja nas nie zawiedzie, będziemy mogli nawet wydedukować osobę mordercy. Moritza zabił Totz, nikt inny. A ciało t e g o martwego mężczyzny może powiedzieć nam wiele o osobie, która zabiła j e g o.

— Chce pan zrekonstruować okoliczności zbrodni, czy tak? — zapytał Koch, zanim zdążyłem cokolwiek powiedzieć.

— Taki mam zamiar, sierżancie. Jesteś świadkiem, jak przydaje się ta „potworność", jak raczyłeś to ująć. Bez tych szklanych słojów i ich zawartości prokurator Stiffeniis podążałby beztrosko w złym kierunku i oskarżył Ulricha Totza o zbrodnie, których tamten nie popełnił. Teraz może naprawić swój błąd — stwierdził Kant z zadowoleniem.

— Nazywam to miejsce mym laboratorium — ciągnął — choć jeszcze nie znalazłem odpowiedniej nazwy dla nauki, którą się tu zajmuję. Ten materiał będzie użyteczny dla umysłu wyszkolonego w procedurach śledczych. Jeżeli panu Stiffeniisowi uda się wykryć, jak dokonano tych zbrodni, zdoła uprzedzić działanie zbrodniarza i ująć go. Jedno jest absolutne pewne. Ten człowiek znów zabije!

— Totz nie miał pojęcia, jak ci ludzie zginęli — przyznałem.

— Ale dlaczego mnie okłamuje?

Kant lekko dotknął mej dłoni, jakby chciał dodać mi otuchy.

— Moritz zginął z powodów politycznych, Stiffeniis — oświadczył. — Przynajmniej w tej sprawie Totz powiedział prawdę. Pewnie myślał, że jego spiskowaniu zagraża zdemaskowanie. A więc zabił jedyną osobę, mającą bezpośrednią wiedzę o faktach, jedyną, której nie mógł ufać. Moritza.

— Ale czemu oskarżył się o tamte morderstwa?

Kant wzruszył ramionami.

— Czy chciałbyś ukazać się w żałosnej postaci bezwzględnego mordercy, zabójcy bezbronnych dzieci? Ulrich Totz być może próbuje przybrać bardziej atrakcyjną pozę rewolucjonisty, bezkompromisowego miejscowego Robespierre'a. Będziesz musiał siłą wydrzeć z niego prawdę.

— Zrobię to! — oświadczyłem, czując narastający we mnie gniew.

I znów profesor Kant uspokajająco położył mi dłoń na ramieniu.

— Zanim odejdziesz — ciągnął wielce ożywiony — chcę, byś jeszcze coś zobaczył. Powód, dla którego cię tu wezwałem. Naprawdę jestem zdziwiony, że jeszcze o niego nie zapytałeś.

Niczym magik na scenie, wyciągający królika z kapelusza, położył na stole zawiniątko z szarego płótna.

— Szpony diabła! Ich domniemane istnienie napełnia Królewiec większym przerażeniem, niż mógłby to spowodować jakikolwiek namacalny fakt. Rozpakuj, Stiffeniis.

Cofnąłem się o krok.

— Nie ugryzie — powiedział z cichym śmiechem.

Przez cienki materiał drżącymi palcami wyczułem jakiś drobny przedmiot. Cokolwiek to było, rzecz wydawała się mała i niemal nic nie ważyła. Rozwinąłem materiał na blacie stołu i ujrzałem maleńkie, ostro zakończone, długości najwyżej dwóch centymetrów kawałki kości słonia lub innego zwierzęcia.

— Co to takiego, panie? — szepnął Koch.

Kant zastanowił się chwilę, nim się odezwał.

— Część narzędzia zbrodni. Końcówka, jak sądzę. Prawdopodobnie była dłuższa, gdy morderca wbijał ją ofiarom u podstawy czaszki. Vigilantius znalazł te kawałeczki tkwiące w karku Jana Konnena. Możemy założyć, że morderca próbował je wyrwać i koniec się odłamał.

— W raporcie oficerów z tamtej nocy była mowa o tym, że kobieta, która znalazła zwłoki, wspomniała o szponach diabła — zauważyłem. — Jednak nie zdołałaby dostrzec tak małych fragmentów. Czyżby ta sprzeczność sugerowała, że naprawdę w i d z i a ł a całe narzędzie zbrodni sterczące z karku martwego człowieka?

— Ten aspekt warto zbadać — przyznał Kant, energicznie kiwając głową.

— Muszę z nią porozmawiać. Raporty Lublinskiego są niejasne w tej sprawie.

— Lublinsky może wiedzieć, gdzie ją znaleźć — dodał Koch, podnosząc fragment ze stołu i badając go z tego rodzaju gorliwością, z jaką botanik mógłby potraktować egzotyczny owoc, którego nigdy wcześniej nie widział. — Jeżeli ten przedmiot pękł i złamał się, zbrodniarz najwyraźniej nie ma kłopotu z zastąpieniem go, panie. Założę się, że w takie narzędzia można zaopatrzyć się bez trudu.

— I łatwo je ukryć — dodał Kant. — Żaden rozsądny człowiek nie będzie stał w pobliżu mordercy, gdy ten zamachnie się tasakiem.

Odwrócił się w moją stronę, w oczach zabłysło mu rozbawienie.

— Widzisz teraz sprawy jaśniej, Hanno?

Spojrzałem na szklane słoje, akta i skrzynki poukładane na półkach.

— To wszystko jest dla mnie nowością, panie — powiedziałem z dreszczykiem podniecenia. — Ale obiecuję, że wykorzystam te niesłychane przedmioty najlepiej jak potrafię.

Zupełnie jakbym składał przysięgę.

— Oto klucz — powiedział Kant z przyjaznym uśmiechem. — Głowy są tutaj, a ubrania, które ofiary miały na sobie w chwili zbrodni, mieszczą się w tych pudłach. Każde oznaczono nazwiskiem. Szkice zwłok masz w tych oto teczkach — Kant wskazywał na przedmioty kolejno, metodycznie, ze spokojem. — Jak sądzę, w tym pomieszczeniu znajdziesz wszystko, czego ci trzeba. Eksponaty należą do ciebie, Stiffeniis. Wykorzystaj je, jak uznasz za stosowne.

Wydawało się, że Kant, podając mi klucz, kurczy się na moich oczach. Odniosłem wrażenie, że i dla niego ta niezwykła demonstracja nie była chlebem powszednim. Jego nerwy były kompletnie wyczerpane.

— Odwieź profesora Kanta do domu jego powozem, Koch — poleciłem. — Ja pójdę pieszo do głównej bramy. Chcę porozmawiać z Lublinskim.

— Och, nie, panie! — stanowczym głosem zaprotestował Koch. — P a n odwiezie profesora do domu. Ja wrócę piechotą do głównego budynku twierdzy. Pan się zgubi, wasza wielmożność, a ja dokładnie wiem, gdzie znaleźć Lublinskiego.

— To może być niebezpieczne — odrzekłem, zdziwiony gwałtownością jego protestu.

— Już ja potrafię o siebie zadbać — zapewnił mnie sierżant, rzuciwszy okiem w stronę profesora Kanta. W jednej chwili zrozumiałem, co go tak wzburzyło. Nie bał się ciemności, mgły ani nieznanego zbrodniarza, czyhającego w nocy. Lękał się Immanuela Kanta.

— Niech będzie — zgodziłem się. — Poszukaj Lublinskiego i zorientuj się, co ma do powiedzenia o tej kobiecie, sierżancie. Niedługo dołączę do pana w twierdzy.

Na dworze zapadła noc. Mgła, jeszcze gęstsza niż wcześniej, ograniczyła widoczność na pozbawionym jakichkolwiek świateł odcinku drogi biegnącej wzdłuż muru twierdzy. Johannes Odum wyskoczył, by otworzyć drzwiczki, a ja pomogłem profesorowi Kantowi pokonać schodki powozu.

— Czy jedzie pan do domu z profesorem Kantem, panie? — zapytał Johannes z nutką rezerwy w głosie. Nagle przypomniałem sobie, że lokaj chciał mi coś pokazać w willi profesora.

— Oczywiście — odrzekłem, podsadzając Kanta do powozu; ponownie poruszyła mnie kruchość jego postaci i siła woli, jaką kosztowało go fizyczne dorównanie tej niespożytej energii umysłu.

— Zachowaj ostrożność, sierżancie — ostrzegłem jeszcze Kocha, wsiadając z profesorem.

Koch zatrzasnął drzwiczki.

— Nie będę ryzykował — odrzekł.

Pojazd ruszył, posuwaliśmy się powoli. Ani ja, ani profesor Kant przez jakiś czas nie odzywaliśmy się. W końcu zwrócił się do mnie:

— Liczę, że będziesz mi towarzyszył przy rozgrzewającej szklaneczce kordiału Bischoffa? To był męczący dzień, obaj potrzebujemy czegoś dla pokrzepienia ducha.

— Z największą radością, panie.

Obietnica chyba sprawiła mu przyjemność. Kilka chwil później już chrapał cicho, z głową na oparciu siedzenia. Sam też siadłem wygodniej i pogrążyłem się w rozmyślaniach nad listem, który zamierzałem napisać do Heleny, anonsując mój sukces w dopadnięciu zabójcy. Czułem, że dzięki profesorowi Kantowi moje dni w Królewcu nie zakończą się rychło.

Profesor Kant spał przez całą drogę do domu. Energia, która podtrzymywała go w ciągu dnia, jakby doszczętnie go opuściła. Jeszcze przed chwilą oczy błyszczały mu podekscytowaniem, ruchy miał zręczne, nie obciążone wiekiem, umysł lotny, wymowę ożywioną. Ale teraz jego peleryna, opadła bezwładnie obok mnie na siedzeniu powozu, przypominała kokon dopiero co zrzucony przez jakieś stworzenie, które uleciało, by odnaleźć swą drogę w okrutnym świecie.

Ja natomiast w ogóle nie czułem zmęczenia. Jakimś niejasnym prawem osmozy energia, która opuściła mego mentora, przeszła teraz na mnie. Tego ranka na błotnistym brzegu rzeki Pregel patrzyłem na ciało chłopca, na jego straszliwie zgruchotaną głowę. Niedawno opuściłem złowieszczy gabinet okropności, jaki z trudem można by sobie wyobrazić w najbardziej przerażającym koszmarze. Na mrocznych, niebezpiecznych ulicach Królewca czaił się morderca, bezwzględna istota, która nie myślała o niczym innym jak tylko o odbieraniu ludzkiego życia, pozostawiając za sobą tragedie i obietnicę jeszcze gorszych czynów w przyszłości. A we mnie serce rosło. Zupełnie jakbym wracał ze spaceru po idyllicznym lesie Westfalii. Gdy już sporo oddaliliśmy się od laboratorium profesora Kanta, ogarnęło mnie uczucie, jakim ktoś inny obdarzyłby wyrafinowane i cenne dzieła sztuki. Czy byłem zdegustowany tym, co ujrzałem w ciemnym pomieszczeniu? Całkiem przeciwnie!

Gorączkowo ściskałem w dłoni klucz do laboratorium, ręce drżały mi od przepełniającego mnie zachwytu i fascynacji. Eksponaty okazały się niezwykłe, ale jeszcze bardziej zadziwiający był fakt, że Kant powierzył mi swoją kolekcję. Mnie, nikomu innemu! Nie zdziwiła mnie wiadomość, że prokurator Rhunken nie został dopuszczony do sekretów tego miejsca. Biedny, lojalny Koch doznał szoku na wieść o tym, ale mnie ona podniosła na duchu. Teraz wiedziałem, dlaczego Kant wybrał mnie, a nie kogoś innego. Inni może byli bardziej doświadczeni w tradycyjnych sposobach prowadzenia kryminalnego śledztwa, ale Kant wierzył, że jedynie ja zdołam pojąć wagę tych eksponatów i docenić makabryczne p i ę k n o — nie znalazłem lepszego określenia — które powstało w wyniku działania jego niesamowitego umysłu. Siedem lat temu Kant poradził mi, bym został sędzią. A teraz oferował mi szansę, której celowo starałem się unikać w Lotingen. Przekazał mi materiały i zachęcał, bym dowiódł, że jestem pierwszym z nowej szkoły śledczych, zdolnym do zastosowania całkowicie rewolucyjnej techniki, łącznie z metodami, jakich nigdy dotąd nie użyto w walce z najcięższymi przestępstwami. Zbrodniami zagrażającymi bezpieczeństwu państwa.

I dlatego właśnie, dla wspomożenia prawa, wezwał Vigilantiusa i wykorzystał zarówno jego anatomiczną wiedzę, jak i ezoteryczne umiejętności. Czy istniał sędzia śledczy, który odważyłby się zastosować podobną strategię? Dlatego chciał, bym poprzedniej nocy obserwował poczynania nekromanty. Nagle ujrzałem umiejętności doktora w zupełnie nowym świetle. Starczy umysł Kanta odpływał ku jakimś ciemnym, ostatnim brzegom, ale wielki filozof nie stracił kontaktu z rzeczywistością ani zdolności zastosowania logiki i jasnego rozumu do rozwiązania łamigłówki. Uczył mnie tego, czego on sam fizycznie nie był w stanie zrobić. Niczym Sokrates prowadził mnie w stronę całkowicie nowego sposobu patrzenia i działania. Badanie czynu kryminalnego nie miało ograniczać się do zbierania informacji i wyciągania siłą prawdy z opornego świadka, jak sądził Rhunken. I jak ja dotąd uważałem, pomyślałem w przypływie uczciwości.

Kant przygotowywał mnie na to, co właśnie ujrzałem, uczył, jak wykorzystać podobną wiedzę dla dobra rodzaju ludzkiego, przestrzegał, by nie odrzucać żadnych dowodów z powodu ich perwersyjności czy raczej p o t w o r n o ś c i, jak to nazwał sierżant Koch. Z pewnością tak zapewne prokurator Rhunken patrzył na poczynania Kanta. A jeszcze wczorajszej nocy zgodziłbym się z Rhunkenem. W okamgnieniu pojąłem, co mam uczynić. Gdy sprawa się zakończy, a morderca zostanie ujęty i skazany, napiszę traktat na cześć niezrównanego geniuszu Immanuela Kanta. Dotarł na tym polu dalej niż ktokolwiek inny i byłem podekscytowany możliwością uczenia się od wynalazcy tych nowych procedur.

Odwróciłem się i przyjrzałem pogrążonemu we śnie profesorowi, a dusza moja przepełniona była wzruszeniem i wdzięcznością. Wszystko mu zawdzięczałem. Mógłby być moim ojcem. I tak naprawdę, uświadomiłem sobie, otrzymałem od niego o wiele więcej, niż kiedykolwiek dał mi własny ojciec.

W głowie wirowało mi od nawału tych wszystkich myśli. Musiałem zamknąć oczy, by odzyskać równowagę, i nie otwierałem ich, aż wreszcie powóz nagle zakołysał się i stanął. Na dworze panowała jeszcze gęstsza mgła. Rzuciłem okiem na profesora Kanta, nadal spał głęboko. Za szybą okna z mlecznych ciemności wyłoniła się twarz — upiorne oblicze Johannesa Oduma, sygnalizującego, bym wysiadł. Otworzyłem drzwiczki pospiesznie i cicho.

— Nie możemy dalej jechać, panie Stiffeniis — oznajmił lokaj, gdy stanąłem obok niego. — Mgła jest za gęsta w miejscu, gdzie struga płynie wzdłuż drogi. Boję się, że wjadę powozem do rowu.

— Pójdę przodem i poprowadzę konia — zaproponowałem.

— Proszę wziąć latarnię, panie. Niech pan uważa, trakt jest tu zdradliwy — ostrzegł.

Ruszyłem pospiesznie w kierunku domu Kanta, ale prawie natychmiast zostałem zmuszony do zwolnienia kroku. Pod moimi stopami leżał ubity śnieg. Za mną koń płoszył się ze strachu. Johannes trzymał go krótko w cuglach, obawiając się najgorszego, a mnie wydawało się, że brnę we mgle całe wieki, zanim willa profesora w końcu się z niej wyłoniła.

Johannes wyniósł Kanta z powozu jak śpiące dziecko, a ja trzymałem wysoko lampę i pomogłem otworzyć drzwi. Stanąwszy w holu, patrzyłem, jak lokaj bez najmniejszego wysiłku wnosi swego pana po schodach wiodących do sypialni. Zaczekałem, aż ułoży go do snu. Cały zabieg nie trwał dłużej niż dziesięć minut.

— Jest naprawdę wykończony. Dzięki Bogu za chwilę spokoju — szepnął Odum, stając u podnóża schodów. — A teraz, jeżeli zechce pan pójść ze mną, pokażę, co odkryłem dzisiaj rano.

Unosząc w górę lampę wziętą z powozu, otworzył frontowe drzwi i poruszając się z trudem, zaprowadził mnie na tyły domu. Warzywny ogródek ze wszystkich stron otaczały wysokie drzewa. Głęboki po kolana śnieg tworzył zaspy i pagórki, ledwie dało się tędy przejść.

— Osobisty gabinet profesora Kanta — powiedział, zatrzymując się przy zaciemnionym oknie. Postawił lampę na ziemi. — Ale proszę spojrzeć, wasza wielmożność. Oto co przeraziło mnie dzisiaj rano.

Spojrzałem w dół. W snopie światła śnieg połyskiwał niczym diamenty. Ciemne ślady, wytrawione na zamarzniętej pokrywie, niczym kamienne płyty ścieżki wiodły od okna do samej furtki na drugim końcu ogrodzenia. Przez chwilę badałem te niewyraźne odciski stóp na śniegu, zastanawiając się, czym Johannes tak bardzo się zaniepokoił. Czyżby odpowiedzialność za bezpieczeństwo profesora Kanta zaczynała wpływać na stan jego nerwów?

— To właśnie chciałeś mi pokazać?

Rzucił okiem na ziemię, potem znów na mnie.

— Po powrocie znad rzeki dzisiaj rano, panie, rozsunąłem zasłony w gabinecie. I zobaczyłem je!

— Nie nadążam, Johannes.

— Od lata nikt do nas nie zagląda.

Poczułem, jak zaciskają mi się szczęki.

— Jesteś pewien? Może jakiś sąsiad? Żebrak lub handlarz?

Johannes energicznie potrząsnął głową.

— Istnieje tylko jedna możliwość, wasza wielmożność — powiedział z niezwykłą powagą. — Ktoś go szpieguje. Albo próbuje wejść do domu.

W tym człowieku był jakiś upór — powiedziałbym, że niemal głupota.

Temperatura spadła i pomimo ciężkiego, wełnianego płaszcza, który Lotte Havaars uznała za stosowne mi zapakować, trząsłem się z zimna.

— Albo gorzej, Johannes — dodałem, udając o wiele spokojniejszego, niż w istocie byłem.

— Gorzej, panie?

— Morderca mógł aż tutaj za nim przyjść.

— O Boże! — jęknął Johannes. — Mówiłem profesorowi Kantowi, że za bardzo angażuje się w te zbrodnie. Ostrzegałem go, panie. Już to, że widziano go nad rzeką, było niebezpieczne. A więc musisz, panie...

Uniosłem dłoń, by powstrzymać potok skarg, koncentrując się na krokach, jakie trzeba będzie podjąć, by zapobiec nieszczęściu.

— Będziemy go chronić — obiecałem. — Dopilnuj ryglowania drzwi i zamknięcia wszystkich okien, Johannesie. Wezwę żandarmów, by pilnowali domu i mieli nadzór nad drogą.

Mówiąc, wpatrywałem się w ślady na śniegu. „Co Kant uczyniłby w podobnych okolicznościach?", zastanawiałem się. Odpowiedź pojawiła się błyskawicznie. Mój umysł podążył w kierunku tak dokładnie wytyczonym przez profesora.

— Jest coś, co należy zrobić w pierwszej kolejności — zdecydowałem. — Pan profesor sam by to uczynił. Podnieś lampę, Johannesie.

— Mam nadzieję, że nie sprowadzisz tu profesora Kanta, panie?! — wykrzyknął z przerażeniem.

— Co ty pleciesz, człowieku? Nie przyszłoby mi do głowy przeszkadzać mu. Mówię tylko, że należy zastosować tę analityczną metodę, z którą profesor Kant właśnie zaznajomił mnie w laboratorium.

— Wasza wielmożność? — W oczach sługi dostrzegłem zakłopotanie.

— Musimy znaleźć próbkę, całą i nie uszkodzoną — mówiłem dalej, patrząc wokół.

— Próbkę, panie? Czego?

— Śladów stóp, Johannesie. Przytrzymaj lampę nisko nad ziemią.

Wiatr uczynił powierzchnię śniegu kruchą jak szkło. Gdy pochyliłem się niżej, dostrzegłem, że ktoś próbował zatrzeć ślady. Ktokolwiek czaił się za oknem, idąc, powłóczył nogami, by zatrzeć po sobie odciski stóp.

— Poprowadź tym szlakiem przez ogród — poleciłem.

Johannes wyjąkał coś w proteście — a może tylko do siebie mówił — potem uniósł lampę i poszedł przodem.

— Nie stawaj na odciskach — ostrzegłem go. — Już dość są zniekształcone.

Ślady prowadziły do żywopłotu i furtki w odległym kącie ogrodu. Ten, kto je zostawił, spieszył się widocznie i wszystkie były zdeformowane. Ani jeden nie zachował się w całości. Wyszliśmy na alejkę na tyłach domu, ale tam odciski stóp przechodniów uniemożliwiły nam osiągnięcie celu.

— Beznadziejna sprawa, panie! — wybuchnął nerwowo Johannes.

W milczeniu poprowadziłem go z powrotem do ogrodu, badając raz jeszcze zadeptaną przestrzeń pod oknem, potem przeszedłem do trzech stopni przed tylnymi drzwiami domu.

— Był tutaj, widzisz?! I tu...

Okrzyk triumfu wyrwał mi się z ust. Na najwyższym stopniu, w świetle uniesionej przez Johannesa lampy, ukazał się wyraźnie zarysowany ślad — nagroda za mój upór: zachowany w całości odcisk stopy.

— Próbował wejść tymi drzwiami — powiedziałem, szukając w torbie papieru do rysowania.

— Myśli pan, że dostał się do środka, wasza wielmożność? — zapytał Johannes z nutką lęku w głosie.

Dokładnie zbadałem solidną zasuwę z ciemnej sosnowej deski i olbrzymią metalową dziurkę od klucza. Wszystko było w porządku, nietknięte, nieuszkodzone.

— Drzwi wyglądają na zamknięte od środka — stwierdziłem, poruszywszy klamką.

— Sam zasunąłem rygiel, panie.

— Najwyraźniej zrezygnował ze swego planu. Przynajmniej na razie — powiedziałem i głos mi się załamał. „Co będzie — pomyślałem — jeżeli następnym razem uda mu się włamać?" — Chodź, Johannesie, musimy sprawdzić, czy to ślad mordercy.

— Ale jak, panie? Jak możesz tego dokonać? — spytał z przejęciem.

— Porównując ten ślad ze szkicami odcisków pozostawionych na miejscu zbrodni — odrzekłem, równocześnie zdając sobie sprawę, że posługuję się językiem nowych metod śledczych Kanta, który mógł być kompletnie niezrozumiały dla sługi. — Tak postąpiłby twój pan — wyjaśniłem. Znalazłem w torbie arkusz papieru, ale na próżno szukałem ołówka. — Tylko czym mam sporządzić rysunek? — mruknąłem pod nosem, unosząc wzrok, jakbym się spodziewał, że przed moimi oczami zmaterializują się pióro i kałamarz.

— Rysunek, panie? Nie pojmuję.

— Te odciski. Chcę je skopiować. Macie w domu ołówek?

— W pokoju pana, wasza wielmożność. Ale nie chciałbym go budzić. — Rozejrzał się po ogrodzie. — Chwileczkę — powiedział i odłamał kruchą gałązkę z pozbawionego liści krzewu rozmarynu obok kuchennych drzwi. Otworzył klosz latarni, opalił kijek płomieniem, zagasił rozżarzony koniec w śniegu i podał mi.

— Węgiel drzewny, oczywiście! — wykrzyknąłem z uśmiechem.

Codzienny kontakt z geniuszem Kanta najwyraźniej wycisnął piętno na tym niewykształconym lokaju. Nigdy równie prosty instrument nie okazał się bardziej przydatny. Położyłem papier na śniegu obok odcisku stopy, by zaznaczyć rozmiar, potem, trzymając kartkę na kolanie, narysowałem cały odcisk. Na podeszwie chyba lewego buta widniało wyraźne nacięcie w kształcie krzyżyka — szczegół niezbędny do porównania. Zapalając się do mego zadania, naszkicowałem plan ogrodu i zaznaczyłem strzałkami kierunki, z których nadchodził i w których odchodził intruz; Johannes przyglądał się temu w milczeniu.

— Wczoraj w nocy nie słyszałeś niczego niezwykłego? — zapytałem go, kończąc rysunek.

— Nie, panie, ja... nie... — urwał.

Uniosłem głowę i spojrzałem na niego z uwagą. Uciekł oczami w bok.

Czyżby wpuścił do domu kogoś wbrew woli swego pana? Ale to nielogiczne. Czy pokazałby mi te ślady, gdyby wiedział, kto je zostawił?

— Zupełnie nic, Johannesie? — nalegałem.

Może niewłaściwie wykorzystał fakt, że jego wiekowy pan właśnie spał? Johannes nie liczył sobie więcej niż trzydzieści lat. Mógł mieć narzeczoną lub żonę.

— Trzymaj latarnię wysoko — nakazałem, a gdy niechętnie mnie posłuchał, badawczo spojrzałem mu w twarz. — Wierz mi Johannesie, cokolwiek zdecydujesz się mi powiedzieć, twój pan nie dowie się o tym. Czy zaprosiłeś kogoś do domu, nie pytając o pozwolenie profesora Kanta?

— Och nie, panie. Nie! — zaprzeczył natychmiast. — Nigdy bym nie śmiał pozwolić sobie na coś podobnego. Przysięgam, wasza wielmożność.

Pomimo gorliwego zapewnienia o swej niewinności Johannes zdawał się bliski łez. Czekałem, obserwując go w milczeniu. Taka sztuczka, ulubiona przez sędziów śledczych.

— Po prawdzie, panie — dodał — mam coś... niewielkiego do wyznania. Co oznacza zawiedzenie zaufania, ale... ja... cóż, powinien pan o tym wiedzieć.

Postawił latarnię na ziemi, zatarł dłonie, mocno zaciśnięte pięści wsparł nad klapami kieszeni i z nieszczęśliwą miną spojrzał mi w twarz.

— Profesor Kant może znajdować się w niebezpieczeństwie — przypomniałem mu.

— Ja... bałem się komukolwiek powiedzieć, panie. Zwłaszcza panu Jachmannowi. Obawiałem się, że stracę posadę, jeśli się dowie. Pan Jachmann poinstruował mnie, by nigdy nie zostawiać profesora Kanta samego.

— I tak być powinno — zauważyłem.

— I dokładnie stosowałem się do instrukcji, panie. Tylko...

— Tylko co?

— Tylko że profesor Kant osobiście...

— Co chcesz przez to powiedzieć?

— Kazał mi zostawić go samego na godzinę zeszłej nocy, panie. Dał mi pozwolenie na wizytę u mej żony. Można by powiedzieć, że on... nalegał.

— Samego, Johannesie? — byłem wstrząśnięty. — Dlaczego miałby pozbyć się ciebie w nocy?

— Pracuje nad swoim dziełem, panie. Powiedział, że nie życzy sobie, by cokolwiek zakłócało mu spokój. Starałem się odwieść go od tego pomysłu, ale kazał mi skorzystać z okazji. A tak naprawdę — dodał — zdarzyło się to wielokrotnie.

— Kiedy ostatnio?

— No, wczoraj w nocy...

— P r z e d t e m! — syknąłem.

— Tydzień, dziesięć dni temu, panie. Zwolnił mnie z obowiązków pięć czy sześć razy w zeszłym miesiącu.

Aż trząsłem się na myśl o śmiertelnym niebezpieczeństwie, na jakie wystawiał się profesor Kant. Wyobraziłem sobie mordercę, szpiegującego go, gdy był sam w domu. Niczym pająk śledzący muchę, nim wpadnie w jego sieci.

— Jak mogłeś? — zagotowało się we mnie. — Sam w domu, w nocy? W jego wieku?

Johannes już płakał.

— Co miałem począć, panie? — żalił się, ocierając oczy rękawem. — Profesor Kant jest dla mnie dobry. Byłbym niewdzięczny, gdybym mu odmówił. I nie mogę zaprzeczyć, panie, że mieszkając w tym domu, tęsknię za żoną i dziećmi.

— Powinieneś był powiadomić pana Jachmanna — stwierdziłem. — To twój obowiązek. On nadzoruje domowe sprawy profesora Kanta.

— Wiem, panie. Ale pan Jachmann już tu nie przychodzi. — Na chwilę zawahał się, potem oświadczył z chłopskim uporem: — Profesor Kant jest moim panem, wasza wielmożność, musiałem go posłuchać. Znalazłem się w niezwykle trudnej sytuacji.

Pochylił głowę i rozszlochał się jak dziecko.

— Przecież w i e s z, co dzieje się w Królewcu — powiedziałem, kładąc mu dłoń na ramieniu, by go uspokoić. — W mieście grasuje morderca. Nie wolno ci o tym zapominać!

Johannes zagryzł wargi i opanował się.

— Przysięgam, wasza wielmożność! Już nigdy nie zostawię go samego...

238

— W tej chwili jest sam, czyż nie? — zauważyłem. — Wejdź do środka, Johannesie. Ja to dokończę. Przyślę oddział żołnierzy z twierdzy natychmiast, gdy tylko tam dotrę.

Odwrócił się, by odejść, i jeszcze przystanął.

— Nie powie pan panu Jachmannowi, prawda? — błagał, obejrzawszy się przez ramię.

— Oczekuję, że powiadomisz mnie natychmiast przy pierwszych sygnałach niebezpieczeństwa — nie odpowiedziałem mu wprost. — Nie wahaj się. Wezwij żołnierzy!

Odprowadzałem go wzrokiem, gdy szedł ścieżką na front domu. Poszedłem za nim kilka chwil później: usłyszałem trzask wejściowych drzwi, a ciężkie bolce zasuwy odnalazły swoje miejsca. Gdy spieszyłem w kierunku miasta, na myśl o czającym się niebezpieczeństwie włosy stanęły mi na głowie. Sługa i pan sami w domu, podczas gdy morderca krążył po ulicach. Śledził profesora Kanta, a żołnierzy dopiero należało wysłać. I znów poczułem przytłaczający ciężar na barkach. Przedtem chodziło o bezpieczeństwo całych Prus. Teraz o osobę, którą kochałem i podziwiałem najbardziej na świecie. Oprócz mej żony i dzieci.

Opuściłem Magisterstrasse i skręciłem w dół ciemną aleją, prowadzącą do centrum miasta i do twierdzy. Szedłem szybko, wielkimi krokami przemierzałem puste, obrośnięte drzewami ulice i miałem świadomość, że osoba, która ośmieliła się zakłócić *sanctum sanctorum* Immanuela, musiała iść tą samą drogą, którą teraz podążałem. Mogła kryć się za którymkolwiek z drzew. Rozejrzałem się niespokojnie i przyspieszyłem kroku, z obrazem wielkiego szklanego słoja przed oczami; unosiła się w nim moja głowa, a doktor Vigilantius obojętnie zmywał moją krew z rąk i odkładał narzędzia.

Potykając się i nieraz upadając na oblodzonym bruku, parłem przed siebie, a serce waliło mi jak młotem. Nie zatrzymałem się dla zaczerpnięcia oddechu, dopóki latarnie migoczące na zewnątrz twierdzy nie wyłoniły się z mroku po drugiej stronie Ostmarktplatz. Ale gdy znów ruszyłem, teraz już wolniej, coś gwałtownie poruszyło się w ciemnościach.

W pobliżu głównej bramy, na lodowatym zimnie, stał jakiś człowiek.

Uniósł głowę, zobaczył mnie i puścił się biegiem w moją stronę, nie zważając na lód ani śnieg pokrywające bruk.

Ogarnęło mnie uczucie absolutnej bezradności. Byłem jak drewniana marionetka, wyposażona w ludzki mózg. A obca, wroga dłoń właśnie ściągnęła mocno sznurki.

Ślizgając się, sierżant Koch zatrzymał się tuż przede mną. Śmiertelnie blady, z trudem łapał oddech, z jego otwartych ust wydobywały się obłoczki pary.

— Co się stało? — Oddychałem ciężko, serce waliło mi jak zaszczutego zająca. Nerwy odmówiły mi posłuszeństwa. Tajemnicze ślady stóp w ogrodzie Kanta; pojawiające się wraz z zapadnięciem nocy wręcz namacalne poczucie zagrożenia w mieście; strach narastający z każdym nowym wydarzeniem.

— Wydarzył się przykry wypadek, panie.

— Co się stało?! — krzyknąłem, chwyciłem Kocha za klapy dwurzędowego płaszcza i potrząsnąłem nim.

Złapał mnie za nadgarstki z siłą, jakiej nie oczekiwałem, i strącił moje dłonie.

— Nic nie mogliśmy zrobić, by ich uratować, wasza wielmożność — oświadczył.

— Uratować, k o g o?

— Totza i jego żonę, panie. Pół godziny temu odebrali sobie życie.

Dotarło do mnie znaczenie tej wiadomości. Dwoje ludzi, których oskarżyłem o morderstwo, spisek i działalność wywrotową, wsadziłem do więzienia i zamierzałem torturować, by wyciągnąć z nich prawdę, w końcu samodzielnie podjęło decyzję.

— Poleciłem, by trzymano ich osobno — udało mi się wyjąkać.

Koch ujął mnie pod ramię i poprowadził w stronę bramy.

— I tak było, panie. Rozmawiałem z Stadtschenem. Przysięgał, że twój rozkaz został wypełniony co do joty. Gdy Totza zabierano na dół, musiał przechodzić obok celi, w której trzymano jego żonę. Pewnie wymienili jakieś znaki, sygnały. Decyzję podjęli w jednej chwili.

Koch zastukał do bramy; natychmiast się otworzyła i weszliśmy na oświetlony pochodnią wewnętrzny dziedziniec.

— Kazałem strażnikom wynieść ciała na górę, zanim połapią się pozostali więźniowie — oświadczył Koch. — Tam na dole mają szósty zmysł, potrafią wywęszyć śmierć niczym zgłodniałe wilki. Za wszelką cenę trzeba uniknąć buntu. Generał K. by się nie cackał. Kazałby wszystkich powiesić. Na szczęście statek, który zabierze ich na zesłanie, jest już w drodze, panie prokuratorze. Powinien przypłynąć jutro, zależnie od pogody. Stadtschen czyni przygotowania, by więźniów z sekcji D zabrano do portu w Pillau. Spędzą tam noc. Będzie bezpieczniej trzymać ich tam niż tutaj, w twierdzy.

Skinąłem głową, niezdolny do wydania z siebie głosu.

— Mieliśmy szczęście. Naprawdę, panie, jeżeli wolno mi użyć tego słowa — ciągnął. — Totz przebywał w celi sam. Jego żona była razem z dwoma innymi kobietami, ale obie spały, gdy odebrała sobie życie. Nie wydała jednego dźwięku. Strażnik najpierw znalazł męża, potem poszli sprawdzić... — urwał nagle i spojrzał za mnie. — Oto nadchodzą.

Żołnierze szli przez dziedziniec, niosąc dwa ciężkie, owinięte szarymi kocami pakunki.

— Rano zostaną pochowani — oświadczył Koch.

Przyklejony do warg Gerdy Totz grymas stanął mi przed oczami. Czy uśmiechała się tak samo służalczo, gdy odbierała sobie życie? Ogarnęło mnie przemożne pragnienie, by to sprawdzić. Dużymi krokami przemierzyłem dziedziniec.

— Połóżcie ich na ziemi! — rozkazałem. — Zrzucić koce!

Oznaki przemocy były wyraźne na zwłokach. Czarna, obrzmiała twarz Gerdy Totz, wychodzące z orbit oczy, jakby właśnie powiedziała komuś coś ordynarnego. Wokół szyi pozostał ciasno zadzierzgnięty fragment sukni, którego użyła do powieszenia się; przed ściągnięciem jej z więziennej kraty żołnierze odcięli go tuż nad węzłem. Wokół nozdrzy miała zaschniętą krew, którą utoczyła moja pięść. Poza tym zniekształcająca ręka śmierci starła z jej rysów wszystkie znajome mi znaki. Ten jej okropny grymas zniknął na zawsze.

Twarz Ulricha Totza przypominała krwawą maskę.

— Rozwalił sobie głowę, waląc nią w mur celi z niesłychaną gwałtownością — wyjaśnił Koch.

— Chyba uderzał więcej niż raz, sądząc po rezultacie — dodałem, przeszyty dreszczem.

Strumień zaschniętej krwi spływał ze zmiażdżonego nosa oberżysty na przód jego lnianej koszuli. Udało mu się rozwalić głowę lub skręcić kark. Przez chwilę patrzyłem na trupy, potem odwróciłem wzrok. Co powinienem o nich myśleć? Czy byli piątą i szóstą ofiarą potwora z Królewca, czy, tak jak Moritz, zginęli, gdyż ja pokpiłem sprawę?

— Zabierzcie ich — mruknąłem. Patrzyłem, jak żołnierze niosą ciężar przez dziedziniec i próbowałem pozbyć się przygnębienia. — Natychmiast wyślijcie patrol na Magisterstrasse, sierżancie — rozkazałem. — Ktoś kręcił się po ogrodzie profesora Kanta. Całkiem możliwe, że morderca.

Koch zmarszczył brwi.

— Mam nadzieję, że Kantowi nic się nie stało?

— Czuje się dobrze. Ale nie będzie bezpieczny, dopóki ta sprawa się nie skończy — stwierdziłem, zgrzytając zębami. — Zabójca najwyraźniej staje się coraz zuchwalszy.

— Czy pan naprawdę uważa, że będzie próbował zabić profesora, wasza wielmożność? Potwór zawsze wybierał sobie ofiary przypadkowe. W tym tkwiła jego siła. Nikt nie wiedział, gdzie i kiedy uderzy następnym razem. A więc dlaczego nagle miałby zaatakować konkretny cel?

— Może zmienił strategię — odrzekłem bezradnie. — Zabójca nie ma twarzy, kryje go anonimowość, za to on wie, kim my jesteśmy. Najwyraźniej orientuje się w zaangażowaniu Kanta, a także gdzie można go znaleźć o każdej porze dnia. Profesor rzadko wychodzi z domu.

— Przekażę rozkazy oficerowi dyżurnemu, panie prokuratorze — oświadczył Koch. Pobiegł przez dziedziniec i kilka minut później uzbrojony patrol wymaszerował — niemal kłusem — przez główną bramę. Ogarnęło mnie przemożne uczucie ulgi, ale po chwili minęło i nie czułem się lepiej. Wydawało się, że wszystko, co wydarzyło się w Królewcu tego dnia, i co jeszcze mogło się zdarzyć, ciąży na mnie niczym granitowy nagrobek. Znalazłem się w ciemnościach, z poczuciem ogromnej odpowiedzialności. Trzy osoby nie żyły, i to z mojej winy. Zamknąłem oczy, by odegnać straszliwą wizję.

— Blado pan wygląda, wasza wielmożność.

Koch stał przede mną, patrzył na mnie z troską.

— Musi pan zachować siły. To był długi dzień, wasza wielmożność, w pułkowej kuchni znajdzie się coś do jedzenia. Od śniadania nie miał pan nic w ustach.

— Dziękuję, Koch — powiedziałem i usiłowałem się uśmiechnąć. — Istna z pana mamka.

Nieprzenikniona twarz sierżanta nieco się odprężyła.

— Proszę za mną, panie.

Przyszło mi do głowy, że podjąłem przynajmniej j e d n ą słuszną decyzję w ciągu ostatnich dwóch dni. Po naszych nieporozumieniach z pierwszych godzin sierżant Koch pokazał się z lepszej strony. Otworzył drzwi i wprowadził mnie do obszernego, sklepionego pomieszczenia, nadmiernie ogrzanego przez ogromnych rozmiarów piec kaflowy.

— Garnizonowa stołówka — oświadczył.

Woń ludzkiego potu i gotowanej baraniny zagęszczała powietrze, ale czułem się swojsko w tym smrodzie. Po cierpkim fetorze formaliny i ludzkich szczątków w laboratorium Kanta ten zapach był przynajmniej zdrowy. Pochodził od istot żyjących, zajmujących się codziennymi sprawami: pracą, jedzeniem, piciem, ochroną miasta i jego obywateli.

Koch usadził mnie przy stole, potem wyszedł i po kilku minutach wrócił z młodym żołnierzem w białym fartuchu, który położył przede mną tacę. Miska rosołu z baraniny z pagórkami tłustych chrząstek, komiśniak, czerwone wino. Żołnierska strawa. Rzuciłem się na jadło z apetytem, a Koch stał obok i niczym dumny z siebie restaurator przyglądał się, jak spożywam posiłek.

Niemal natychmiast poczułem się lepiej.

— To nie na delikatny żołądek, Koch — zauważyłem między kęsami — ale chyba nigdy nie jadłem nic równie pożywnego. A teraz — czego się pan dowiedział o kobiecie, która znalazła pierwsze zwłoki, i o żandarmie, który ją przesłuchiwał?

Przełknąłem następną łyżkę rosołu.

— Jak on się nazywa?

— Lublinsky, panie.

— Rozmawiał pan z nim?

Skinął głową.

— Przedziwny człowiek, panie prokuratorze.

Przerwałem jedzenie i spojrzałem na niego.

— Co masz na myśli, sierżancie?

— Lepiej będzie, jak sam pan zobaczy, wasza wielmożność — uśmiechnął się niepewnie. — Moim zdaniem błędem było pozostawienie tak delikatnej sprawy w rękach prostych żołnierzy. Wysłać ich w bój, to będą dokładnie wiedzieli, co robić. Kazać im przepytać kobietę, a nie wiadomo, co może z tego wyniknąć.

— Czy on tu kwateruje? — zapytałem, popijając wino.

— Jest w infirmerii, panie.

— Choruje?

— Trudno by to określić jako c h o r o b ę. Należy do kategorii lekko rannych. — Koch przytknął palec do policzka. — Gdzieś tutaj, panie. Wygląda jak rana od noża.

— Pojedynkował się, czy tak?

— Lublinsky prawdopodobnie by zaprzeczył. Żołnierze z zasady przeczą wszystkiemu.

— Chcę z nim porozmawiać, natychmiast.

Koch wskazał na tacę.

— Nie dokończy pan najpierw posiłku, wasza wielmożność?

— On ma związek ze śledztwem, Koch. Im wcześniej go zobaczę, tym lepiej.

— Pójdę i przyprowadzę go z infirmerii, wasza wielmożność.

Oddalił się, a ja kończyłem jedzenie. Czułem się jak nowo narodzony, gdy powrócił z towarzystwie Lublinskiego.

Przez chwilę nie poświęcałem żołnierzowi uwagi. Nalałem sobie jeszcze wina i wypiłem do dna, ciepłym płynem przepędząc z przemarzniętych kości chłód okropnego poranka i jeszcze gorszego popołudnia.

— Stań tam — usłyszałem głos Kocha. Potem sierżant obszedł stół i zatrzymał się przy mym ramieniu niczym anioł stróż. Lublinsky stuknął obcasami, wyprostował się na baczność. Dopiero wtedy uniosłem wzrok, i żołądek podszedł mi do gardła. Omal nie wyrwał mi się z ust okrzyk wstrętu, na szczęście udało mi się go zdławić. Nigdy w życiu nie widziałem człowieka, na którego tak trudno byłoby patrzeć. Każdy cal szorstkiej, czerwonej skóry twarzy pokrywały zagłębienia, obrzęki, wszelkie rodzaje narośli, jakie może spowodować ospa. Od czoła do podbródka — istny wybryk natury! Wśród chłopów pracujących na polach mego ojca widywałem, co ta choroba potrafi uczynić z ludzką istotą. Tego, co zrobiła z Lublinskim, nie dało się opisać.

Wysoki kołnierz bluzy miał ukrywać sine blizny po ospie i ropiejące czyraki na karku i szyi. Na lewym policzku widniało ciemnosine, nabrzmiałe krwią zagłębienie. By osłaniać twarz, żołnierz nosił czapkę o dwa rozmiary za dużą.

— Zdejmij czapkę w obecności pana prokuratora — rozkazał ostro Koch.

Mężczyzna posłuchał i na światło dzienne wyjrzała jego naga czaszka, ukazując całą swą szpetotę: czubek głowy pokryty dziobami, czyrakami i bliznami tak samo jak twarz. Gdyby nie wzrost i postura żołnierza oraz jego militarna przydatność do królewskiej służby, znalazłby zatrudnienie najwyżej w wędrownym cyrku dziwolągów, i nigdzie indziej. Spojrzał w bok, zmuszając Kocha do patrzenia mu w twarz. Miał wielkie czarne oczy, wzrok czujny, pełen życia. Byłby przystojny, gdyby los potraktował go przyjaźniej. Wysokie kości policzkowe, orli nos, mocno zarysowana szczęka i energicznie wysunięta broda w lepszym świecie pozwoliłyby mu zostać modelem artysty lub kochankiem baronowej.

— Mam sprzątnąć talerze, panie? — zapytał Koch.

— Zostaw je, sierżancie. — Nie chciałem umniejszać Kocha w oczach tego człowieka. — Asystowałeś przy śledztwie w sprawie tych morderstw pod bezpośrednim nadzorem profesora Kanta, tak? — zwróciłem się do Lublinskiego.

Gorączkowo spojrzał na Kocha, potem znów na mnie i otworzył usta do odpowiedzi. Jeśli zaszokowała mnie jego twarz, to głos mnie przeraził. Język Lublinskiego zdawał się harcować niczym bełkotliwy pawian z dżungli rodem, bestia, którą oswajał z wielką trudnością. Musiałem zdradzić się brakiem zrozumienia, gdyż nagle urwał i zaczął od nowa, teraz wymawiając słowa wolniej, by uniknąć nosowych i gardłowych dźwięków, które sprawiały, że trudno było go zrozumieć.

— Jaki profesor? — jęknął, słowa wydobyły się gwizdem z głębi krtani. — Zrobiłem, co mi kazano. Chcieli raportów, dostali je.

— Ale zapłacono ci także za sporządzenie rysunków dla profesora Kanta.

— Aha, j e m u! — wykrzyknął. — To był profesor?

— A jak sądziłeś, że kto?

Lublinsky wzruszył ramionami.

— Nie płacono mi za myślenie, panie. Wszystko mi było jedno. Dałem mu, o co prosił. Świat jest pełen starców o dziwnych upodobaniach.

Zmusiłem się, by na niego spojrzeć i próbowałem sobie wyobrazić, co dzieje się w jego głowie. Wszystko w Królewcu zdawało się zbrukane, chore, mroczne. W tej chwili czułem się przytłoczony koniecznością stania się częścią owej krainy pozbawionej światła. Jakiż to „talent" odnalazł Kant w tym niesamowitym człowieku?

— Opowiedz mi o sobie — zażądałem i zaraz tego pożałowałem.

Potrzeba było wiele cierpliwości, by cokolwiek zrozumieć z jego bełkotu. Nazywał się Anthon Theodor Lublinsky. Pochodził z Gdańska. Przed dziesięcioma laty zaciągnął się do lekkiej piechoty i brał udział w walkach w Polsce. Od trzech lat stacjonował w Królewcu, gdzie, jak nas zapewnił, jeszcze do niedawna był szczęśliwy.

— Nie jesteś już zadowolony, Lublinsky? Co zmieniło twe nastawienie? — zapytałem, myśląc, że miał całkowite prawo czuć się nieszczęśliwy, gdziekolwiek się znalazł.

— Wolałbym walczyć, wasza wielmożność — zdawał się zapalić do tego pomysłu, potem dodał szorstko: — Na polu walki patrzy się wrogowi prosto w twarz.

Czarne jak węgiel oczy zabłysły wyzywająco, potem odwrócił wzrok.

Co on takiego zobaczył, co spowodowało, że zatęsknił za wojennym trudem i ryzykiem, że zginie? Przechyliłem się przez stół, mocno uderzyłem pięścią w blat i spojrzałem mu prosto w oczy. Ostry zapach jego ciała mieszał się ze smrodem wypełniającym pomieszczenie. Z wielkim trudem udało mi się nie odwrócić wzroku.

— Czytałem twoje służbowe raporty, Lublinsky — oświadczyłem. — Znalazłem je wielce niezadowalającymi. Powiedz mi, co dokładnie widziałeś na miejscu zbrodni w pobliżu Bałtyckiego Wielorybnika. Ty pierwszy ujrzałeś ciało, czy tak?

Potrząsnął przecząco głową.

— Nie całkiem, panie. Byłem z drugim żandarmem. A poza tym ta kobieta...

— Rok temu — podsumowałem — wysłano cię na miejsce zbrodni. Rozmawiałeś z kobietą, która znalazła ciało. Zgadza się? Chcę wiedzieć ze szczegółami, co zeznała.

Lublinsky zaczął bełkotać. Gdybym zamknął oczy, mógłbym sądzić, że słucham jakiejś tajemniczej greckiej wyroczni lub głosu wyczarowanego z grobu przez Vigilantiusa. Śledziłem usta mężczyzny z nadzieją na zrozumienie, a Koch sondował, poprawiał, tłumaczył.

Tego ranka, przypomniał sobie Lublinsky, znad morza dmuchał zimny wiatr. Wstał o czwartej, by przejąć komendę warty. Gdy zwalniał nocnego strażnika, nadeszła wiadomość, że niedaleko portu znaleziono trupa. On i Kopka, jego zastępca, poszli zbadać sprawę, pozostawiwszy na posterunku oficera nocnej zmiany. Obaj z zadowoleniem wykorzystali możliwość wyjścia na zewnątrz, woleli to, niż nudzić się w twierdzy bez żadnego zajęcia. Na miejscu znaleźli zwłoki i zastali kobietę. Nikogo innego nie było w pobliżu. Słońce jeszcze nie wzeszło i ulice świeciły pustkami.

— Co zobaczyłeś, Lublinsky?

Przez chwilę nie odpowiadał.

— Tysiąc razy spoglądałem śmierci w twarz, panie — powiedział nagle, patrząc na mnie gniewnie. — Oceany krwi, straszliwe rany, wycie kartaczy. Niczego takiego nie było na Merretstrasse. A jednak wcale nie czułem się lepiej.

On i Kopka nie znaleźli śladu przemocy, nic, co by wskazywało, jak popełniono zbrodnię. A jednak oczywiste było, że ofiara nie umarła śmiercią naturalną.

— Oczywiste? Dlaczego, Lublinsky?

— Ciało Jana Konnena upadło do przodu, na kolana, głowa spoczywała na gołym kamieniu. Taką samą pozycję przyjmowali muzułmanie, modląc się do swego Boga — powiedział Lublinsky. A że stan trupa nie pozwalał na wysnucie żadnych wniosków, zainteresowali się kobietą — akuszerką idącą do porodu. Nie chciała nic powiedzieć. Trzęsła się ze strachu. Wtedy Kopka wpadł na genialny pomysł. Poszedł po półkwaterek wódki do pobliskiej gospody.

Lublinsky przerwał i zdawał się długo namyślać, nim znów zaczął mówić.

— Nie ona zabiła, to było oczywiste.

— Oczywiste? Dlaczego?

Żołnierz wciągnął olbrzymi łyk powietrza, poruszając ustami jak dławiące się zwierzę.

— Była przerażona.

— Jak się nazywała?

Znów chwila wahania.

— Chcę znać nazwisko akuszerki — powtórzyłem stanowczo. — Nie zamieściłeś go w swym raporcie.

Gwałtowne emocje szarpały mu twarz, wykrzywiały usta.

— Ukrywanie informacji jest przestępstwem — ostrzegłem.

— Anna, panie — powiedział po kilku minutach ponurego milczenia. — Anna Rostowa.

— Podała ci nazwisko dopiero, gdy Kopka się oddalił, tak? — naciskałem.

Potężne dłonie Lublinskiego zaczęły nerwowo szukać czegoś na mundurze, poprawiały guziki, prostowały kołnierz, zwijały czapkę w ciasny rulon. W końcu żołnierz spojrzał na mnie i skinął głową.

— Ale dlaczego tak postąpiła? Czym zdobyłeś jej zaufanie?

Poczerwieniał gwałtownie.

— Nie wiem, panie. Ja... to znaczy przyszło mi do głowy, że może wpadłem jej w oko.

Że też równie paskudny mężczyzna złapał się na obietnicę seksualnych usług ze strony kobiety wystarczająco perwersyjnej, by je ofiarować! Niemal mu współczułem.

— Z żadnego innego powodu?

Na twarzy Lublinskiego ukazał się wyraz bólu. Ze wszystkich ohydnych szczegółów tej historii, które najczęściej do mnie wracają, zdeformowane oblicze Lublinskiego najbardziej zakłóca mi sny. Nerwowo przebiegał wzrokiem po pokoju, otwierał i zamykał usta, niczym karp znienacka wyciągnięty z wody.

— Współczuła mi, panie. Jej jedyne dziecko zmarło na ospę, tak powiedziała. Rozumiała, przez co przeszedłem. Taki podała powód.

Przez dłuższą chwilę patrzyłem na niego surowo. Jego ciężki oddech był jedynym dźwiękiem dającym się słyszeć w pomieszczeniu.

— Co d o k ł a d n i e zaproponowała ci ta kobieta? — zapytałem, przygotowując się na obrzydliwe wyznania o seksualnej degeneracji.

Zanim odpowiedział, palcem wydrapał w policzku dziurę — pokazała się krew. Potem gwałtownie wyrzucił z siebie wzburzenie, jakby coś się w nim nagle przełamało.

— Powiedziała mi, że zamordował go diabeł.

— Diabeł — powtórzyłem mechanicznie.

— Widziała jego szpon, panie.

— Ty także go widziałeś? — zapytałem tak spokojnie, jak tylko zdołałem.

— Nie, panie. Nic tam nie było. Obejrzałem ciało. Nic. Żadnej rany ani narzędzia zbrodni. Tylko diabeł mógł to uczynić, tak twierdziła.

— A więc nic nie widziałeś, ale uwierzyłeś jej. Dlaczego nie uwzględniłeś tych danych w raporcie? — napadłem na niego.

Lublinsky nie odpowiedział. Jego ciałem wstrząsnął gwałtowny dreszcz. Nie umiałem rozgryźć natury walki toczącej się w jego głowie, nie potrafiłem dostrzec niewidzialnego wroga, który trzymał go za gardło.

— Powiedziała... że ona... pomoże mi, panie — wydusił z siebie w końcu.

— Akuszerka, Lublinsky? Jak akuszerka mogłaby ci pomóc?

Uniósł dłoń do pokrytej szramami i pęcherzami twarzy.

— Obiecała mnie wyleczyć. Złapałem tę chorobę w Polsce. Powinienem był umrzeć, ale tak się nie stało. Szkoda. Byłem zaręczony z dziewczyną z Chełma. Rzuciła mnie, gdy ujrzała moją twarz. A to był dopiero początek. Koledzy z regimentu unikali mnie. Przezywali Synem Szatana. I tak już pięć lat. Pięć lat, panie! Anna powiedziała, że mi pomoże. Przysięgła, że będę miał cerę jak pupka niemowlęcia, a ja jej uwierzyłem. Była pierwszą kobietą — przełknął ślinę — która nie odwracała ode mnie wzroku. Zanim Kopka powrócił, odesłałem ją. Miałem jej adres...

— Jeszcze jedna rzecz nie została powiedziana. A dokładnie dwie — przerwałem mu. — Co widziała Anna Rostowa, a ty nie? I jak zamierzała wykurować twoje dolegliwości? Zaryzykowałeś więzienie za niedopełnienie obowiązku, pamiętaj o tym.

Nie trzeba było go straszyć.

— Jest ze mną tak samo źle jak przed rokiem — powiedział z gniewem, unosząc twarz do światła. Zdawał się niemal pysznić ruiną, jaką spowodowała w nim choroba. — Anna powiedziała, że diabeł zakończy me męki. Dlatego zostawił swój szpon.

Usiłowałem zachować spokój.

— A więc widziałeś tę rzecz, tak?

Lublinsky znów pogrążył się w milczeniu.

— Nie pogarszaj swojej sytuacji — ostrzegłem go. — Opisz ten... szpon.

— Długi przedmiot, coś jak spiczasta kość — powiedział w końcu. — Szpon Lucyfera. Ma wielką moc. Dlatego wyjęła go z ciała zamordowanego.

— Moc, Lublinsky? O jakiej mocy mówisz?

— By leczyć... by zabijać. Powiedziała, że wykuruje moją twarz za pomocą tego piekielnego narzędzia. Że ma ono w sobie siłę życia zmarłego człowieka, którego oddano w ofierze. Życie zamordowanego miało być dla mnie lekarstwem.

Odchyliłem się na ławie, gdy Lublinsky przybliżył się do stołu, a jego smutek zmienił się w gniew.

— Niech pan na mnie spojrzy, wasza wielmożność. Widzi pan moją przeklętą twarz! — zawołał. — Czy nie postąpiłby pan tak samo?

Patrzyłem na spustoszenie spowodowane chorobą, z całej siły broniąc się przed współczuciem.

— Twoja twarz jest okropnie zniekształcona — powiedziałem zimno. — Czy mam rozumieć, że więcej już nie ujrzałeś tej miłosiernej kobiety?

Lublinsky opuścił wzrok.

— Zna pan odpowiedź, panie prokuratorze.

— Co uczyniła, by ci pomóc?

— To, panie, to zrobiła — dotknął sinoczarnego otworu na lewym policzku, a w jego głosie zabrzmiała wściekłość. — Nakłuła mi twarz szponem szatana.

— A więc to nie pozostałość po pojedynku? — upewniałem się, rzuciwszy okiem na Kocha.

— Żadne ostrze nie pozostawiłoby takiego śladu. Tylko czarownica — odrzekł szeptem Lublinsky, pochylając się, jakby chciał wydać się mniejszym, niż faktycznie był.

— Jak długo to trwa?

— Od czasu pierwszego morderstwa, panie.

— A więc ta kobieta wciąż ma szpon?

— Tak, panie.

— Kiedy widziałeś ją ostatni raz?

Odwrócił głowę i wbił wzrok w ścianę.

— Wczoraj, panie — szepnął po chwili.

Od razu zrozumiałem.

— Przedwczoraj wydarzyła się zbrodnia. Widywałeś ją, gdy tylko zginął następny niewinny człowiek. Zgadza się?

Lublinsky zacisnął dłonie w pięści i popatrzył na mnie.

— Każde morderstwo jeszcze dodawało tej rzeczy mocy. Przybliżyłem się o krok do wyleczenia — tak mi powiedziała.

Spojrzałem mu prosto w oczy i nawet nie próbowałem ukryć obrzydzenia, jakim mnie napawał. Ospa zdegenerowała mu umysł w równym stopniu jak jego przystojną twarz.

— Dlaczego mówisz mi o tym właśnie teraz? — zapytałem.

Poruszył się niespokojnie.

— Nie rozumiem, panie?

— W i e s z, o co mi chodzi. Nie wspomniałeś o tym ani słowem w raportach. Nic nie powiedziałeś prokuratorowi Rhunkenowi ani profesorowi Kantowi. A jednak zdecydowałeś się wyznać prawdę mnie. Nic dziwnego! Przekonałeś się, że ona kłamie, mam rację? Nie potrafi ci pomóc, choćby nie wiadomo ilu umarło. Wydajesz mi ją z zemsty. Chcesz, by Anna Rostowa została ujęta i ukarana, bo cię nabrała. Czyż nie?

Nie odpowiedział.

— Co stało się z Kopką? — naciskałem. — Gdzie był, gdy znaleziono pozostałe ciała?

Lublinsky otarł nos rękawem.

— Zdezerterował, panie.

— Dlaczego tak postąpił? — zdziwiłem się.

— Nie mam pojęcia, panie. Uciekł. To wszystko, co wiem — powiedział z wzrokiem wbitym przed siebie, z twarzą ciemną i mściwą jak maska demona w wielkopostnym moralitecie.

— No dobrze — skwitowałem, podrywając się z miejsca. — A teraz bez zwłoki zaprowadzisz nas do tej kobiety. Idziemy, Koch.

W powozie, zatopiony we własnych myślach, jadąc w milczeniu w stronę miejsca, którego adres Lublinsky podał woźnicy, odkryłem, że nie mogę patrzeć na mężczyznę siedzącego przede mną w mroku, by nie czuć przemożnych mdłości. Ze wszystkich ofiar wydarzeń, do których doszło w Królewcu, i z tych, które jeszcze nas czekały, Anton Lublinsky wzbudził we mnie najwięcej współczucia.

A teraz uczucie to zmieszało się z pewną dozą moralnego wstrętu.

Królewiec...

Gdy pierwszy raz usłyszałem tę nazwę, miałem zaledwie siedem lat. Generał von Plutschow wracał do swej posiadłości na wsi i po drodze wpadł z wizytą do nas, do Ruisling. Ten najstarszy kolega mojego ojca z akademii wojskowej był bohaterem narodowym. Poprzedniego dnia w Królewcu, jako honorowy gość, wziął udział w obchodach dwudziestej rocznicy chwalebnej bitwy pod Rossbach w roku 1757. Generał von Plutschow, na czele szarży Siódmego Pułku Kawalerii, zapewnił wtedy krajowi zwycięstwo. Nam, chłopcom, sprawiono wyjątkową frajdę, pozwalając mojemu młodszemu bratu, Stefanowi, i mnie przebywać w salonie podczas wizyty szacownego gościa. Z otwartymi ustami słuchaliśmy barwnej opowieści generała o wspaniałej gali, którą sam król zaszczycił swoją obecnością. A cały czas, gdy mówił, nie mogłem oderwać oczu od miejsca, w którym powinno było znajdować się jego prawe ramię. Pusty rękaw generała von Plutschow został zwinięty i przypięty do srebrnego epoletu złotym medalem.

— Królewiec jest esencją wszystkiego, co najbardziej honorowe i najszlachetniejsze w naszym wielkim narodzie — zachwycał się ojciec, gdy generał zakończył opowieść; mama rożkiem chustki ścierała łzy z policzków. Stąd cudowna nazwa Królewca i utracone ramię generała von Plutschow nierozerwalnie łączyły się w mych myślach, zanim jeszcze ujrzałem to miasto. Myślałem o Królewcu jako o miejscu, w którym wydarzyć się mogą tylko rzeczy wspaniałe, gdzie mieszkają najgodniejsi ludzie. Pomimo morderstw, które mnie tu przywiodły, mimo gwałtownej śmierci Moritza i samobójstwa Totzów wciąż zachowałem naiwną wiarę, że Królewiec jest miejscem świętym, a należny mu pokój zostanie przywrócony dzięki pomocy Immanuela Kanta.

Ale tamtego wieczoru, gdy pojazd podążał w kierunku podanym woźnicy przez Lublinskiego i daleko zostawiliśmy za sobą centrum miasta, zaczynałem dostrzegać drugą stronę Królewca, ciemne oblicze nieszczęsnej bestii, świat cierpienia i nędzy, którego istnienia nigdy bym sobie nie potrafił wyobrazić w miejscu, gdzie z honorami przyjmowano generała von Plutschow i gdzie urodził się profesor Immanuel Kant — w mieście, któremu nadał miano ziemskiego raju.

Jechaliśmy do dzielnicy Pillau. Był to swego rodzaju port, jak wyjaśnił Koch; płytka zatoka, łagodnie opadająca plaża, na której wielorybnicy wyładowywali swą zdobycz i suszyło się pocięte na kawały mięso. Nawet przez zamknięte okna wdzierał się do powozu odrażający smród rozkładającego się tłuszczu i gnijących wnętrzności.

Powóz toczył się wzdłuż wschodniej odnogi ujścia rzeki Pregel do Bałtyku. Na drodze panowały ciemności, siedziby ludzkie były tu nieliczne i nędzne. Wydawało się, że atmosfera nadciągającego zagrożenia czai się w każdej koleinie i wgłębieniu gliniastego traktu, na którego wybojach podskakiwaliśmy. Mieszanina zimnej, słonej morskiej wody z cieplejszymi wodami rzeki wytworzyła gęstą mgłę, która zdawała się coraz bardziej nieprzenikniona z każdym obrotem kół powozu.

— Czy jedziemy we właściwym kierunku, sierżancie? — zapytałem. Wolałbym nie zgubić się w tej zakazanej okolicy.

— Byłem tu tylko kilka razy, panie — odrzekł Koch, bacznie rozglądając się wokoło. — Ale wątpię, by Lublinsky chciał wywieść nas w pole.

Otulony swym ciemnym wojskowym płaszczem, Lublinsky siedział pogrążony w milczeniu, ze wzrokiem wbitym w świat za oknem. Zdeformowanych rysów jego twarzy niemal nie było widać spod opadającej na czoło, za dużej czapki i wysokiego, zasłaniającego policzki kołnierza bluzy.

Pobiegłem za jego spojrzeniem w ciemność i pomyślałem o rybakach ciężko pracujących na bezkresnym morzu. Jeśli mgła pochłonęłaby ich łodzie i nasz powóz, czy ktokolwiek wiedziałby, gdzie nas szukać? Gdzieś w oddali mgielny róg wydał żałobny jęk, jego dźwięk bynajmniej nie dodawał otuchy.

— To tutaj — Lublinsky przerwał ponure milczenie; jeszcze bliżej pochylił się do okna i przyciskając nos do szyby, patrzył na drogę. Kołysząca się latarnia powozu oświetliła jego zdeformowany profil i dziwnie dwuznaczne uczucie napełniło mą duszę. Niesmak z powodu roli, jaką odegrał, pomagając tej kobiecie ukryć narzędzie zbrodni, zażenowanie z powodu upokorzenia, które spotkało go za jej przyczyną.

Ale tamtej nocy nie było czasu na sentymenty. Wszystko działo się tak szybko. Koch zastukał w dach, woźnica zatrzymał pojazd, zeskoczyliśmy na ziemię. Mgła przypominała mokrą gąbkę, twarz zamokła mi w jednej chwili. Lublinsky szybkim krokiem ruszył w stronę szeregu niskich, ściśniętych bud, które wyłaniały się z mroku. Słaby blask oświecał jedno z brudnych okien. Na werandzie domku odwrócił się, spojrzał na mnie przez moment, potem pięścią zaczął wystukiwać rytm wojskowego marszu na wąskich drzwiach.

Skrzypnęły, uchyliły się niemal od razu i pojawiła się postać kobieca w aureoli kędzierzawych włosów wokół ukrytej w cieniu twarzy.

— To ty, Lublinsky? Znowu? — zapytała ochrypłym głosem.

Wyszedłem zza oficera i słowa zamarły na wargach kobiety. W jej oczach błysnął strach; gorączkowo przenosiła wzrok z Lublinskiego na mnie i z powrotem.

— Kto to? — syknęła.

Po drugiej stronie Lublinskiego pojawił się Koch i kobieta wydała stłumiony okrzyk.

— Czego chcecie? — warknęła. — Dziś w nocy nie pracuję.

Pchnąłem Lublinskiego do przodu i weszliśmy za nim do domku, a kobieta cofała się przed nami, wreszcie, uderzywszy o niski stolik, zatrzymała się na środku pokoju. Uniosła świeczkę i pomachała nią przed naszymi twarzami, niczym pasterz usiłujący odstraszyć wilki żagwią. Była wysoka, kształtna, w czerwonej wypłowiałej sukni z dekoltem odsłaniającym głęboki, ciemny rowek między piersiami. Sądząc po żwawości ruchów i ostrości głosu, musiała mieć około trzydziestki. W płomieniu świeczki jej połyskująca cera była tak blada, że wydawała się przezroczysta, oczy miała tej samej upiornej barwy. Srebrzyste włosy opadały jej na ramiona w niesamowitej obfitości loków i kędziorów. Gdyby nocą spotkać ją na ulicy, można by wziąć ją za postać wyrzeźbioną z bloku lodu. Nigdy wcześniej nie widziałem albinoski. Jakieś fascynujące piękno było w tej twarzy lalki, w nieufnym grymasie bladych, jędrnych ust, w chłodnych oczach, tak wielkich i przenikliwych jak u orientalnego kota, w mocno zarysowanych kościach policzkowych.

— Dzisiaj odpoczywam — zapowiedziała z kokieteryjnym uśmiechem na wargach. — Chyba że panowie hojnie mnie wynagrodzicie.

— Nie jesteśmy twoimi klientami — oświadczyłem. — Prowadzę śledztwo w sprawie morderstw w Królewcu.

Uśmiech znikł.

— No to czego ode mnie chcecie?

— Przynieś tu krzesło. Masz mi wiele do powiedzenia.

Z błyskiem urazy w obramowanych białymi rzęsami oczach kobieta poszła do ciemnego, zakurzonego kąta, by przyciągnąć na środek pokoju rozchybotany stołek o wystrzępionym trzcinowym siedzeniu. Rozejrzałem się po pomieszczeniu oświetlonym płomieniem świeczki. Moglibyśmy równie dobrze znajdować się w jakiejś pogańskiej świątyni lub w namiocie jednego z tubylczych znachorów opisywanych przez podróżnych przemierzających kontynenty obu Ameryk. Na ścianach wisiały czaszki zwierząt, fiszbiny, drobiazgi wyrzucone na brzeg morza, przedziwne przedmioty, których natury i przeznaczenia trudno było dociec. Na jednej poczerniałej od dymu ścianie wyżłobiono w tynku nożem figurki mężczyzn i kobiet kopulujących w rozmaitych, obrzydliwych pozycjach. Gdy poruszyłem świecą, figurki zaczęły lubieżnie podrygiwać. Pospiesznie się odwróciłem — twarz paliła mnie od dziwnych, nieokreślonych emocji — i czekałem, aż kobieta przyniesie stołek.

Gestem wskazała, bym usiadł.

— To dla ciebie — odrzekłem. — Siadaj, Anno Rostowa. Tak się nazywasz, czyż nie?

Usiadła, ale nie zadała sobie trudu odpowiedzenia na moje pytanie.

— Rok temu znalazłaś zwłoki — zacząłem przesłuchanie.

— Kowal, Jan Konnen, był pierwszą ofiarą dotąd nie zidentyfikowanego mordercy. Lublinsky twierdzi, że zabrałaś coś z miejsca zbrodni, coś ważnego. Jak sądzę, od tamtej pory wielokrotnie demonstrowałaś mu ten przedmiot.

— Wiesz, co to oznacza? — plunęła słowami niczym jadowity wąż i Lublinsky bojaźliwie odwrócił wzrok.

— Zwracaj się do mnie — rzuciłem ostro — i do nikogo innego.

— Żadna dziewka nigdy już na ciebie nie spojrzy, żołnierzu — ciągnęła, nie bacząc na nic. — Będą rzygać na widok twej obrzydłej gęby!

— Co znalazłaś w ciele Jana Konnena?

— Matki będą ostrzegać dzieci — ciągnęła monotonnie, połyskujące, przezroczyste oczy utkwiwszy w Lublinskim. — Ten potwór z gębą jak gówno pocałuje cię, jeśli natychmiast nie zaśniesz — tak będą mówić. Przyjdzie...

Podniosłem rękę i z całej siły wymierzyłem jej policzek.

— Zamknij się! — krzyknąłem. Nie wiem, co mnie sprowokowało, ale w tej kreaturze było coś bezwstydnego, szalonego i przerażającego.

Nie odrywając ode mnie wzroku, dotknęła swej twarzy, muskając zaczerwienione miejsce, jakby czerpała z bólu niezwykłą przyjemność.

— No, no, to było m i ł e — zagruchała z uśmiechem. — Lubisz sprawiać dziewczynie ból, nieprawdaż, panie? — Mokrym, różowym językiem oblizała wargi. — Każesz mnie wychłostać, to planujesz? Zabawić się moim kosztem? — zadrwiła.

— Ostatnim razem wymierzyli mi trzydzieści kijów. Powinieneś był widzieć, jak wybrzuszyły im się portki! Podniecali się, gdy moje białe ciało spłynęło krwią. To właśnie chciałbyś ujrzeć, panie? — roześmiała się w głos. — Prusy, ojczyzna bata i kija.

Szkliste oczy kobiety ani na chwilę nie umknęły przed moimi. Musiałem odwrócić wzrok i wtedy podchwyciłem spojrzenie Kocha. Ujrzałem zaskoczenie na jego twarzy. Tymczasem, gdy kobieta zaczęła mówić, Lublinsky cofnął się pod ścianę na drugim końcu pokoju i tam skulony, z opuszczoną nisko głową, trząsł się, jakby ogarnięty gwałtowną gorączką.

— Co zabrałaś z trupa? — naciskałem, z trudem próbując opanować drżenie głosu.

Spojrzała na mnie wyzywająco, promień światła połyskiwał triumfalnie w jej rozszerzonych, szarych źrenicach, jakby ta sytuacja ją bawiła.

— Jeżeli ten idiota już ci powiedział, po co mam powtarzać?

— Potrafię zmusić cię do mówienia, Anno Rostowa.

Zachichotała. Dźwięk wydobył się z głębi jej krtani i gulgotał coraz wyraźniejszą kpiną.

— No, no, młody b r u t a l z ciebie, panie! Widzę to. Czy twoja pani w tym gustuje? — Na jej twarzy ukazał się pożądliwy, zły uśmiech. — Pogłaskać ci wiosełko szponem diabła, tego byś chciał? Na to przyszła ci ochota, panie? Jego dotyk zabił mężczyznę na nabrzeżu, innych także, znam o wiele przyjemniejsze rodzaje śmierci...

Jej kocie oczy błyszczały jasno, źrenice przypominały ostre szpilki światła. Nigdy nie miałem intymnego kontaktu z kobietą tego pokroju. Różniła się całkowicie od mojej żony, a także od innych pań z kręgów Heleny. Jej ciało wręcz iskrzyło elektryzującą lubieżnością. Powinienem był poczuć obrzydzenie. A jednak tak się nie stało.

— Nie masz się czego obawiać, jeżeli powiesz prawdę — skłamałem, ze wszystkich sił próbując opanować wzburzenie.

Znów zaśmiała się drażniąco. — Prawdę, panie? No cóż, spróbujmy. Tamtej nocy zabawiłam w Lobenicht.

— Gdzie?

— Prawdziwie napawające grozą miejsce — objaśnił mnie Koch. — Dzielnica nędzy w pobliżu portu, panie prokuratorze. Dziesięć minut od Bałtyckiego Wielorybnika.

Widziałem już Pillau, więc wzdrygnąłem się na myśl o Lobenicht.

— Jedna kobieta przy Wassermanstrasse miała rodzić, ale jej pora jeszcze nie nadeszła, więc udałam się do przyjaciółki, która mieszka w sąsiedztwie. Zostałam u niej kilka godzin, potem wyszłam dokończyć dzieła.

— O której godzinie opuściłaś dom przyjaciółki?

— Jakoś po trzeciej. Wypiłam sobie dla wzmocnienia. Tamtej nocy było zimno. Sam pan lubi łyknąć coś mocniejszego, prawda, wielmożny panie? — Zanim zdążyłem odpowiedzieć, mówiła dalej: — Wiedziałam, co na mnie czeka. Wrzeszcząca wiedźma, mąż niedojda, umazane krwią, płaczące dziecko — jeżeli Pan okaże łaskę. Szłam i modliłam się o szczęśliwe rozwiązanie.

— Modliłaś się?

W jej ustach słowo to zabrzmiało wręcz nieprzyzwoicie.

— Modlę się do Boga — uśmiechnęła się. — I do diabła także. Gdy dziecko ma przyjść na świat, ci dwaj zawsze się ze sobą zmagają. Ale w pierwszej kolejności modlę się do Boga. Sprawy nie toczą się dobrze, gdy On przegrywa. Jeżeli niemowlę umrze, długo potem zostaję bez pracy. Nie pierwszy raz mogłabym ucierpieć z powodu szatana. Widziałam już ciężkie czasy. W moim zawodzie reputacja to wszystko.

— Co widziałaś, idąc ulicami? — przerwałem jej gwałtownie.
Przez kilka chwil wytrzymywała mój wzrok.

— Nie było nikogo, panie, nawet pijaka ani patrolu żandarmów. Do samego portu nie spotkałam żywego ducha. Prawie wszystkie światła wzdłuż kei zdmuchnął wicher. I tam właśnie ujrzałam klęczącego człowieka. Z początku sądziłam, że modli się tak jak ja. Jednak nie była to właściwa pora ani miejsce na wznoszenie modłów na klęczkach. Przebłyskiwały poranne zorze — najzimniejsza pora nocy. Gdy podeszłam bliżej, dostrzegłam, że coś jest nie w porządku. A potem poczułam zapach zła.

Pociągnęła nosem, równocześnie ukazując idealny komplet perłowych zębów.

— Co masz na myśli? Co poczułaś?

— Palącą się siarkę. Smród diabła...

Urwała natychmiast, znowu pociągnęła nosem i rozejrzała się po pokoju, jakby znów wyczuła podmuch piekielnej woni. Grała i była w tym dobra. Nic dziwnego, że ta ladacznica bez trudu zdołała otumanić głupca równie zdesperowanego jak Lublinsky.

— Nie marnuj mojego czasu — ostrzegłem. — Powiedz mi po prostu, co widziałaś.

— Ten człowiek był martwy, panie.

— Wyczułaś szatana. Mężczyzna nie żył, a jednak zbliżyłaś się do trupa. Dlaczego najpierw nie wezwałaś pomocy?

Patrzyła na mnie przez dłuższą chwilę.

— Martwi są wyjątkowi, wasza wielmożność — mruknęła w końcu, wyraźnie przepełniona nabożnym podziwem dla umarłych. I równocześnie zademonstrowała dziwną chęć czytania w mych myślach. — Ale pan o tym wie, wielmożny panie. Prawda? Zmarli... widział pan nieboszczyka. Ich ciała pozostają na ziemi, dusze wędrują po innym świecie. Pan posiadłeś tę wiedzę, widzę to...

— Najpierw wspaniała komediantka, a teraz wytrawna poetka — przeciąłem krótko jej rozważania. I ostrzejszym tonem dodałem: — Powiedz mi, co stamtąd zabrałaś.

Odwróciła się na stołku w stronę Lublinskiego.

— Bądź przeklęty! — wybuchła.

Złapałem ją za włosy, wykręciłem jej twarz w moją stronę.

— Zamknę cię w celi, jeżeli będziesz uparta! — zawołałem.

— I tak to zrobisz! — odpowiedziała krzykiem — ale on będzie się smażył w piekle. Drań! Poproszę szatana...

— Zapomnij o szatanie! — wrzasnąłem, ciągnąc ją za włosy, aż jęknęła z bólu. — Co z a b r a ł a ś z ciała nieboszczyka?

Zacisnęła zęby, spojrzała na mnie i syknęła:

— Sterczał u podstawy czaszki. Sztylet z rękojeścią kołyszącą się na wietrze — tak mi się zdawało. I zaraz zobaczyłam, co to naprawdę jest.

— Mów dalej! — ponagliłem ją.

— Zostaw mnie! Puszczaj! — wrzasnęła i złapała mnie za nadgarstki, próbując uwolnić włosy. — Powiem wszystko, panie, naprawdę...

Gdy wyplątywałem ręce z jej loków, patrzyła mi prosto w oczy, a gwałtowny gniew, jakim przed chwilą wybuchła przeciwko Lublinskiemu, jakby się rozpłynął. Najwyraźniej opętana jakimś nieokiełznanym lękiem, wręcz kurczyła się w oczach.

— Najpotężniejsze czary — szepnęła. — Ten człowiek nie żył, był zimny jak kamień, wystawało z niego narzędzie zbrodni, a nigdzie nie widać było nawet kropli krwi. Ani jednej, panie. Nie rozlano krwi. Kto mógł uczynić coś podobnego, jak nie diabeł? Jeszcze przed chwilą wzywałam Pana Boga, a odpowiedział Zły. Omen. Szatan chciał, bym znalazła ciało, aby pokazać mi swą władzę nad życiem i śmiercią. Jeżeli tamtej nocy miało urodzić się dziecko, jedno życie musiało zostać odebrane. Koło się zamknęło. To był symbol diabelskiej mocy. Podarunek od szatana, więc zabrałam go.

— Nie powiadomiłaś policji — przypomniałem.

Kobieta wzruszyła ramionami, potem przerzuciła kaskadę srebrzystych włosów z jednego ramienia na drugie, błyskając do mnie iskierkami oczu.

— Diabelski szpon dla mnie był przeznaczony. Inni mieli znaleźć to, co d l a   n i c h zaplanowano.

— Jednak morderstwa się powtarzały — zripostowałem. — Wiedziałaś, że policja poszukuje narzędzia zbrodni.

Rzuciła okiem na Lublinskiego.

— Miałam co innego do roboty.

— Ale jemu powiedziałaś — przyciskałem ją do muru. — By skłonić Lublinskiego do zaniedbania obowiązków, wykorzystałaś moc, którą, jak utrzymywałaś, dał ci szpon diabła. Obiecałaś wyleczyć mu twarz. Mam rację?

Anna Rostowa zareagowała pogardliwym śmiechem.

— Własny wygląd cenił wyżej od sprawiedliwości. Powiedziałam mu, co znalazłam. Postanowił zachować to w tajemnicy. Niech sam się upora ze swoim sumieniem.

— Pokaż mi ten przedmiot.

Patrzyła na mnie niepewnie.

— Wierz mi, wielmożny panie...

— Przynieś! — rzuciłem ostro.

Gdy tak stałem nad nią, zaszła w niej dziwna zmiana. Zgaszona mina ustąpiła zalotnej uległości. Palcami musnęła nagie, białe ciało piersi, ponownie rzuciła mi jarzące spojrzenie, na jej usta zawitał chytry uśmieszek.

Wstała i pochyliła się ku mnie.

— Za pańskim pozwoleniem — szepnęła mi do ucha.

Odchodząc do najciemniejszego kąta pokoju, znikła za tandetną zasłoną. Wymieniliśmy z Kochem spojrzenia. Usłyszeliśmy, jak przetrząsa jakieś rzeczy, rzuca pod nosem przekleństwa. Po chwili znów pojawiła się w bladym kręgu światła, niosąc coś w rękach. Niczym kapłanka Westy skłoniła się i włożyła zawiniątko w moje dłonie. Jeżeli materiał, którym owinięto pakunek, kiedykolwiek miał jakąś konkretną barwę, teraz całkowicie spranego koloru nie dałoby się określić. Pleśń pokryła go i odbarwiła włókna.

Próbując uporać się z paskami mocującymi zawiniątko, musiałem zdjąć rękawiczki. Wewnętrzne fałdy materiału były zabrudzone obrzydliwymi plamami barwy zardzewiałego brązu. Gdy odwijałem pakunek, mięsień policzka drgał mi w nerwowym tiku. I wreszcie trzymałem ten przedmiot w rękach. Długi na dwadzieścia centymetrów, w kolorze kości, prosty i cienki — nigdy nie widziałem podobnego narzędzia. Podałem je Kochowi, który uniósł je pod światło i badał jak jakiś egzotyczny okaz.

— Igła, panie — stwierdził, jak zwykle praktyczny i mocno stojący na ziemi, i oddał mi przedmiot. — Brakuje ucha. Nie ma też szpica.

Obróciłem go w palcach. Oto broń, która terroryzowała miasto. Fragment będący w posiadaniu profesora Kanta stanowił jej złamaną końcówkę, co do tego nie miałem wątpliwości. Rzecz nie zwracająca uwagi w kobiecym przyborniku, stercząc z karku martwego człowieka, nabierała przerażającej mocy.

— Tamtej nocy moja podopieczna wydała na świat ślicznego chłopczyka — mruknęła z satysfakcją Anna Rostowa. — Gdy rodziła, nakłułam ją tym: trzy razy w twarz, trzykrotnie w brzuch. Dziecko przeżyło, choć, wychodząc na świat, dusiło się pępowiną. Szatan je uratował. Ta dusza była tego warta. Wykorzystałam moc szpona do wyleczenia rozmaitych rodzajów dolegliwości, z którymi lekarze nie umieli sobie poradzić. Młódki przybiegają do mnie tłumnie, gdy spodziewają się dziecka...

Z ust Lublinskiego wydarł się jęk.

— Wiedziałaś, że mnie nie pomoże! — zawołał, przyciskając się plecami do ściany jak osaczone zwierzę. Nagle rzucił się na Annę.

— Uważaj, Lublinsky! Jesteś żołnierzem Jego Królewskiej Mości — ostrzegłem, występując do przodu, by go powstrzymać; położyłem mu dłonie na piersi i odepchnąłem do tyłu.

— Miała mi pomóc, jeślibym trzymał gębę na kłódkę — zawył jak oszalała bestia. — Nieźle z nich ciągnęła. Z ciężarnych kobiet, ze staruchów, którzy już nie mogli stanąć na wysokości zadania, z kalekich dzieci. Biała Czarownica, tak ją nazywają. Niech pan zajrzy do pomieszczenia na tyłach, panie prokuratorze. Niedobrze się panu zrobi. Niech pan sam zobaczy, czym Anna Rostowa zajmuje się dla pieniędzy.

Położyłem igłę na stole, chwyciłem świecę, przeszedłem przez pokój i rozsunąłem zasłonę służącą za drzwi. Kurz wzbił się w powietrze, w nozdrza uderzył mnie okropny smród, jakby jakaś cuchnąca bestia była tu zamknięta od początków Czasu. Zasłaniając nos peleryną, uniosłem migoczący płomień nad przysuniętym pod ścianę kuchennym stołem. Lepił się od brudu, pokrywały go rdzawe plamy zaschniętej krwi. Na stole leżały ułożone według wielkości noże, jakby przygotowane do chirurgicznego eksperymentu. Krew zaschnięta na ostrzach utworzyła mętny, pomarańczowy osad. W świetle świecy metal, pomimo brudu, lśnił i migotał. Na wąskiej półce nad stołem stał rząd brudnych garnków i rondli. Miedź połyskiwała słabym blaskiem. Niby kuchnia, ale nie taka, jaka należy do przyzwoitej gospodyni.

Zdjąłem jedno naczynie i zajrzałem do środka. Było w nim coś wyglądającego na dużą, zdeformowaną rzodkiew lub jakieś dziwaczne glony i wydawało okropną, słodkawą woń rozkładu. Nigdy wcześniej nie widziałem czegoś podobnego. Przypominało olbrzymiego, tłustego czerwia, zakrzepłego pod warstwą żelatyny, robaka z wystającymi wyrostkami, bladą, białą glistę. Przysunąłem latarnię bliżej i omal nie wypuściłem z rąk garnka. To nie były glony ani rzodkiew gnijąca w cuchnącym rosole, lecz ledwie rozwinięty płód, z uformowaną, większą od reszty ciała głową, przyciśniętą do piersi. Nie musiałem sprawdzać pozostałych garnków ani zastanawiać się, co działo się w tym domu.

Z obrzydzeniem zamknąłem oczy i wycofałem się z tego miejsca.

Lublinsky powitał mnie skwapliwie, światło ukazywało jedną stronę jego twarzy, reszta tonęła w ciemności.

— Spędzanie płodu, panie! Tym się zajmuje. Macie kłopot, dziewuszki? Szpon diabła rozwiąże wasz problem. Tak zwykle mówi. Tak żyje. Zapytaj, panie, dziewek na Haaf! Przychodzą tu ze szlochem, gdy natura spłata im figla...

— Ty kłamliwy kutasie! — zaskrzeczała kobieta i rzuciła się na Lublinskiego, zaciśniętymi pięściami zatoczywszy łuk w powietrzu. — Zabierzesz zarazę do samego piekła, razem z tą twoją gnijącą, cuchnącą gębą!

Lublinsky wrzasnął jak zarzynana świnia. I zaraz krzyk ustał, zdławiony, a żołnierz padł na podłogę, mocno przyciskając ręce do twarzy; szpon diabła, niczym monstrualne żądło, sterczał spomiędzy jego zaciśniętych palców. Strumienie krwi popłynęły po dłoniach, policzkach i szyi.

Koch padł na kolana obok Lublinskiego, który leżał płasko na plecach, z bólu gwałtownie uderzając o ziemię obcasami. Chrząknąwszy, sierżant pochylił się i zdecydowanym ruchem wyciągnął igłę. Buchnęła czerwona fontanna krwi, oblała mu twarz i dłonie. Lublinsky przez chwilę bełkotał i wił się, potem znieruchomiał. Koch donośnie wezwał na pomoc woźnicę i razem wynieśli rannego na zewnątrz. Obserwując ich poczynania, stałem niezdolny do ruchu, niczym żona Lota zamieniona w słup soli.

Gdy ocknąłem się z transu, Anny Rostowej nigdzie nie było widać. Pozostawszy sam, wreszcie zdołałem zaczerpnąć powietrza. Ale z ulicy Koch wołał rozpaczliwie, bym się pospieszył, już otwierał drzwi powozu.

— Potrzebujemy chirurga, panie! — poganiał mnie. — Bez pomocy wykrwawi się na śmierć.

Wsiedliśmy, a po chwili powóz już pędził z powrotem ciemną drogą do miasta, kołysząc się i podskakując na wyrwach i dziurach. Gdy ukazały się pierwsze światła Królewca, Lublinsky leżał bez ruchu na siedzeniu, z twarzą przykrytą płaszczem.

— Czy on jeszcze żyje?! — krzyknąłem, gdyż powóz z hukiem jechał po bruku, aż spod końskich kopyt sypały się iskry.

Koch nie odpowiedział, dopóki nie wjechaliśmy do twierdzy. Gdy zamknięto za nami bramę, odwrócił się do mnie.

— Zaniesiemy go do infirmerii. Biegnij do wartowni, panie, zawołaj żołnierzy. Wiedźmę należy ująć!

Czy coś odpowiedziałem? Czy byłem zdolny do sformułowania jakiegoś zdania, by dowieść, że wciąż jestem panem samego siebie? Koch przejął komendę. On decydował, on postanawiał, on wydawał rozkazy, gdy powóz zatrzymał się i wynieśliśmy Lublinskiego.

— Tędy, wasza wielmożność — dłonią wskazał mi kierunek.

— Tam, panie prokuratorze. Niech pan każe Stadtschenowi wysłać żołnierzy. — Potem odwrócił się do woźnicy, już nie zwracając na mnie uwagi. — Pomóż mi, człowieku! — rozkazał.

Biegłem, jak mi kazano, w ciemnościach, z nadzieją, że podążam w dobrym kierunku; potykałem się w zimnej, mokrej pustce. A gdy budynek wyłonił się nade mną z wirującej mgły, wyrażenie, którego użył Koch, głośno rozdzwoniło mi się w uszach.

— Znalazł pan zabójcę, wasza wielmożność.

Uświadomiłem sobie, że w dłoni ściskam igłę. Nie pamiętałem, kiedy ją zabrałem, palce lepiły mi się od krwi Lublinskiego. Przez całą drogę do miasta trzymałem w zaciśniętej dłoni szpon diabła, jak świadectwo Prawdy.

Siedziałem w wartowni, czekając na przyjście dyżurnego i wzmacniałem się szklaneczką podgrzanego wina. Wciąż znajdowałem się w stanie fizycznego i emocjonalnego wzburzenia, gdy Stadtschen wtarabanił się przez drzwi. Natychmiast powiadomiłem go, co się wydarzyło, i poleciłem wysłać uzbrojone patrole.

— Jak ona wygląda, wasza wielmożność?

Powoli, tam i z powrotem przemierzając tylną, szerszą część wartowni, starannie dobierałem słowa, pamiętając o tym, co Koch powiedział mi wcześniej tego wieczoru o „kobietach i brutalnych żołnierzach".

— Jest wysoka, Stadtschen. Około trzydziestki. Ubrana w... czerwoną suknię... — zaciąłem się. Czemu zaczynam od tak drobnych i nieistotnych szczegółów? Dlaczego ociągam się z podaniem informacji, które natychmiast pozwoliłyby ją rozpoznać? — Ona... jej nazwisko... Rostowa — dodałem niechętnie. — Jest albinoską.

— Jest c z y m, panie?

— Jest biała, Stadtschen. Cała, od stóp do głów — wyjaśniałem niezręcznie. — Cera, wargi, włosy. Białe niczym świeżo zmielona mąka.

— Znam ten wybryk natury, panie — oświadczył z szelmowskim uśmiechem. — Mówią na nią Anna.

Nie zadałem sobie trudu, by zapytać o okoliczności, w jakich ją poznał. Aż za dobrze potrafiłem je sobie wyobrazić; przed oczami błysnęła mi natrętna wizja. Gdy znikła, jej miejsce zajął lęk. Strach przed wprawieniem w ruch przykrych wydarzeń, które właśnie miały rozpętać się wokół tej kobiety. „Wybryku natury", jak ją nazwał.

— Zapowiedz swoim ludziom, by nie ośmielili się tknąć nawet włosa na jej głowie — rzuciłem ostro. — Czynię cię osobiście odpowiedzialnym za jej bezpieczeństwo, Stadtschen. Wczoraj Gerda Totz odebrała sobie życie po brutalnym potraktowaniu ją przez ciebie i twoich podwładnych. Przyprowadź tu Annę Rostową całą i zdrową. Bez jednego zadrapania. Czy wyrażam się jasno?

Stadtschen zesztywniał.

— Takie rzeczy zdarzają się, wasza wielmożność. Prawdę mówiąc, chłopcy każdemu nowo przybyłemu więźniowi wyprawiają odpowiednie powitanie — w ramach „zmiękczania". Nic w tym złego, panie prokuratorze. Winnych czy niewinnych, wszystkich, zanim stąd wyjdą, i tak czeka niezły wycisk.

Drgnąłem na myśl o wpadającej im w łapy Annie Rostowej.

„Prusy, ojczyzna bata i kija!" — roześmiała mi się w twarz ledwie dwie godziny temu. Jeżeli żołnierze tak surowo potraktowali istotę uległą i łagodną jak Gerda Totz, jak zareagują na albinoską piękność o ostrym języku, do tego zwykłą prostytutkę?

„...Ostatnim razem wymierzyli mi trzydzieści kijów. Podniecali się, gdy moje białe ciało spłynęło krwią".

Sprowokuje ich do najgorszych ekscesów, co do tego nie miałem wątpliwości.

Gdybym mógł odwołać dokładny opis, który podałem Stadtschenowi, zrobiłbym to. Ale na kłamstwa było już za późno. On ją znał. Jak teraz go przekonać, że popełniłem błąd? Czy uwierzyłby mi, gdybym powiedział, że kobieta, której poszukuję, jest mała, ciemna, tłusta i bardzo szpetna? Mogłem jedynie chronić Annę, mając ją pod własnym nadzorem, a im szybciej do tego dojdzie, tym lepiej.

— Słyszałem o barbarzyńskich ekscesach, do jakich dochodzi w pruskich więzieniach — powiedziałem ostro. — Nie chcę, by coś podobnego zdarzyło się i w tym przypadku.

Ledwie widoczny uśmiech pokazał się na twarzy Stadtschena.

— Sam wyprawiłeś niezłe powitanie Gerdzie Totz, wasza wielmożność. Wymierzyłeś jej porządnego kuksańca, jeśli wolno mi się tak wyrazić.

— I szczerze tego żałuję — warknąłem.

— Jeżeli ona umarła, panie — choć Stadtschen, umykając przed mym spojrzeniem, opuścił wzrok, ciągnął oskarżycielskim tonem — to dlatego, że nie zostawiłeś nam dokładnych instrukcji.

— Daję je t e r a z! — powiedziałem z naciskiem. — I należy mnie posłuchać. Annie Rostowej nic złego nie może się przydarzyć.

Stadtschen stuknął obcasami na znak, że zrozumiał, choć na jego twarzy wyraźnie było widać zmieszanie. On już uznał Annę Rostową za zbrodniarkę. I wiedział, jak z takimi należy się obchodzić. Mogłem mu tylko pozazdrościć jasności i pewności osądu. Sam fakt, że wykłuła oko żołnierzowi, dostarczył mu potwierdzenia, którego potrzebował. I był wręcz rozbrajająco szczery w swoich uprzedzeniach. Natomiast ja czułem się o wiele mniej pewny, bardziej podatny na wątpliwości. Zamiast cieszyć się ze zidentyfikowania zabójcy, wciąż się wahałem, czekając na ostateczny dowód.

— I jeszcze jedno, zanim odejdziesz — świadomie podarowałem poszukiwanej kilka dodatkowych sekund na ucieczkę.

— Niejaki Kopka zdezerterował z regimentu kilka miesięcy temu. Chcę przejrzeć historię jego służby.

Stadtschen zmarszczył czoło, głośno przełknął ślinę. Na jego twarzy ukazał się wyraz zatroskania, jakiego nie zdołała w nim zbudzić perspektywa polowania na Annę Rostową. Uciekł przede mną wzrokiem, nieskory do wyjaśnień. A gdy wreszcie odpowiedział, jąkał się, cedził słowa; najwyraźniej stąpał po niepewnym gruncie.

— Muszę... sprawdzić w dokumentach batalionu, co może być trudne, wasza wielmożność. Wiesz, panie, jacy są dezerterzy. Nie zostawiają za sobą wiele śladów, nawet żadnego, jeśli im się uda. Czego dokładnie chcesz dowiedzieć się o tym żołnierzu, tym Kopce, panie?

Uważnie przyjrzałem się jego twarzy — szerokiej, pucołowatej i czerwonej — w odcieniu surowej wołowiny. Małe czarne oczka zezowały, gdy zerkał na mnie ponad garbkiem nosa. Powstrzymywał oddech z takim wysiłkiem, że jego różowe policzki aż bielały. Albo duma z przynależności do armii kazała mu głęboko pogardzać dezerterami, albo coś przede mną ukrywał.

— Chcę wiedzieć, kim był i dlaczego uciekł — zażądałem.

— I pamiętaj o jednym, Stadtschen. Wszelki brak współpracy ze mną tu, w Królewcu, zgłoszę w raporcie władzom w Berlinie. Jak mi się zdaje, wojskowy termin na rzucanie kłód pod nogi to „bezczelne zuchwalstwo". Zanotuję wszelkie oznaki podobnego zachowania. Nazwiska, daty, wszystkie szczegóły znajdą się w mym raporcie. Nie będę robił żadnych wyjątków. A teraz wyślij ludzi za tą kobietą i poucz ich, jak mają się zachowywać, a także przynieś mi wszelkie informacje dotyczące Kopki. Będę czekał u siebie na kwaterze. Przyślij mi Kocha, gdy tylko wróci. O ujęciu Anny Rostowej mam zostać natychmiast zawiadomiony. Zrozumiano?

— Tak jest, wasza wielmożność — szczeknął Stadtschen. Odwrócił się na pięcie i odmaszerował.

— Biegiem! — zawołałem za nim.

Gdy znalazł się na korytarzu, usłyszałem, że ruszył kłusem.

Osuszyłem do dna szklankę słodkiego, letniego wina, potem wziąłem lampę olejną i poszedłem do siebie, na górę. Nic więcej nie mogłem zrobić. Po otwarciu drzwi natychmiast zauważyłem list na stole. Porządnie złożony i zapieczętowany, oparty był o lichtarz. Od razu poznałem charakter pisma. W innych okolicznościach, rozradowany, pospieszyłbym złamać pieczęć. Ale tamtej nocy ociągałem się, mrużąc oczy jak rekonwalescent, który po raz pierwszy od tygodni spędzonych w łóżku, przy szczelnie zasłoniętych oknach, czuje na twarzy ciepło promieni słonecznych. Zanim przystąpiłem do otwarcia koperty, usiadłem.

Helena postanowiła odwiedzić Ruisling. Dzieci zostawiła pod opieką Lotte, a sama wsiadła do porannego dyliżansu. Ruisling leży piętnaście mil od Lotingen, podróż trwa niewiele ponad godzinę, ale nigdy nie wybraliśmy się tam razem. Oto jak przedstawiła cel swego wyjazdu: „pozwolić wreszcie nieszczęsnemu duchowi zasnąć w spokoju". Helena miała zawsze wielce sentymentalną naturę, była czuła, otwarta i szczera jak złoto. Niezmiennie budziła we mnie podziw wrażliwością na potrzeby innych i głęboką troską o wszelkie istoty, duże i małe, o mnie i o nasze dzieci. Jeżeli trzeba było wyrazić coś na głos, znajdowała właściwe słowa. Jeśli należało coś uczynić, nigdy się nawet nie zawahała. Zawsze kochałem i ceniłem te cudowne cechy jej charakteru. Jej serce było dla mnie kompasem.

I nagle ta dobroć podziałała mi na nerwy. Wolałbym czytać bezbarwny list, od mniej przedsiębiorczej żony. Myśl o niej przy grobie mego brata zdawała się nie do zniesienia. Czy nie czuła otwierającej się pod stopami przepaści? Nie rozumiała tajemnicy tego miejsca? Ten grób był ciemną dziurą, w której pochowałem własną duszę.

Chciałam odmówić modlitwę nad mogiłą Stefana — napisała. — *I poprosić go, by czuwał nad tobą w Królewcu. Pomyślałam sobie, że najlepszym sposobem na uporanie się z przeszłością będzie pozostawienie siostrzanego pocałunku na jego grobie.*

Wiedziałem, co nastąpi, jeszcze nim przeczytałem dalsze słowa. Mój ojciec, z kapeluszem w dłoni, ubrany na czarno, codziennie medytował przed figurą płaczącego anioła na naszym rodzinnym grobowcu. Przebywał tam w samotności, w deszczu czy w słońcu, każdego ranka, od jedenastej do momentu, gdy zegar wybijał południe.

Domyśliłam się, że to on, jak tylko go ujrzałam. Podeszłam do niego od razu, wyjaśniłam, kim jestem i dlaczego musiałam przyjść. Powiedziałam mu, gdzie teraz przebywasz i że Jego Królewska Mość wezwał cię na służbę. — *Powinieneś, panie, być wielce zadowolony z Hanna* — *oświadczyłam.* — *Twój syn otrzymał misję wielkiej wagi. Możesz być z niego dumny, panie.*

Przestałem czytać. Mogłem wyobrazić sobie tę scenę. Po jednej stronie radosne ożywienie i prostota manier, po drugiej kamienna twarz człowieka, który dał mi życie i na zawsze mnie od siebie odepchnął; który winił mnie za śmierć najdroższej żony i ukochanego syna. Ojciec w milczeniu wysłuchał apelu Heleny. Potem, zanim odwrócił się i oddalił, powiedział jedno zdanie.

— Porzuć Hanna, póki jeszcze możesz.

Wbiłem wzrok w słowa widniejące na papierze. Głos mego ojca odbijał mi się w uszach twardym echem, gorzkim i nieubłaganym.

Nie potrafię sobie wyobrazić przyczyny podobnej nienawiści ojca do syna — ciągnęła. — *O co on cię obwinia, Hanno, co takiego zrobiłeś?*

Zmiąłem list w kulkę i rzuciłem na stół. Moje serce było jak zamarynowane w occie — ze wstydem muszę wyznać, że nie poczułem absolutnie niczego. Jakbym nie miał dość siły, by zareagować na te gorzkie wiadomości. I także nie potrafiłem odpowiedzieć na pytanie Heleny.

„Co takiego zrobiłeś?"...

Zachowanie mego ojca, przedwczesna śmierć brata, zgon matki, sama Helena, nasze dzieci — wydawało się, że to wszystko należy do innego życia. Wiedziałem, że jestem z nimi związany, ale stopniowo o nich zapominałem. Królewiec, jak w kalejdoskopie, wciąż przybierał inną postać, migoczące obrazy zmieniały się z chwili na chwilę i trudno by było, jeżeli nie całkiem niemożliwe, mocno przytrzymać się którejś z tych barwnych wizji.

Potrzebowałem odpoczynku, krzepiącego snu, ale ciemna cela, w której się znalazłem, oferowała niewiele wygód. Od nagich kamiennych ścian wiało lodowatym chłodem, tak zresztą jak i od stojącego w kącie pieca z dawno wygasłym paleniskiem. Jakże brakowało mi trzaskającego ognia w Bałtyckim Wielorybniku, gorącej wody, którą Moritz dostarczył mi do toalety, wyśmienitej kuchni Gerdy Totz, dobrze zaopatrzonej piwniczki Ulricha Totza. Rozpiąwszy pantalony, skorzystałem z jedynej wygody, jaką tu dysponowałem, z wystającego spod łóżka nocnika. Ulżywszy sobie, wyjąłem z kieszeni szpon diabła, odwinąłem go z brudnego gałganka i położyłem na stole, obok lampy. Chyba siedziałem tak przez dłuższy czas, niezdolny do oderwania wzroku od tego przedmiotu, a w głowie, jak echo nad fiordem grzmotu, dźwięczały mi natarczywe pytania. Co to takiego? Skąd się wzięło? Dlaczego zabójca wybrał tak niezwykłe narzędzie? I przez cały czas, niczym huk pioruna rozdzierający ciszę ciemnego nieba, brzmiał mi w uszach głos sierżanta Kocha: „Znalazł pan zabójcę, wasza wielmożność".

Czy była nim Anna Rostowa? Gdyby rzeczywiście ona okazała się odpowiedzialna za te zbrodnie, problemy Królewca i moje własne wnet by się skończyły. Oczywiście, pragnąłem odkryć winowajcę, ale ani w połowie nie zależało mi tak na złapaniu Anny Rostowej. Totz i jego żona stracili życie z mojej winy, to nie ulegało wątpliwości. Stadtschen bronił swych żołnierzy, jak każdy przełożony. A ja, musiałem to przyznać, nie zapewniłem więźniom należytej ochrony, co było moim obowiązkiem. Powinienem był przewidzieć skutki takiego zaniechania. Koch ostrzegał mnie przed konsekwencjami, które mogła spowodować moja obojętność na los więźniów, ale ja postanowiłem zignorować jego mądre rady. Żołnierze doprowadzili Ulricha Totza na skraj wytrzymałości, a jego wierna żona przekroczyła wraz z nim tę granicę. A teraz te same bestie poszczułem na Annę Rostową. Gdziekolwiek się obróciłem — pomyślałem o Moritzu, Lublinskim, o ojcu, matce i bracie — wszędzie przynosiłem ze sobą zniszczenie.

Zupełnie jak morderca, na którego polowałem.

W wyobraźni zamajaczyła mi albinoska — niesforne, jedwabiste loki, biała niczym szron cera, światło w oczach, gdy mówiła, pełne, zmysłowe wargi. Widziałem, jak się pieści, zanurzając palce w głębokiej, ciepłej przepaści między krągłymi piersiami.

Te same palce chwyciły szpon diabła i upuściły Lublinskiemu krew. Uderzyłem ją, dotknąłem jej ciała. Jakże kokieteryjnym zachwytem skwitowała moją demonstrację gniewu! Jej uroda kryła w sobie niebezpieczeństwo. Anna Rostowa... nawet w jej imieniu i nazwisku było coś magicznego. Zło i powab w równych ilościach zmieszane ze sobą. Opadłem na łóżko, jej postać ukazywała się przede mną wyraźna i rozwiązła. Te obrazy rozniecił we mnie pożądanie. Puls mi przyspieszył, oddychałem szybciej. Usiłując uspokoić zmysły, przywoływałem twarz Heleny — pieściłem ją, a ona odwzajemniała moją miłość, droga mi nad życie, moja kochana małżonka... ale szpon diabła leżał obok, na stole. Co takiego Anna powiedziała? „Pogłaskać ci wiosełko szponem diabła, tego byś chciał, wielmożny panie?" Ukryłem twarz w poduszce, zmusiłem się do wyobrażenia sobie włosów Heleny, zapachu jej skóry i dotyku jej warg na mych ustach. Ale zmysłowe obrazy szalały w mej udręczonej głowie i zatruwały mi duszę.

Zerwawszy się, usiadłem i knykciami palców mocno przycisnąłem powieki. Anna Rostowa reprezentowała zło. Z ł o! Lublinsky uważał ją za czarownicę. Czyżby o to chodziło? Rzuciła na mnie urok? Skąd inaczej we mnie to pragnienie chronienia jej?

— Dowód — wypowiedziałem to słowo na głos, powtarzałem je wciąż od nowa. Potrzebowałem dowodu. Potwierdzenia jej winy. Dopóki go nie uzyskam, nie powinna jej spotkać żadna krzywda.

Podszedłem do stołu, usiadłem i zacząłem układać list do Heleny. Nie całkiem pamiętam, co pisałem, w każdym razie czyniłem to gorączkowo. Jakbym w ten sposób mógł oczyścić umysł z niepokoju, który tak bardzo mi dokuczał. Ręka mi drżała, przesuwając się po stronie. Ta dłoń mogłaby należeć do innego mężczyzny. Podpisałem list, zapieczętowałem, potem otwarłem drzwi i wezwałem stojącego na końcu korytarza wartownika. Przybiegł pospiesznie i zatrzymał się przede mną. Dłonie trzymające broń miał sine z zimna, zielone oczy zawilgocone od hulającego nad pasażem wiatru.

— Rozkazy, wasza wielmożność?

Skinąłem głową i pokazałem mu list.

— Należy dostarczyć do Lotingen. Pilne.

Czy w istocie tak było? Chciałem uspokoić Helenę, powiadomić ją, że śledztwo posuwa się do przodu, że wnet wrócę do domu, do niej i dzieci, że wszystko powróci do normalności, dawne urazy pójdą w niepamięć. Żadnych więcej morderstw, Królewiec zostanie tylko wspomnieniem, Vigilantius, jego słoje z ludzkimi głowami, Lublinsky... wszystko to będzie już snem, całkowicie zapomnianym. A co z Anną Rostową? Jeżeli rzeczywiście była morderczynią, z radosnym sercem podpiszę na nią wyrok śmierci.

Jeżeli, jeżeli, jeżeli...

— Wasza wielmożność?

Żołnierz stał i wpatrywał się we mnie. Jak długo kazałem mu czekać, trzymając w wyciągniętej dłoni list, który jego palce delikatnie próbowały mi odebrać, pokonać mą niechęć do oddania go.

— Przesyłka jest niezwykle pilna — powtórzyłem i pozwoliłem mu zabrać list.

Odprowadzałem go wzrokiem, aż doszedł do końca korytarza, potem zamknąłem drzwi i ponownie położyłem się na łóżku. Ale sen wciąż nie nadchodził. Czułem się niespokojny, obolały. Pomimo wyznania Lublinskiego, pomimo ran, jakie zadała mu ta kobieta, i choć narzędzie zbrodni znajdowało się w jej posiadaniu, coraz mniej byłem pewny, że to ona jest zabójczynią. Anna

Rostowa nie była głupia. Lublinsky mógł uwierzyć w lecznicze właściwości szponu diabła, ale ona? Zbyt dobrze znała życie, za dużo wiedziała. Spędzała płód, była ladacznicą, należała do przestępczego światka, zarabiała na życie, żerując na prostaczkach. Po co by miała zabijać kurę znoszącą złote jaja? Żyła z takich jak Lublinsky, poczynając od akuszerstwa, kończąc na uśmiercaniu niemowląt. Morderca zabija dla zysku, rzadko na tym traci. Czy sianie terroru na ulicach Królewca służyłoby jej celom?

A jeżeli nawet, to jakim?

Koch podsunął mi motyw: ofiary z ludzi składane szatanowi w zamian za moc i bogactwo. Jednak zabobony, uroki i magia należały do narzędzi wykonywanej przez Annę profesji, dzięki nim zarabiała. Śmierć nie przyniosłaby jej bezpośredniego zysku. Jeżeli złoto nie było celem, pomyślałem w końcu, to poczynania tej kobiety pozostało mi jedynie tłumaczyć złem samym w sobie i niczym więcej. Będę więc musiał otwarcie oskarżyć ją o zadawanie się z diabłem. Wystąpić w obrzydłej roli Sprengera czy Institorisa. Czytałem ich *Malleus Maleficarum*. W mrocznej epoce średniowiecza ci dwaj sędziowie o ciasnych umysłach skazali niezliczoną liczbę kobiet na próbę pławienia, w imię świętej religii oddawali je wzniecanym na placach publicznych płomieniom. Będę zmuszony uczynić to samo w imię Prus. Czy zostanę uwieczniony w przyszłości jako „Stiffeniis, młot na czarownice w epoce oświecenia"?

Rozległo się pukanie do drzwi i natychmiast ogarnęło mnie uczucie ulgi. W tej chwili z radością powitałbym każde oderwanie mnie od dręczących myśli.

Potężna postać Stadtschena blokowała drzwi; w mroku jego twarz zdawała się nieprzeniknioną maską, a i gdy przekroczył linię światła, malujący się na niej wyraz bynajmniej nie dodawał otuchy.

— Złapali ją? — zapytałem pospiesznie.

Potrząsnął głową, po czym wyjął zza pleców brązową papierową teczkę i podał mi.

— Kopka, wasza wielmożność — oznajmił.

— A więc nie miałeś trudności ze zdobyciem informacji?

Odwrócił wzrok.

— Nie musiałem zbytnio szperać — mruknął.

— Tym lepiej — nie kryłem zadowolenia.

Pochylił głowę i przez chwilę, w tym ciasnym pomieszczeniu, trwaliśmy tak naprzeciw siebie.

— Wiedziałem, gdzie szukać, wasza wielmożność — wyznał cichym głosem. — Znałem Rudolpha Kopkę. Zresztą i tak wiedziałbym, gdzie znaleźć te papiery, gdy tylko wspomniał pan o dezerterze.

Jego oblicze straciło ponury wyraz. Zadrgały napięte mięśnie szczęk.

— A więc gdzie, Stadtschen?

— „Martwi żołnierze", wasza wielmożność. Tam są jego dane.

— Martwi? Przecież Kopka zdezerterował z regimentu, czyż nie?

— Owszem, wasza wielmożność...

— Może... sąd wojenny?

Potrząsnął głową, uśmiechnął się słabo.

— To nie tak się odbywa, panie.

Odebrałem mu akta i usiadłem na łóżku, by je przeczytać. W teczce znalazłem trzy kartki papieru; przyjrzałem się pierwszej.

RAPORT

Rankiem dwudziestego szóstego bieżącego miesiąca Rudolf Adolf Kopka, zbieg z trzeciego regimentu żandarmerii, został ujęty przez grupę poszukiwawczą w lesie na południowy zachód od Królewca. Oddalił się był samowolnie na cztery dni. Nie ustalono motywu ucieczki. Nim zamknięto go w celi, przesłuchiwany przez przyjmującego oficera, podporucznika T. Stauffelhna, nie potrafił usprawiedliwić swej nieobecności. Dokonawszy oględzin zatrzymanego, pułkownik doktor Franzich stwierdził u więźnia uszkodzenie krtani w wyniku silnego uderzenia w szyję. Według raportu oficera prowadzącego pościg, w momencie zatrzymania uciekinier spadł z konia, zahaczywszy o nisko zwisającą gałąź. Kopka pozostanie w więziennej infirmerii do czasu, gdy można go będzie przesłuchać i zbierze się sąd wojskowy.

Podpisał kapitan Ertensmeyer, dowódca kompanii.

Na drugiej kartce widniało potwierdzenie diagnozy: „Uszkodzenie krtani spowodowane mocnym uderzeniem w szyję". Podpisał lekarz regimentu.

Trzeci arkusz, świadectwo zgonu, podpisał ten sam medyk, a poświadczył kapitan Ertensmeyer: „Więzień zmarł od odniesionych ran".

Znowu uderzyły mnie poważne niedociągnięcia tej dokumentacji. Jakbym miał przed sobą mozaikę z brakującymi elementami. Po pierwsze, kto był tajemniczym oficerem stojącym na czele pościgu, człowiekiem, który poprowadził polowanie na Rudolfa Kopkę i poświadczył wypadek, będący przyczyną utraty przez pochwyconego mowy i ostatecznie powodem jego śmierci? Dlaczego nie podano jego nazwiska?

— Kto prowadził pościg, Stadtschen?

— Nic mi o tym nie wiadomo, wasza wielmożność.

— Czy Kopka zmarł w więzieniu? — zapytałem, odkładając papiery.

Stadtschen stanął na baczność, ale zwlekał z odpowiedzią.

— Tak jakby, wasza wielmożność.

— A więc? W więzieniu czy nie?! — wybuchnąłem.

— W samej rzeczy, wasza wielmożność.

— Od tej rany na szyi? Czy z jakiegoś innego powodu?

Stadtschen najpierw skierował wzrok na ścianę, potem uniósł oczy w górę, na sufit.

— Z innego powodu, wasza wielmożność — powiedział głosem pozbawionym wszelkiego wyrazu.

Dałem mu kilka minut na ochłonięcie, a sam przez ten czas w milczeniu przemierzałem pokój tam i z powrotem.

— Co się naprawdę dzieje w przypadku dezercji, Stadtschen? Gdy wspomniałem o sądzie wojennym, powiedziałeś, że to tak nie działa. A więc jak?

Stadtschen nadal w milczeniu wpatrywał się w sufit, jakby jego własną krtań usunięto chirurgicznie.

— Ostrzegam cię ostatni raz — rzuciłem ostro. — Mów wszystko, co wiesz. Tu nie chodzi o wojskową dyscyplinę. W tej sprawie nie mam nic do powiedzenia. Interesuje mnie wyłącznie mordowanie niewinnych cywilów. Co dzieje się z dezerterem, gdy zostanie ujęty?

Stadtschen odkaszlnął nerwowo.

— Nie staje przed wojskowym sądem, wasza wielmożność. Zhańbił mundur, karę wymierzą mu koledzy z regimentu, dumni z noszonych barw.

— J a k ą karę? To chcę wiedzieć!

Stadtschen głośno westchnął.

— Kompania staje w dwóch szeregach, twarzami do siebie. Potem, pod jakimś pretekstem — jak spacer do wygódki czy zmiana celi — dezertera zmusza się do przejścia między tymi szeregami.

— Wydaje się to dość niewinne... — zachęcałem go do dalszego mówienia.

— Każdy żołnierz ma w ręce gruby kij — dodał Stadtschen wolno. — I nie zawaha się przed użyciem go.

Patrzyłem na niego z uwagą przez kilka chwil.

— Jednym słowem, Kopka został pobity na śmierć. Czy tak?

Stadtschen milczał. Stał wpatrzony w przestrzeń przed sobą, z oczami niczym pociemniałe krzemienie. Po chwili wolno skinął głową.

— I to oficer prowadzący pościg nadzoruje tę ostateczną karę?

Odpowiedź nadeszła od razu.

— Prawdopodobnie, wasza wielmożność. W takich przypadkach rzadko wspomina się nazwisko.

— Jak sądzę, władze wiedzą o tych nielegalnych praktykach — stwierdziłem, podnosząc kartki papieru i przebiegając po nich wzrokiem.

Usta Stadtschena skrzywiły się w niewyraźnym uśmiechu.

— Nie oficjalnie, wasza wielmożność. A w armii, jeżeli coś nie jest oficjalne, to jakby nigdy się nie wydarzyło.

Zamknąłem oczy, potarłem powieki. Lista zgonów w Królewcu nie miała końca. Czworo ludzi zamordowano na ulicach z powodu, jakiego nikt nie umiał sobie wyobrazić. Moritz był piąty. Totzowie — sześć i siedem. Rhunken — ósmy. A teraz mogłem dodać do listy Rudolfa Adolfa Kopkę.

— Możesz odejść, Stadtschen. No już — mym słowom towarzyszył gest dłoni.

Gdy drzwi się zamknęły, a oddalające się korytarzem kroki ucichły, rzuciłem się na łóżko, z głową pełną kłębiących się sprzecznych myśli. I ten chaos trwał do momentu, gdy w końcu ogarnął mnie sen. Przede mną otwarła się ciemna pustka, próżnia, nie nawiedzana przez Moritza ani Totzów. Lublinskiego także nie było nigdzie widać, Kopka żył i wypełniał swe obowiązki wraz z zadzierzystymi kompanami. Śliczna twarz Heleny przegoniła tę drugą, o bladej cerze, w aureoli srebrzystych włosów.

Gdy się zbudziłem, pierwszy blask świtu oświetlał wąskie szpary okien, a nade mną, niczym niesamowite wcielenie rannego słońca, pochylało się długie, blade oblicze sierżanta Kocha. Siedział na krześle obok mej pryczy.

— Cieszę się, że udało się panu choć trochę odpocząć, wasza wielmożność — powiedział cicho.

Chłód w pokoju jakby zelżał.

— Zapalił pan w piecu, Koch? — zapytałem. — Nie słyszałem, jak pan wchodził.

— Jestem tu już od jakiegoś czasu, panie. Czekając, postanowiłem się do czegoś przydać. Nie chciałem przeszkadzać. No bo i po co?

Natychmiast usiadłem na łóżku.

— Czy Lublinsky zmarł?

Koch potrząsnął przecząco głową. — Może stracić wzrok, tak twierdzi lekarz. Rana jest głęboka i zachodzi niebezpieczeństwo infekcji, a na to nie ma ratunku. Ale będzie żył.

— Gdzie jest teraz?

— W izolatce, w infirmerii w koszarach.

— A Anna Rostowa?

Koch potrząsnął głową.

Opadłem na poduszkę, oddychałem już swobodniej.

— Uważasz ją za winną tych zbrodni, nie mylę się, Koch?

Sierżant opuścił wzrok na swe dłonie. Nim się odezwał, przyglądał się palcom tak uważnie, jakby trzymał w nich talię kart.

— Wiele na to wskazuje, nie sądzi pan, wasza wielmożność? Wiemy, że poza Lublinskim niejednego skrzywdziła tym obrzydłym szponem diabła. Pamięta pan, co ona praktykuje na tyłach swej nory? Za to grozi więzienie, i to na długo.

— Ale czy popełniła te morderstwa, Koch?

Anna Rostowa spędzała płody, była prostytutką, niemal oślepiła Lublinskiego i oszukała wielu ludzi, ale jeżeli nie pojawi się solidny dowód na jej udział w zabójstwach, nie potraktuję zbyt surowo tych mniejszych przestępstw.

— Kopka nie żyje — powiedziałem, przeskakując myślami do najświeższego horroru. — Poddano go chłoście.

Koch zmarszczył czoło.

— Kopka, kto to taki, panie?

— On i Lublinsky zostali wysłani po ciało Jana Konnena. Sporządzili raporty i szkice także z miejsca drugiego morderstwa. Ale jakiś czas potem Kopka zdecydował się na dezercję. Co mogło go do tego pchnąć, jak sądzisz, Koch? Przecież wiedział, jaki spotka go los, jeżeli zostanie ujęty. Najwyraźniej wiedzą to wszyscy żołnierze, Lublinsky także. Dlatego pewnie on nigdy nie próbował uciec...

— Na Boga — mruknął Koch. — Sądzi pan, że to sprawka Lublinskiego?

Wzruszyłem ramionami.

— Gdyby Anna Rostowa była morderczynią, Lublinsky odpowiadałby za współudział — i to miałoby sens. Może Kopka zauważył, co się dzieje, i uciekł w strachu przed tym, co Lublinsky i Rostowa mogli mu zrobić? Istnieje oczywiście taka możliwość. Dopóki jej nie złapiemy...

Wciąż ściszałem głos i teraz mówiłem już szeptem. Później przez chwilę milczeliśmy.

— Nie wierzę w istnienie żadnego wyraźnego, racjonalnego wytłumaczenia tych zbrodni, panie Stiffeniis — oświadczył Koch z głębokim przekonaniem.

Przyjrzałem się jego twarzy. Była nachmurzona, blada, odbijała moje własne zagubienie i frustrację.

— Nie nadążam za panem, Koch.

— Zaczynam rozumieć punkt widzenia profesora Kanta, wasza wielmożność — wyznał, próbując się uśmiechnąć. — Czy przypomina pan sobie, co profesor powiedział o przyjemności zabijania? Według jego słów czyste zło istnieje w namacalnej postaci, jest prawdziwe. Naturalnie, poznanie motywu zbrodni wielce ułatwiłoby nam sytuację, ale jeśli taki nie istnieje? — niespokojnie popatrzył w dół, na swe dłonie, potem znów uniósł wzrok. — Anna Rostowa reprezentuje zło. Co do tego nie ma najmniejszych wątpliwości, wasza wielmożność. I nie potrzeba panu żadnego dowodu, by uznać ją winną. Kodeks pruski z roku 1794 nadal obowiązuje i człowiek nie podlega zasadzie *habeas corpus.* Jako że lada moment armia napoleońska może wtargnąć do kraju, minister von Arnim wyraźnie uznał za konieczne wprowadzenie prawa wojennego. Sam czytałem jego okólnik, wasza wielmożność.

— Ale jaki mam postawić z a r z u t, sierżancie? Czary? — przerwałem mu gniewnie. — Bo jakaś kobieta twierdzi, że potrafi wywołać diabła? Jeszcze nie tak dawno podobne oskarżenie rozpaliłoby pod nią stos. Jeżeli mam oskarżyć Annę Rostową o cokolwiek — choćby o zadawanie się z diabłem — muszę to jasno określić.

— W przeciwieństwie do waszej wielmożności, pan profesor Kant nie zniechęciłby się tak bardzo brakiem motywu zbrodni — natychmiast zaatakował Koch.

— Co takiego? — oburzyłem się, zaszokowany powagą oskarżenia.

— Proszę wybaczyć, wasza wielmożność — powiedział sierżant, kręcąc głową. — Najwyraźniej nie istnieje racjonalna przyczyna wydarzeń w Królewcu. Choćby to nagłe zainteresowanie się Kanta morderstwem. Czy można by określić je jako dorzeczne?

Koch wiedział o mym szacunku dla filozofa, był świadkiem wyjątkowego kontaktu, jaki istniał między nami. A jednak, zdałem sobie sprawę, awersja do profesora Kanta przeważała w nim nad poczuciem lojalności wobec mojej osoby.

— Zainteresowanie się Kanta morderstwem, jak to nazywasz, może zapobiec wojnie, Koch. Chyba nie zapomniałeś naszej rozmowy z generałem K.? Aż się palił do działania i omal nie dałem mu upragnionego pretekstu. Byłem przekonany o istnieniu spisku jakobińskiego, kryjącego się za tymi wszystkimi wydarzeniami. I tylko dzięki pomocy Kanta i zawartości jego laboratorium naprawiłem swój błąd.

— Niemniej, panie — odrzekł pospiesznie Koch — w mieście jest wiele osób posiadających wyższe kwalifikacje do zajęcia się tą sprawą niż profesor Kant. Być może powinienem powiedzieć: b y ł o...

— Masz na myśli prokuratora Rhunkena?

— Tak jest, wasza wielmożność — odrzekł, badając moją reakcję. — Profesor Kant sprawił, że odsunięto go od śledztwa, bo chciał, byś ty, panie, je poprowadził. Ale jeżeli łaskawie pozwoli mi pan na szczerość, było to postępowanie wysoce nieregulaminowe. Pan nie miał doświadczenia w podobnych przypadkach. Sam mi pan to powiedział, gdy przybyłem do pańskiego biura w Lotingen.

„Tylko ktoś, kto wędrował krainą cieni"...

Jak miałem sprawić, by Koch zrozumiał, czym się kierowałem, postanawiając zostać sędzią? Jak wyjaśnić rolę odegraną przez Immanuela Kanta przy podejmowaniu przeze mnie tej decyzji?

— Sądziłem, że u podstaw tego wszystkiego leży filozofia — ciągnął w zamyśleniu Koch. — Pan podziela jego zainteresowanie racjonalną metodą analizowania faktów. „Może t a n a - u k a czyni ich innymi", pomyślałem. Ale czy to filozofia zachęca do przechowywania ludzkich szczątków w szklanych słojach? Czy kierując się jej przesłankami, można zmuszać żołnierzy do robienia czegoś, co napawa ich większym wstrętem niż cokolwiek, z czym zetknęli się na polu walki? Cóż to za filozofia, która każe prostemu żołnierzowi wziąć ołówek i rysować zmarłych? Lub przechowywać martwe ciała pod śniegiem w cuchnącej piwnicy, gdzie czekają na pokazanie się księżyca? Mogę się założyć, że miała ona także wpływ na Lublinskiego. Te bzdury o diable! W całej tej sprawie nie znajduję ani wyraźnego motywu, ani logicznego wyjaśnienia...

Spróbowałem przerwać potok jego słów.

— Wszystko to może wydawać się panu dziwne, Koch, nie na miejscu, a nawet bezcelowe. Ale profesor Kant stworzył w swym laboratorium nową metodę, a raczej, powiedziałbym, nową dziedzinę wiedzy. Rewolucjonizuje nasz sposób myślenia. Nowe pomysły zawsze zadziwiają. On działa w poszukiwaniu jasności i prawdy.

Koch podniósł palec, jakby prosił o głos. Głęboka zmarszczka niepokoju przecięła mu czoło.

— Czy mogę dokończyć, wasza wielmożność?

— Proszę bardzo — zgodziłem się, powstrzymując się od dalszej obrony Kanta.

— Tuż przed świtem jeszcze jedna myśl przyszła mi do głowy i nadal mnie prześladuje. Profesor Kant okazuje niezdrowe zainteresowanie mechanizmami zła. Nic a nic nie obchodzi go policyjny aspekt śledztwa. Choćby dziś rano, nad Pregel, ten poławiacz węgorzy powinien był zostać przesłuchany. A tymczasem odesłaliśmy go. Profesor Kant ma ważniejsze rzeczy na głowie. Próbuje wejść w skórę mordercy, poznać zło, dotrzeć do jego istoty. A co do laboratorium — nigdy nie widziałem nic równie diabolicznego.

„Kraina cieni"...

— Wstrętem napełniało mnie to, co tam ujrzeliśmy — ciągnął Koch — natomiast panowie zdawaliście się wręcz w swoim żywiole. Dzielicie wiedzę, która daleko przekracza moje możliwości pojmowania, wasza wielmożność. „Jeżeli to ma być filozofia — pomyślałem sobie — mogę się bez niej obejść".

Może i sierżant Koch był przerażony, ja natomiast wręcz osłupiałem, słysząc, co on sądzi o poczynaniach profesora Kanta i moich, podejmowanych w imię przeświętej filozofii.

— Czy pan naprawdę uważa, że Kant wierzy w siłę rozumu, wasza wielmożność? — brnął dalej Koch z pełną niedowierzania miną. — Po tym, co widzieliśmy w tamtym pomieszczeniu?

— Pan, Koch, najwyraźniej nie — odparowałem z goryczą. Nie zareagował na mą uszczypliwość.

— Prawdę mówiąc, byłem wstrząśnięty — ciągnął. — Dziś rano nad brzegiem rzeki jak sęp zawisł nad ciałem tego biednego zamordowanego chłopca. Każdy przyzwoity człowiek wzdrygnąłby się na podobny widok, ale on bynajmniej. Jakby jego umysł czerpał wręcz nadludzką energię ze zwłok. To samo wrażenie odniosłem w tamtym pokoju. Zauważyłeś ten płomień w jego oczach, panie? Był wręcz oszalały z podniecenia. Głos mu przybrał na sile, całkowicie zmienił się wyraz jego twarzy. A przecież on ma osiemdziesiąt lat...

Koch przerwał na moment i zatarł dłonie, jakby chciał je oczyścić.

— Jego zachowanie przeraziło mnie, panie. Jakby napawał się obecnością śmierci. Wcale nie poczuł się przy niej mały, pokorny. O nie, powiedziałbym, że był zafascynowany jej istnieniem w sposób nie do końca... zdrowy.

Zrobił pauzę przed ostatnim słowem. Potem czekał na moją odpowiedź. Ale nie znalazłem jej. Wprawdzie nie wspomniał nic na temat mojego zachowania, ale nie krył się ze swym chorym wręcz przekonaniem, że ja także podzielam dziwaczne zainteresowania Kanta.

— Proszę nie marnować czasu na próbę wyjaśnienia, co pchnęło Annę Rostową do zbrodni, wasza wielmożność. Tłumaczenie niech pan zostawi profesorowi Kantowi. On znajdzie jakąś odpowiedź.

Jak mogłem bronić filozofa przed równie przewrotną interpretacją jego intencji? Immanuel Kant zgromadził w swym laboratorium materiał dowodowy w imię zrozumienia i nauki. Z tych samych powodów udał się nad rzekę Pregel. Nie „zawisł niczym sęp" nad ciałem Moritza, jak nie żywił się energią trupa. Szukał prawdy, niezależnie od szkód, jakie mógł wyrządzić swemu wielkiemu umysłowi i kruchemu ciału. A ja byłem jedynym człowiekiem, który rozumiał jego metody na tyle, by móc mu pomóc. Czyżby dla Kocha nie było to oczywiste?

Rozpaczliwie szukałem jakiegoś przekonującego argumentu, by odeprzeć zarzuty sierżanta, i rozejrzawszy się, zauważyłem leżącą na podłodze kartkę papieru. Musiała mi wypaść z kieszeni. Poprzedniego wieczoru zrobiłem szkic odcisków stóp pozostawionych na śniegu za domem profesora Kanta. I w jednej chwili doznałem olśnienia. Zupełnie jakbym przechadzał się po nieskończonym, milczącym lesie, z którego rozszczebiotane ptaki uleciały przy pierwszym ataku zimowych chłodów.

— Pokażę panu coś, Koch, dowiodę, że profesor Kant nie fascynuje się złem. Udowodnię to! — Jakże mogłem zapomnieć o tak ważnym elemencie dowodowego materiału. — Natychmiast wezwijcie powóz. Nasze własne oczy powiedzą nam, czy Anna Rostowa jest zabójczynią, czy nie. I to, podkreślam, dzięki profesorowi Kantowi.

dy przekręcałem klucz w zamku i otwierałem ciężkie drzwi mrocznej „komnaty cudów" Kanta, poczułem ciarki na plecach. Towarzyszący mi sierżant Koch zdawał się zupełnie opanowany. Spokojny i obojętny, wyraźnie kontrolujący emocje, można by powiedzieć — wierny orędownik profesora Kanta. Zupełnie jakbyśmy zamienili się rolami; Koch patrzył pewnie przed siebie, ja natomiast nerwowo przenosiłem wzrok z przedmiotu na przedmiot, lustrując z o wiele większą uwagą, niż na to zasługiwały, klepsydrę w drewnianej ramie, tygle z pokrywkami oraz gliniane retorty, używane przez profesora Kanta podczas naukowych eksperymentów. Miałem powody do niepokoju; nie do końca byłem pewien, czy znajdę to, czego szukałem. Czy będę w stanie rozwiać wątpliwości Kocha, uciszyć własne?

Ani Kochowi, ani mnie nie starczyło nerwów do skierowania światła latarni na półki umieszczone wzdłuż przeciwległej ściany. Zdawać by się mogło, że w tej konkretnej sprawie zawarliśmy pakt: słoje nie istniały. Niestety, obaj byliśmy świadomi połysków migoczących na wypukłych powierzchniach szkła, tuż za kręgiem światła. Nie mogłem otrząsnąć się z wrażenia, że zaraz coś nieokreślonego przybierze kształt i wychyli się z mrocznego cienia. Coś złego, złowieszczego. Czy Kant rzeczywiście przychodził tu sam? Lub z doktorem Vigilantiusem, krojącym na części to, co morderca pozostawił w całości? Zmagałem się z natarczywie powracającą sugestią Kocha, jakoby profesor Kant znajdował chorobliwą satysfakcję w grzebaniu się w tych okropnych szczątkach.

— Musimy odnaleźć szkice, których wykonanie profesor zlecił Lublinskiemu — oznajmiłem i odstawiwszy ze stołu naczynie do destylacji, wyjąłem z kieszeni własny rysunek i rozłożyłem na blacie. — Jeżeli obok zwłok znaleziono ślady stóp, zamierzam porównać je z częściowym odciskiem, który wczoraj odrysowałem w ogrodzie Kanta.

— Sądzi pan, że należy do mordercy, wasza wielmożność? — zapytał Koch.

— Tego właśnie mamy się dowiedzieć. Przyłożymy do niego trzewik Anny Rostowej.

— Najpierw żandarmi muszą ją ująć — sceptycznie zauważył sierżant.

— Chcę być gotowy, gdy to uczynią — oświadczyłem ostrożnie. — Zanim podejmę dalsze kroki, muszę całkowicie przekonać się o jej winie.

Zdjąłem dokumenty z półki, na której zostawił je Immanuel Kant, położyłem na stole, a Koch przyświecał mi latarnią.

— Nasze zadanie należy rozpocząć tutaj, w tym pomieszczeniu — oświadczyłem, rozkładając stertę papierów na dwa mniej więcej równe stosy. — Te sprawdzi pan — pchnąłem pierwszy w stronę Kocha. — Tymi sam się zajmę.

Nie potrzebował zachęty. Ostrożnie odłożył latarnię i w milczeniu pochylił się nad blatem, koncentrując się na kartkach, które położyłem przed nim. Ja zabrałem się do sprawdzania mojej porcji po drugiej stronie blatu i wnet byłem równie zaabsorbowany. Podziwiałem pedantyczny porządek, z jakim Kant przeprowadzał swe dzieło. Nie znajdowałem dość słów zachwytu dla jego metod. Każdą pozycję w pierwszej badanej przeze mnie teczce oddzielił od następnej arkuszem papieru, na którym zanotował godzinę i datę sporządzenia raportu oraz dodał krótką wzmiankę dotyczącą osoby składającej raport, a także ważności załączonych dowodów. Błyskotliwy, działający jak w zegarku umysł Immanuela Kanta dokładnie odzwierciedlał się w sposobie uporządkowania dokumentów. Pierwsza teczka zawierała raporty oficerów, którzy znaleźli zwłoki. W żadnym nie doszukałem się niczego nowego.

Na następnym pakiecie widniał tytuł: „Doktor Vigilantius", sporządzony wyraźnym pismem Kanta. Już po kilku pierwszych linijkach tekstu przestałem myśleć o czymkolwiek innym. Był to oryginalny opis rozmowy nekromanty z duszą zmarłego Jana Konnena:

Nie żyję od dwóch dni i moje wizje zacierają się. Pośpieszcie się, gdyż już nie na długo pozostanę w świetle. Pochłania mnie ciemność, mój duch wycieka przez ten otwór...

Najwyraźniej profesor Kant był świadkiem seansu podobnego jak ten, przy którym asystowałem wkrótce po przybyciu do Królewca. „Nie wywarło na tobie wrażenia to, co zeszłej nocy widziałeś w twierdzy?" Ale co myślał sam filozof, obserwując Vigilantiusa przy pracy? Szukałem jakiejś wskazówki, która ujawniłaby mi jego własne uczucia, jednak niczego nie znalazłem. Kant tylko zanotował wymawiane słowa, pozostawiając je bez komentarza, którym zdradziłby swój pogląd na ich autentyczność.

Odłożyłem pierwszą teczkę i wybrałem następną, obszerniejszą, zatytułowaną: „Dane o lokalizacji morderstw w Królewcu". Gdy zacząłem czytać, serce zamarło mi w piersi. Kto jak nie Immanuel Kant mógł być autorem równie systematycznej analizy zbrodni, którą bez trudu można by uznać za dodatkowy rozdział *Krytyki czystego rozumu?* Któż jak nie profesor Kant zdołałby sprawiać wrażenie, że chłodno podchodzi do problemu w obliczu straszliwych faktów, które każdego człowieka o zdrowych zmysłach napełniłyby przerażeniem?

Przewróciłem następną stronę i westchnąłem z zadowolenia na widok zebranych i skatalogowanych szkiców, przedstawiających wszystkie ofiary w pozycjach, w jakich je znaleziono. Nawet wytrawny znawca sztuki rysunku, kolekcjoner anatomicznych rycin, nie wykonałby tego lepiej. Profesor Kant potrafił skłonić dłoń prostego, niewykształconego żołnierza do skopiowania tego rodzaju materiału dowodowego, który niedoświadczeni stróże prawa z zasady ignorowali. Dostarczenie, w postaci diagramów, równie bezcennych szczegółów otwierało możliwości dotarcia do natury i metody zbrodni, jakich dotąd jeszcze nikt nie rozważał. Rozłożyłem rysunki na stole według kolejności popełnianych morderstw i zawołałem Kocha.

— Niech pan tylko spojrzy — mój głos echem rozszedł się pod sklepieniem.

— Co to takiego, panie?

— Dokładne pozycje, w jakich odkryto ciała.

Linie ołówka były niewyraźne, niepewne. Powtarzane wielokrotnie, gdy rysownik amator próbował przybliżyć się do straszliwej prawdy, jaką miał przed oczyma.

— Te gryzmoły to dzieło Lublinskiego. Zobaczmy, czy ślady pozostawione w ogrodzie Kanta pasują do przedstawionych na szkicach.

Zaczęliśmy badać je wspólnie, Koch z równym zapałem jak ja, i wlepiając wzrok w rysunki, analizowaliśmy każdą kreskę i każdy znak, aż rozbolały nas oczy. Ale w szkicu, który nakreśliłem wczorajszej nocy, nie znaleźliśmy żadnych elementów wspólnych z rysunkami Lublinskiego.

— A te smugi, wasza wielmożność?

Palec Kocha wskazywał dziwne, zasmarowane kratki zaznaczone obok ciała Jana Konnena. Przypatrywaliśmy się im przez dłuższą chwilę. Mogły być znakami w formie krzyża, jak te, które znalazłem na śniegu, tyle że różniły się skalą. Ja odrysowałem but w rzeczywistych proporcjach, nie zaznaczając niczego więcej, natomiast Lublinsky usiłował utrwalić całe miejsce zbrodni.

— Sam nie wiem, Koch. Może to krzyżyk. Byłbym nawet skłonny tak sądzić, jednak może to być coś innego — przyznałem niechętnie, unosząc następny arkusz papieru. — Należy także założyć, że artysta nie stanął na wysokości zadania. Próbując przedstawić wszystko, mógł dodać zbyt wiele detali. A jednak to wygląda na krzyż, nie sądzicie, sierżancie? — wskazałem rysunek palcem. — Lublinsky najwyraźniej pominął wiele istotnych szczegółów. Próbował osiągnąć przejrzystość rysunku, tak jak ją pojmował. Za dużo, za mało? Tak czy owak szkice mogą pomóc w identyfikacji zabójcy.

— A więc dopóki nie odnajdziemy Anny Rostowej i nie porównamy jej butów z wykonanym przez pana rysunkiem, nie będziemy mieli pewności, czy to ona weszła do ogrodu profesora Kanta, nieprawdaż, wasza wielmożność?

Obraz Anny mignął mi przed oczyma. Ujrzałem pędzących za nią żandarmów, dopadających ją, przewracających na ziemię, czyniących jej krzywdę. I choć gorąco powinienem był życzyć sobie właśnie takiego przebiegu wydarzeń, budził on mój największy lęk. Już raz spuściłem bestie z łańcucha, przyczyniłem się do niepotrzebnych cierpień. Teraz wahałem się, dręczony wątpliwościami. Jeżeli Anna okaże się zabójczynią, sprawa zostanie zakończona, a winowajczyni skazana. Ale jeśli nie jest winna zbrodni? Uniknie egzekucji, lecz czeka ją więzienie za usuwanie ciąży, a więc także cierpienie i przymusowe roboty. Sam nie wiedziałem, jakie rozwiązanie bym wolał.

— A jednak — mruknąłem ze wzrokiem utkwionym w szkicach — oni klęczeli. Lublinsky nie ma co do tego wątpliwości. Każda ofiara upadła prawie w takiej samej pozycji.

— Tylko Tifferch, wasza wielmożność... on...

— Pan Tifferch leżał na sekcyjnym stole — przerwałem. — To odosobniony przypadek. Skoncentruj się na r y s u n k a c h, Koch. Na nich widzisz ofiary usytuowane w rzeczywistych warunkach. Świat, w którym poruszał się morderca. Ja... wcześniej nie przywiązywałem zbytniej wagi do pozycji, w której znaleziono zamordowanych. To, że wszyscy klęczeli, uznałem za zwykły przypadek...

Przerwałem, pogrążony głęboko w myślach.

— A może to rzeczywiście zbieg okoliczności, panie? Brutalność ataku mogła zwalić ich z nóg.

— Och nie, Koch. Wykluczone — upierałem się, przenosząc pospiesznie wzrok z jednego rysunku na drugi, i z powrotem.

— Widzi pan? W przypadku natychmiastowej śmierci ofiara uderzona od t y ł u upadłaby płasko na twarz, a tak nie jest. Oni k l ę c z ą. Mamy tu wszystkie morderstwa — w kolejności, w jakiej szkicował je Lublinsky. Jakbyśmy widzieli je popełniane jedno po drugim. Każda z ofiar tylko osunęła się, czołem wspierając się na czymś, o mur lub, jak w przypadku pani Brunner, o ławkę. A więc d l a c z e g o nie padli na twarz, Koch?

— Pan chyba uważa, że istnieje jakaś przyczyna takiego stanu, wasza wielmożność.

— Bo tak jest, w samej rzeczy. Gdyż oni już klęczeli, gdy dopadł ich cios. To znaczy klękali przed zabójcą, dopiero potem ich mordował.

Koch ze zdumieniem uniósł wzrok.

— Ależ to niemożliwe, wasza wielmożność! Czy ktokolwiek o zdrowych zmysłach uczyniłby coś podobnego? Nie mogę sobie wyobrazić... Egzekucja, panie? Jakby zostali skazani na śmierć.

— No właśnie, Koch. Egzekucja. Ale jakim sposobem zmusił ich do uklęknięcia?

Koch badał wzrokiem rysunki, jeden po drugim.

— Dlaczego profesor Kant nie wspomniał panu o tym szczególe, wasza wielmożność? — zaciekawił się. — Przecież nie mógł czegoś takiego nie zauważyć.

— Uczynił o wiele więcej — odrzekłem z ożywieniem. — Umieścił mi dowody tuż przed oczami. To on dopilnował, by przechowano ciało Tiffercha pod lodem i śniegiem, abym mógł je zobaczyć. Co więcej, podkreślił fakt, że zwłok Moritza nie odnaleziono w pozycji klęczącej. On nie zawraca sobie głowy szczegółami, Koch. Podsuwa nam informacje, następnie zachęca do wyciągania wniosków. Powinienem był to już wcześniej pojąć.

— Niech będzie, panie — obruszył się Koch — jednak profesor Kant nie ma sposobu na potwierdzenie, że Lublinsky na swych rysunkach oddał p r a w d ę.

Na chwilę umilkłem. Argument nie był pozbawiony sensu. Ale natychmiast znalazłem odpowiedź:

— Spodnie Tiffercha! — wykrzyknąłem.

— Wasza wielmożność?

— Oto dowód, Koch. Spodnie Tiffercha. Spodnie na kolanach oklejone gliną. Pamiętasz? Jeżeli moja teoria jest właściwa, wszystkie ofiary powinny mieć zabrudzone kolana, jeśli oczywiście Lublinsky narysował dokładnie to, co mu polecono.

Rozejrzałem się po pomieszczeniu.

— Tam! — wskazałem wyższą półkę pod przeciwległą ścianą. — Odsuń tę pompę próżniową i zdejmij pudełko, Koch. Pierwsze z brzegu. By zweryfikować dowód dostarczony przez Lublinskiego, musimy po prostu obejrzeć ubrania.

Koch ściągnął długie, płaskie pudło z masy papierowej, jakich krawcy używają do dostarczania męskich ubrań i damskich sukni. Z narastającym podekscytowaniem zdjęliśmy pokrywkę. Chmura kurzu uleciała w powietrze i zaatakowała nam płuca.

— Paula Anne Brunner — odczytał, jąkając się, Koch. Nazwisko kobiety wypisano na kawałku żółtego papieru wraz z listą przedmiotów znajdujących się w pudełku. Natychmiast poznałem schludne pismo Kanta.

— Cienka zielona narzutka robiona na drutach — zaczął wyliczać Koch. — Biała bluzka z długimi rękawami. Szara suknia z jakiejś cienkiej tkaniny. Para grubych szarych wełnianych pończoch. Para drewnianych sabotów o zdartych obcasach...

— Suknia, Koch — przerwałem litanię. — Zajmijmy się suknią.

Koch rozpostarł tę sztukę odzieży na blacie stołu, potem cofnął się. Przybliżyłem się i pochyliłem nad kobiecą szatą, z rosnącym niepokojem odwróciłem ją na drugą stronę, i z powrotem.

— Nie ma żadnych plam — wyjąkałem, słowa dławiły mnie w gardle. — Ani jednej smugi błota na kolanach.

Głos Kocha zabrzmiał cicho tuż przy moim uchu.

— Co to oznacza, panie Stiffeniis?

— Nie mam pojęcia — przyznałem, a w głowie huczało mi od najróżniejszych myśli.

— Proszę poczekać — ożywił się nagle Koch.

Bez słowa wyjaśnienia uniósł listę, przeczytał ponownie i zaczął przeszukiwać odzież w pudle. Obserwowałem go w milczeniu, zwalczając impuls, by go powstrzymać, gdyż wszystko burzyło się we mnie przeciwko jego brutalnemu grzebaniu między przedmiotami, które profesor Kant tak starannie ułożył.

— Zaraz zobaczmy — zapowiedział cicho i wyjął z pudła parę wełnianych pończoch. — Pani Brunner, jak sądzę, miała jedyną suknię. Cienką jak na tę porę roku, co czyniło ją jeszcze cenniejszą. Jeżeli ta kobieta musiałaby uklęknąć na ziemi, uczyniłaby to tak jak każda niewiasta. Uniosłaby swą najlepszą suknię, a pobrudziła pończochy. Widzi pan, wasza wielmożność?

W jego głosie usłyszałem nutkę triumfu.

Niczym niewierny Tomasz wyciągnąłem rękę i koniuszkami palców dotknąłem szorstkiej, szarej czesankowej wełny. Na palcach i na piętach prześwitywały dziury. Pończochy cerowano i naprawiano wiele razy. A na kolanach widniały dwie duże, ciemne plamy.

— W kwestii ochrony przed zimnem bardziej liczyła na grube pończochy — ciągnął Koch — niż na cienką suknię.

— Takie proste i jakże logiczne — mruknąłem pod nosem.

— I rozstrzygające. A więc należy przyjąć, że wszystkie ofiary klękały z własnej woli przed osobnikiem, który zamierzał je zamordować. Jakby udzielały pomocy zabójcy.

Przypomniały mi się słowa z makabrycznego dialogu Vigilantiusa z Janem Konnenem i poczułem dreszczyk podniecenia. Czy mogło istnieć ziarnko prawdy w tym, co nekromanta nazywał swoją „sztuką"?

„Ciemność otoczyła mnie po tym, gdy ukląkłem"...

— Powiedziałbym, że odbywał się jakiś rytuał, wasza wielmożność. Być może ci ludzie zostali oddani w ofierze jakiemuś pogańskiemu bóstwu. To z pewnością wzmacnia dowody przeciwko Annie Rostowej — nie krył podniecenia Koch.

Powstrzymałem jego zapał.

— Włóż papiery z powrotem do teczek. Odstaw pudło na miejsce. Nadal nie wiemy, czy Anna Rostowa na pewno jest zabójczynią, ale cieszę się, że wreszcie doceniłeś znaczenie tego pokoju i zgromadzonych tu przedmiotów.

Koch nie odpowiedział, dopóki wszystkiego nie uporządkowaliśmy.

— Co teraz, panie? — zapytał, zwróciwszy się do mnie twarzą.

— Nasyćmy nasze oczy gwiazdami!

— Gwiazdami, panie Stiffeniis? — Wbił we mnie wzrok. — Jeszcze nawet nie pora na południowy posiłek!

— Bynajmniej nie zwariowałem — wyjaśniłem z uśmiechem. — Pewien poeta z Italii użył tych słów do opisania swej ucieczki z Piekła i bezpiecznego powrotu do rzeczywistego świata. To śledztwo zmusiło nas do zejścia pod ziemię, Koch. Najpierw w podziemia twierdzy z Vigilantiusem, potem tu, do tego laboratorium. Czas, byśmy powrócili do „Krainy Światła".

Na dworze wiązki promieni słońca ledwie przebijały się przez pajęczynę cieniutkich chmur, rozciągających delikatne nitki aż po horyzont. Nieliczne płatki śniegu wirowały w powietrzu niczym jesienne liście na skrzydłach przeszywającego, zimnego wiatru. Przed nami, poniżej, rozpościerały się połyskujące dachy i strzeliste wieże kościołów Królewca. Jeszcze dalej morze sięgało horyzontu tysiącami mil wzburzonego szarego jedwabiu. Przez kilka chwil podziwiałem ten widok, wciąż na nowo napełniając płuca świeżym powietrzem poranka.

— Muszę ponownie porozmawiać z Lublinskim — oświadczyłem, gdy wsiedliśmy do powozu i zaczęliśmy zjeżdżać ze wzgórza w stronę centrum miasta. — Ale najpierw czeka nas coś innego.

— Co takiego, wasza wielmożność?

— Wizyta u profesora Kanta. Należy złożyć mu hołd, Koch. Powinien wiedzieć, że obdarowując mnie zaufaniem, nie do końca popełnił błąd. Choć, niestety, nie okazałem się najlepszym studentem.

o to zobaczmy, który będzie pierwszy. Starszy nie zawsze znaczy mądrzejszy. Pamiętaj o tym, Hanno! Nie daj się bratu znowu pokonać. Masz dość rozumu w tej twojej małej główce"...

Obrazy dzieciństwa, te które najwyraźniej utkwiły mi w pamięci, wszystkie wiążą się z mym ojcem, Wilhelmem Ignatiusem Stiffeniisem. Z natury surowy, religijny, nie miał wyrozumiałości dla lenistwa czy napadów gniewu. Ale często zabawiał się kosztem moim i mego młodszego brata, zadając nam wymyślone przez siebie zagadki. I jak wszystkie poczynania ojca, jego gry z nami służyły poważnemu celowi. Kierował się pragnieniem udzielania nam lekcji, które miały pomóc Stefanowi i mnie radzić sobie z problemami dorosłego życia.

Nasz dom rodzinny nadal stoi w posępnej, górzystej krainie za Ruisling. Obszerna, rozłożysta rezydencja, pełna zagraconych bibelotami pomieszczeń. Ojciec z upodobaniem zabawiał się chowaniem jakiegoś dobrze znanego nam drobiazgu. Następnie wzywał nas do siebie i kazał domyślać się, który to przedmiot zniknął ze swego stałego miejsca. I tak, katalogując zawartość całego domu, niezwykle wyćwiczyliśmy pamięć. W istocie zanim wyrośliśmy z pokoju dziecinnego, wiedzieliśmy dokładnie, co odziedziczymy.

„A więc, chłopcze, co masz do powiedzenia? Zdobny w zawijasy przycisk do papieru z francuskiego szkła? Brawo, kawalerze!"

Zwycięzca niezmiennie otrzymywał w nagrodę kromkę brązowego chleba z grubą warstwą gęstego, ciemnego miodu z ojcowskiej pasieki. Taka była nagroda za sukces. Miód o zapachu kasztanów przyniósł rodowi Stiffeniisów sławę i bogactwo. Dla Stefana i dla mnie reprezentował esencję tego wszystkiego, w co wierzył nasz ojciec: władzy, którą sprawował ze świadomą surowością, obietnicy sowitej nagrody za ciężką pracę, przekonania, że wysiłek potrzebny do przejścia trudnej próby zostanie doceniony. Smak miodu mego ojca oznaczał dla nas przyjęcie do jego świata. Potwierdzał ojcowską akceptację. I tylko dlatego, że on tak, a nie inaczej postanowił. Surowe spojrzenie przeznaczone dla przegranego samo w sobie było już wystarczającą karą. I ono właśnie pozostawiło swój ślad na mym nie do końca idealnym dzieciństwie.

Choć młodszy o dwa lata, Stefan o wiele bardziej niż ja palił się do współzawodnictwa. Niezwykle inteligentny, obdarzony zdolnością koncentracji, o wiele częściej okazywał się zwycięzcą. A w okresach, gdy nasz ojciec zbyt był pochłonięty sprawami majątku, Stefan rzucał własne wyzwania, które w miarę jak dorastaliśmy, stawały się coraz śmielsze i częściej dotyczyły fizycznej sprawności. I znowu — powinienem dodać: jak zwykle — przegrywałem ja. Stefan był wyższy, silniejszy, przeznaczony zresztą do wspaniałej wojskowej kariery. Jednak kariera owa nie trwała dłużej niż sześć miesięcy. Ojciec wziął mnie na stronę, gdy jego ukochanego syna przywieziono do domu w powozie, i przekazał mi diagnozę lekarza. „Żadnych więcej gier — zapowiedział. — Żadnego fizycznego wysiłku, Hanno. Czynię cię odpowiedzialnym za życie twego brata".

Jednym słowem, nakazał mi traktować brata jak inwalidę. I posłusznie wykonywałem ojcowskie polecenia aż do dnia, w którym Stefan zaproponował zakład niemożliwy do odrzucenia.

Gdy powóz wolno toczył się w stronę domu profesora Kanta, zacząłem się zastanawiać, czy mistrz przypadkiem, na swój podstępny sposób, nie prowadzi ze mną jakiegoś wariantu gry mego ojca. Nie opuszczało mnie niejasne podejrzenie, że Kant być może sonduje me umiejętności, sprawdza, jak zareaguję na prowokację. Już kilka razy zmuszał mnie do rozważenia od nowa jakiegoś aspektu sprawy, który przeoczyłem. Ale czemu tak bardzo zależało mu na oszacowaniu i przetestowaniu moich umiejętności śledczych? Czyżby obawiał się, że nie doceniam znaczenia szczegółów? A może raczej bardziej niepokoiło go, że zbyt powierzchownie analizowałem zebrane dowody?

W tym momencie powóz skręcił w Magisterstrasse. Kocie łby zastąpił żwir i koń biegł teraz kłusem. Wyjrzawszy przez okno, wzdrygnąłem się, gdyż z domem Kanta coś było nie w porządku: z najwyższego komina, przy końcu szczytowej ściany, wiatr unosił kłęby czarnego dymu. Jak z zainteresowaniem przeczytałem w barwnym szkicu biograficznym, opublikowanym w jednym z popularniejszych literackich magazynów, profesor Kant zabraniał rozpalania ognia przed południem, zarówno w lecie, jak i w zimie. I okna w pokoju na piętrze wciąż pozostawały szczelnie zasłonięte! Natomiast według informacji podanych przez autora artykułu Immanuel Kant zawsze nalegał, by okna odsłaniano z pierwszym blaskiem świtu. „Najmniejsze zakłócenie codziennego rytmu życia filozofa — podsumował pisarz — oznacza, że wydarzyło się coś, niezwykłego i zapewne istotnej dla mistrza wagi..."

Zeskoczyłem z powozu i pospiesznie ruszyłem ścieżką przez ogród; Koch deptał mi po piętach. Zanim dotknąłem kołatki,

Johannes otworzył drzwi. Wyraz jego twarzy potwierdził moje najgorsze obawy. Błysk, jaki ujrzałem w jego oczach, kojarzył mi się z lękiem.

— Co się stało, Johannesie?

— Wczesna pora, panie Stiffeniis. — Przesadnie kręcąc głową, przyłożył do warg palec wskazujący. Zerknął za siebie przez ramię i powiedział o wiele głośniej, niż wymagała sytuacja: — Profesor Kant jeszcze nie założył peruki.

Czy coś równie prostego mogło aż tak zaniepokoić sługę?

— Mój pan nie jest gotowy na przyjęcie gości — wyjaśnił Johannes, wyraźnie wskazując głową w stronę gabinetu Kanta, podczas gdy ja zdejmowałem kapelusz i rękawiczki.

— Ale ogień się pali. Widziałem dym...

— Profesor Kant dziś rano nabawił się kataru, wasza wielmożność.

Solidne drzwi za plecami Johannesa były uchylone. Dostrzegłem stół do pisania, mocno przystawiony do ściany, oparty o stół łokieć, a pod stołem wyciągniętą nogę — w pantoflu. Poczułem ulgę — Kant był bezpieczny, nie leżał w łóżku i czuł się na tyle dobrze, by siedzieć przy biurku; tylko c z y m zajęty?

Zauważywszy moje spojrzenie, Johannes szybko przeszedł przez korytarz i ostrożnie zamknął drzwi gabinetu.

— Właśnie się nim zajmuję, wasza wielmożność.

— Co się dzieje? — szepnąłem.

Służący nerwowo zerknął przez ramię, potem powiedział coś, czego wolałbym nie usłyszeć:

— Dzięki Bogu, jest bezpieczny, panie! Miał gościa dzisiejszej nocy.

— Wytłumacz się — rzuciłem ostro.

— Spałem w domu, jak pan kazał — mówił dalej. — Profesor Kant oświadczył, że musi coś dokończyć i lepiej by było dla niego, gdyby mógł robić to w spokoju. Zapytał, czy chcę mieć wolny wieczór i odwiedzić żonę. Oczywiście zaprzeczyłem, wielmożny panie. Poinformowałem go, że mam w domu dużo roboty.

— Dzięki Bogu!

— Dostałem nauczkę, panie. Zapowiedziałem mu, że będę w porannym pokoju, gdyby mnie potrzebował. Wrócił do gabinetu, a ja postawiłem sobie krzesło w pobliżu drzwi. Postanowiłem czuwać całą noc, ale... — westchnął, wyraźnie zażenowany — chyba zasnąłem. Wtem obudził mnie jakiś dźwięk. Od strony wychodzącego na ogród francuskiego okna, panie, mógłbym przysiąc.

— Tego na tyłach domu?

Skinął głową.

— Skrzypi jak żadne inne.

— Która to była godzina?

— Chyba niewiele po północy.

— Mów dalej — ponaglałem.

— No cóż, natychmiast pomyślałem o profesorze Kancie, panie. On czasem otwiera to okno, by wywietrzyć pokój. Ale wtedy usłyszałem, to znaczy w y d a ł o mi się, że słyszę, coś jeszcze.

— Do rzeczy, Johannes!

— Szepty, panie. Głosy. Podskoczyłem i głośno zaszurałem krzesłem po kamiennej posadzce. Gdyby włamał się złodziej, chciałem, by wiedział, że profesor Kant nie jest bezbronny ani pozbawiony ochrony.

— Czy ktoś wtargnął do środka?

— Zapukałem i natychmiast wbiegłem do gabinetu, ale profesor Kant był sam. Potem usłyszałem jakiś odgłos w sąsiadującej z pokojem kuchni i rzuciłbym się w pościg, ale...

— Ale co, Johannesie?

Szeroko otworzył oczy i przez chwilę wpatrywał się we mnie.

— Profesor Kant powstrzymał mnie, wasza wielmożność.

— Jak to?

— Był blady jak ściana, przyciskał dłoń do serca, wyraźnie zaniepokojony tym, co się wydarzyło. Nie mogłem zostawić go samego, nieprawdaż, panie? Nawet by gonić rabusiów. Łapał powietrze, jakby zaraz miał się udusić. Strasznie się zdenerwował!

— A więc widział intruza? — Choć wstrząśnięty ryzykiem, na jakie naraził się Kant, byłem podekscytowany możliwością ujrzenia przez niego twarzy mordercy.

Johannes ponownie potrząsnął głową.

— Nie sądzę, panie. Dałem mu na uspokojenie kropelkę brandy, i pierwsze co zrobił, to podziękował mi, że go obudziłem.

Spojrzałem na niego ze zmarszczonymi brwiami.

— Wybacz, nie rozumiem.

— Miał koszmary, panie. Powiedział, że pewnie krzyczał przez sen. No cóż, nie chciałem bardziej go niepokoić. Jeżeli istniało jakieś niebezpieczeństwo, już minęło.

— Ale ty s ł y s z a ł e ś hałas? — zapytałem.

Niepewnie potrząsnął głową.

— Drzwi kuchni były otwarte — wyrzucił z siebie. — Albo zapomniałem je zamknąć, albo ktoś tamtędy wyszedł. Ale przysiągłbym, że zamknąłem je od środka na klucz, panie.

— Z pewnością tak właśnie uczyniłeś — uspokoiłem go. — Czy wezwałeś żołnierzy?

— Najpierw pomogłem profesorowi położyć się do łóżka. Nie chciałem jeszcze bardziej go wystraszyć. Potem poszedłem porozmawiać z żandarmami, ale nie widzieli niczego ani nikogo. Wczorajszej nocy mgła była jak mleko.

— Jak czuł się twój pan dzisiaj rano?

Johannes opuścił wzrok na buty i wymamrotał:

— Wydawało się, że dobrze, wasza wielmożność. Przyniosłem mu herbatę do łóżka, jak zwykle zapalił fajkę, potem znów zasnął. Nie śmiałem rozsuwać zasłon. Dziś rano nie jest sobą. Poprosił o napalenie w pokoju, narzekał na chłód, przez który nabawił się kataru. A co do wypróżnienia...

— Powiedz mu, że tu jestem — poleciłem.

Johannes skłonił się i odwrócił, by odejść, ale powstrzymałem go, kładąc mu dłoń na ramieniu. Wyraźnie powróciły do mnie pierwsze słowa służącego.

— Zaczekaj! Pracował tej nocy, czy tak?

— Tak mi powiedział, wasza wielmożność.

— A co dokładnie robił?

— Pisał, panie.

— Co takiego?

— Nie wiem. — Lokaj zmrużył oczy. — Gdy dziś rano odkładałem jego przybory, nie znalazłem papieru, który przygotowałem mu wczoraj wieczorem. Ani jednego arkusza! Pióra były zużyte, kałamarz całkiem suchy, natomiast to, co pisał, znikło...

Drzwi gabinetu otwarły się ze skrzypnięciem i Kant wyszedł do korytarza.

— N a d   w y r a z udana defekacja, Stiffeniis! — wykrzyknął z promiennym uśmiechem. — Porządnie uformowany stolec, całkiem spory; gdy idzie o gęstość składu fekaliów — minimalna zawartość płynu. Mam nadzieję, że tobie dziś rano także się poszczęściło?

— O tak, panie — udało mi się wyjąkać. Podczas naszego pierwszego spotkania przy obiedzie poświęcił dobre pół godziny na omawianie pracy swych kiszek z bliskim przyjacielem, Reinholdem Jachmannem. Tego tematu najwyraźniej nigdy nie miał dosyć. — Spał pan dobrze, profesorze? — zapytałem.

— Jak nigdy, jak nigdy — odrzekł obojętnie.

Wydawało się, że jest w dobrej formie. Poza dwoma szczegółami. Przede wszystkim, jego peruka. Musiał włożyć ją samodzielnie, słysząc gości w korytarzu. Masa przypudrowanych loków trzymała się niezbyt pewnie, zsuwając się nieco do tyłu; wyzierały spod niej jego własne, jedwabiste włosy, delikatne i białe niczym nitki jesiennej pajęczyny. Co do reszty, jak zwykle ubrany był bez zarzutu: watowany żakiet trzy czwarte, uszyty z tłoczonej satyny koloru burgunda — starannie wyszczotkowany, lniane spodnie sięgające do kolan oraz różowe jedwabne pończochy. W oczy rzucał się jeszcze jeden, w tych okolicznościach nieco śmieszny, szczegół jego stroju — wciąż miał na nogach kapcie. Kant hołdował zasadzie przyjmowania gości — o każdej porze — w takim stroju, jakby miał zostać poproszony do opuszczenia domu wraz z nimi. Wskazał na domowe obuwie z przepraszającym uśmiechem i wyjaśnił: — Dziś rano późno wstałem z łóżka.

— Nie chciałem panu przeszkadzać, panie profesorze — pospieszyłem z przeprosinami.

— I nie uczyniłeś tego. Jestem pewien, że masz mi wiele do powiedzenia. — Poprowadził Kocha i mnie do gabinetu, gdzie usiadł na drewnianym, prostym krześle z oparciami pod ręce. Był to, jak sobie uświadomiłem, sedes. Położywszy łokieć na poręczy, delikatnie wsparł głowę na otwartej dłoni. W pokoju wciąż jeszcze unosił się zapach ciepłego ludzkiego ciała i Kant z ukontentowaniem pociągnął nosem. Przypominał jedwabnika zawiniętego w przytulny kokon własnej roboty, choć jego lodowato błękitne oczy, szeroko otwarte, jak zawsze patrzyły przenikliwie.

Nic w jego wyglądzie nie wskazywało na nocne wydarzenia, o których mówił Johannes Odum. Mimo całej swej fizycznej kruchości Kant zdawał się osią świata, obracającego się tylko dlatego, że filozof tak sobie życzył.

— A więc? — zapytał.

— Znalazłem narzędzie użyte przez mordercę, panie — zacząłem.

Jak zelektryzowany, Kant wyprostował się na krześle.

— Naprawdę? — powiedział tylko.

Wyjąłem z kieszeni szpon diabła. Rozwinąwszy brudną szmatę, w której trzymała go Anna Rostowa, podsunąłem mu go pod oczy.

— A niech mnie! — Miałem nadzieję, że zrobię na nim wrażenie, i nie rozczarowałem się. Wyciągnął dłoń, by dotknąć leżącego przed nim przedmiotu; zauważyłem, że drżą mu palce. — Co to takiego, Stiffeniis?

— Sierżant Koch uważa, że może to być igła do robótek. Wydaje się, że jest wykonana z kości.

— Czy nie powinna więc mieć ucha do przewlekania wełny? — zapytał Kant, biorąc igłę do ręki; pochyliwszy się, przyjrzał się jej uważniej.

Koch milczał przez cały ten czas, stał za moimi plecami sztywno wyprostowany.

— Ucięto ją, wasza wielmożność — powiedział nagle.

— Oczywiście — filozof z namysłem kiwnął głową. — Morderca nadał narzędziu kształt potrzebny do swych konkretnych celów.

— Tę igłę skradziono z ciała Jana Konnena — ciągnął Koch, najwyraźniej zapalając się do swej opowieści. — Fragment, który znalazłeś, wasza wielmożność, to jej końcówka. Musiała się odłamać, gdy morderca próbował wyciągnąć igłę z trupa. Być może jest to narzędzie, którego używał także w swej pracy.

— No właśnie, sierżancie Koch — rzekł Kant ostro, jak gdyby rozgniewany jakimś jego słowem. — A więc należy uznać, że istnieje ważny powód, dla którego wybrał ten akurat przedmiot do swych celów. Gdzie to znalazłeś, Stiffeniis?

— Dała mi tę rzecz osoba, którą przesłuchiwałem — zacząłem z triumfem, ale Kant niecierpliwie domagał się szczegółów.

— Osoba zamieszana w te zabójstwa?

Skinąłem głową.

— Tak sądzę, panie profesorze, choć chciałbym mieć pewność, zanim zarządzę następny areszt. Ona...

— O n a? — Błyskawicznie uniósł wzrok. — Kobieta?

— Tak, panie profesorze.

— Czyżbyś zakładał, że skoro takie przedmioty należą zazwyczaj do arsenału kobiet, to właścicielką tego jest niewiasta? — zapytał, patrząc uważnie na szpon diabła na swej dłoni, jakby był to rzadki i cenny motyl, który w każdej chwili mógł odlecieć.

— Dlatego właśnie przyszedłem, panie profesorze. Chcę, byś pomógł mi potwierdzić mój tok rozumowania.

Kant spojrzał na mnie z wyrazem wściekłej irytacji na twarzy.

— Wciąż upierasz się przy przekonaniu, że można logicznie wytłumaczyć to, co dzieje się w Królewcu? — warknął.

Mrugnąłem powiekami, głośno przełknąłem ślinę. Uwaga ta wydała mi się dziwna. Profesor Kant całe życie spędził na definiowaniu fizycznych i moralnych aspektów natury człowieka jedynie za pomocą logiki. Czyżby teraz sprzeniewierzył się tej ważnej zasadzie?

— Widzę, że zbiłem cię z tropu — ciągnął z pojednawczym uśmiechem. — No dobrze, podsumujmy niewygodną sytuację, w jakiej się teraz znaleźliśmy, i zobaczmy, dokąd zawiedzie nas logika. Zabójca — kobieta, jeżeli twoje podejrzenia okażą się słuszne — wybrał szczególne narzędzie zbrodni. To nie broń palna ani szpada, ani nóż. Nic, co uznalibyśmy za broń, ale coś banalnego i pozornie nieszkodliwego. I tym oto przyrządem do ręcznych robótek ta kobieta rzuciła Królewiec na kolana. Nie mylę się? — Przerwał i spojrzał na mnie. — Moja pierwsza sugestia, Stiffeniis. Jaki miałaby cel?

— Są powody, by wierzyć, że chodzi tu o czary, panie profesorze.

— Czary? — Kant wymówił to słowo, jakby było obrazą skierowaną do niego osobiście. Potrząsnął głową, a jego twarz przybrała maskę złośliwego sarkazmu, którym przez chwilę mnie szokował, wręcz hipnotyzował. — Przecież dopiero co oświadczyłeś, że przyszedłeś tu wiedziony rozumem? — ciągnął z bezlitosną ironią.

Z trudem udało mi się sklecić odpowiedź.

— Ta kobieta określa s a m a   s i e b i e jako osobę zadającą się z diabłem, panie — próbowałem usprawiedliwić swój pogląd. — Czary dobrze nadają się na motyw tych morderstw, ale jak dotąd nie mam ostatecznego dowodu, że to ona jest zabójczynią.

— A więc nadal podtrzymujesz istnienie racjonalnych pobudek tych czynów — podsumował. — Kolej na drugie pytanie. Czy uważasz, że czary ci ich dostarczą? Jeszcze nie tak dawno temu wierzyłeś, że chodzi tu o spisek terrorystów.

— Popełniłem błąd — przyznałem. — Nie przeczę, panie profesorze. Dlatego chcę upewnić się co do jej winy, zanim zarządzę areszt. „Musimy wnieść światło tam, gdzie królują ciemności..."

— Jakże ja nienawidzę, gdy mnie cytują! — przerwał wyraźnie gniewnym tonem. — Stanąłeś twarzą w twarz z burzą szalejącą w duszy człowieka. Wiesz, że w niej przede wszystkim należy szukać siły napędowej ludzkich czynów. Być może powinieneś zastanowić się nad jej rolą w tej konkretnej sprawie.

Pochylił się w moją stronę, a jego stęchły oddech naparł na me nozdrza, krtań i płuca niczym zatęchły, duszący wiatr. — Już kiedyś, jak sobie przypominam, znalazłeś się na podobnym nieznanym terytorium i to, co tam ujrzałeś, przeraziło cię. Sam mi wyznałeś, że nie miałeś pojęcia o istnieniu tego rodzaju namiętności. No cóż, one istnieją! A ty znasz drogę przez ten labirynt. D l a t e g o po ciebie posłałem. Sądziłem, że potrafisz wykorzystać własne doświadczenia dla dobra ogółu.

Wbrew woli cały zesztywniałem.

— Nie miej mi tego za złe, młody przyjacielu — ciągnął z porozumiewawczym uśmieszkiem Kant. — Materiał dowodowy w mym laboratorium zebrałem dla kogoś o otwartej głowie, kto potrafi go wykorzystać i wyciągnąć wnioski, bynajmniej nie takie, które wprost się nasuwają. Ale dobrze, powiedz mi, czemuż to jakąś kobietę podejrzewasz o te morderstwa.

Z ulgą opowiedziałem mu o Annie Rostowej, przedstawiłem kolejne kroki, które mnie do niej doprowadziły. Byłem na tyle ostrożny, by nie wspomnieć o śladach stóp znalezionych wczoraj przez Johannesa w ogrodzie. Ani nie przyznałem się, że chociaż wysłałem żołnierzy na poszukiwanie Anny Rostowej, miałem nadzieję, że nigdy więcej o niej nie usłyszę ani jej nie zobaczę.

— Aha, więc rzeczywiście diabeł posłużył się tym oto narzędziem — oświadczył z powagą Kant, gdy skończyłem. — Niezależnie czy owa kobieta popełniła te zbrodnie igłą, z pewnością wbiła ją w oko Lublinskiemu. Temu istotnie dostało się od losu ponad miarę — Kant potrząsnął głową. — Lublinsky służył mi wiernie. A może tylko tak sądziłem, a zapłata, którą dałem mu za rysunki, okazała się zbyt marna, by dorównać pragnieniu wyleczenia twarzy. I dokąd go to doprowadziło? Przedtem był paskudną bestią. Teraz będzie jeszcze brzydszy. Dobry Boże!

Słuchałem w milczeniu jego monologu, niemniej ani mym oczom, ani uszom nie umknęło nic, co było dla nich przeznaczone. Kant nie okazał śladu współczucia dla tego człowieka, nic a nic nie żałował wplątania Lublinskiego w sprawę, która pchnęła w przepaść. Umysł profesora nie znał litości. Nie było jej widać także w oczach, z żarliwym błyskiem wpatrujących się w narzędzie leżące na jego otwartej dłoni.

— Właśnie z powodu tych szkiców przyszedłem, panie profesorze — przerwałem milczenie, które zapadło na chwilę. — W związku z klęczącą pozycją, w jakiej znaleziono ofiary. Zwrócił pan uwagę na brak tego szczegółu, gdy badaliśmy zwłoki Moritza. Muszę przeprosić za moją głupotę. Oczywiście, widziałem pozycję ciała pana Tiffercha, ale jej znaczenie dotarło do mnie dopiero wtedy, gdy ujrzałem kolejne rysunki w pańskim laboratorium. Jak rozumiem, zabójca, nim uderzył, namawiał ofiary do uklęknięcia przed nim. Następna niewiadoma tej łamigłówki. W jaki sposób mogło do tego dojść, panie profesorze?

— Miałem nadzieję, że znajdziesz odpowiedź — powiedział Kant ze wzruszeniem ramion. — Ja nie byłem w stanie rozwiązać tej zagadki. Ani doktor Vigilantius nie umiał dostarczyć żadnej wskazówki, racjonalnej czy ponadnaturalnej — dodał w zamyśleniu, unosząc dłonie, by zakryć oczy, jakby chciał odizolować się od wszelkich widoków, od wszystkiego i wszystkich dookoła. Pozostał w milczeniu przez bardzo długi czas. Potem nagle spojrzał na mnie i uśmiech zawitał na jego twarzy niczym słońce przychodzące oświetlić czarną planetę Ziemię. — Pamiętasz moje pierwsze słowa o narzędziu zbrodni, gdy poszliśmy do laboratorium zbadać zawartość słojów?

Czy mógłbym je zapomnieć? Zapisałem je na pierwszej stronie mego sprawozdania.

— „Ostrze weszło niczym rozgrzany nóż w sadło" — wyrecytowałem.

— Dokładnie tak — potwierdził Kant. Trzymał szpon diabła tuż przy prawym oku, tym mniej zasnutym kataraktą niż lewe, i przyglądał mu się. — Narzędzie to wybrano z powodu wygody w użyciu. Nie wymaga siły fizycznej ani specjalnych umiejętności. Potrzebna jest jedynie niewielka znajomość anatomii. Wiedza o tym, gdzie znajduje się najbardziej czuły punkt, przez który można dotrzeć do podstawy mózgu, do móżdżku. W tym tkwi klucz do jego skuteczności. A jednak niełatwo zadać śmiertelny cios, choć mogłoby się tak wydawać.

— Chce pan, panie profesorze, powiedzieć...?

— Ofiara może nie okazać się chętna do współpracy — odrzekł Kant z afektowanym uśmieszkiem.

— Czyżby sami składali się mordercy w ofierze? — zdziwiłem się. — To sugerujesz, panie?

Kant nie odpowiedział.

— Wszystko wygląda mi na robotę samego diabła — usłyszałem mruknięcie Kocha, ale nie zwracałem na niego uwagi. Natomiast przypomniałem sobie pewne słowa, które doktor Vigilantius wypowiedział w imieniu Jeronimusa Tiffercha: „Gdy poproszono mnie o przysługę, nie odczuwałem lęku...".

Co kazano Tifferchowi uczynić? Czyżby nekromanta wyczuł coś istotnego w związku *modus operandi* mordercy?

— To nastąpiło w ułamku sekundy — powiedział Kant szeptem. — Gdy ofiara zorientowała się, co się dzieje, było za późno. Morderca musiał ją unieruchomić. I w jakiś sposób uzyskał jej przyzwolenie. Ale jak? Gdyby igła trafiła o cal w lewo lub w prawo, mordercy mogło się nie udać. Z pewnością przewidział podobną możliwość. On — lub o n a — zapewne długo rozważał ryzyko, nim znalazł rozwiązanie.

— Środek, który powstrzymałby ofiarę od poruszenia się — mruknąłem pod nosem. — Jakiś fortel, którym zabójca przekonałby swą zdobycz do znieruchomienia na tak długo, by móc uderzyć. Morderca nakłonił Paulę Annę Brunner do uniesienia spódnicy i uklęknięcia w pończochach na mokrej glinie. — Ogarniało mnie rosnące podniecenie. — Dlaczego tak postąpiła? Ponieważ... bo twarz, którą uznaliśmy za ohydną i złą, była jej znajoma. Nie czuła się zagrożona. „Diabeł to tylko twarz, nic więcej" — przekazał nam Tifferch przez Vigilantiusa.

— Twarz jak każda inna — dodał Kant z przekonaniem.

— Mógł zmusić ją do uklęknięcia, celując w nią pistoletem — zaprotestował Koch.

— W takim razie dlaczego jej nie zastrzelił? — Kant odrzucił tę sugestię niecierpliwym machnięciem dłoni. — O nie, sierżancie. Użycie dwóch rodzajów broni — jednego do wymuszenia posłuszeństwa, drugiego do zabicia, przeczy zdrowemu rozsądkowi. Nie było oznak walki, żadnego dowodu, by wzywała pomocy. Czynu dokonano szybko. A to wymagało uległości.

— Broń, do której użycia nie potrzeba siły, fortel odwracający uwagę ofiary, by ją unieruchomić, twarz bez żadnych szczególnych znaków, nic, czego mogłaby się wystraszyć — wyliczałem kolejne wskazówki. — Należy przyjąć, że psychiczna potrzeba zabijania przewyższa fizyczne możliwości sprawcy. Zamiast siły używa sprytu. Czy możemy założyć, że morderca nie jest zdolny do działania w inny sposób?

Kant patrzył na mnie przez chwilę, potem na jego cienkich wargach ukazał się uśmiech.

— Ktoś słaby? Tak wnioskujesz, Stiffeniis?

Skinąłem głową.

— Jakiego rodzaju osobę można by uznać za niezdolną do posłużenia się siłą? — ciągnął Kant. — Kogoś słabego z powodu wrodzonych wad. Istotę chorą, niepełnosprawną. Kobietę. Starca... Czy to sugerujesz, Stiffeniis?

Czyżby próbował skierować moje podejrzenia ku Annie Rostowej?

— Wiele wskazuje na tę kobietę — odrzekłem.

— Wspomniałeś o czarach — przypomniał mi Kant.

— Należy to potwierdzić.

— To dopiero początek, Stiffeniis. Przynajmniej wiemy, że teoria spisku nic nie była warta.

A więc o to chodziło. Przekonałem go. Kant kpił z sugestii o czarach, ale zmusiłem go do zmiany zdania. Otrzymałem jego błogosławieństwo na podjęcie nowej linii śledztwa, co właśnie zamierzałem zrobić. I wtedy rozdzwonił się dzwonek przy bramie, a po chwili wszedł do pokoju Johannes.

— Panie Stiffeniis, ktoś do pana — zaanonsował.

W holu młody żołnierz energicznie rozcierał swe duże, sine z zimna dłonie. Wiedziałem, co powie, zanim jeszcze otworzył usta, choć zazwyczaj odżegnywałem się od wiary w przeczucia. Podobne zbiegi okoliczności wynikają z niespójności życia, a nie są emanacją ukrytych zamiarów Boga czy jakiejkolwiek innej nadrzędnej Istoty. Ale i tak było to dziwne uczucie.

— Anna Rostowa? — zapytałem, a krew zaszumiała mi w żyłach, gdy podszedł bliżej i przekazał mi wiadomość, którą chciałem usłyszeć, równocześnie obawiając się jej.

— Tak jest, panie prokuratorze. Znaleziono ją.

areszcie dobre wiadomości, Stiffeniis! Znaleźli ją. Dzięki sprawności naszej policji dostałeś drugą szansę przesłuchania tej kobiety i znalezienia brakującego dowodu.

— Rzeczywiście, panie profesorze — odrzekłem, choć entuzjazm Kanta brzmiał dziwnie fałszywie. Ta niepokojąca nutka ironii w jego głosie!

No cóż, kierunek rozmyślań filozofa zmieniał się niczym kurs miotanej sztormem żaglówki. Wyjrzał przez okno i rzucił z identycznym przejęciem:

— Na dworze musi być chyba lodowato zimno! Przynieś mi nieprzemakalną pelerynę, Johannesie.

Lokaj posłał mi zaniepokojone spojrzenie i wyszedł z pokoju.

— Chyba nie zamierzasz opuszczać domu, panie? — zatroskałem się, ale Kant nie odpowiedział. Pozostał przy oknie, z wielkim zainteresowaniem studiując kształty ciemnych chmur, a ja, nieswój i zażenowany, czekałem, w pełni świadom, że powinienem jak najszybciej zająć się ważniejszymi sprawami.

Johannes powrócił po kilku chwilach, niosąc obszerną pelerynę, połyskującą woskiem, tę samą, którą dzień wcześniej profesor Kant miał na sobie na brzegu rzeki Pregel.

— Dla ciebie, Stiffeniis — oznajmił Kant. — Uszyto ją według moich wskazówek. Twoje okrycie może i wystarczy w Lotingen, ale w Królewcu klimat mamy niemiłosierny.

Nie ośmieliłem się zaprotestować. Nie chciałem też marnować ani minuty więcej. Lokaj pomógł mi narzucić pelerynę swego pana, następnie wylewnie podziękowałem profesorowi Kantowi za jego uprzejmość. Z własnym okryciem pod pachą wraz z Kochem wyszedłem do holu.

— Jest dzisiaj w b a r d z o dziwnym nastroju — mruknąłem pod nosem.

— To lata, wasza wielmożność — zauważył sierżant. — Zniedołężnienie wyczynia dziwne sztuczki. Nawet najwięksi geniusze w końcu mu ulegają.

Odwróciłem się do służącego.

— Nie spuszczaj go z oczu, Johannesie — napomniałem. — W razie niebezpieczeństwa wezwij straże.

— Nie omieszkam, panie — obiecał sługa, przykładając dłoń do serca.

Poczułem się pewniej dzięki powadze, z jaką złożył obietnicę. Dałem sygnał czekającemu żołnierzowi, by podążył za nami, po czym wyszedłem z Kochem na zewnątrz. Znaleźliśmy się w samym sercu wyjącej, niemal arktycznej wichury, która rozszalała się na dobre. Ścieżką przez ogród przebiegliśmy do powozu, gdzie młody żołnierz z wielkim wysiłkiem zmagał się z wiatrem, próbując przytrzymać otwarte dla nas drzwiczki.

Właśnie postawiłem stopę na schodku, gdy zdarzyło się coś, co na chwilę mnie powstrzymało. Wtedy nie przywiązywałem żadnej wagi do tego incydentu. Z sąsiedniej willi wybiegła drobna kobieta; spieszyła ku nam ogrodową ścieżką, głowę jej okrywał czarny wełniany szal — gwałtownie trzepotał nad jej ramionami,

324

niewiele dając ochrony przed zimnem. Najwyraźniej pochwyciła pierwszą rzecz, jaką miała pod ręką, i w pośpiechu opuściła dom.

— Jest pan, jak mi się zdaje, przyjacielem profesora Kanta? — upewniała się, zatrzymawszy się przy drzwiach powozu. Rzuciwszy okiem na twarz widoczną między fałdami szala, dostrzegłem, że kobieta jest mniej więcej w tym samym wieku co jej sławny sąsiad.

— Mam ten zaszczyt — przyznałem.

— Czy on dobrze się czuje? — wypaliła bez ogródek.

— Jak na jego wiek, znakomicie. Mogę spytać o przyczynę pani niepokoju, madame...?

— Mendelssohn. Mieszkam tu obok — oznajmiła, wskazując na dużą, prostą w stylu willę, niemal identyczną jak dom Kanta. — Zawsze wymieniamy z profesorem kilka słów, gdy wiosną i jesienią wychodzi na codzienny spacer. Nigdy nie odmawia przyjęcia gałązki rozmarynu z mojego warzywnika.

„I pewnie nakręcasz jejmość zegar w salonie według jego wyjść i powrotów", dodałem w duchu. Zrobiła na mnie wrażenie jednej z tych wścibskich istot, które więcej uwagi zwracają na sprawy bliźnich niż własne.

— Martwiłam się o niego — ciągnęła. — Ostatnio nieczęsto go widywałam. A więc gdy ujrzałam pana Lampego, żandarmów i osoby takie jak pan, wchodzące do tego domu i wychodzące o wszystkich porach dnia i nocy, przestraszyłam się, że przytrafiło mu się coś niedobrego.

— Pana Lampego?

— To jego lokaj — wyjaśniła. — Człowiek, który dba o jego potrzeby.

„Pomyliła nowego służącego z dawnym", pomyślałem i nie próbowałem jej poprawiać.

— Profesor Kant jest lekko przeziębiony — przyznałem. — Surowa aura nie pozwala mu wychodzić z domu równie często, jak by sobie życzył.

Kobieta skinęła głową.

— Pewnie dlatego on wciąż tu się kręci. Zawsze umiał przypodobać się swemu panu.

Wicher wzmógł się straszliwie, rozszalała się śnieżyca. Nie miałem czasu na bezużyteczne rozmowy ze starą plotkarką.

— Pani Mendelssohn, dziękuję w imieniu profesora Kanta za dobre intencje i życzę miłego dnia. — Nie czekając na odpowiedź, wsiadłem do powozu, myśląc przy tym, że Martin Lampe jak natarczywy duch nawiedza Immanuela Kanta.

Bezpiecznie usadowiony, trzęsąc się z zimna pomimo ciężaru pożyczonej peleryny, zapomniałem o tej rozmowie, całkowicie skoncentrowany na czekającym mnie spotkaniu z Anną Rostową i z prawdą.

— Czy więźniarkę zabrano do twierdzy? — zapytałem żandarma, siedzącego sztywno na ławce naprzeciw mnie.

— Nie, panie. Wciąż jest w Haaf, gdzie ją znaleziono.

— Mam nadzieję, że nikt nie tknął tej kobiety?

— O nie, wasza wielmożność. Pańskie rozkazy zostały wykonane co do joty. Stadtschen surowo zakazał nam się do niej zbliżać.

— Bardzo dobrze — powiedziałem z autentyczną ulgą. Jedno spojrzenie na podeszwy jej butów wystarczy, by ją skazać lub uniewinnić. Po rozmowie z Kantem wyraźnie skłaniałem się do uwierzenia w winę Anny, a jednak wciąż wolałem sądzić, że jest inaczej. A co do motywów — czy to czary, czy coś innego — będę miał czas i okazję je ustalić. Teraz tylko musiałem przygotować się na to, co mnie czeka. Odczułem na własnej skórze siłę atrakcyjności tej kobiety. Jej hipnotyzujące oczy i uwodzicielskie miny już raz mnie oczarowały, będę więc musiał uodpornić się na jej wdzięki. „Teraz — obiecywałem sobie w duchu — przepytam ją dokładniej, nie dam się zwodzić. Nie pozwolę, by jej blada cera, przeszywające oczy i srebrzyste loki tak łatwo wyparły z mych myśli i serca twarz Heleny".

Wyprawa na Haaf, piaszczysty cypel niedaleko domku Anny Rostowej, zabrała nam niemal pół godziny. Ale gdy owiewaną wichrem plażą z trudem kroczyliśmy w stronę grupki żołnierzy skupionych nad krawędzią brzegu, pojąłem, że nie będzie pytań, przesłuchania, żadnych pokus. Chyba że postarałbym się o usługi doktora Vigilantiusa. Anna Rostowa unosiła się twarzą w dół w zimnej, szarej wodzie ujścia Pregel; szeroko rozrzuconymi ramionami jakby próbowała objąć wszystko, co przypływ mógł przynieść. Podmuchy wilgotnego wiatru i marszczące się fale rytmicznie uderzały jej ciałem o szemrzące w wodzie przy plaży kamienie. Jaskrawoczerwona sukienka, wydęta jak balon nad białymi nogami, odsłaniała uda. Stopy utkwiły w pułapce gęstwy czarnych wodorostów. Kosmyki splątanych białych włosów leżały rozsypane na wodzie wokół głowy, przypominając aureolę księżyca. Pięciu żołnierzy siedziało na kamieniach; palili fajki i obrzucali się przekleństwami; złorzecząc nisko zawieszonemu nad ich głowami niebu, kłócili się, który ma wyciągnąć trupa z zatoczki.

Sierżant Koch rzucił ostro kilka słów i dwóch mężczyzn niechętnie weszło do lodowatej wody; gdy ciągnęli ciało w stronę brzegu, stałem w pewnej odległości i obserwowałem ich w milczeniu. Anna przypominała jedną z tych tajemniczych istot — w połowie kobietę, w połowie rybę — które, według opowiadań bałtyckich rybaków, czasami zaplątują się w sieci. Oderwane myśli tłukły się w mej głowie niczym stado oszalałych ze strachu jerzyków. Czy zdołam bez zeznań albinoski udowodnić, że to ona zabiła tych ludzi? A jeśli była niewinna i została zamordowana jak wszyscy pozostali, morderca wciąż znajduje się na wolności. W obu przypadkach znów należało zacząć śledztwo od samego początku.

Za moimi plecami Koch gniewnie zawołał do żołnierza, który przywiózł nas powozem na Haaf:

— Dlaczego nie uprzedzono prokuratora, że ta kobieta nie żyje?! — grzmiał. — Zostaniecie zdegradowani, żołnierzu! Stracicie ten wasz biały pasek!

Odwróciłem się i położyłem mu dłoń na ramieniu.

— To bez znaczenia, Koch. Powiedz im pan tylko, by w żadnym wypadku nie zgubili jej butów.

Koch wydał polecenia żołnierzom.

— Sądzi pan, że dopadł ją morderca, wasza wielmożność? — zapytał, znów stając u mojego boku; ani na moment nie odrywał wzroku od grupy zajętej ciałem.

Potrząsnąłem głową.

— Naprawdę nie wiem, co myśleć.

— Może samobójstwo?

Stanęła mi przed oczami twarz Anny Rostowej i z wielkim trudem pozbyłem się jej obrazu.

— Wszystko mogło się wydarzyć — odpowiedziałem. — Jednak nie wydawała mi się kobietą skłonną do odebrania sobie życia.

Obserwowałem poczynania żołnierzy. Przyciągnęli ciało do brzegu i wyjąwszy je z wody, położyli na zimnych kamieniach.

— Niech mi Bóg wybaczy! — mruknąłem do Kocha. — Może być dla nas użyteczna w równym stopniu martwa jak żywa. Jedno spojrzenie na tył jej głowy załatwi sprawę. A jej obuwie przemówi wyraźniej, niż ona sama by to uczyniła.

328

Zamknąłem oczy i zbierałem siły do oględzin ciała.

— Proszę o wybaczenie, wasza wielmożność.

Otworzywszy oczy, ujrzałem stojącego obok mnie młodego żołnierza. Jego koścista twarz wyglądała jak uformowana tępą siekierą, oczy miał podbite, zaczerwienione. Był blady z zimna, miał spiczasty, teraz czerwony i zakatarzony nos.

— Szeregowy Glinka, wasza wielmożność.

— O co chodzi? — odpaliłem ostro.

— Zauważyłem ciało tej kobiety, patrolując nabrzeże, panie — oznajmił. — Obracało się na mieliźnie, z początku wziąłem je za zdechłą fokę.

— Widziałeś na plaży kogoś jeszcze?

— W zimie, wasza wielmożność? Rybacy wykorzystują to miejsce w lecie i w jesieni. Może przemytnicy przybijają tu nocą, ale poza tym... — urwał gwałtownie; wzrokiem przeskoczywszy na drugą stronę zatoki, patrzył na samotny budynek na dalekim brzegu.

— Co jest? — zapytałem niecierpliwie.

Glinka zdjął czapkę, przygładził proste włosy.

— Tam jest takie miejsce... no, taka nora... tam dalej, wasza wielmożność. Na drugim brzegu. Melina pijacka, gdzie włóczędzy i im podobni szukają schronienia na noc. Aha, i wyznaczeni do transportu.

— Do transportu? — zdziwiłem się.

— Na Syberię, wasza wielmożność. Mogła tam być zeszłej nocy, mogła tam hulać. Ciało przyniósłby tu przypływ. Zwłaszcza przy tym wietrze, panie.

— Dziękuję wam za tę sugestię, Glinka — powiedziałem i zwolniłem go.

Zszedłem nad samą wodę, popatrzyłem na drugi brzeg zatoki, na miejsce, o którym wspomniał żołnierz. Na taką odległość niewiele można było zobaczyć, zaledwie falochron, małe molo, budynek czy dwa. Wyglądało, jakby ciemne niebo miażdżyło i spłaszczało krajobraz niczym wielki, ołowiany ciężar.

— Wasza wielmożność! — zawołał Koch.

Odwróciłem się — stał obok ciała. Oczyszczono je z glonów i w końcu miałem przed oczami stopy Anny Rostowej. Szczupłe, o delikatnych kościach, biały marmur. I bose... Dwaj żołnierze energicznie zarzucali żelazne chwytaki do mętnej wody i wyciągali zwoje czarnych glonów na kamienisty brzeg, a inni przeszukiwali tę brudną masę, po czym odrzucali na bok, pozostawiając cuchnące sterty na plaży. Jeżeli pracowali metodycznie, to tylko dlatego, że Koch stał nad nimi, od czasu do czasu wydając ostro komendy, by szukali butów kobiety.

— Każ im pan zanieść ciało do szopy, do tej tam, Koch — wskazałem na budyneczek na plaży, jakieś sto metrów dalej.

— Wygląda na opuszczoną. Miejmy nadzieję, że nikomu nie przyjdzie do głowy wyruszyć na połów.

— Nie dzisiaj, panie — odrzekł, rozejrzawszy się wkoło. — Nie w taką pogodę.

— No to jeszcze lepiej — chrząknąłem i ponownie spojrzałem na drugą stronę zatoki, podczas gdy sierżant Koch rozkazał, by zabrano ciało.

Żołnierze, zmarznięci i przemoknięci, podnieśli je z ociąganiem i ruszyli niechętnie. Co ich obchodziła Anna Rostowa? Była martwa i ciężka. Stanowczo mieli już dość. Szedłem za tym niecodziennym konduktem, żołnierze z ociekającym wodą trupem potykali się na nierównościach — kamyki wypryskiwały spod ślizgających się na nich buciorów — wlekli się ku opuszczonej szopie. Musieli położyć ciało na ziemi, nim, po włamaniu się do środka, ułożyli ją na podłodze. W całkowicie ciemnym wnętrzu panowała mdła, dusząca atmosfera, przesycona zastałym odorem martwych ryb. Nie czekając na rozkaz odejścia, narzekając pod nosem na smród, żołnierze zaczęli wymykać się na dwór.

— Przynieście lampę! — zawołałem za nimi.

Sierżant Koch wyszedł na zewnątrz, powtórzył mój rozkaz. Oczywiście nikt nie miał lampy. Ani nikt nie wiedział, gdzie jakąś znaleźć.

— Biegiem do powozu! — krzyknął ostro Koch. — Powiedzcie woźnicy, by zapalił latarnię, i przynieście ją tu.

Wyszedłem do niego i czekaliśmy w milczeniu na pojawienie się światła.

— Jeżeli można, zostanę na zewnątrz, panie Stiffeniis. Jeden trup wczoraj w nocy, drugi dzisiaj rano to dla mnie o wiele za dużo — oświadczył. — I muszę pilnować tych obwiesi, wasza wielmożność. Jest jeszcze coś do zrobienia na brzegu i...

— W porządku, sierżancie — uciąłem krótko jego wynurzenia. Zbyt szybko zapomniałem, że on był tylko urzędnikiem, a nie policjantem ani żołnierzem przywykłym do brutalności życia. — Widoki takie jak ten dla nikogo nie są miłe.

Glinka przybiegł pędem; ciężko oddychał, podając mi latarnię.

— Dziękuję — powiedziałem, odwróciłem się i wszedłem do szopy. Ustawiłem migoczące światło na kamykach i ukląkłem obok ciała. Po raz pierwszy, uświadomiłem sobie, zostałem sam na sam z Anną Rostową. Zamykając oczy, natychmiast wywołałem z pamięci jej dom. Ciemność w tej chacie była aż ciężka od obrzydliwych woni; mieściło się w niej mnóstwo przedmiotów wyrzuconych na brzeg, takich samych, jakie Anna trzymała na ścianach swego domu. W takie też leżące na uboczu miejsca często przychodziła z przyczyny swej profesji.

Otwarłem oczy i spojrzałem w dół. Przeszył mnie dreszcz smutku i żalu. Gdyby nie srebrzyste włosy Anny, wątpię, czybym ją rozpoznał. Niegdyś piękna twarz była teraz napuchnięta i nabrzmiała. Szarpane rany i liczne zadrapania szpeciły jej delikatne rysy. Broda, nos i czoło zostały pozbawione skóry, gdy rzucane falami ciało tarło o przybrzeżne kamienie. Biel kości czaszki była o ułamek jaśniejsza od bladości karnacji twarzy. Ryby dokonały swego dzieła. Nie miała oczu, na ich miejscu ziały dwie czarne dziury. Te jej przenikliwe światła już nigdy więcej nie wystraszą Lublinskiego. Nie będą kusić mnie ani innego wrażliwego na jej wdzięki mężczyzny niewypowiedzianymi obietnicami rozkoszy i zaspokojenia pożądania. Wodorosty zdobiły jej szyję i piersi, inne ich pędy wciąż lgnęły do nóg, do bosych stóp. Strąciłem jakiegoś morskiego ślimaka, następnie ostrożnie odwijałem duszące, oplatające szyję wodorosty. Ciemne, brązowe pręgi znaczyły skórę po obu stronach krtani. Przez dłuższą chwilę badałem te ślady, świadom jedynie mocnego bicia mego serca, gdy zabrałem się do piersi i nóg, wreszcie ująłem jej ręce, by zbadać paznokcie — połamane, naddarte. Teraz, kiedy nie mogła zaprotestować, trzymałem te zimne dłonie dłużej, niż należało...

— Została uduszona, wasza wielmożność.

Koch stał obok mnie. Nie słyszałem, jak wchodził. Ani go nie oczekiwałem.

— Na to wygląda — powiedziałem i delikatnie odłożywszy dłoń martwej kobiety, wstałem. Rozprostowałem zesztywniałe kolana i spojrzałem w dół, na zmarłą. — Proszę odwrócić jej ciało, Koch, dobrze?

Nie miałem ochoty dotykać jej ponownie w jego obecności. Jednak nie miałem wyboru, jeśli chciałem zbadać podstawę czaszki. Tego ważnego szczegółu nie wolno było pominąć. Ciało kobiety chlupnęło, plasnęło, zakołysało się i znieruchomiało, gdy Koch dokończył dzieła.

— Proszę bardzo, wasza wielmożność — powiedział, strzepując wodę z rąk.

Ponownie przykląkłem i odsunąłem ciężkie, mokre włosy z alabastrowej szyi; poczułem lepki chłód martwego ciała. Przesunąłem palcem wzdłuż guzkowatej linii kręgosłupa, od łopatek po miejsce, w którym zaczynała się linia włosów. Ani śladu szpona diabła.

— Ktokolwiek ją zamordował — powiedziałem — nie jest tym, którego szukamy. Nigdy nie dowiemy się, czy to ona zakradła się do ogrodu profesora Kanta, chyba że jej buty...

— Wasza wielmożność! — zawołał ktoś od drzwi.

Wszedł Glinka, w wyciągniętej ręce trzymał trzewik.

Szklanka zimnej wody zaoferowana człowiekowi, który właśnie przeszedł pieszo pustynię, nie doznałaby serdeczniejszego powitania. Skwapliwie rzuciłem się ku Glince i ująłem but w obie dłonie.

— Znaleźliśmy go trochę dalej, przy brzegu — wyjaśnił żołnierz. — Drugi też pewnie gdzieś tam jest.

— Ten starczy aż nadto — odrzekłem. Odwróciłem i dokładnie obejrzałem bucik, lewy od pary. I całkowicie się zawiodłem. Podeszwa była gładka i czysta, niczym kamyk przez milion lat omywany i ścierany przez niezmordowane morze. Ani śladu wyraźnego nacięcia w kształcie krzyża, jakie Lublinsky zaznaczył na szkicu miejsca pierwszej zbrodni.

— To nie ona — orzekłem z rosnącym poczuciem rozczarowania i klęski.

— Może miała jeszcze jakąś inną parę, wasza wielmożność? — podsunął Koch.

— Wątpię, sierżancie.

Milczeliśmy, spoglądając najpierw na but w mojej dłoni, potem na nieruchome ciało na ziemi, wreszcie jeden na drugiego.

— Co teraz, panie prokuratorze? — zapytał głosem stłumionym, pełnym rezerwy i szacunku. Śledztwo utknęło w martwym punkcie i Koch zdawał sobie z tego sprawę.

Zanim odpowiedziałem, przez chwilę zbierałem myśli.

— Chciałbym przeprawić się do tej przystani na przeciwległym brzegu. Mógł ją tam ktoś widzieć zeszłej nocy.

— Ależ, panie! — zaprotestował Koch. — Śmierć tej kobiety nie ma znaczenia dla naszego śledztwa. Jej przypadek podlega policji cywilnej...

— Możesz znaleźć łódź wiosłową, by nas tam zabrała? — nalegałem.

Zaskoczony, zrobił wielkie oczy.

— Nieco dalej biegnie kładka, panie. Można przeprawić się nią tam i z powrotem w niecałe pół godziny!

Mimo powagi sytuacji nie zdołałem powstrzymać się od uśmiechu. Nagle uświadomiłem sobie, jak bardzo zdrowy rozsądek Kocha podtrzymywał mnie na duchu. Potrzebowałem jego obecności; jego ograniczone, wręcz ciasne poglądy dostarczały niezbędnej przeciwwagi dla pobudliwości mej natury. Nigdy nie ośmielił się pytać mnie dlaczego, chciał tylko wiedzieć jak. Z tego powodu nie wyjaśniłem mu, czemu chciałem przedostać się na drugą stronę zatoczki. Miałem nadzieję ująć zabójcę Anny i dopilnować, by zawisnął.

Podszedłem do drzwi i wezwałem żołnierzy.

— Przykryjcie ją — poleciłem; jednak po przeszukaniu szopy, przy czym uniosły się w górę wielkie kłęby kurzu, zdołano znaleźć tylko jakieś brudne, cuchnące worki i zwój postrzępionych sieci.

Odwróciłem wzrok, gdy ją wynosili, choć nie odsunąłem dłoni, gdy wilgotne loki musnęły mi palce. Koch i ja podążyliśmy za żołnierzami, obserwowaliśmy, jak układają ciało na rozklekotanym wózku znalezionym za szopą.

Czy Anna Rostowa odnajdzie spokój w ziemi? A może zmieni się w upiora, jednego z tych, w które wierzą ludzie na wsiach, zawieszonego między życiem a śmiercią, przy świetle księżyca żywiącego się krwią żywych?

Przegnałem te dziecinne wytwory wyobraźni.

— Idziemy, Koch?

Sierżant bez słowa wcisnął mocniej kapelusz, by ochronić go przed strąceniem przez wściekłe podmuchy wiatru i nacierającą śnieżycę, potem odwrócił się w kierunku wiszącego mostu, spinającego brzegi zatoki, i ruszył w jego stronę.

Musiałem biec, by dotrzymać mu kroku.

Trochę ryzykujemy, udając się w to miejsce — ostrzegł mnie sierżant Koch, z ręką na drzwiach. Grubo ciosane drewno połyskiwało czernią, tu i ówdzie widniały na nim wyżarte przez sól ślady, zupełnie jak gdyby jakiś złoczyńca próbował spalić budynek, a ktoś inny gasił płomienie morską wodą. — Czy mam zawołać któregoś z żandarmów?

„To przecież tylko nędzna buda", pomyślałem, gdy staliśmy przed niskim wejściem.

— Nie ma potrzeby, sierżancie — oświadczyłem śmiało, ale zaledwie weszliśmy do środka, zacząłem pojmować, o co mu chodziło.

Musiałem na chwilę przystanąć, by przyzwyczaić oczy do dymu i ciemności; do mych płuc wdzierał się zjełczały smród nie mytego ludzkiego ciała. Koch nobilitował to miejsce, nazywając je tawerną. Znajdowaliśmy się raczej w porzuconym magazynie, w którym jakaś przedsiębiorcza dusza sprzedawała piwo i mocniejsze alkohole innym nie mającym gdzie się schronić zagubionym duszom.

Wciąż wyczuwalny tu słodkawy zapach słodu przypominał, że budynek ten był kiedyś spichlerzem. Szorstkie kamienne ściany wzniesiono bezpośrednio na kei, wewnątrz bruk przykryto

gliną i torfem. Otwarte palenisko pośrodku pomieszczenia łago-
dziło przenikliwy chłód, dym unosił się ku otworowi wyszar-
panemu pod krokwiami dachu, gdzie przegrywał walkę o wydo-
stanie się na zewnątrz i ponownie osiadał duszącą chmurą na
użytkownikach tego miejsca. Pomimo że płonął ogień, wszystko
tu było śliskie od wilgoci spływającej strumyczkami po ścianach.
Samotna wisząca lampa dostarczała dosyć światła, by dało się
wejść do środka, ale zbyt mało, by odszukać wyjście, choć nikt tu
nie sprawiał wrażenia, że zamierza udać się dokądkolwiek. Na
oko było tu z czterdziestu osobników, zajętych piciem, rozwalo-
nych na podłodze lub skulonych razem pod ścianami. Krąg ze-
brał się wokół huczącego ognia. Tak wielu ludzi, tak blisko siebie, a jednak nie słychać było, by ze sobą rozmawiali. Panowało
tu posępne, przytłaczające, pełne wzajemnej niechęci milczenie.
Na nasz widok oczy bywalców błysnęły nerwowo, jakby na coś
czekano. Jedno pospieszne spojrzenie dostarczyło odpowiedzi na
pytanie, którego nikt nie wypowiedział na głos. Odwrócili wzrok,
zanurzyli twarze w piwie lub ponownie pogrążyli się w milczącym czuwaniu wokół tańczących płomieni. Po chwili zapomnia-
no o nas.

— Tam, wasza wielmożność — Koch szepnął mi do ucha,
ruchem głowy wskazując w stronę lewej ściany.

Ośmiu mężczyzn siedziało stłoczonych ramię przy ramieniu
na ławce, niczym wróble na płocie wokół ogrodu. Nie widziałem łańcucha, który krępował nogi, ale gdy ruszyliśmy w ich
kierunku, rozległo się zdradliwe szczękanie i brzęk żelaza. Każdy
z więźniów miał narzucony na ramiona szary koc. Jeden, prawdopodobnie złodziej recydywista, jako że miał odciętą prawą dłoń,
przyciskał do piersi obandażowany kikut. Więźniom ogolono
głowy do gołej czaszki, z wyjątkiem jednego mężczyzny, odzia-

nego w dziwaczny, futrzany płaszcz i takąż czapkę, najwyraźniej własnej roboty — z mnóstwa nie wyprawionych zwierzęcych skórek, pozszywanych byle jak. Na obu końcach ławki siedzieli strażnicy w wybrudzonych białych mundurach, w czapkach z czerwono-niebieską kokardą. Kolanami przytrzymywali skierowane lufami w górę karabiny. Jeden, z głową nisko na piersi, zdawał się pogrążony we śnie.

— Są tu od wczoraj, wasza wielmożność — mruknął Koch.

— Statek do Narwy jeszcze nie przybił do brzegu. Istnieją pewne wątpliwości co do jego losów.

Wczoraj wieczorem w biurze Rhunkena beztrosko podpisałem rozkaz dla tej grupy deportowanych. Najbardziej niebezpiecznych przestępców w Prusach gromadzono razem w Narwie, na wybrzeżu Bałtyku, nad Zatoką Fińską. Przymusowy marsz przez zamarznięty kontynent aż do odległej wschodniej Syberii, miał zacząć się z pierwszą oznaką odwilży. W zamian za tych ludzi Aleksander Romanow obniżył cenę eksportowanego do Prus ziarna. „Sprzedani w niewolę", tak skrytykowała tę umowę jedna z berlińskich gazet, dodając, że nowy właściciel zamierza jak najwięcej zarobić na tym interesie. „Mamy nieograniczoną ilość pracy dla leniwych rąk w kopalniach srebra w Nerczinsku" — tak podobno powiedział z uśmiechem nowy car, dziedziczący tron po ojcu, którego zamordowaniu nie przeszkodził.

— Musimy odnaleźć karczmarza — stwierdziłem.

— Wątpię, czy taki istnieje — odrzekł Koch. — Handlują tu kontrabandą. Mocny alkohol to w Pillau jedyne lekarstwo na zimno. Jeden Bóg wie, co poczną te diabły, gdy dotrą na Syberię!

— Rzeczywiście — przyznałem, równocześnie zastanawiając się, jak zdobyć zaufanie któregoś ze skazańców lub ich strażników. Miałem przy sobie dość pieniędzy na zakup baryłki dżinu, ilości wystarczającej do uśmierzenia najbardziej gwałtownego ataku zimnych dreszczy.

Ale ledwie zrobiłem parę kroków w kierunku ławki, już żołnierz pilnujący więźniów zerwał się na równe nogi i wycelował karabin w moją stronę. Jego towarzysz uczynił to samo; patrzył na mnie jednym okiem, wielkim ze zdziwienia; drugim, dotkniętym porażeniem, nieustannie mrugał. Lufa jego karabinu zatrzymała się parę centymetrów od mego serca.

— Stać! — zawołał. — Krok dalej, a jesteś martwy!

— Jestem urzędnikiem królewskim prowadzącym śledztwo — oświadczyłem wyniośle, próbując zachować pozory godności choćby za pomocą tonu głosu, gdyż znalazłem się w dość dziwacznej sytuacji. — W zatoce znaleziono martwą kobietę. Chcę wiedzieć, czy któryś z więźniów widział ją zeszłej nocy.

Żołnierz z wadą wzroku opuścił nieco karabin; nie zagrażał już memu sercu, nadal jednak ryzykowałem wielką dziurę w brzuchu. Był to paskudny drab, o okropnej, krzywej szczęce — podobnych widywałem w lasach w okolicy Magdeburga, gdzie chłopom wolno zawierać związki małżeńskie między kuzynostwem. Drugi, wysoki chudzielec, uniósł swój karabin na wysokość ramienia i skierował w twarz Kocha.

— A ty kto? — warknął.

— Asystent prokuratora — odrzekł sierżant. Powoli, niczym pistolet wycelował palec wskazujący w strażnika. — Przeszkadzacie panu Stiffeniisowi w wypełnianiu obowiązków!

Choć nieufnie, skierowali broń nieco w bok.

— Widzieliście tu jakieś kobiety zeszłej nocy? — naciskał Koch.

— Naszło się narodu — zaczął niepewnie magdeburczyk.

— Trzęśli my się z zimna...

— Jakieś k o b i e t y — uciąłem ostro.

— To nie kaplica, panie — odrzekł żołnierz, wsparł kolbę na ziemi i w zamyśleniu drapał się po brodzie. — Robimy co trza, by trzymać więźniów osobno, ale noc jest długa. Im rychlej wejdą na pokład statku, tym lepiej. Będą kłopoty, jeśli zostaniemy tu dłużej...

— Interesuje mnie pewna albinoska — powiedziałem, wyraźnie ignorując jego narzekania. — Białe włosy, biała skóra, oczy tak jasne jak...

Wymienili niespokojne spojrzenia.

— Czy była sama? — zapytałem.

— No... cóż, kilka godzin po tym, jakeśmy przyszli, wasza wielmożność, ona wlazła do środka. Przepchała się do ognia. Jak to się trzęsła! Bez płaszcza, tylko w sukni...

Znów wymienili między sobą spojrzenia. Najwyraźniej zastanawiali się, do czego się przyznać, a czemu zaprzeczyć.

— Nie obchodzi mnie, jak wypełniacie wasze obowiązki — powiedziałem ostro. — Chcę wiedzieć, z kim była, nic więcej.

— Generał K. pozna wasze nazwiska w ciągu godziny — zagroził Koch. — Mówcie, co wiecie!

— No to się wam dostanie! — rzucił ze złością któryś z więźniów.

— A więc? — zwróciłem się do kaprala.

— Była samiuteńka, wasza wielmożność. Istna papużka przez te swoje kolory. Jak tylko ci tutaj ją ujrzeli, zaraz zaczęli nawoływać.

— Znali ją? — zapytałem z rosnącą nadzieją.

Żołnierz potrząsnął głową.

— Wątpię. Ta czerwona sukienka tak ich rozochociła. Od miesięcy nie widzieli dziewki. Więzienne ptaszki, panie, wszyscy co do jednego. A ona nie była od tego, wie pan, o co mi chodzi?

Nietrudno mi było wyobrazić sobie tę scenę. Anna Rostowa, jedyny jasny element w ponurych ciemnościach tej nory. Jej widok musiał rozgrzać serca i rozbudzić nadzieje każdego obecnego tu mężczyzny, łącznie z obydwoma strażnikami.

— Rozmawialiście z nią?

Obaj zaprzeczyli gwałtownym ruchem głowy.

— A więźniowie?

Znów wymienili ukradkowe spojrzenia.

— Wnet znajdziecie się w łańcuchach na pokładzie statku wiozącego tę grupę do miejsca ostatecznego przeznaczenia — zagroziłem, robiąc krok w ich kierunku.

— Chciała dostać się na ten statek — mruknął magdeburczyk.

— Potajemnie, by nikt nie widział. Schowałaby się, tak gadała.

Opuścił wzrok na ziemię.

— Czy oferowała zapłatę? — zapytałem. Nie musiałem zgadywać, co Anna Rostowa zaproponowała za pomoc w ucieczce z Królewca.

— Ja... już mówiłem, wasza wielmożność. I j e j także rzekłem. Statek nie przypłynął. Kto to wie, jak długo będziemy tu sterczeć. Nie mogłem, no... o b i e c a ć n i c z e g o.

— Wykorzystałeś ją, prawda? — starałem się opanować narastający we mnie gniew.

— Nikt jej nie kazał — zaprotestował magdeburczyk. — Ochotna była, że hej, wasza wielmożność. Już kiedyś płynęła statkiem. Odpracowała p o d r ó ż, tak nam gadała. Wiadomo, co ona...

Za nami rozległy się dzikie wrzaski, mrożące krew w żyłach okrzyki. Żołnierze instynktownie unieśli broń i wycelowali w tłum ludzi, którzy w ciasnym kręgu klęczeli wokół dwóch wielkich szarych szczurów, zapominając o ogniu za plecami.

Gryzonie, olbrzymie jak koty, z zakrzywionymi przednimi zębami, przypominały potężne *pantegane,* które widziałem snujące się tysiącami wzdłuż uliczek i nad brzegami wód Wenecji, tego obrzydliwie cuchnącego ścieku. Szczury walczyły o życie, rzucały się na siebie i szarpały, a przy każdym udanym ataku z ust gapiów wyrywały się coraz dziksze i głośniejsze okrzyki. Zaledwie walka się zaczęła, już było po wszystkim. Jakiś mężczyzna trzymał za ogon pokonane zwierzę i demonstrował je tłumowi. Coraz szybciej i szybciej kręcił szczurem nad głową, coraz szerszy krąg tłumu zraszając krwią, co wywoływało gniewne okrzyki i protesty; i nagle puścił gryzonia. Stworzenie przeleciało przez całe pomieszczenie i z obrzydłym klaśnięciem uderzyło o ścianę, tryskając fontanną krwi.

Robiło się coraz głośniej; gdy pieniądze zmieniały właścicieli, rozbrzmiewały ogłuszające okrzyki triumfu; w pewnej chwili wywiązała się krótka szamotanina, potem jakiś mężczyzna podbiegł do ławki zajętej przez więźniów w łańcuchach i wręczył kilka monet człowiekowi, który wcześniej zwrócił moją uwagę swym dziwnym futrzanym ubraniem.

— Kto to? — zapytałem.

— Helmut Schuppe, wasza wielmożność — rzucił pogardliwie kapral. — Z przeznaczeniem na Syberię. Gdyby nie to, byłby szczęściarzem. Pół nocy zakłada się i wygrywa. On z nią gadał, choć gadanie to chyba nie to, co robił...

Urwał i zamilkł.

— Jaką popełnił zbrodnię? — Przyglądałem się więźniowi, który wyciągnąwszy spod koszuli futrzany woreczek, chował do niego wygraną. Choć niskiego wzrostu, Helmut Schuppe był potężny jak niedźwiedź i wyglądał na człowieka, który potrafi się obronić, gdyby komuś przyszło do głowy obrabować go.

Kapral wyciągnął z kieszeni wybrudzoną kartkę papieru.

— O, jest — zaczął odczytywać z pewnym trudem. — Zamordował brata. Z zimną krwią. Potem zżarł jego wątrobę. Na surowo.

„A więc to ten potwór — pomyślałem — o którym czytałem wczoraj wieczorem".

— Zdjąć mu łańcuchy — rozkazałem, gdy zamieszanie ponownie się zaczęło. Znaleziono następne szczury, znów wybuchły gwałtowne kłótnie co do ich bitewnych zalet. Odwróciłem się do tej sceny plecami, nie chcąc na nią patrzeć, choć moje uszy nie były głuche na piski i gwizdy gryzoni, gdy ich właściciele podnosili je i prowokowali do walki.

— Mam go uwolnić? — zapytał arogancko kapral.

— Słyszałeś, co powiedziałem — odrzekłem.

Przykucnął przy ławce, ukląkł na jednym kolanie, wyjął z kieszeni klucz i zabrał się do otwierania kajdan więźnia. Po chwili Helmut Schuppe stał już bez łańcuchów, choć z pewnością nie był wolny. Magdeburczyk trzymał się tuż za nim, karabinem napierał na jego plecy i popychał go w moją stronę.

Schuppe nie dorównywał mi wzrostem, ale futro czyniło go grubszym, niż w istocie był. Wysoko zarysowane kości policzkowe, szparki oczu, pokaźny nos i cienkie wargi zmysłowych ust wskazywały, pomimo jego nazwiska, na Lapończyka. Skaczące płomienie ognia oświetlały sine piętno na policzkach. Duża litera „M" — morderstwo.

— Nieźle zarobiłeś na tych stworzeniach — zacząłem przyjaźnie. Koch stał blisko mnie, a żołnierze, choć cofnęli się trochę, trzymali karabiny w pogotowiu.

— Chcesz jegomość wiedzieć, na którego postawić, czy tak? — odpowiedział mężczyzna z przeciągłym, nosowym świstem.

W jego głosie nie słyszało się modulacji typowej dla mieszkańców Północy, mówił dość dobrze po niemiecku. — Znam ci się
ja na tych bestiach — oświadczył i zadudnił śmiechem, aż za-
trzęsły się luźno zwisające skórki jego futra.

— W istocie — przyznałem. — A teraz powiedz mi o tej kobiecie.

Schuppe zmrużył oczy i badawczo przyjrzał się mej twarzy.

— Jakiej?

— O Annie Rostowej.

— A, t e j — znów się roześmiał. — Gdy człowieka skażą,
korzysta z przyjemności, gdzie tylko się da. Nie wolno mu nic ze
sobą zabrać. Tylko talary, panie. Za nie można kupić kielicha,
ciepłą derkę. Niewiele więcej. Odrobinę żarcia. Kobiety... wczorajszej nocy dobrze swoją wykorzystałem. Grog, zakłady, ciepłe,
przytulone ciało.

— Opowiedz mi więcej o tym ciepłym ciele — powiedziałem możliwie obojętnym tonem, choć kosztowało mnie to wiele
wysiłku. Obraz Anny Rostowej, jak zwierzę kopulującej w ciemnym kącie tej mrocznej nory z potworem, który nie tylko zamordował brata, ale także go jadł, zaparł mi dech.

— Co ci powiedziała? — naciskałem.

Zaśmiał się rubasznie, aż wszystkie oczy zwróciły się w naszą stronę.

— Te ciepłe wargi między ich udami... wiele nimi nie gadają!

— Zanim wyruszysz na północ, mogę skazać cię na chłostę,
po której będziesz ledwie żywy, Helmucie Schuppe — oznajmiłem zimno. — Albo jeszcze gorzej, jeżeli odkryję, że w jakiś sposób przyczyniłeś się do jej śmierci.

Groźba nie zrobiła na nim żadnego wrażenia, co wnet miałem sobie uświadomić, ale to, co usłyszał z moich ust, sprawiło

mały cud. Wrzuciłem kamień do stawu i rozchodzące się kręgi ukazały mi coś, w co nigdy bym nie uwierzył: Helmuta Schuppego, bratobójcę i kanibala, poruszyła wiadomość o śmierci Anny Rostowej.

— Nie żyje, wasza wielmożność? — szepnął głosem czułym, jakby zwracał się do dziecka.

— Uduszona — odrzekłem.

— Pewnikiem widziałem tego, co ją ubił — szepnął, patrząc mi prosto w oczy.

Niemal przestałem oddychać.

— Możesz go opisać?

Schuppe potrząsnął głową i odwrócił wzrok.

— Cień, wasza wielmożność. Cień ją porwał. Potrafię rozpoznać zło, gdy je ujrzę. Szczury ucichły, gdy tu wszedł.

— Uważaj! — syknąłem gniewnie. — Mów wyraźniej, jeśli łaska.

Patrzył na mnie z napięciem przez kilka chwil.

— Ano, polował na nią jak jaki głodny wilk. Ona wiedziała, dokąd zmierzamy, panie. Chciała ruszyć z nami, próbowała ugadać rzecz z tymi dwoma.

Spojrzał na żołnierzy, przenosił wzrok z jednego na drugiego.

— Tam! — Schuppe wskazał kąt najbardziej oddalony od ognia i lamp, potem splunął w stronę żołnierzy, świdrując ich twardym wzrokiem. — Oddałbym rękę i nogę, by dorwać się zębami do wątroby tych świń! Ale mają giwery, a ja muszę żyć. Nie pozbędziecie się m n i e w Rosji, dranie! — krzyknął do nich z nienawiścią. — Wrócę, by nażreć się waszych gorących flaków!

Sześć tysięcy mil pieszo przez wrogi kraj. Złoczyńcy będą mieli szczęście, jeśli uda im się tam dotrzeć, już nie wspominając o powrocie.

— A więc później zwróciła się do więźniów — powiedziałem ochrypłym, niskim głosem.

— Jeden czy dwóch paliło się do skorzystania z okazji — powiedział dumnie — ale ja mam dość grosza. Dałem jej *Geld*, by zatrzymać ją przy sobie. Tamtym obiecałem, że uszyję im płaszcze, gdy dotrzemy do Narwy. By siedzieli cicho. Na statku są szczury. Wśród lodów futra dają więcej ciepła niż wspominki o dziewce.

Ogarnęła mnie fala czegoś w rodzaju wdzięczności dla tego szorstkiego człowieka. Inaczej niż żołnierze, serce miał czułe na piękno.

— Mówiłeś, że się bała. Czego? Kogo?

Schuppe potrząsnął głową.

— Ludzie umierają w Królewcu, tyle mi rzekła. — Spojrzał na mnie uważnie. — Co to znaczy, wasza wielmożność? Czy w mieście panuje morowa zaraza?

Zignorowałem pytanie.

— Co między wami zaszło?

Schuppe zrobił głęboki wydech, podrapał się po nosie.

— Syberia, powiedziałem jej. Zapomnij o tym, niewiasta tam nie przeżyje!

Miał rację. Po podpisaniu umowy o deportacji z Pawłem Romanowem w roku 1801 dwie kobiety dołączyły do pierwszego transportu. Jedna prostytutka, a druga zabójczyni męża i dzieci. Przypomniałem sobie raporty, które ukazały się we wszystkich gazetach, skandal, jaki wtedy wybuchł. Kobiety, wielokrotnie gwałcone przez pozostałych więźniów, zabiło zimno, nim dotarły na miejsce przeznaczenia. Minister stanu von Arnim wydał okólnik korygujący pierwszą ustawę, zabraniając sędziom i komendantom więzień deportacji kobiet. Arnim nalegał, by zsyłano wyłącznie silnych, zdrowych mężczyzn, gdyż car nie zaakceptowałby słabeuszy w swych koloniach pracy. Ironią losu, nieugiętość Romanowów więcej uczyniła dobrego dla naszego systemu karnego niż wszelka oświecona dyskusja nad naturą zbrodni i kary.

— Ona tam była — dodał Schuppe. — Na Syberii. I wróciła!

— Deportowana!? — okazałem zdziwienie.

Schuppe skinął głową.

— „Spójrz ino na moje włosy, na moją skórę", tak gadała. Że niby tam zmieniła się w lód. — Przez chwilę milczał. — Żyję z polowania na zwierzęta, wasza wielmożność. Sprzedaję ich skóry i jem ich mięso. Krety latem, szczury zimą. Bóg jeden wie, ile miast w Prusach oczyściłem ze szkodników! Zrobię sobie ciepłe skarpety, by chroniły mnie przed zimnem. Wrócę! — krzyknął w stronę żołnierzy. — Biały jak lód, tak jak ona, ale wrócę po was, dranie!

Wrócić z Nerczinska? Tylko duchowi by się to udało. Duchowi lub rybołówce, zdolnej do lotu nad lodem i śniegiem, wysoko nad groźnymi wilkami tundry, wygłodniałymi niedźwiedziami, zamarzniętą pustynią stepów. Nikt nie zdoła wrócić z Nerczinska. Człowiek zesłany tam był martwy, zanim jeszcze znalazł się poza granicą Prus. Znów ta gazeta błysnęła mi przed oczyma:

...temperatura minus 55 stopni, 5250 mil od St. Petersburga, 480 mil na północ od Wielkiego Muru Chińskiego, 1000 mil od Pacyfiku, daleko nie tylko od zachodniej Europy, ale i od szlaków handlowych między Rosją a Chinami. Wyludnione stepy i nagie góry ciągnące się na wielkich przestrzeniach, zamieszkanych jedynie przez wędrujące hordy dzikich Tatarów.

W owym dzienniku urzędowym z Berlina brzmiał jakiś radośnie karzący akcent.

A więc taki był ostatni uczynek Anny Rostowej? Oczywistym kłamstwem dała temu mężczyźnie nadzieję. Modliłem się za jej duszę. Już choćby z powodu tego oszustwa, jeśli nie z innych przyczyn.

— Zostawiła cię, Schuppe — powiedziałem wprost. — Dlaczego?

— Zasnąłem, gdy skończyły się szczurze zakłady. Obłowiłem się nieźle. Nagle zbudziłem się i patrzę, a ona już przy drzwiach. Przykuty do reszty łańcuchem, mogłem tylko wrzasnąć na tamtego. Obejrzała się na mnie przez ramię, i już ich nie było. Wyciągnął ją za włosy...

— Mężczyzna, mówisz?

— W ogromniastym czarnym płaszczu, w kapeluszu głęboko nasuniętym na czoło. Znikli w jednej chwili.

— Dziękuję wam, Schuppe — zwróciłem się do niego, skinąwszy głową do wartownika, by odprowadził go na ławkę i z powrotem zakuł w kajdany.

— Pan wie, com ja zrobił, prawda, jaśnie panie? — przerwał mi natarczywym szeptem, przysuwając głowę bliżej do mojej.

W milczeniu przytaknąłem ruchem głowy i odsunąłem się od niego.

— Zabiłem brata — powiedział, patrząc mi głęboko w oczy.

— Dlaczego?

Wzruszył ramionami.

— Potrzeba mi było schronienia, szukali mnie żołnierze. Kazał mi iść precz, wziął na mnie siekierę. Zabrałem mu ją i podziękowałem ostrzem.

Opowiedział swoją historię z całkowitą prostotą. Jakby kolejność wydarzeń była nieuchronna. Brat. Potrzeba kryjówki. Siekiera. Jakby nic innego nie można było zrobić.

Czy i mnie mogłoby się przydarzyć coś podobnego? Czy umiałbym zdać równie nieskomplikowaną relację z tego, co się wydarzyło między Stefanem a mną? Przeznaczeniem tego człowieka była śmierć na Syberii, tymczasem ja polowałem na mordercę w towarzystwie Immanuela Kanta...

— Jadłem ludzkie ciało — powiedział, przerywając me myśli. — Zrobiłbym to samo, gdyby znów przyszedł taki mus.

— O jakich okolicznościach mówisz? — zapytałem, zaciekawiony.

— Wojna. Głód. Długi marsz. Zobaczy pan, co będzie, jak Bonaparte się tu wedrze, ile dusz skończy w garnku. Gdy człek nie ma wyjścia...

Przypomniałem sobie scenę, jakiej byliśmy wraz z Kochem świadkami w drodze do Królewca, bandę rabusiów przy moście, którzy zarżnęli chłopskiego konia dla mięsa.

— Będę musiał poszukać sobie żarcia na drogę przez arktyczną pustynię, chyba że mi pan pomoże...

— Pomóc ci, Schuppe? — zdziwiłem się. — Jak, na Boga, mógłbym ci pomóc?

Przysunął się tak blisko, że pilnujący go żołnierz krzyknął i mocniej wcisnął mu karabin w plecy.

— Człowiek w futrze może umrzeć z głodu — syknął Schuppe; głośno zgrzytał zębami i poruszał szczękami, zupełnie jakby żuł coś twardego a smakowitego. — Uratuj tych biedaków przed mymi ostrymi kłami, wasza wielmożność.

Przez chwilę wpatrywaliśmy się w siebie, potem jego dłoń uniosła się przed moją twarzą, w palcach trzymał kawałek grafitu.

— Dodatkowe racje — powiedział z rozbrajającym uśmiechem.

— Zakuć więźnia — rozkazałem żołnierzom, wziąłem ołówek i zwróciłem się w stronę nędznego światła padającego od ogniska. — I dajcie mi listę.

Za moimi plecami brzęknęły łańcuchy, gdy Helmuta Schuppego odprowadzano na miejsce. Po chwili obok nazwiska ostatniego człowieka, który okazał odrobinę czułości Annie Rostowej, mężczyzny skazanego za zamordowanie brata i zjedzenie jego wątroby, osobnika z piętnem wypalonym na policzkach, dopisałem dużymi literami: „Zasługuje na dodatkowe racje żywności".

Zwróciłem się do Kocha:

— Zapisz nazwiska strażników, sierżancie. Zarządzę, by ukarano ich za rażące niedbalstwo w spełnianiu obowiązków. Za wykorzystanie kobiety pod pretekstem ułatwienia jej wyjazdu na Syberię.

— Mogą sami skończyć w kajdanach, wasza wielmożność — ostrzegł mnie Koch. — Z czekającym ich długim marszem na mrozie.

Odwróciłem się i ruszyłem w stronę wyjścia. Nie współczułem tym bestiom, które wyładowały swe żądze na słabej dziewczynie, a potem nie obroniły jej przed mordercą. Na zewnątrz uderzył we mnie paskudny, mokry smród zatoczki w porze odpływu.

— Co teraz, panie prokuratorze? — zapytał Koch markotnym głosem.

— Zanotowałeś pan ich nazwiska?

— Tak, wasza wielmożność.

— Wyśmienicie. No to wracajmy do miasta. Do infirmerii. Lublinsky miał motyw, by ją zamordować. Ale czy miał okazję?

Koch milczał, pomyślałem nawet, że jest zakłopotany, bo odważył się zakwestionować moją decyzję, jednak myliłem się. Był

350

wszakże zawodowcem. Zamknąwszy za sobą drzwi tej piekielnej nory, myślami już wybiegał w przód.

— Jeśli pan pozwoli, wasza wielmożność, nie pójdę z panem — oznajmił.

— Jak to? Co pan knuje, Koch? — zaciekawiłem się.

— Rozmyślałem o mojej żonie, panie Stiffeniis — odrzekł i w jego głosie zabrzmiała taka melancholia, że nie byłem w stanie wytrzymać spojrzenia jego błyszczących oczu.

— Żona? — powtórzyłem zdumiony. — Mówiłeś sierżancie, że mieszkasz sam.

— Merete odeszła podczas ostatniej epidemii tyfusu — ciągnął cichym głosem. Ta strata wyraźnie wciąż sprawiała mu ból.

— Była hafciarką, wasza wielmożność. Myślałem o igłach, jakich używała. Zawsze wiedziałem, co mam jej kupić na imieniny czy na Świętego Mikołaja. Zeszłej nocy, gdy poznaliśmy narzędzie zbrodni, zaraz pomyślałem o Merete. Gdybym mógł odnaleźć człowieka, który sprzedawał te igły, może przypomniałby sobie osoby kupujące je w przeszłości. Otrzymalibyśmy jakąś wskazówkę, nie sądzisz, panie?

— Jeżeli takie przedmioty są w codziennym użyciu gospodyń domowych, w Królewcu może ich być bardzo dużo — stwierdziłem, ale sierżant Koch nie dał się zniechęcić.

— Merete wspominała o kimś z tej branży — ciągnął z przekonaniem. — O dostawcy, u którego można się było zaopatrzyć we wszystko. Gdybym zdołał go odnaleźć, mógłby nam powiedzieć coś o tym rodzaju igieł i o ludziach, którzy je kupowali. To nie ten pospolity rodzaj, jakiego używała moja żona.

Przyszło mi do głowy przysłowiowe szukanie igły w stogu siana, ale nie chciałem osłabiać entuzjazmu Kocha.

— Nie potrzebuje mnie pan w infirmerii, wasza wielmożność — ciągnął. — Może uda mi się odszukać tego człowieka. Niewiele sklepów w Królewcu sprzedaje drobiazgi pasmanteryjne.

— Dobry pomysł — zachęciłem go, choć niezbyt liczyłem na powodzenie.

A więc Koch odwiezie mnie do miasta, potem nasze drogi miały się rozdzielić. Gdy tak staliśmy, rozmawiając w nasyconym solą, pełnym powiewów wichru powietrzu, strumyki wilgoci formowały się na wodoodpornej powierzchni peleryny, którą dał mi profesor Kant. Strzepnąłem je, gdy wsiadaliśmy do powozu, i zauważyłem, że dwurzędowy płaszcz sierżanta jest całkowicie przemoczony.

— Wygląda pan jak zmokły szczur — zażartowałem. — Weź tę pelerynę, sierżancie. Będziesz chodził piechotą po mieście, podczas gdy ja pojadę powozem.

— Nie ma potrzeby, naprawdę, wasza wielmożność — zaprotestował bez przekonania.

Zsunąłem pelerynę z ramion i wręczyłem mu.

— Przeciwnie, Koch. Moje potrzeby są mniejsze — oświadczyłem, ponownie rozkładając wełniany płaszcz i otulając się nim.

Po przejechaniu licznych drewnianych mostów wiodących do centrum miasta pojazd zatrzymał się; sierżant Koch wysiadł i zniknął w zapadającym zmroku. Gdy patrzyłem za nim, odzianym w błyszczącą, nieprzemakalną pelerynę Kanta, wydawało mi się, że widzę samego siebie w gorączkowym pościgu za mordercą. Aż się uśmiechnąłem. Nie wiedziałem, że minie wiele dni, nim będę zdolny uśmiechnąć się ponownie.

nton Theodor Lublinsky — pułkownik doktor Franzich z ożywieniem pokiwał głową. — Lewe oko, oczywiście, stracił. Nic nie dało się zrobić, panie prokuratorze. Wywiązała się gangrena. Niewiele brakowało, by utracił także i drugie. Proszę, niech pan siada.

Znajdowaliśmy się w jego gabinecie — z oddziału wiodły tu trzy schodki. Zabrał mnie tu, gdy mu się przedstawiłem. Jedną ze ścian tego pokoju najwyraźniej dopiero co dobudowano — inaczej niż w pozostałych pomieszczeniach twierdzy, które do tej pory widziałem, została w całości wzniesiona ze szklanych płyt.

— W ten sposób o wiele łatwiej nadzorować pacjentów — wyjaśnił pułkownik Franzich, machnąwszy dłonią w stronę oddziału chorych. — Wystarczy wstać. Jak szyper na mostku.

— Pomysłowe — zauważyłem pełen uznania.

— Im, oczywiście, nie wolno wstawać. „Skazaliśmy" ich na łóżko! — zażartował ze znużonym uśmiechem. — Nie widzą nas, tylko mur za moimi plecami.

— Coś takiego! — zdziwiłem się.

— „Ściana płaczu" — tak to nazywam. Wie pan, nawiązanie do Biblii — ciągnął z tym samym, jakby na stałe przylepionym do twarzy, zmęczonym uśmiechem.

Siedząc plecami do szklanej ściany, miałem przed oczami wspomniany mur. Zastanawiałem się, czy rodzaj przedmiotów starannie umieszczonych na „ścianie płaczu" zdoła zachęcić choćby jednego pacjenta do obdarzenia zaufaniem pułkownika doktora Franzicha. Widok ten mógł raczej pozbawić wszelkiej nadziei człowieka zagrożonego śmiercią lub utratą kończyny z powodu odniesionych ran.

— Czy te figurki są z wosku? — zaciekawiłem się.

— Oczywiście — odrzekł. — Większość poszkodowanych wciąż żyje i znajduje się w... stosunkowo dobrym stanie. W ciągu ostatniej dekady wojskowa chirurgia poczyniła ogromne postępy. Ponieważ pacjentom tym pozwolono opuścić infirmerię, kazałem wykonać woskowe odlewy ich okaleczonych części ciała. Dla doświadczonego oka możliwości rekonstrukcji są... no cóż, oczywiste.

Jego uśmiech miał niby dodawać otuchy, ale niepokojąco przypominał mi grymas Gerdy Totz. Eksponaty ustawione na ścianie prezentowały się makabrycznie. Były to woskowe odlewy dłoni, rąk i nóg, pociętych i rozszarpanych przez kartacze lub na zawsze utraconych po ciosach zadanych bagnetem albo odciętych szablą. Ale najgorsze były twarze. Wisiały rzędem niczym upiorne maski śmierci. Twarze nieszczęsnych mężczyzn, okrutnie zdeformowane wskutek miażdżących uderzeń różnych rodzajów broni.

Chirurg Franzich, siedzący z obojętną miną przed tymi monstrualnymi pamiątkami rzeźnickiego pniaka, przypominał dumnego właściciela muzeum figur woskowych, sprzedającego bilety wstępu do namiotu z wynaturzonymi okazami ludzkiego gatunku. Płomień palącej się na biurku lampy oliwnej migotał i drżał w mroku, i nagle przypomniałem sobie pewien letni wieczór, który jakieś dziesięć lat temu spędziłem z ojcem i jego bratem

Edgarem Stiffeniisem w jego domku myśliwskim. Ćmy i inne owady jak szalone miotały się w pląsającym świetle świecy, umierały w nie kończącej się sekwencji błysków i trzasków, a wuj Edgar wspominał myśliwskie przygody, z których powstała kolekcja wypchanych i umieszczonych na ścianach domku głów niedźwiedzi i dzików. To tutaj było nieporównanie gorsze. Wydawało się, że twarze uwiecznione na „ścianie płaczu" chirurga Franzicha żyją i oddychają w agonii. Do złagodzenia wrażenia, jakie wywarły na mnie te wizerunki, z pewnością nie przyczyniały się ślady krwi zaschniętej na mundurze chirurga przypominającym roboczy kitel.

Jedno oblicze szczególnie przyciągnęło moją uwagę. Trudno było oderwać od niego wzrok, a jeszcze gorzej nań patrzeć. Mężczyzna ów utracił dolną szczękę. Odsłonięte górne zęby, wyszczerbione i połamane, zwisały nad straszliwą pustką; język, niczym pozbawiony łusek, nabrzmiały purpurą wąż, daremnie poszukujący schronienia, zwisał nad miejscem, w którym kiedyś znajdowały się wargi. Widoczne części szyi i krtani biedaka pomalowano żywymi kolorami, jaskrawą mieszaniną indygo, czerwieni i żółci w odcieniu zwierzęcego tłuszczu. Gdy światło świeczki przesuwało się i drgało, wydawało mi się, że ścięgna, mięśnie i błony pulsują, ożywiane nieustającym bólem.

— To pan podpisał świadectwo zgonu Rudolfa Adolfa Kopki, jak sądzę?

— Kopka? — powtórzył pułkownik ostrożnie, jakby nigdy wcześniej nie słyszał tego nazwiska.

— Dezerter. Sześć miesięcy temu zmarł z powodu zmiażdżonego przełyku.

Pułkownik Franzich przez chwilę bębnił palcami o krawędź stołu.

— Będę musiał sprawdzić w rejestrach — oświadczył.

— Niewiele pan tam znajdzie. Już je widziałem.

— A więc? — wzruszył ramionami. — Co więcej mogę panu powiedzieć?

„Całkiem dużo", pomyślałem.

— Porozmawiajmy o Lublinskim — zaproponowałem.

— Co za twarz! — wykrzyknął chirurg z wzrastającym entuzjazmem. — Jak tylko wyschnie to jego oko, zrobię odlew. Jakaż to ruina! Ospa, ten bełkot, a teraz oko. Moi studenci na uniwersytecie...

— Czy jego życie jest zagrożone? — zapytałem.

— W żadnym wypadku! — odrzekł stanowczo. — O nie, ten człowiek jest silny jak lew. Nie dał mi się przywiązać! Możesz pan sobie wyobrazić? Nie pozwolił mi odciągnąć sobie ropy z oczodołu przez przystawienie pijawki! Uparł się, bym robił swoje i tylko powiedział mu, gdy będzie po wszystkim. Można by pomyśleć, że miał coś ważniejszego na głowie niż ratujące mu życie zabiegi! Możesz pan w to uwierzyć?

— Chciałbym go zobaczyć. — Potrafiłem sobie całkiem dobrze wyobrazić, co to za ważna sprawa zajęła Lublinskiego.

— Oczywiście, wasza wielmożność — zgodził się pułkownik Franzich. — Ale muszę pana ostrzec: ten człowiek doznał straszliwych obrażeń, choć wydaje się, że o to nie dba. Jeśli się orientuję, w ogóle nie obchodzi go utrata oka. O nie — kontynuował, stukając się palcem wskazującym w czoło — jego problemy mieszczą się tutaj. Może pana zaatakować. Idziemy?

Pułkownik chirurg zaprowadził mnie na oddział.

— Oto on — powiedział, wskazując najdalszy koniec sali.

Pięćdziesiąt czy sześćdziesiąt pojedynczych łóżek stało obok siebie po obu stronach pomieszczenia, ale tylko jeden pacjent dzielił ten duży szpitalny oddział z Lublinskim. Zajmował łóżko obok drzwi, a Anton Lublinsky miał miejsce po drugiej stronie, na przeciwległym końcu sali, jakby pułkownik Franzich uznał tych dwóch za przedstawicieli całkowicie różnych gatunków dzikich zwierząt, które lepiej trzymać oddzielnie.

— Czy pacjent ma możliwość opuszczenia tego pokoju? — upewniałem się.

Pułkownik Franzich spojrzał na mnie zaskoczony.

— Nie wcześniej, nim powróci do zdrowia i stanie się znów zdolny do służby.

— Nie o to mi chodzi — przerwałem mu. — Czy wolno im stąd wychodzić i wracać na oddział w czasie trwania kuracji?

— To nie więzienie, panie prokuratorze. Proszę tylko na nich spojrzeć! Czy sądzi pan, że któryś mógłby wyjść stąd bez pomocy? Temu tutaj amputowano nogę pod kolanem, a ten, którego chcesz pan zobaczyć, nie jadł ani nie ruszył się z krzesła, odkąd przynieśli go zeszłej nocy.

Skinąłem głową, choć nie do końca byłem przekonany.

— Proszę rozmawiać z nim ostrożnie — ostrzegł mnie chirurg Franzich. — Nieczęsto zdarza mi się spotkać człowieka w tak głębokiej depresji.

— Kilka słów, nie więcej — mruknąłem i pospieszyłem na drugi koniec sali.

Lublinsky siedział zwrócony twarzą do dużego okna, choć nie sprawiał wrażenia człowieka wyzierającego na świat. Równie dobrze mógłby patrzeć na siebie w lustrze. Ciasno otulony obszerną czarną peleryną, z ogoloną głową wciśniętą w kołnierz kurtki munduru, miał melancholijną minę i sprawiał wrażenie tak zrezygnowanego, że przez chwilę wahałem się, nim zdecydowałem się do niego odezwać.

— A więc, Lublinsky, spotykamy się ponownie.

Nie poruszył się. Nie odwrócił się ani nie drgnął, choć z pewnością poznał mój głos.

— Nie sądziłem, że znów pana spotkam — mruknął po jakimś czasie. W jego zachowaniu była jakaś rezygnacja, którą z początku wziąłem za pogodzenie się z przegraną w walce z losem.

— Że jeszcze kogokolwiek spotkam — dodał.

Usiadłem na łóżku i spojrzałem na niego. Lewą stronę twarzy przykrywał obfity opatrunek, przytrzymywany bandażami. Lublinsky poruszył się na krześle i zwrócił ku mnie zdrowe oko. Wywarł na mnie lepsze wrażenie niż wtedy, gdy spotkaliśmy się pierwszy raz; teraz zdeformowaną twarz zasłaniały szpitalne szarpie.

— Cieszę się, widząc cię w lepszym stanie, Lublinsky.

— Niż ostatnim razem, chciał pan powiedzieć? — Próba uśmiechu wypadła niczym okropny grymas. — Faktycznie, ma pan rację. Tu czuję się jak w domu. W szpitalu wojskowym widzieli gorsze facjaty od mojej. Nie wzdragają się przed takimi okropieństwami, jeżeli rozumie pan, o co mi chodzi.

— Musimy porozmawiać, Lublinsky.

Znów poruszył się na krześle, pokazując zabandażowaną część oblicza. Najwyraźniej nie zamierzał pozwolić mi zapomnieć, co mu się przydarzyło. Zresztą moją intencją nie było sprawianie mu więcej bólu. Zależało mi tylko na wyciągnięciu z niego prawdy i zakończeniu śledztwa.

— Powiedziałem już panu wszystko — oświadczył.

— Nie całkiem, Lublinsky. Nie do końca. Anna Rostowa nie żyje. Ale o tym pewnie wiesz.

Wyprostował się.

— Czy pan sądzi, że wraz z utratą wzroku nabrałem zdolności jasnowidzenia? Tej s z t u c z k i jeszcze nie posiadłem.

Zauważyłem zmianę w jego zachowaniu. Pojawił się jakiś gorzki sarkazm. Desperacki nastrój zaprawiony czarnym humorem wziął górę nad uległością, jaką okazywał podczas naszego pierwszego spotkania. A jednak wyczuwałem w nim także lęk przed ewentualnymi represjami z mojej strony. I urazę. Ta ostatnia przepełniała całe jego jestestwo, jakby brakło mu siły charakteru do opanowania jej. Cóż, pomyślałem, już raz, u siebie w gabinecie, wykorzystałem jego strach, mogę uczynić to ponownie.

— Wyznałeś mi tylko część prawdy — zacząłem twardo. — Chcę usłyszeć resztę. Jak udało ci się stąd wymknąć wczorajszej nocy?

— Nie wiem, o czym pan mówi — zaprotestował tym swoim przeciągłym, nosowym głosem; grzbietem dłoni otarł ślinę z ust.

— Nic nie wiesz o zamordowaniu Anny Rostowej?

— Czy muszę odpowiedzieć na to pytanie?

— Chyba tak, Lublinsky.

— A więc zna pan odpowiedź.

— Wczoraj w nocy przysięgałeś, że ją zabijesz.

Odwrócił się do mnie całą twarzą, tocząc zdrowym okiem — wyobraziłem sobie okręt wojenny ustawiający się burtą, z ciężkimi armatami w pogotowiu. Było coś zadziwiająco majestatycznego w jego zachowaniu. Zmienił się od naszego spotkania ostatniej nocy. Zaakceptowałem tę różnicę, nie byłem jednak przygotowany na jej istotę. Okazywał, jak wspomniałem, majestatyczność i godność, jednak aż dyszał wrogością. Lucyfer po upadku. Żadnej oznaki wstrętu do samego siebie, śladu skruchy, niczego, co wskazywałoby na mękę udręczonego chrześcijańskiego sumienia. Gdybym mógł usunąć mu bandaże z twarzy, wątpię, czy rozpoznałbym jego rysy. Tkwiło w nim zło i nie czynił żadnego wysiłku, by je pokonać. Wydawał się zdolny do każdego czynu, każdej zbrodni, wszelkiej podłości, a ja czułem się wobec niego bezbronny.

W milczeniu wbijał we mnie wzrok, jego oko błyszczało i jakby nabrzmiewało szatańską dumą. Nie potrafiłbym powiedzieć, jakie myśli krążyły mu po głowie. Wiedziałem tylko, że nie spodobałyby mi się. Nawet nie drgnął ani nie odwrócił oczu, jak za pierwszym razem, gdy Koch wezwał go przed moje oblicze.

— Zamordowałeś ją — powiedziałem cicho. — Co stracisz, przyznając się do winy?

Milczał jeszcze przez chwilę.

— Byłem tutaj, w infirmerii, panie prokuratorze — oznajmił ze słodko-gorzkim uśmiechem. — Anna postarała się o to.

— Ostatniej nocy w tawernie w Pillau widziano ją z jakimś mężczyzną — nie ustępowałem. — Kopulowali, Lublinsky. Pogrążali się w rozpuście niczym dzikie zwierzęta w rui. Czy to także tak cię w niej pociągało?

— M n i e, panie prokuratorze? Mnie? P a n a, rzekłbym raczej! — rzucił gniewnie. — Widziałem, jak lubieżnie pan na nią patrzył. Mnie? Gdyby tylko miał pan okazję, wychędożyłby ją pan na całego! Mimo tego kim jest. A może właśnie dlatego.

Zanim odpowiedziałem, głośno przełknąłem ślinę.

— Nie oskarżaj mnie o własne grzechy. Ja jestem szczęśliwym małżonkiem!

— Tak oni wszyscy gadają — odrzekł, lekceważąco kręcąc głową. — A potem wciskają monetę i rozpinają spodnie. Żona to tylko żona. Anna była kimś wyjątkowym.

— Co nie zmienia faktu, że wczorajszej nocy zamordowałeś ją.

Lublinsky nie odpowiedział od razu.

— Przyjmijmy, choć na chwilę, że ma pan rację, panie prokuratorze — powiedział w końcu. Chyba drwił sobie ze mnie.

— Co za cholerna różnica? Ktokolwiek ją zabił, Bóg mu wybaczy. Ten człowiek oddał światu przysługę.

— Nie obchodzi mnie twoja opinia na temat Boskiej sprawiedliwości — warknąłem. — Ani specjalnie nie idzie mi o zabójstwo Anny Rostowej. Chcę tylko, byś wyznał prawdę.

Źrenica jego oka poszerzyła się i miałem przed sobą ciemną, nieodgadnioną otchłań.

— O czym pan mówi, wasza wielmożność? — zapytał z nutką irytacji w głosie. — Prawdę o c z y m?

— Chcę wiedzieć, co rzeczywiście ujrzałeś, gdy poszedłeś z Kopką obejrzeć ciała zamordowanych na ulicach.

Lublinsky odwrócił się do okna i wpatrywał się w swoje odbicie w szybie. Wraz z przypływem nadciągała znad morza gęsta mgła. Zdusiła wiatr i przegnała śnieżycę, zmieniając świat w milczącą mleczną pustkę.

— Powiedziałem t o już wcześniej — warknął. — Widział pan moje rysunki.

— Owszem, znam twoje szkice, Lublinsky. Są niedokładne.

— Czego pan oczekuje od żołnierza? Nie jestem artystą. Mówiłem temu staremu panu, ale najwyraźniej nie dbał o to. Miał widocznie za dużo talarów. Zrobiłem dokładnie, o co prosił.

— Nie zaznaczyłeś śladów stóp, które morderca zostawił na ziemi obok ciał.

— Jakich śladów?

— W przypadku pierwszego morderstwa naszkicowałeś wszystko, co znalazłeś wokół ciała, łącznie z odciskami, na których widniały nacięcia w kształcie krzyża. Ale nie odrysowałeś ich w pozostałych przypadkach.

— Szatan nie pozostawia śladów — powiedział Lublinsky, śmiejąc się z goryczą. — Jego rozszczepione kopyta nie dotykają ziemi.

— Nie żartuj sobie ze mnie! — wybuchłem gniewnie. Czy on rzeczywiście pominął odciski stóp na późniejszych szkicach, czy po prostu żadnych nie było? — Nie miałeś wątpliwości co do winy Anny Rostowej. A gdy morderstwa powtarzały się, wmówiłeś sobie, że to ona za nimi wszystkimi stoi. Uznałeś ją za czarownicę, składającą demonom ofiary z ludzkiego życia. Postanowiłeś pomagać jej, by wyleczyła twą twarz. A więc zacierałeś pozostawiane przez nią ślady. Dlatego na szkicach nie zaznaczałeś już odcisków stóp. Sądziłeś, że mogą do niej doprowadzić.

Z gardła Lublinskiego wydarł się dźwięk przypominający chrzęst żwiru. Śmiał się.

— Ta igła chyba dotarła mi do mózgu — zażartował. — Nie rozumiem pana, wasza wielmożność. Jak mógłbym zrobić coś równie diabelskiego? Był ze mną przecież Kopka.

— Kopka nie żyje, a martwi nie mogą mówić. Ty go zabiłeś, prawda? — syknąłem. — Zapewne domyślił się, co zamierzasz, wiedział, że kryjesz zbrodniarza. Wolał zdezerterować z regimentu, niż cię zadenuncjować. Ale ty ruszyłeś za nim w pościg i przywlokłeś go z powrotem. Ty byłeś dowódcą pościgu, wspomnianym w raporcie, mam rację, Lublinsky? Kopka został zmuszony do przebiegnięcia między dwoma szeregami żołnierzy regimentu, z których każdy, łącznie z tobą, próbował kijem rozwalić mu czaszkę.

— Dezerterzy wiedzą, co ich czeka — warknął. — Niełatwo opuścić pruską armię. Drań dostał, na co zasłużył.

— Dla ciebie to nader wygodny zbieg okoliczności, Lublinsky.

— Nie nastraszy mnie pan, panie prokuratorze — odrzekł wyzywająco. — Nie mam już nic do stracenia. Jeżeli chce pan wierzyć, że Anna Rostowa była morderczynią, a ja jej wspólnikiem, proszę bardzo. I jeśli myśli pan, że zaplanowałem śmierć Kopki, niech pan dalej buja sobie w obłokach. Ale nie włoży pan tych słów w moje usta. Nie zmusi mnie pan do przyznania się do winy...

Zagrałem moim ostatnim atutem. Niech mi Bóg wybaczy, nie miałem innego wyboru.

— Jesteś dumny ze swej przynależności do armii, czyż nie?

— Całe życie byłem żołnierzem — warknął. — Teraz pewnie mnie wyrzucą.

— Zwolniony niehonorowo — dodałem — wyrzucony na zbity pysk z regimentu. Zarzuty w sądzie cywilnym. Współudział w zbrodni, przeszkadzanie wymiarowi sprawiedliwości, okradanie zwłok. Zapłacisz w pełni za zbrodnie Anny Rostowej, jak i za własne. W żadnym więzieniu nie znajdziesz wiele litości. Żołnierz, który zawiódł pokładane w nim zaufanie? Najpodlejszy z podłych. Wyrok? Odsiadka na całe życie. Z przymusowymi robotami i zmniejszonymi racjami jedzenia. Przy odrobinie szczęścia może przetrwasz rok czy dwa. Chcę, byś cierpiał, Lublinsky. I by mieć całkowitą pewność co do tego, skażę cię na odsiedzenie wyroku w... więzieniu wojskowym!

— Nie może pan tego zrobić! — ryknął, pojąwszy straszliwą groźbę. Znienawidzony i brutalnie traktowany przez strażników, obrzucany obelgami i dręczony przez współwięźniów, w każdej chwili, każdego dnia byłby osaczany i zaszczuwany przez bandę bezlitosnych, wściekłych psów.

— Tak sądzisz, Lublinsky? Czyżbyś znał na pamięć kodeks karny? Mogę skazać człowieka na taką karę, jaką uznam za odpowiednią. Artykuł 137 Kodeksu karnego. Pójdziesz tam, dokąd zechcę cię posłać.

Artykuł taki nie istnieje, ale Lublinsky nie mógł o tym wiedzieć. Wypowiedziałem groźbę niczym pogański bożek, bezlitosny dla istot pozostających w jego władaniu. I jak bóstwo, pozbawione wszelkiego chrześcijańskiego współczucia, uzyskałem to, na czym tak bardzo mi zależało. Przez chwilę bełkotał coś, potem odzyskał głos. Z powodu zdeformowanego języka jego mowa przypominała skrzek.

— Pierwszy raz, tamtego ranka, poszedłem zobaczyć ciało, które znalazła. Domyśliłem się, że ona coś ukrywa. Jakiś s e - k r e t... — mówił głosem zdławionym, niskim, musiałem bardzo się starać, by go zrozumieć. — Potem Kopka skoczył po dżin. Dla niej, dla Anny. W czasie jego nieobecności rzuciła na mnie urok. Powiedziała, że wyleczy mi twarz.

— To nic nowego, Lublinsky — przerwałem mu. — Chcę usłyszeć to, o czym dotąd milczałeś. Chcę poznać prawdę o śladach stóp.

— Kopka je widział...

— A ty założyłeś, że zostawiła je ta kobieta?

Lublinsky potrząsnął głową.

— Nie za pierwszym razem, wasza wielmożność.

— Wtedy odrysowałeś je, czyż nie?

— Naszkicowałem wszystko, co zapamiętałem. Minęło już kilka miesięcy. Nie poszło mi najlepiej, ale profesor Kant był zadowolony. Wokół ciała było pełno śladów. Na ziemi. Na śniegu — ciągnął Lublinsky. — Podeszwa miała nacięcie w kształcie krzyża. Gdy powiedziałem o tym Annie, oświadczyła, że to znak diabła, szydzącego z Ukrzyżowania. I że chodzi tu o ofiarę. Więc gdy znów zobaczyłem ten krzyż, nie narysowałem go. Ani nie zgłosiłem o wszystkim, co tam znalazłem...

Przerwał i spojrzał mi w twarz, szukając w niej akceptacji. Proponował mi coś, starał się uratować swą żałosną skórę, tak samo jak poprzedniego dnia, gdy wydał Annę w moje ręce.

— Co znalazłeś? — zapytałem, starając się mówić obojętnie.

— Łańcuszek. W dłoni Jana Konnena. Łańcuszek od zegarka, ze złamanym ogniwem.

— Co z nim zrobiłeś?

— Gdy Kopka nie patrzył, wsunąłem go w kieszeń. Był srebrny.

— Toż to kradzież — zadrwiłem.

Zawahał się na moment.

— Dałem go Annie. Powiedziała, że to podarunek od szatana i zostanę wynagrodzony, gdyż postąpiłem jak należy. Wtedy właśnie przyznała mi się, co zrobiła. Przed naszym przybyciem wyciągnęła diabelski szpon z karku trupa. Potem kazała mi przynosić wszystkie drobiazgi, jakie znajdę na miejscu zbrodni. Przedmioty te miały moc życia i śmierci...

— Jeżeli ona była morderczynią, dlaczego nie zabierała ich sama? — zdziwiłem się.

— Chciała mnie ze sobą związać, panie — wymamrotał Lublinsky. — Uczynić mnie swoim wspólnikiem. Obiecała wyleczyć mnie diabelskim szponem. Musiałem złożyć przysięgę. Gdybym zdradził sekret, czar przestałby działać...

— Czy w drugim przypadku znalazłeś ślady stóp wokół zwłok?

Lublinsky skinął głową.

— Znów to nacięcie w kształcie krzyża. Przysiągłbym, że ona je zostawiła, choć tym razem jej nie widziałem. Jej moc rosła z każdym morderstwem, tak mówiła. Myślałem, że rzuciła urok na profesora Kanta, bo nalegał, by to mnie wysyłano do zwłok. Gdy tylko wydarzyła się zbrodnia, musiałem iść i rysować. A gdy już tam byłem, zbierałem diabelskie podarki dla Anny.

Zmarszczyłem czoło.

— O czym mówisz?

— Wszyscy trzymali coś w rękach, wasza wielmożność. Każde z nich. Trupy... Brałem te przedmioty i dawałem Annie Rostowej, jak posłuszny pies.

Serce zabiło mi silniej. Nowe światło padło na to, co już wiedziałem.

— Co znalazłeś?

— Klucz w zaciśniętej dłoni martwej niewiasty.

Profesor Kant zapewne nawiązywał do czegoś podobnego, gdy twierdził, że morderca stosował jakąś strategię do skłonienia ofiar, by padły na kolana. Lista, którą dał mi Lublinsky, nie zawierała niczego ważnego ani wartościowego. Ofiary umierały, zaciskając w dłoniach banalne przedmioty codziennego użytku, groźne i tajemnicze jedynie przez swój związek z morderstwem i czarami. Łańcuszek Konnena, klucz w dłoni pani Brunner, mosiężny guzik z wytłoczoną na nim kotwicą w ręce trzeciej ofiary, szeląg w palcach notariusza Tiffercha.

— Okradałem dla niej zmarłych. Grzebałem w gnoju dla Anny Rostowej — ciągnął Lublinsky. — Jak gawron.

— Narzędzia zbrodni też jej odnosiłeś?

— Nie, wasza wielmożność. Pewnikiem sama je zabierała. Choć nigdy jej już nie widziałem na miejscu zbrodni. Ani razu po pierwszym morderstwie.

Patrzył na mnie zaskoczony, zupełnie jakby nie do końca rozumiał, czego od niego chcę.

— Zabiła ich, a mnie nic to nie obchodziło. Co mi do tego. Jeżeli ich śmierć dawała jej coraz większą moc, tylko cieszyłem się. Niech mi Bóg wybaczy! Chciałem, by znów zabijała.

Wydał dziwny okrzyk, coś jak zduszony jęk, i zaraz zdałem sobie sprawę, że się śmieje.

— Nosiłem w kieszeni lusterko — powiedział, unosząc ramiona — by sprawdzać twarz. Czekałem na zmianę po każdym morderstwie. Tyle mi obiecała, a nic się nie zmieniło. Wciąż to samo. Obrzydła bestia...

Oszalał, zagubiony w stworzonym przez samego siebie świecie daremnych nadziei.

— Śmieszne, czyż nie? — powiedział z nagłą pasją, zwracając ku mnie twarz. — Ta kobieta napełniła strachem całe miasto, dyrygowała nawet królem. A nikt przecież nie popatrzyłby na nią po raz drugi, gdyby natura jej nie naznaczyła. Jest nas dwoje tego samego rodzaju. Moja twarz zniekształcona ospą. Jej rozwichrzone srebrzyste włosy. Te płonące oczy. Pragnąłem jej. Nawet gdy wbiła mi żądło w oko... — Nie odwracał ode mnie drwiącego spojrzenia. — Czy spodziewałeś się odpowiedzi od dwóch takich potworów jak my, panie Stiffeniis?

W jego głosie, jak nagle to sobie uświadomiłem, zabrzmiało poczucie wszechwładzy. Był dumny ze swych czynów. Wierzył, że on i Anna Rostowa mieli w rękach cały Królewiec. I nie mylił się. Bawili się w ciuciubabkę z władzami, z policją, z królem. Profesor Kant dał im się nabrać. A także ja. Gniew trysnął ze mnie niczym gorąca woda z gejzeru na Islandii. Całe współczucie wyparowało, pozostała chęć zranienia go, odpłacenia mu za tę jego arogancję.

— Zeszłej nocy zamordowałeś Annę Rostową. Wmówiłeś sobie, że to ona była morderczynią — z trudem kontrolowałem głos, łapałem oddech, próbowałem odzyskać spokój, nim wypowiem następne zdanie. — Myliłeś się, Lublinsky. Myliłeś się! A teraz gadaj, w jaki sposób opuściłeś to pomieszczenie. Przez okno? Tak uciekłeś? Przebywasz tu właściwie sam — wskazałem głową w stronę człowieka z amputowaną nogą. — Ten tam jest ledwie przytomny z bólu. Z pewnością dają mu coś na sen. Ale zemsta to najlepszy środek przeciwbólowy, a ty nogi masz całe, żołnierzu.

— Ona będzie szczęśliwa u diabła, którego czciła — powiedział Lublinsky z goryczą.

— Ona nie była morderczynią — ciągnąłem zimno. — Słyszysz mnie? Ona nie zabiła tych ludzi.

— Ja tam wiem swoje — warknął gniewnie.

Potrząsnąłem głową.

— Tych śladów stóp, które widziałeś obok zwłok, nie zostawiła Anna. Igrała z tobą, wciąż cię nabierała. Sprawiła, że wierzyłeś, w co tylko chciała. Zabrała ci pieniądze. Wystrychnęła cię na dudka...

— Niech mnie pan powiesi, wasza wielmożność — jęknął nagle. — Zabijcie mnie. Byłem dobrym żołnierzem, nim szatan zawładnął mą duszą. Skręćcie mi kark. Niech to wszystko wreszcie się skończy.

Spojrzałem na niego z obrzydzeniem. Teraz twarz miał zniekształconą już nie tylko przez bezlitosną naturę, ale także wykrzywiał ją żal i strach. I uświadomiłem sobie, że chirurg miał rację. Duszę Lublinskiego jeszcze bardziej opanowało zło. Wstałem, chwyciłem kapelusz i wyszedłem z pomieszczenia bez słowa czy spojrzenia za siebie.

Więcej już nie ujrzałem Antona Lublinskiego. Okłamałem go, strasząc konsekwencjami. W raporcie, który napisałem tamtego wieczoru, znów niezdolny do udowodnienia tego, co wiedziałem, zatuszowałem jego udział w zabójstwie Anny Rostowej, pisząc, że akuszerkę zamordowała osoba lub osoby nieznane. Długo nic nie słyszałem o losie Lublinskiego, a gdy w końcu dotarła do mnie wiadomość o nim, nie była pomyślna. Po utracie oka odesłany do pomocy w kuchni pułkowej, został następnie skazany na wojskowe więzienie, gdyż zabił żołnierza, który zakpił sobie z niego o jeden raz za dużo. Tam Lublinsky połknął kawałek szkła i powoli wykrwawił się na śmierć.

Wyszedłszy z infirmerii, próbowałem pozbierać myśli. Czułem się fatalnie, byłem przygnębiony i zniechęcony. A może desperacja byłaby najlepszym określeniem stanu mego ducha. Dokąd mam się zwrócić? Co powinienem teraz uczynić? Gdybym tylko potrafił zdobyć się na odwagę, i zrezygnował z niewdzięcznego zadania i wrócił do monotonii życia w Lotingen z żoną i z dziećmi, byłby to krok w dobrym kierunku. Powinienem napisać do króla, wyjaśnić swą nieudolność i poprosić o niezwłoczne zwolnienie z uciążliwych obowiązków.

Ale wtedy, jak zawsze w chwilach zwątpienia, wróciłem myślami do Immanuela Kanta. Jak wytłumaczyłbym się przed nim z podobnej rezygnacji? Czyż nie uznałby mnie za tchórza, miernotę niezdolną do praktycznego wykorzystania jego sugestii? Gdyby nie ja — jakbym już go słyszał — Moritz, Totzowie, Anna Rostowa wciąż mogliby żyć, a Lublinsky może by nie stracił oka i duszy.

— Panie Stiffeniis? — czyjś głos przedarł się przez moje myśli. U mego boku pojawił się żołnierz. — Wszędzie pana szukam, wasza wielmożność — oświadczył, grzebiąc za czymś w torbie, którą miał na ramieniu. — Przesyłka dla pana od sierżanta Kocha. I ktoś...

— Od Kocha? — przerwałem mu.

Rozerwałem kopertę i zacząłem czytać:

Panie Stiffeniis,

Znalazłem tego człowieka! Nazywa się Arnold Lutbatz i zaopatruje w towar rozmaite sklepy w Królewcu, dostarcza wełnę, bawełnę, przyrządy do robótek na drutach i tak dalej, także do domowego użytku. Gdy opisałem ten przedmiot, pan Lutbatz natychmiast go rozpoznał. Szpon diabła jest używany przy gręplowaniu wełny do produkcji dywanów!

Gdy powiedziałem mu, że muszę znać nazwiska osób z tego miasta, które używają podobnych igieł, okazało się, że przechowuje on listę swych klientów. Oprócz sklepów zaopatruje także osoby prywatne. Poprosiłem go o tę listę — w pańskim imieniu i na mocy pańskiego rozkazu.

Właśnie idę do jego mieszkania i natychmiast pana poinformuję o wyniku mej wizyty, gdyż nie chcę, wasza wielmożność, opóźniać śledztwa ani chwili dłużej.

Z poważaniem

Amadeus Koch

Doznałem uczucia radości, jakie ogarnia nas po długiej, ciężkiej zimie, gdy pewnego ranka otwieramy okno i znajdujemy pierwszego delikatnego wiosennego motyla, drżącego na szybie. Chwilę wcześniej straciłem całą nadzieję, a teraz moja siła i determinacja powracały z każdym czytanym słowem. Zdania rozbrzmiewały w mych uszach niczym wojskowe fanfary, ponownie wzywające mnie do walki.

— Panie prokuratorze?

Zapomniałem o obecności żołnierza.

— Jakiś starszy pan czeka na dole, wasza wielmożność. Mówi, że nazywa się profesor Immanuel Kant.

J eżeli Immanuel Kant przybył do twierdzy, zapewne wydarzyło się coś poważnego, jakiś przypadek do tego stopnia nie cierpiący zwłoki, by zmusić filozofa do zaburzenia rutyny dnia. Coś tak zwykłego dla innych jak niespodziewana zmiana planu w przypadku profesora Kanta oznaczało swoisty kataklizm. Ponadto, zważywszy na panującą tego ranka gęstą mgłę — zjawisko, które jak twierdził Kant, wzbudzało w nim niewyobrażalną wręcz odrazę — można było sobie wyobrazić wagę podjętej przez niego decyzji. Bez zwłoki zbiegłem po schodach na dziedziniec, gdzie wśród kłębów mgły majaczyła samotna postać; jednak nie ta, której się spodziewałem.

— Wybaczcie, jaśnie panie! — wykrzyknął Johannes Odum na dźwięk moich kroków. — M u s i a ł e m go przywieźć. Nie mogłem inaczej.

— Czy on dobrze się czuje? — zapytałem z nadzieją, przypomniawszy sobie stan podniecenia, w jakim pracodawca Oduma znajdował się tego ranka, że niedyspozycja filozofa nie pogłębiła się.

Lokaj wyraźnie się zmieszał.

— Odkąd pan odjechał, jest jakiś nieswój — oznajmił głosem nabrzmiałym troską. — I wciąż napierał się, by z panem mówić, i to zaraz. On... chce z powrotem tę pelerynę, co to panu dał.

Dziś rano hojność profesora zaskoczyła mnie, ale jeszcze bardziej mnie zdziwiła ta całkowita zmiana frontu. Jeżeli już nie mógł się obejść bez owej grubej części garderoby, to czemu pozbawił się ciepła kominka, wychodząc na przeraźliwy mróz i przenikającą kości wilgoć, zamiast poczekać, aż mu ją odniosę?

— A na cóż mu ona? — nie skrywałem ciekawości.

W podobnym zachowaniu nie potrafiłem dopatrzyć się niczego logicznego czy nawet racjonalnego.

— A skądże bym wiedział, panie — odrzekł Johannes. — Ani on sam dobrze nie wie, czego chce. Widział pan go dziś rano. Nic tylko chciał dać panu tę pelerynę, tak się napierał... A teraz gada, że chce ją z powrotem! Ano, jak zobaczyłem, że aż go trzęsie, zaprzągłem konia do landa i przywiozłem go tu, żeby ucichł. A cóż jeszcze mogłem zrobić?

— Gdzie on teraz jest? — przerwałem mu.

— Na wartowni. Ale posłuchaj, panie, co się zdarzyło dzisiaj rano...

Jakby chłodna dłoń ścisnęła mi serce.

— Gdyście odjechali z sierżantem Kochem — ciągnął Johannes — jegomość zasiadł w salonie na froncie i nie ruszał się chyba z godzinę, tylko wciąż zerkał przez okno.

— Czy oczekiwał gości?

— O nie, panie — zaprzeczył stanowczo sługa. — Do nas teraz nikt nie przychodzi. Pan był pierwszy od miesiąca, a może jeszcze dłużej. O jedenastej zaniosłem mu, jak co rano, kawę, ale nawet jej nie upił. Nagle wstał i rzekł, że pilnie mu trza jakiejś księgi od Flaccoviusa, tego z miasta, co to wydaje pisma. Do owego traktatu; gadał, że jakoby bez niej nie da rady.

— Znów ten tajemniczy traktat — zauważyłem, z nadzieją, że Johannesowi coś jeszcze udało się odkryć.

Nie podjął tematu.

— Profesor Kant kazał mi migiem skoczyć do księgarni — ciągnął opowieść. — Trząsł się z nerwów, dopóki nie wdziałem płaszcza, nie nałożyłem kapelusza i nie przyszykowałem się do wyjścia.

— Zostawiłeś go samego?! — wybuchnąłem gniewnie. — Znowu bez opieki? Czy to właśnie próbujesz mi powiedzieć?

— A co innego mogłem uczynić, panie? — jęknął. — U siebie, za dnia, był bezpieczny, pan przysłałeś żołnierzy, by baczyli na dom. Nic mu nie groziło. I czy mogłem mu odmówić, jeśli mi kazał?

— Wątpię, by w tak gęstej mgle żandarmi widzieli choćby czubki własnych nosów — aż się gotowałem, prawdziwie rozzłoszczony i wielce wzburzony opowieścią lokaja.

— Zadbałem o wszystko, panie prokuratorze — próbował mnie ułagodzić. — Przystanąłem przy domu jejmość Mendelssohn i poprosiłem, by wpadła naprzeciwko i posiedziała przy nim. Jejmość Mendelssohn mieszka...

— Znam tę kobietę — przerwałem mu, przypomniawszy sobie przypadkowe spotkanie z ciekawską starą damą, gdy dzisiaj rano opuszczałem dom Kanta.

— Ona naprawdę wielbi profesora — ciągnął Johannes. — Powiedziałem jej, że mam pilny sprawunek w mieście i poprosiłem, żeby nie odstępowała od mego pana. Nie odkrywając prawdy, o co mi w istocie idzie, rzekłem tylko, że on trochę słabuje. I pobiegłem do owej księgarni. A jak już tam doszedłem, pan Flaccovius nic a nic nie pojmował, o co mi idzie. Zajrzał w swoje księgi i znalazł zapiski o takim zamówieniu. Tyle że będzie już z cztery miesiące, jak jegomość Flaccovius sam dostarczył tę książkę profesorowi Kantowi. Co rychlej wróciłem do domu i tylko bałem się, żeby nie pomylić tytułu owego dzieła. I myślałem, że mój jegomość będzie się gniewał, a tymczasem, jak mu rzekłem o całym zamieszaniu, nic a nic nie powiedział.

— Byliśmy świadkami wielu nieprzewidzianych i niepokojących zmian jego humoru. Podczas tego śledztwa ma wiele na głowie — próbowałem ukryć własny wystarczająco mocny niepokój. Czy to możliwe, by profesor Kant wykazał aż taki brak orientacji?

— Najdziwniejsze przyszło na końcu — mówił dalej pospiesznie Johannes, zupełnie jakby wyrażał na głos moje wątpliwości. — Gdy wiodłem jejmość Mendelssohn do drzwi, powiedziała mi, że mój pan był wielce rozochocony. „Nic mu nie dolega", tak powiedziała. Zabawiał ją rozprawianiem o przyczynie migreny — widzi ją w nadmiarze magnetyzmu w mokrym powietrzu miasta. Wielce niepokoił się jej zdrowiem, nawet z gabinetu przyniósł jakieś rysunki ciała, by pokazać, co wilgoć wyprawia z nerwami. Jejmość Mendelssohn sama chciała poszukać tych szkiców, ale on uparł się, że zrobi to osobiście.

— A więc b y ł sam. — Poczułem złość, na siebie przede wszystkim. Choćbym nie wiem jak starał się zapewnić mu bezpieczeństwo, profesor Kant i tak potrafił się wymknąć spod mojej kontroli.

— Czy mogła mu zakazać pójścia do jego własnego gabinetu? — zaprotestował Johannes z bezradną miną. — Ale wtedy, wtedy...

— Wtedy c o? — naciskałem.

Lokaj przesunął dłonią po czole, jakby chciał zetrzeć zmarszczkę niepokoju.

— Ponoć słyszała głosy.

— Może mruczał do siebie pod nosem, przeszukując rysunki? Starzy ludzie często mówią do siebie, nie zdając sobie z tego sprawy.

Moje uspokajające słowa nie zabrzmiały przekonująco nawet dla mnie.

— To nie to, panie — odparł Johannes z westchnieniem. — Ona w istocie w i d z i a ł a jakiegoś człeka, co odchodził ścieżką przez ogród. Tą samą, na której pan i ja wczoraj wieczorem obejrzeliśmy te ślady na śniegu.

Poczułem na czole krople zimnego potu.

Czyżby mordercy w jakiś sposób udało się wejść do domu, pomimo obecności żołnierzy na straży? Ale nie, pani Mendelssohn powiedziała, że słyszała rozmowę. Czy zabójca wszedłby do domu po to tylko, by porozmawiać z Kantem? I wreszcie, cóż takiego Immanuel Kant miałby m u do powiedzenia?

— Czy twój pan był zdenerwowany?

— Ależ nie, panie — odrzekł bez wahania Johannes. — Jak jejmość Mendelssohn sama stwierdziła, co złego mógłby uczynić Martin Lampe?

— Martin Lampe? — zdziwiłem się i zaraz przypomniałem sobie moją krótką wymianę słów z panią Mendelssohn tamtego ranka. — Co, na Boga, on tam robił?

— Nie mam pojęcia, panie. Jakżebym śmiał pytać mego jegomościa!

— Znasz Martina Lampego? — zapytałem.

— Nie, jaśnie panie. Nigdy go nie widziałem. Jegomość Jachmann przykazał mu trzymać się z daleka od naszego domu.

— Gdzie on mieszka, Johannesie?

Lokaj wzruszył ramionami.

— Może pan Jachmann to wie, choć ja bym go o to nie pytał, jaśnie panie. Profesor Kant pewnikiem wie, ale ja, skądże by.

Wraz z nadejściem nocy chłód panujący na dworze stał się jeszcze bardziej przenikliwy. Powietrze, niczym rozzłoszczone szczenię, szczypało me zimne dłonie i twarz i wielce żałowałem hojnego gestu wobec sierżanta Kocha.

— Zaprowadź mnie do twego pana — powiedziałem. — Muszę mu coś wyznać o pelerynie, której tak nagle potrzebuje.

W wartowni profesor Kant rozsiadł się wygodnie przed czarnym żeliwnym piecem, wpatrzony w błękitne płomyki ognia co chwilę wymykające się z jego otwartej paszczy; na kościstych kolanach filozofa leżał jego brązowy filcowy kapelusz. W przeciwległym kącie pomieszczenia czekający na zmianę warty żołnierze zabijali czas grą w karty i puszczali dymki z długich glinianych fajek, w błogiej nieświadomi, że przebywają w tak dostojnym towarzystwie. Ujrzawszy Kanta, jakże starego i kruchego, poczułem przemożną potrzebę chronienia go. To ponure otoczenie wydało mi się wielce niewłaściwe dla kogoś o tak niezwykłych zdolnościach.

— Przyszedł prokurator Stiffeniis, jaśnie panie — zaanonsował mnie Johannes.

Profesor Kant poderwał się, zrzucając kapelusz na podłogę. Był wyraźnie zaskoczony mym widokiem.

— A więc nic ci się nie stało? — upewniał się, jakbym właśnie powrócił z dalekiej i pełnej niebezpieczeństw podróży. — Ale gdzie moja peleryna? — dodał, zmieniając temat. Te nagłe zmiany tematu często mu się ostatnio zdarzały i były niepokojące.

Niepewnie zatrzymałem się w drzwiach, nie znajdując odpowiedzi. Podobnym przywiązywaniem wagi do nieistotnych drobiazgów pozbawił mnie zdolności formułowania myśli. Czyżby Kant poczuł się urażony, że pojawiłem się bez jego daru? A może raczej niepokoił się o moje zdrowie?

— Pożyczyłem ją sierżantowi Kochowi, panie profesorze — wyjaśniłem, nie całkiem pewny, czy użyłem właściwych słów.

Cóż, tak wszakże było, i tak też mu powiedziałem. — Biedak przemókł do suchej nitki — dodałem w formie usprawiedliwienia. Kant patrzył na mnie w milczeniu, jakby zaczarowany moimi słowami. Zdawał się zdenerwowany usłyszaną wiadomością. Najwyraźniej popełniłem coś niewybaczalnego. Ale cóż złego można by dopatrzyć się w moim czynie? Równie ostra reakcja na zwykły gest uprzejmości zadziwiła mnie. Była niewytłumaczalna w świetle jego dobroci wobec mnie samego. Rozpaczliwie próbowałem znaleźć jakieś słowa, by go ugłaskać, ale zanim zdołałem powiedzieć cokolwiek, odwrócił się do mnie z uśmiechem. Burza myśli minęła. Znów był sobą.

— Czy to nie dziwne, Stiffeniis? — zapytał spokojnie.

— Co takiego, panie profesorze?

— Jak bardzo okoliczności wpływają na przebieg wydarzeń. Chaos, gdy zapanuje, wyzwala nieskończoną ilość własnej energii. — Patrzył prosto przed siebie, jakby nie mógł oderwać wzroku od jakiejś postaci, widocznej jedynie dla niego.

— Co pan ma na myśli, wasza wielmożność? — mruknąłem ze zdwojonym lękiem, aby tylko nie wyrwać go z tego stanu intelektualnego niepokoju, choćby rozterki miały doprowadzić go Bóg wie dokąd.

— Chcę powiedzieć, że im dalej ciągnę ten eksperyment, tym lepiej widzę, że rozum bada powierzchnię zjawisk, natomiast to, co dzieje się p o d nią, kształtuje wydarzenia. To, co nieuchwytne, pokonuje nas wszystkich. Pierwszy raz w życiu poczułem tę ukrytą siłę ślepego losu.

Odwrócił się i spojrzał na mnie.

— A ty nie, Hanno?

Był śmiertelnie blady, zdawał się jeszcze bardziej kruchy, jego głos cichł, przechodził w ledwie słyszalny szept.

— Niech pan wraca do domu, panie profesorze — nalegałem, czując, jak zamiera we mnie serce. W tym momencie straciłem wszelką nadzieję na poczynienie jakichkolwiek postępów. Immanuel Kant, moja kotwica, mój kompas na czas sztormu, zdryfował na manowce. Zostawił mnie samego na burzliwym, pustym oceanie.

— Oddam panu pelerynę — powiedziałem uspokajająco, jakby to była odpowiedź na jego wszystkie problemy. — Gdy tylko Koch wróci...

— Nie chcę jej — odrzekł szorstko i zwrócił się do lokaja. — Zostaw nas samych, Johannesie. No już!

Lokaj rzucił mi zaniepokojone spojrzenie.

— Zaczekaj obok — powiedziałem, skinąwszy głową. — Wezwę cię, gdy przyjdzie czas powrotu do domu.

Gdy drzwi zamknęły się, Immanuel Kant lekko dotknął mego ramienia. Pochyliwszy się do przodu, spojrzał mi prosto w oczy.

— Ta kobieta jest n i e w i n n a, Stiffeniis — szepnął.

Zdumiałem się.

— Jak doszedł pan do tego wniosku, profesorze? — Te zachodzące w nim zmiany, przejścia ze stanu zagubienia do jasności umysłu, zupełnie zbijały mnie z tropu. Już nie potrafiłem podążać za jego wskazówkami.

— Czyż nie mam racji?

Wolno skinąłem głową.

— Rzeczywiście. Tylko jak pan to odkrył?

Kant zignorował pytanie.

— Mniejsza z tym. Ale co sprawiło, że t y zmieniłeś opinię w sprawie tej kobiety, Stiffeniis? Dziś rano, mówiąc o czarach, zdawałeś się całkiem przekonany o jej winie.

— Ona nie żyje — odrzekłem. — Została zamordowana, zanim zdążyłem ją przesłuchać.

Kant pochylił się do przodu.

— Ukłuta szponem diabła?

— Uduszona.

— Mów dalej.

— Te rysunki, które pan polecił naszkicować Lublinskiemu, okazały sę nader cenne. Na miejscu pierwszej zbrodni widniały ślady stóp, ale nie zostawiła ich Anna Rostowa. Przyjrzałem się jej trzewikom. Dzięki szkicom musimy ją wykluczyć. Pańska metoda śledztwa zasługuje na opublikowanie, panie profesorze — ciągnąłem z entuzjazmem. — Jak tylko śledztwo zostanie doprowadzone do końca, zamierzam napisać sprawozdanie, które, mam nadzieję, wyjaśni pańskie metody szerszej publiczności...

— Twoja opinia wielce mi pochlebia — uciął Kant z sarkazmem. — Może znajdę jakichś nowych wielbicieli, jako że dawni mnie opuścili. O to ci chodzi?

Chyba domyślałem się natury jego niepokoju.

— Bez pańskiej przełomowej pracy na temat metafizycznych spekulacji, profesorze — oświadczyłem z autentyczną zapalczywością — nie byłoby nowego pokolenia filozofów.

Ale nie zdołałem go uspokoić. Wybuchnął gniewem, w jego oczach pojawiły się błyski, jak szalony wymachiwał rękami.

— „Kant, Dziadek do Orzechów", tak nazywają mnie te dranie, twierdząc, że umysł i duszę uwięziłem w krainie sztywnych schematów i niezmiennych zasad. Moje ostatnie dni na uniwersytecie były wręcz nie do zniesienia. Co za upokorzenie! Nigdy nie potraktowano mnie w podobny sposób. Jakież m ę k i musiałem znosić! — Oczy Kanta błyszczały od pasji. Głos pobrzmiewał chrapliwie, pełen gniewu. W zaprawionym nienawiścią śmiechu nie było słychać ani jednej nutki humoru. — Jacyż z nich głupcy! Romantyczni marzyciele... nie potrafią sobie nawet w y o b r a z i ć, co mnie samemu udało się wykoncypować i przeprowadzić. Nigdy nie poznają piękna...

Nie dokończył zdania. Umknął przede mną wzrokiem i utkwił spojrzenie w jakimś nieokreślonym punkcie na ścianie wartowni. Milczał przez długą chwilę, wreszcie ukląkłem przy jego krześle, nie mając odwagi czegokolwiek powiedzieć, nie wiedząc, w jaki sposób ukoić rozżalenie przepełniające mu pierś. Nagle opuścił prawą rękę, położył dłoń na mym rękawie i przemówił głosem ledwie słyszalnym wśród syku buszujących w piecu płomieni.

— Nie widzisz odpowiedzi? Naprawdę nie dostrzegasz jej, Hanno? Miałem nadzieję, że trafisz w samo jądro tajemnicy. Jesteś jedynym, który mi pozostał teraz, gdy wszyscy mnie opuścili. Nie zdołam ukończyć mej pracy bez twojej pomocy...

Najwyraźniej ponownie go zawiodłem. Tylko w czym? Czego się po mnie spodziewał, czego jeszcze nie umiałem dostrzec? A może chodziło tylko o marzenie starca o niemożliwej do osiągnięcia wielkości? „Spokojna droga do grobu nie istnieje", pomyślałem. Dlaczego zależało mu na dobrej opinii nowego pokolenia filozofów? Swym geniuszem przekraczał przecież granice wszelkich osądów innych uczonych.

— Co sprawiło, że upewnił się pan o niewinności Anny Rostowej? — zapytałem w nadziei odciągnięcia go od ponurych myśli.

Kant jakby otrząsnął się z apatii.

— Prosta intuicja, nic więcej — odrzekł spokojnie. — Czy morderca wybrałby narzędzie tak zdecydowanie kojarzące się z kobietą, gdyby był niewiastą? Byłby to podwójny blef. Przeoczyłeś jeden ważny szczegół. — Uniósł palec wskazujący, pochylił głowę i stuknął się w podstawę czaszki. — Wybrano bardzo dokładnie punkt ataku. To robota kogoś z przeszłością w armii pruskiej. Żołnierz, Stiffeniis. Takiego śmiercionośnego ciosu używa się, jak mi wiadomo, tylko w dwóch przypadkach: by natychmiast unieszkodliwić wroga atakiem od tyłu, a także, by zakończyć męki umierającego na polu walki kolegi.

— Żołnierz, panie? — Zdumiony przenikliwością Kanta, ponownie pomyślałem o Lublinskim. Czyżbym znów nie dostrzegł tego, co dla profesora było oczywiste? Westchnąłem głośno i zaraz moje wątpliwości powróciły z całą gwałtownością. — Może nie jestem osobą właściwą do tego zadania, panie profesorze. Wciąż zapędzam się w ślepą uliczkę. Prawdę mówiąc, wasza wielmożność, mam wielką ochotę przyznać się do klęski i wrócić do Lotingen.

Wbił we mnie wzrok, jakby próbował przeniknąć do najgłębszych zakątków mej duszy.

— Chcesz zrezygnować?

— Nie dorosłem do tego wyzwania — przyznałem łamiącym się głosem. — Zgubiłem się w labiryncie. Każda alejka kończy się ślepo. Ktoś lub coś za każdym razem sprowadza mnie na manowce. Moje błędy spowodowały więcej ofiar niż działania mordercy. Ja...

Urwałem, niezdolny do kontynuowania.

Kant zacisnął dłoń na mym rękawie.

— Pytasz, gdzie popełniłeś błąd. Czy tak? Zastanawiasz się, jaki oczywisty fakt pominąłeś.

— To prawda, panie profesorze. Pan dostarczył mi wszystkich narzędzi potrzebnych do zrozumienia tego, co dzieje się w Królewcu. A ja sromotnie zawiodłem. Jak może pan w dalszym ciągu wierzyć, że podołam zadaniu i rozwikłam zagadkę tych zbrodni?

Kant nie odpowiedział od razu. Położył dłoń na mej dłoni. Dotyk jego wysuszonego ciała był delikatny niczym osiadający pył. Gestem tym chciał dodać mi otuchy, a ja nie mogłem nań nie zareagować. Przychylił się jeszcze bliżej i zaczął szeptać mi do ucha:

— Gdy przyszedłeś do mnie dzisiaj rano z narzędziem zbrodni i nową historyjką o czarownicy, przyznaję, zwątpiłem, czy postąpiłem właściwie, polecając cię na prowadzącego to śledztwo. Pomyślałem sobie, że może lepiej będzie... zwolnić cię z uciążliwego obowiązku, jaki na ciebie nałożyłem.

— Naprawdę, panie profesorze? — zapytałem, a mój oddech przypominał ostatnie tchnienie wydobywające się z przebitych miechów. Resztki mej dumy i wiary w siebie otrzymały ostateczny cios.

Westchnął głośno.

— Jednak zmieniłem zdanie. Dlatego przyszedłem — przyznał. — Nie pozostało mi wiele czasu na ziemi. Pomimo błędów, musisz kontynuować to, co zacząłeś.

— Ale zawiodłem pana! Od samego...

Nie pozwolił mi dokończyć.

— Ty poznałeś coś, czego tacy jak Rhunken nigdy nie potrafiliby sobie nawet wyobrazić — oświadczył z satysfakcją. — W moim laboratorium przygotowałem materiał dowodowy przeznaczony dla człowieka o racjonalnym umyśle, który zrozumie logikę przyczyn i skutków. A prowadzi do B, B do C, i tylko tam oczywiście. Ale to ledwie jedna strona medalu. Istnieje jeszcze inny, bardzo ważny aspekt tych morderstw, który należy wziąć pod uwagę. Najważniejszy ze wszystkich.

— Co takiego, panie profesorze? — zapytałem, załamując ręce w geście bezradności. — Czego jeszcze mi nie wskazałeś?

— „Karłowaty krzak duszy człowieka". W sprawach ludzkich nie ma miejsca dla logiki, Hanno. Czy już zapomniałeś, z czym przyszedłeś do mnie pierwszego dnia naszej znajomości? — Nie czekał na moją odpowiedź. — Nigdy ani na moment nie zapomniałem twoich słów. Nawiązałem do naszej pierwszej rozmowy, gdy staliśmy nad ciałem tego chłopca na brzegu rzeki. Sierżant Koch — człowiek bardzo pojętny — wyraził zdumienie moją sugestią. Pewnie uznał mnie za potwora. Ty zignorowałeś wskazówkę, i dalej się upierasz. A znałeś odpowiedź już dawno, mimo że nie chcesz tego przyznać. Wspomniałeś wtedy o ludzkim doświadczeniu podobnym do nieograniczonej siły natury, o najbardziej diabolicznym ze wszystkich poczynań człowieka. O morderstwie z zimną krwią. Zbrodni bez motywu. Zapewne pamiętasz swe słowa?

Poszukał spojrzeniem mych oczu. I poklepał mnie po ramieniu.

— Powinieneś to rozważyć, choćby wydawało się dziwaczne i okropne. Znalazłeś się bliżej prawdy, niż sądzisz — zachęcał mnie swym olśniewającym uśmiechem. — A dziś rano wspomniałeś mi o plamach błota na ubraniach ofiar.

Zmarszczyłem brwi, poczuwszy się nieswojo, podczas gdy Kant oparł się wygodnie na krześle i przymrużył oczy.

— Zanim uderzy, zabójca zachęca swe ofiary, by uklękły. Tyle ustaliliśmy, czyż nie?

— Przyjąłem, że sprawczynią może być kobieta.

— Tylko że morderca nie był kobietą — powiedział z przypływem energii. — A swą strategią zdradza nam, jakiego rodzaju jest osobą.

— Wyrobił już pan sobie pogląd, panie profesorze? — zapytałem z ciekawością, ale Kant uciszył mnie podniesieniem palca, potem przyłożył go do czoła, jakby wskazując pomysł, który właśnie formował się w jego głowie.

— Pragnienie mordu w tym człowieku jest silniejsze od jego możliwości dokonania czynu. Wybrał narzędzie dla jego precyzji i minimum wysiłku potrzebnego do użycia. Czy przypominasz sobie, co powiedziałem, gdy pokazałem ci odcięte głowy, a także nacięcia u podstawy czaszki?

— „Narzędzie weszło niczym rozgrzany nóż w sadło" — zacytowałem.

— Właśnie! Ale w jaki sposób zabójca namówił swe ofiary, by pozostawały nieruchome?

— Lublinsky — mruknąłem pod nosem.

Kant spojrzał na mnie, jakby uznał, że zwariowałem.

— Co z nim?

— Rozmawiałem z nim przed godziną. Powiedział mi coś, co by poparło pański tok rozumowania. A mianowicie, że w momencie śmierci każda ofiara trzymała w zaciśniętej dłoni jakiś przedmiot. Nie wspomniał o tym w raporcie dla przełożonych. Ani nic nie powiedział panu, jak sądzę.

— No widzisz?! — wykrzyknął Kant z ożywieniem, oczy błyszczały mu z podniecenia. — Co za przemyślny spryt! Lublinsky to „karłowaty krzak" pierwszej klasy. Ale poukładajmy kawałki mozaiki. Po pierwsze, ofiary nie lękają się osoby, która do nich podchodzi. Po drugie, z własnej woli klękają przed zabójcą. Po trzecie, trzymają w dłoniach jakieś przedmioty. Potem umierają. Ty preferujesz drogę logiki, Hanno — powiedział z ironicznym uśmiechem. — A więc co możesz wydedukować z tych elementów?

Zanim zdążyłem odpowiedzieć, ciągnął tym samym pouczającym tonem: — Zabójca zwracał się o pomoc. Apelował do ludzkiej uprzejmości, prosząc swych wybrańców o podniesienie z ziemi jakiegoś małego przedmiotu, który wcześniej sam upuścił w formie przynęty. Oczywiście wszyscy posłuchali. Taka jest ludzka natura. A gdy uklękli, każdy z nich odkrył kark, umożliwiając atak fatalnej igły. Tak więc wiesz już wszystko, co przyszedłem ci powiedzieć. Teraz zostawię cię twojemu zadaniu.

Spróbował się podnieść, ale tylko zaszurał krzesłem po kamiennej posadzce. Przyskoczyłem, by mu pomóc.

— Musi mi pan przyrzec jedno — oznajmiłem.

— Nigdy nie składam obietnic — odrzekł z uroczym uśmiechem — dopóki nie wiem, o co chodzi.

— No dobrze — roześmiałem się, dzięki jego ponownej deklaracji o pokładanym we mnie zaufaniu, zapomniawszy o rozterkach i niepewności. — W przyszłości, jeżeli będzie pan miał mi cokolwiek do powiedzenia, proszę posłać po mnie, a zaraz się pojawię.

Nie dokończyłem wypowiedzi. Drzwi wartowni otworzyły się gwałtownie i do środka wpadł żołnierz, wpuszczając do izby powiew zimnego powietrza. Za nim ukazał się Johannes; na jego bladej, okrągłej twarzy malował się wyraz zatroskania.

— Mam nadzieję, że macie poważny powód, żołnierzu, by wdzierać się tu w równie nieuprzejmy sposób! — rzuciłem gniewnie.

Wartownik zrobił krok do przodu, zdjął z głowy czarne skórzane kepi.

— Wiadomość, wasza wielmożność — oznajmił, salutując dziarsko. Natychmiast powróciłem myślami do Kocha. Czyżby przysłał następną informację?

— Piętnaście minut temu na Sturtenstrasse znaleźli trupa — wyjaśnił żołnierz. Z wahaniem spojrzał na profesora Kanta, potem znowu na mnie. — Zostawiłem resztę oddziału, a sam przybiegłem. Pan Stadtschen kazał mi iść prosto do pana, panie prokuratorze.

— To ty patrolowałeś ten rejon?

— Od placu targowego do ratusza, panie. Tam i z powrotem. Co trzydzieści minut, jak w zegarku. Zegar na katedrze wybił trzecią. Zapada zmrok...

Głos Immanuela Kanta przerwał raport żołnierza.

— Spójrzcie, „ciemności okryją ziemię!" — zaintonował poważnym głosem.

Odwróciłem się, by spojrzeć na niego w zapadającym zmroku, i wydało mi się, że uśmiech błysnął mu na twarzy, gdy kończył cytat, niczym bystre dziecko demonstrujące swą znajomość Pisma Świętego:

— Izajasz, rozdział 60, wersety 2 i 3.

Zanim przybyłem do miasta, żandarmi otrzymali rozkaz zawiadamiania prokuratora Rhunkena o każdym przypadku gwałtownej śmierci. Zająwszy jego miejsce, teraz ja byłem odpowiedzialny za wszelkie kroki podejmowane w podobnych okolicznościach. Grasowanie w Królewcu mordercy uśmiercającego ludzi z zimną krwią nie oznaczało bynajmniej końca domowych kłótni czy przestępstw mogących nawet doprowadzić do utraty czyjegoś życia. Każdego nowego zgonu nie składałem więc automatycznie na karb badanej przeze mnie serii morderstw. Informacje przekazane mi przez posłańca wskazywały, że w tym przypadku chodził o innego złoczyńcę.

Czas popełnienia zabójstwa należał do ważnych elementów toku mojego rozumowania. Poza Paulą Anną Brunner — nigdy nie zdołano określić, kiedy umarła — wszystkie ofiary zginęły w nocy, a więc nie miałem żadnego powodu podejrzewać aż tak zasadniczej zmiany w sposobie działania osobnika, którego poszukiwałem. Ostatnie ciało odkryto, gdy zegar wybił trzecią po południu, co wskazywałoby, że osoba ta zginęła w czasie dnia. Druga sprawa — miejsce znalezienia zwłok. Nawet ja, niewiele znający się na topografii Królewca, wiedziałem, że Sturtenstrasse jest ruchliwą ulicą, prowadzącą na targ rybny. Pozostałych morderstw dokonano w miejscach odległych od centrum — znów poza przypadkiem Pauli Anny Brunner, zamordowanej w wyludnionym parku miejskim. Czy morderca, na którego polowałem, podjąłby ryzyko, że na Sturtenstrasse ktoś zauważy go i rozpozna?

— Wiesz, kim jest ofiara? — zapytałem żołnierza. — I jak zginęła?

Potrząsnął przecząco głową.

— To mężczyzna, wasza wielmożność, ale nie zbliżaliśmy się do ciała. Zgodnie z rozkazem, niczego nie dotykaliśmy.

Odwróciłem się, zadowolony.

— Zdaje się, że w drodze do domu przejeżdżasz w pobliżu Sturtenstrasse, czyż nie, Johannesie?

— Tak, jaśnie panie.

— Za pańskim pozwoleniem — zwróciłem się do profesora Kanta — pojadę z panem powozem. Johannes może mnie wysadzić w pobliżu miejsca, do którego zdążam.

Kant nic nie odpowiedział, jednak gdy wychodziliśmy z izby, przyjął ode mnie pomocne ramię. Natomiast na zewnątrz, na dziedzińcu, zdarzyło się coś niezwykle dziwnego. Gdy pomagałem mu wsiąść do powozu, złapał mnie za rękaw i przyciągnął do siebie tak blisko, że ostrym rogiem nakrycia głowy trącił mnie w sam środek czoła.

— Nie rozumiesz? — syknął szeptem. — Ja... tracę kontrolę.

— Kontrolę, profesorze? — zapytałem, nic nie pojmując. — Co ma pan na myśli?

Ale on już zapadł w iście grobowe milczenie. Johannes wskoczył do powozu i okrył kolana chlebodawcy grubym podróżnym pledem, a Kant, wyraźnie dręczony rozterkami, wpatrywał się we mnie jak ktoś, kto właśnie ujrzał ducha. Jakby moje ponowne niezrozumienie spraw, które w jego mniemaniu powinny być dla mnie jasne i oczywiste, wtrąciło go w otchłań depresji.

— Jegomość się czegoś lęka, jaśnie panie — szepnął Johannes.

— Zabieramy go do domu, i to jak najprędzej — zarządziłem i lokaj wysiadł z powozu, by zająć miejsce na koźle. — Potem wrócę na Sturtenstrasse piechotą.

Usiadłem obok profesora Kanta, powóz ruszył, a ja nadal zastanawiałem się, czy próbować uspokoić go jakimiś słowami otuchy, czy raczej zachować milczenie. Równie dobrze mógłbym znajdować się w domu pogrzebowym przy ciele martwego Egipcjanina, którego właśnie mają zmumifikować. Jakby w stanie katatonii, przez całą drogę do domu Kant nie przemówił, nie wydał żadnego dźwięku. Przy furtce Johannes zeskoczył z kozła, uwiązał konia i razem pomogliśmy Kantowi wyjść z powozu, a potem do samych frontowych drzwi podtrzymywaliśmy go, gdy pokonywał ścieżkę wiodącą przez ogród.

— Cały rozpalony — szepnął Johannes ponad opadającą głową swego pana. Kant tracił siłę w nogach — ciągnął je za sobą, a noski jego wysokich butów zostawiały nieregularne ślady na ścieżce.

— Połóżmy go do łóżka — zarządziłem.

Kant był chory. Poblady na twarzy, oddychał z trudem; zdawał się całkowicie osłabiony, jakby siły witalne doszczętnie go opuściły.

Trzymając go pod ręce, pomogliśmy mu pokonać korytarz, a już na schodach dosłownie wynieśliśmy go na piętro, do sypialni. Johannes okazał się prawdziwą opoką, był o wiele bardziej pomocny ode mnie, mimo że przez cały czas trzymał w ręce latarnię. W innych, lepszych okolicznościach sam fakt, że dostąpiłem przywileju wejścia do *sanctum sanctorum* profesora Kanta, czyli jego prywatnego gabinetu i sypialni, napełniłby mnie radosnym uniesieniem. Żaden z jego przyjaciół i biografów nigdy nie uzyskał takiego pozwolenia. Pomimo to, że całą uwagę i troskę skupiałem na bezpieczeństwie osoby mego mistrza, nie zdołałem powstrzymać się od rozglądnięcia się po pomieszczeniu. Było o wiele mniejsze, niż mógłbym to sobie wyobrazić. Cela klasztorna — takiego użyłbym określenia. Wąska prycza dosunięta do jednej ściany, przy drugiej niewielka szafa, małe biurko i krzesło wciśnięte pod trzecią. Wąskie okno znajdujące się na czwartej ścianie wychodziło na ogródek na tyłach domu. Wszystko tu było skromne, uporządkowane i funkcjonalne. Ogarnęło mnie wzruszenie na myśl, że Immanuel Kant lwią część swych monumentalnych dzieł stworzył właśnie przy tym biurku; nawet ten ostatni, przez nikogo nie widziany traktat...

Równocześnie jednak zachwyt mój został nieco stłumiony za sprawą dziwnego odoru unoszącego się w pokoju. Po prostu nie dało się go zignorować. Najwyraźniej nigdy nie otwierano owego wąskiego, wychodzącego na ogród okienka. W pomieszczeniu czuć było wilgoć, a sufit, podłoga i meble wyglądały na nadżarte przez robactwo lub zmurszałe. Panowała tu atmosfera nasycona wonią starości i znoszonej, niezbyt często i niedokładnie pranej odzieży. Wręcz nie dało się nie wyczuć tego ostrego zapachu. Niewątpliwie Johannes dobrze opiekował się swym panem, ale pomyślałem sobie, że powinien więcej uwagi poświęcać bieliźnie i sprzątaniu domu. Co dziwniejsze, wszystkie pozostałe pokoje utrzymane były w nieskazitelnym porządku i czystości. Zanotowałem sobie w duchu, by przed wyjściem przekazać słudze moje krytyczne spostrzeżenia. Ale najpierw należało położyć Kanta do łóżka. Gdy światło latarni padło na poszewkę poduszki, ujrzałem unoszącą się z niej szarą chmurę, która zaraz rozpłynęła się w powietrzu.

— Co to takiego, tam na łóżku? — zapytałem szeptem, łapiąc oddech po trudach wnoszenia po schodach bezwładnego ciała.

— Ano pchły, panie — z całkowitym spokojem oznajmił Johannes.

Wybuchnąłem gniewem.

— Materac należy zdezynfekować!

— Profesor Kant nie chce o tym słyszeć — odrzekł służący bez ogródek. — Ma swoje sposoby. Nie pomagają, ale on nie da sobie nic powiedzieć.

Przed dwoma laty mieliśmy podobny kłopot w naszym domu. W naszych sypialniach zagnieździły się pchły i dręczyły nas, dopóki Lotte nie znalazła na nie sposobu. Na dwa dni i dwie noce zostawiła kozie skóry na podłodze, następnie zwinęła je i spaliła w ogrodzie, daleko od domu. Potem wraz z dziećmi z zadowoleniem przypatrywali się, jak nieszczęsne pchły miotają się w płomieniach, strzelają i trzaskają, bezradne i skazane na zagładę.

— To jedno, w czym nie ma między nami zgody — ciągnął Johannes. — On twierdzi, że zadławi je duchota i brak światła, nawet okno kazał mi zabić na dobre. Martin Lampe wielce w to wierzył. Ten człek ciągle tu jest. Czasem myślę, że nigdy nie odszedł całkiem z tego domu! Profesor Kant nieraz wołał na mnie jego imieniem.

Urwał i zajął się swym panem, namawiając go do położenia się dobrze sprawdzoną mieszanką zachęty i surowości.

— No już, panie profesorze!

Profesor Kant, sztywno wyprostowany, siedział na krawędzi łóżka — Johannes rozbierał go i wkładał mu koszulę nocną — i sprawiał wrażenie bezradnego dziecka, czekającego, aż zajmie się nim piastunka, odwinie prześcieradło i ułoży go do snu. Tyle że inaczej niż jakiekolwiek znane mi dziecko pozostał niemy, jakby ogłuszony. Nie dał znaku, że zauważa moją obecność, nawet na mnie nie spojrzał. Johannes odwinął kołdrę, napuszone poduszki zapraszały do snu.

Kant, ułożony na materacu i przykryty po brodę, wciąż trwał w głębokim transie. Choć poczułem się lepiej, widząc go bezpiecznym we własnym domu, ta jego całkowita bierność nie wróżyła nic dobrego. Niepokój na twarzy Johannesa odzwierciedlał moją troskę.

— Moje dzieło... musi zostać dokończone...

Cichy szept rozległ się od strony łóżka. Johannes stał nad Kantem, wpatrywał się w swego pana.

— Panie profesorze?! — zawołał, a jego zbyt donośny głos zakłócił ciszę pokoju.

— Panie profesorze! — Podszedłem do zapchlonego łóżka. — Czy dobrze się pan czuje?

Otworzył lewe oko i przez chwilę patrzył na mnie.

— Morduje z zimną krwią — mruknął. — Nie ugnie się przed nikim...

Wciąż od nowa powtarzał ostatnie zdanie.

— Co on gada, panie prokuratorze? — szept Johannesa uniósł się nad łóżkiem.

Ze wszystkich sił pragnąłem teraz, by zapanowało całkowite milczenie, by Kant przestał majaczyć. W głowie miałem zamęt. Czyżby klęskę, którą poniosłem, próbując dopaść mordercę, uznał za porażkę racjonalności i analitycznej nauki? A może zbrodniarz przekroczył jakąś granicę, widoczną wyłącznie dla Kanta? I czy właśnie ta wizja zagrażającego światu zła była przyczyną zmiany stanu jego umysłu?

Nagle profesor Kant wydał przenikliwy jęk.

— O Jezu! — krzyknął Johannes. — On potrzebuje pomocy, panie. Wezwij pan doktora!

— Kto go leczy? — zapytałem.

— Zwykle on sam. Zna się na tym lepiej niż wszyscy doktorzy w Królewcu...

— W tym stanie jednak nie potrafi sam sobie pomóc — zaprotestowałem. — Trzeba upuścić mu krew, przyłożyć gorące okłady. Tu potrzeba specjalisty...

— W pobliżu mieszka jeden medyk. Czasem pija herbatę z mym panem. Może on by... — Johannes jakby się zawahał, najwyraźniej uginając się pod ciężarem nowej odpowiedzialności, którą nieoczekiwanie nań nałożono. — Ale jednak...

Jedno spojrzenie na profesora Kanta wystarczyło, bym wiedział, że nie ma czasu do stracenia. Oczy miał zamknięte, twarz bladą i bez wyrazu, oddech płytki, nieregularny.

— Gdzie mieszka ten lekarz? — zapytałem.

— Przy końcu ulicy, jaśnie panie. Pierwszy dom po lewej stronie.

Bez słowa odwróciłem się i pobiegłem, a głos Johannesa dopadł mnie jeszcze na schodach:

— Ale to Italianiec, jaśnie panie, i to bardzo młody!

Pięć minut później, łapiąc oddech, dotarłem pod dom „Dott. Danilo Gioacchini, Medico-Chirurgo", jak prezentowała go mosiężna tabliczka. Wydało mi się, że zza drzwi dobiega odgłos tłumionego płaczu i zawahałem się, wzdragając się przed wtargnięciem w rodzinny kryzys. Budynek, oszalowany zniszczonymi pod wpływem zmian pogody deskami, kiedyś pomalowany był na niebiesko, teraz kolor ten przeszedł w wyblakłą szarość. Stał wciśnięty między dwa bardziej okazałe domy z cegły i zasta-

nawiałem się, czy swym wyglądem dystyngowanej biedy odzwierciedlał ścisk, w jakim żyli jego mieszkańcy. Czyżby to było
powodem czyichś łez? Dla Włocha nawet przyjaźń Immanuela
Kanta mogła nie być wystarczająca, aby ułatwić mu życie w Królewcu. Cudzoziemcy, a tym bardziej katolicy, nie byli darzeni
szacunkiem przez mieszkańców tego miasta, i to nie tylko przez
osoby takie jak Agneta Süsterich czy Johannes Odum, ale i przez
każdego nabożnego pietystę.

Ale co miałem począć? Uniosłem żelazną kołatkę w kształcie
zaciśniętej pięści i pozwoliłem jej opaść na drzwi. Po chwili,
skrzypiąc, lekko się uchyliły i ukazała się twarz pięknej, ciemno-
włosej kobiety. Stojąca u jej kolan, mocno trzymająca się jej
spódnicy mała dziewczynka w wieku dwóch, trzech lat patrzyła
na mnie z powagą.

— Szukam doktora — zwróciłem się do niewiasty, starannie
dobierając słowa w obawie, że nie zostanę zrozumiany. Jeżeli była to żona doktora, prawdopodobnie przybyła z nim z Włoch.
— Chodzi o profesora Kanta...

Na dźwięk nazwiska filozofa na jej ustach pojawił się słaby
uśmiech.

— Danilo! — zawołała, odwracając się do wnętrza domu;
otwarła drzwi szerzej i gestem zaprosiła mnie do środka.

Chwilę później w korytarzu pojawił się doktor we własnej
osobie. Był rzeczywiście młody, mógł mieć najwyżej trzydzieści
pięć lat, choć jego długie jasne włosy wyraźnie się przerzedzały.
Wysoki, smukły, w wytwornym żakiecie z czarnego welwetu,
zwieńczonym wysokim kołnierzykiem, powitał mnie ciepłym
uśmiechem i błyskiem brązowych oczu. Na obu rękach trzymał
dwa identyczne maleństwa, najwyżej tygodniowe. Oba darły się
co sił w płucach.

— Bliźniaki! — oświadczył. Zmarszczka, która nagle pojawiła się na jego czole, mogła równie dobrze wyrażać ojcowską dumę, jak i zażenowanie z powodu zamieszania.

— Przepraszam, że niepokoję — pospieszyłem z wyjaśnieniami. — Profesor Kant potrzebuje pomocy.

Nie pozwolił mi dokończyć.

— Wezmę tylko torbę — odrzekł bezbłędną niemczyzną. Potem po włosku rzucił żonie kilka szybkich słów, a ona podeszła i odebrała od niego płaczące dzieci. Po minucie już nas nie było.

Po następnych pięciu stanęliśmy przed domem profesora Kanta. Gdy ramię w ramię biegliśmy pokrytą śniegiem ulicą, poinformowałem go, jak umiałem, o wszystkim, co się wydarzyło i próbowałem opisać stan pacjenta.

— Czy mam wejść z panem? — zapytałem.

— Nie ma takiej potrzeby — odrzekł doktor, z ledwie wyczuwalnym obcym akcentem. — Jak sądzę, jest przy nim jego służący?

— Johannes czeka na pana. Ja muszę udać się na Sturtenstrasse — tłumaczyłem się, przypomniawszy sobie obowiązek, który całkiem wyleciał mi z głowy. — Wrócę natychmiast, gdy będę mógł.

Jeszcze usłyszałem, jak drzwi do domu Kanta się otwierają, i sam już pospiesznie przemierzałem ciemniejące w zapadającym mroku ulice, kierując się w stronę rybnego targu. Po dziesięciu minutach dotarłem na miejsce, zadyszany i mocno zdenerwowany. Nad portem i zatoką zawisła gęsta mgła. Przy końcu ulicy stał na straży samotny żołnierz. Wyglądał jak wyrzeźbiony z lodu, jego skórzana czapka i czarna, wodoodporna peleryna połyskiwały w pomarańczowym świetle płonącej pochodni, którą trzymał w ręce. Do tej chwili ani przez moment nie zastanawiałem się, kim może być leżący tu martwy człowiek. Nagłe zasłabnięcie Kanta skupiło całą moją uwagę.

Wartownik, z karabinem trzymanym niedbale pod pachą zagrodził mi drogę.

— Jestem Hanno Stiffeniis — przedstawiłem się. — Sędzia śledczy. Gdzie ciało?

— O tam, trochę dalej — żołnierz, obejrzawszy się przez ramię, wskazał mi miejsce. — Kolega z patrolu pilnuje trupa.

— Mam nadzieję, że niczego nie ruszano?

— Nie, wasza wielmożność. Kazano nam na pana czekać.

Informację tę wyrzucił spomiędzy zaciśniętych zębów, gdyż dotkliwy chłód i długie godziny, kiedy musiał tu trwać, najwyraźniej wywołały w nim niechęć do mnie.

— Niech nikt tędy nie przechodzi — poleciłem ostrym tonem. — Poza sierżantem Kochem, moim asystentem. Powinien wnet się pojawić.

Nie miałem pojęcia, dokąd mogło zaprowadzić Kocha polowanie na pana Lutbatza, kupca pasmanteryjnego, byłem jednak pewien, że przybiegnie, gdy tylko dowie się, co się wydarzyło. I chciałem go mieć u swego boku. Liczyłem na jego doświadczenie, na dodającą otuchy obecność i zdrowy rozsądek; pomogłyby mi w oględzinach, które właśnie miałem rozpocząć. Na widok skulonego na ziemi ciemnego kształtu serce stanęło mi w piersi: w tej samej chwili wypatrzyłem odcisk męskiego buta, pozostawiony na zamarzniętym śniegu i wyraźne nacięcie w kształcie krzyża...

Od tamtego dnia nieraz zastanawiałem się, czy Emanuel Swedenborg był bliski prawdy, gdy opisywał sekretny język zmarłych. Teraz wiem na pewno, że język ów istnieje. Ale wtedy nie umiałem niczego wyczytać z wyrazu zimnych, milczących ust. Tamtej nocy wyraźnie słyszałem pomruki owej tajemniczej energii, którą, jak mówi Swedenborg, każda odchodząca dusza przekazuje żywym.

Przybliżywszy się do zwłok, niemal potykając się, nagle ogarnięty wzrastającym niepokojem, nie byłem zdolny nawet do przełknięcia śliny.

Młody żołnierz zasalutował i cofnął się o krok.

— Pan prokurator? Cieszę się, że pan już jest, wasza wielmożność — wyznał z wyraźną ulgą. Latarnia w jego dłoni roztaczała aureolę tańczącego światła na zalegającej chodnik twardej, błękitnej lodowej powierzchni.

— Unieś lampę — poleciłem. — Chcę obejrzeć ciało.

Zasuwka latarni wydała ostry, metaliczny stuk, mizerna wiązka żółtego światła padła na biegnący wzdłuż całej ulicy wysoki, ceglany mur. Martwy mężczyzna klęczał na ziemi, z głową opadłą na piersi, prawym ramieniem mocno wsparty o mur. Stanąłem jak wryty, a w głowie rozbrzmiewało mi jedno pytanie.

— Przyświeć bliżej! — zażądałem ostro.

Żołnierz głośno szczękał zębami. Bardzo młody, był zaledwie przerażonym chłopcem. Jak długo stał tutaj sam, czekając, aż przyjdę, nie ważąc się nawet spojrzeć na oparty o mur ciemny kształt, w obawie, że morderca wynurzy się z cienia i uderzy ponownie?

Zbliżając się do zwłok, przypomniałem sobie czytaną niegdyś opowieść pewnego podróżnika. Chodziło w niej o członków tajemniczej azjatyckiej sekty, wierzących, że dusze zmarłych kręcą się w pobliżu ciała do czasu pogrzebu. Niemal zawisłem nad tym trupem klęczącym na ulicy, owiniętym błyszczącą peleryną, zupełnie taką samą jak...

Opadłem na kolana na zamarznięte kamienie i bezradnie patrzyłem na pozbawioną życia twarz Amadeusa Kocha. Usta pozostały uchylone, jakby próbował wzywać pomocy, oczy otwarte szeroko w błysku zrozumienia. Wiedziałem, że u podstawy jego czaszki znajdę niewielkie ślady ukłucia igłą. Myśli rozszalały mi się w głowie, ścigane żalem i poczuciem winy, krew głośno szumiała w uszach, boleśnie pulsowała w skroniach.

„Peleryna Kanta. Moja peleryna. Peleryna, którą pożyczyłem Kochowi..."

Kogo zabójca zamierzał zaatakować: profesora Immanuela Kanta? Mnie? Czy natknął się na Kocha przypadkiem? W obawie przed zemdleniem musiałem oprzeć się o mur; sparaliżowany przerażeniem, mięśnie nóg miałem sztywne, nieruchome, jakby uszło z nich życie. Czy morderca zabił przez pomyłkę?

Gdy chłód przeniknął me kolana, wcześniejsze słowa profesora Kanta powróciły jak echo: „A gdzie moja peleryna?". — Czyżby jakimś sposobem przewidział, co się wydarzy? Opuścił wyżyny logiki dla mrocznych ścieżek przeznaczenia? Czy nauka doprowadziła Kanta do wniosku, jaki mnie nigdy nawet nie zaświtał w głowie? Czy tu należało szukać przyczyny jego niedyspozycji?

Przez dłuższą chwilę klęczałem oszołomiony obok martwego ciała mego asystenta. Prawdopodobnie zorientował się, co się dzieje na moment przed ciosem — świadczyłyby o tym jego oczy, wywrócone w górę i skierowane w lewo. Na wodnistej powierzchni niewidzących źrenic zastygła lodowa błona. Drgające światło lampy stwarzało magiczną iluzję życia.

— Czy wszystko w porządku, wasza wielmożność? — zapytał głos za moimi plecami.

Młody żołnierz pochylił się z pochodnią, światło i cienie bezlitośnie zagrały na twarzy Kocha. Można było odnieść wrażenie, że sierżant wraca do życia i znów oddycha.

— Panie prokuratorze — zauważył żołnierz. — Ten człowiek ma coś w ręce.

Delikatnie wsunąłem palec wskazujący w zaciśniętą dłoń Kocha, rozprostowałem zesztywniałe palce. Wypadł z nich i z brzękiem potoczył się po ziemi pierścionek z brązu. Przynęta. Podnosząc na Sturtenstrasse błyskotkę, Koch nadstawił mordercy kark. Wymamrotawszy modlitwę, prosząc o wybaczenie, przeszukałem kieszenie zmarłego; po kolei wyjmowałem przedmioty, jakie zwykle nosi przy sobie przewidujący człowiek. Miękka, lniana chustka do nosa, klucz od domu, kilka talarów i kawałek papieru, starannie złożony w prostokąt nie większy od tabakierki. Uważnie, by jej nie podrzeć, rozwinąłem kartkę i przytrzymałem przy lampie.

We wszystkim, co napisałem do tej pory, starałem się podawać nagie fakty, unikać wyróżniania detali, nie przywiązywać więcej wagi do jednych niż do drugich. Ta metoda, stopniowy opis powolnych postępów mego śledztwa, wydała mi się najbardziej obiektywna; przedstawiała kolejność wydarzeń, w jakiej sprawa w Królewcu się wyjaśniała, i miało tak być do momentu, gdy będę mógł wreszcie podać prawdziwe rozwiązanie. Ale teraz chcę pozwolić przemówić memu sercu. Uznałem to za niezbędne, gdyż rozum okazał się bezradny.

Notatka zawierała kompletną listę sklepów i prywatnych osób zaopatrujących się w tkaniny, druty i igły do robótek oraz do haftu. Pewnie dostarczył ją człowiek, od którego zmarła żona Kocha kupowała podobne drobiazgi. Podaję ją dokładnie, w takiej postaci, w jakiej odczytałem ją na Sturtenstrasse:

6 rolek jedwabiu koloru ochry — pani Jagger
10 pasemek nie farbowanej wełny — jak wyżej

6 par drutów — Dom Handlowy Reutlingen
10 motków jasnoniebieskiej wełny — jak wyżej
15 motków białej wełny — jak wyżej
4 metry haftowanej koronki z Burano — panna Eggars.

Lista była długa, ale zatrzymałem się przy dużej gwiazdce, niczym królewska pieczęć widniejącej w połowie strony: *6 igieł z fiszbinu, rozmiar 8, do przeciągania wełny do gobelinów.* Obok widniało nazwisko nabywcy. Był to jedyny mężczyzna na liście.

Ponownie sprawdziłem tę pozycję, litera po literze, jak dziecko uczące się alfabetu w swym pierwszym, przerażającym dniu w szkole. Jak nic nie rozumiejący chłopiec upewniałem się, że litera K jest nią rzeczywiście, potem kolejno A, N, i wreszcie T — najgorsza w całym alfabecie, kończąca słowo. Skleciłem je ze sobą, by uzyskać nazwisko człowieka, który zakupił śmiercionośne kościane igły u pana Rolanda Lutbatza.

P orywy przenikliwego wschodniego wiatru ze świstem nadlatywały od strony pobliskiego portu i targu rybnego, rozpędzały tumany wirującej mgły. Wysoko nad moją głową brzęczały szyby, postukiwały okiennice. Gdzieś w pobliżu jęknęły zawiasy ciężkiej żelaznej bramy, ze szczękiem zatrzaskującej się i otwierającej na nowo przy każdym następnym, napierającym od Bałtyku podmuchu.

Samotny na Sturtenstrasse przy zwłokach Amadeusa Kocha, nerwowo podskakiwałem przy byle dźwięku. Mróz pokrył mi włosy trzeszczącą skorupą, całe ciało zdawało się zamienione w kamień, owładnęła mną jedna tylko myśl: już więcej go nie opuszczę. Dziś po południu pozwoliłem Kochowi odejść samemu i odebrano mu życie. Gdy z nabożnym lękiem wpatrywałem się w martwe ciało, klęczące pod murem na zamarzniętym chodniku, wciąż zadawałem sobie pytanie, czy sierżant miał świadomość, co się dzieje, gdy uderzyła w niego igła. Czy rozpoznał twarz zabójcy?

— Panie Stiffeniis?

Odwróciłem się w jednej chwili. W zawodzącym wietrze nie usłyszałem kroków nadchodzącego.

Pochylał się ku mnie mężczyzna w mundurze. Drugi żołnierz, jeszcze wyższy od kolegi, z ciemną chustą owiniętą wokół twarzy, wspinał się, ślizgając, na wzgórze, a za sobą niczym sanie ciągnął po lodzie i śniegu długą drewnianą skrzynię. Natychmiast rozpoznałem obu. Wyprostowałem się na całą wysokość, ale i tak przy kapralu Mullenie i Walterze, jego węgierskim towarzyszu, byłem tylko karłem.

— Czego chcecie? — zapytałem.

— Mamy zabrać nieboszczyka do piwnicy, wasza wielmożność. Z rozkazu doktora Vigilantiusa...

Nie pozwoliłem mu dokończyć, ogarnięty falą oburzenia.

— On nie tknie t y c h zwłok! — mój głos odbił się od kamieni muru i echem popłynął przez pustą ulicę. Zesztywniały od mrozu zadrżałem, targany gwałtownymi emocjami. Wpadłem w coś w rodzaju rozpaczliwej histerii, w mieszankę bezradności i poczucia winy.

— Nie będzie więcej żadnego ćwiartowania zwłok. Vigilantius wyjechał z Królewca. I nie wróci! Sierżant zostanie pochowany w całości. Po chrześcijańsku. Chcę, by zabrano go do kościoła.

Olbrzymy wymieniły spojrzenia.

— W twierdzy jest kaplica, wasza wielmożność — zasugerował kapral Mullen. — Jako że to jedyne suche miejsce, wykorzystują je na...

— Nie obchodzi mnie, do czego jej używają — przerwałem mu ostro. — Jeżeli jest poświęcona, chcę, by ciało Kocha zostało w niej wystawione. Zapłacę wam za fatygę.

Ciemne oczy Mullena zabłysły. Jego towarzysz chrząknął.

— Zobaczymy, co da się zrobić — oznajmił kapral. Tonem dawał do zrozumienia, że zaspokojenie mojej zachcianki będzie wymagało Bóg wie ile wysiłku. — No to wkładamy biednego, pechowego dżentelmena do skrzyni, co, Walter?

Stężenie pośmiertne i mróz unieruchomiły ciało Kocha w klęczącej pozycji, w której go znaleziono. Na powierzchni wodoodpornej peleryny utworzyła się warstewka lodu i żołnierze daremnie próbowali przytrzymać połyskujący materiał, ich niezdarne palce raz po raz się ześlizgiwały.

— Zdejmijcie z niego okrycie — rozkazałem.

Pewnie wydałem się im szalony i pozbawiony serca, gdyż Mullen zareagował z oburzeniem.

— Zdjąć pelerynę? Po co, wasza wielmożność? On już jest sztywny jak deska. Niełatwo przyjdzie go rozdziać.

Nawoskowana peleryna profesora Kanta — przyczyna, byłem o tym całkowicie przekonany, śmierci Kocha — otulała ciało zmarłego jak błyszczący całun. — Nie pozwolę pochować Kocha w tym łachu — upierałem się opryskliwie. — Zdjąć-mi-to--z-niego!

Mullen przez chwilę nie odrywał ode mnie wzroku.

— Daj no nóż, Walterze — jęknął w końcu. — Trza go położyć na boku, panie. Inaczej nie da rady.

— Szybciej! — warknąłem, obserwując, jak wykonują moje polecenie.

Ostrzem, krótkim, ale ostrym, Mullen rozciął materiał od kołnierza do samego dołu. Następnie, ściągnąwszy jedną część peleryny, przetoczyli ciało na bok i z wielkim trudem uwolnili ramiona sierżanta. Kopnięciem odrzuciwszy zniszczone okrycie, żołnierze z wysiłkiem unieśli ciężkie ciało i ponieśli je, trzymając za sztywne ramiona i zgięte nogi.

— Obchodźcie się z nim delikatnie — poleciłem, gdy kładli zwłoki na plecach na dnie skrzyni.

— Trzeba go wyprostować — stwierdził obojętnie Mullen — inaczej nie domkniemy wieka.

— Na co czekacie?

Mocno przycisnęli kolana trupa, najpierw lewe, potem prawe, i stawy puściły z ostrym trzaskiem. Choć ten dźwięk rozdzierał mi serce, poczułem się jednak trochę lepiej, widząc Kocha ułożonego w spokoju, we własnym ubraniu. Na chwilę pozwoliłem sobie pomarzyć, że życie powróci, mój wierny pomocnik usiądzie, zacznie oddychać i znowu się do mnie odezwie.

— Można zamykać, wasza wielmożność? — upewniał się Mullen.

Rzuciłem ostatnie spojrzenie na ciało i skinąłem głową.

Walter zamknął wieko, na zawsze zakrywając Amadeusa Kocha. Potem Mullen przybił pokrywę skrzyni gwoździami — użył ich ze sześć — i przygotowaliśmy się do marszu ciemnymi, pustymi ulicami. Wiadomość o morderstwie zatrzyma mieszczan za zamkniętymi drzwiami pewniej niż godzina policyjna. Mullen i Walter poszli przodem; energicznie ciągnęli ciężkie „sanie", które szurały i podskakiwały na lodzie i grudach śniegu. Szedłem tuż za nimi, a pochód zamykali żołnierze, którzy znaleźli ciało.

Przechodziliśmy obok wylotu uliczki biegnącej na tyłach domu profesora Kanta. Z okna sypialni na piętrze, zza zasłon, prześwitywało słabe światło.

— Idźcie szybciej, Mullen — ponagliłem, patrząc prosto przed siebie, pragnąc jak najprędzej oddalić się od tego okna i tego domu. Papier, który znalazłem w kieszeni sierżanta, ciążył mi na sumieniu niczym tona ołowiu: „6 igieł z fiszbinu, rozmiar 8, do przeciągania wełny do gobelinów — pan Kant".

Mimo pozorów pośpiechu żołnierze bynajmniej nie przyspieszyli kroku i ani chwili wcześniej nie dotarliśmy na miejsce przeznaczenia. Gdy tylko wyłoniła się przed nami twierdza, przeszedłem na przód grupy i zażądałem, by otwarto nam bramę na całą szerokość.

— Ciało dla prokuratora Stiffeniisa — rzucił w stronę stojących na warcie Mullen, gdy z Walterem wchodzili do środka. Wartownicy, wykonując znak krzyża, lękliwie odwracali wzrok.

— Czy on miał żonę, wasza wielmożność? — zapytał Mullen, podchodząc ze skrzynią pod niski budynek po drugiej stronie dziedzińca. — Na pewno zechce czuwać przy nim tej nocy.

— Ja przy nim zostanę — oświadczyłem. — Nie miał nikogo innego.

Mullen skinął na Waltera, który mruknął coś w odpowiedzi w tym swoim dziwnym języku, po czym otwarli drzwi kaplicy i zaczęli wciągać skrzynię do środka. Pospieszyłem za nimi. Przyniesiono lampę i od jej płomienia zapalono inne, umocowane na ścianach. Wnętrze lśniło; wysokie na człowieka piramidy dużych, srebrzystych pocisków armatnich i wielkich kul połączonych parami łańcuchem wznosiły się, starannie ułożone, wzdłuż środkowego przejścia. Długość całej jednej ściany zajmowały lufy artyleryjskich dział; umieszczone jedne na drugich, przypominały czarne, błyszczące cygara w sklepie tytoniowym. Wzdłuż ściany na drugim końcu kaplicy stały lawety. W powietrzu unosiła się dławiąca woń szczurów, rozłożonej na nie trutki i smród rozkładających się gryzoni. Ściany obwieszone były wielkimi płóciennymi mapami. Z sufitu, na długim łańcuchu, zwisał prosty drewniany krzyż. Nie było tu więcej religijnych symboli.

— Kaplica regimentu — oznajmił Mullen szeptem. — Próbowałem to panu wcześniej powiedzieć, wasza wielmożność. Używają jej jako magazynu broni i materiałów wybuchowych. Pozostałe części twierdzy są wilgotne niczym ścierka pomywaczki. Możemy tu ustawić trumnę, panie, o, tutaj. Przenieśli ołtarz, by zyskać więcej miejsca, ale pomieszczenie jest poświęcone. Nada się, panie prokuratorze?

Nawet nie chciało mi się odpowiedzieć. Sięgnąłem do sakiewki, znalazłem jakiś pieniądz i podałem mu.

— Wypijcie dziś coś mocnego za pamięć człowieka, który tu leży, Mullen. O świcie przyślijcie pastora. Wtedy go pochowamy. Wychodząc, wezwijcie mi tu Stadtschena.

Kapral Mullen zasalutował, Walter stuknął obcasami, drzwi zamknęły się za nimi; jeszcze przez chwilę słyszałem ich rozbawione głosy — śmiali się i żartowali, wreszcie ucichli. Pozostawszy sam w kaplicy, przeszedłem obok armat i stert amunicji, ukląkłem przy trumnie. Położyłem dłoń na zimnym drewnie, zamknąłem oczy i zacząłem się modlić, błagając Boga, by z otwartymi ramionami powitał duszę Amadeusa Kocha. Jeszcze gorliwiej zwróciłem się do sierżanta o wybaczenie. Nie rozumiałem bezpośredniego zagrożenia, na jakie go naraziłem. Nigdy też nie wybaczyłem sobie, że dałem mu tę pelerynę.

Gdy moje pociechy przed nocą klękają przy łóżeczkach, składają rączki i odmawiają dziecięce, proste modlitwy, wspominają w nich imię Amadeusa Kocha — tak je nauczyłem — na pamiątkę niewinnego człowieka, który utracił życie, próbując pomóc ich ojcu.

Po chwili zazgrzytała za mną zasuwa drzwi i na kamieniach posadzki głośno zadźwięczały kroki. Odwróciłem się i widok wkraczającego do kaplicy Stadtschena kazał mi się opanować. Rzucił okiem na trumnę, potem spojrzał na mnie, z wyrazem zaskoczenia na szerokiej, czerwonej twarzy.

— Panie prokuratorze?

— To Koch — wyjaśniłem; imię zamarło mi na ustach.

Stadtschen zdjął czapkę i skłonił głowę nad trumną.

— Chcę, byś odnalazł mi pewnego człowieka — przerwałem jego pełne szacunku milczenie. — Nazywa się Lutbatz. Roland Lutbatz. Jego zeznanie jest wielce istotne dla śledztwa.

— Gdzie mam go szukać, wasza wielmożność?

— Gdzieś musiał się zatrzymać. To nietutejszy. Może w jakimś tanim hotelu czy pensjonacie?

— Wyślę patrol.

— Pospiesz się. On w każdej chwili może opuścić miasto. Pan Lutbatz zajmuje się handlem towarami pasmanteryjnymi, dostarcza je do sklepów i magazynów w Królewcu.

Stadtschen zmarszczył czoło.

— Pasman... co pan powiedział, wasza wielmożność?

— Pasmanteria, Stadtschen. Bawełna, igły, nici, tego rodzaju towary. Ludzie handlujący nimi mogą wiedzieć, gdzie spędza noc.

— Już wiem, od czego zacząć — odrzekł ku memu zaskoczeniu.

— Żona? — zapytałem.

Nagły błysk w oczach Stadtschena uznałem za przejaw rozbawienia, wnet jednak byłem zmuszony skorygować swą opinię.

— W żadnym wypadku, wasza wielmożność! Pewna stara kwoka, mieszka tu, w twierdzy. Zajmuje się... no cóż, oferuje przeróżne usługi żołnierzom regimentu.

— Usługi? — podchwyciłem, niezdolny do ukrycia nutki sarkazmu w głosie.

— Nie to, co pan myśli, wasza wielmożność — zaprotestował Stadtschen. — Te lata już dawno ma za sobą! Ona pierze, ceruje i szyje dla kawalerów, którzy potrzebują pomocnej dłoni. Może znać człowieka, którego pan poszukuje.

— W twierdzy, mówisz? Chyba nie mieszka tu wiele kobiet.

— Żadna oprócz niej, wasza wielmożność — potwierdził Stadtschen.

Spojrzałem na trumnę. Nie zamierzałem tak szybko przerywać czuwania. Ale przede wszystkim obowiązek wobec żywych. Któż lepiej od Kocha zrozumiałby moje motywy? Tu, w garnizonowej kaplicy, otoczony amunicją, mapami i bronią palną, nie poczuje się porzucony. Podczas nocnej zmiany warty usłyszy głos trąbki, miarowy odgłos ciężkich butów na brukowanym dziedzińcu, dodające otuchy wykrzykiwanie rozkazów, krzątaninę przy ich wypełnianiu. Życie minęło mu wśród podobnych odgłosów. Przywiodłem go z powrotem do domu; innego nie miał.

Pięć minut później Stadtschen i ja pospiesznie przemierzaliśmy ponury labirynt wysokich kamiennych murów i zastawionych rozmaitymi rupieciami brukowanych dziedzińców. W tym średniowiecznym jądrze twierdzy najwyraźniej znalazły dla siebie miejsce wszelkie zawody i usługi niezbędne do funkcjonowania koszar. Każdy dziedziniec jakby ogłaszał swą specjalność poprzez wydawaną woń: tu konie, tam kuchnie rozsiewające smród gotującego się mięsa; sklepiki ze skórą i szewcy; piece piekarzy; pełna dymu, pary i węglowego pyłu odlewnia, w której powstawały pociski i kule armatnie. Ten zamknięty w sobie świat, im głębiej zanurzaliśmy się w nim, stawał się coraz ciemniejszy i coraz dotkliwiej cuchnął nieosłoniętymi latrynami, obrzydliwymi ekskrementami, a wreszcie całkowitym zapuszczeniem. W najbardziej zacienionych miejscach szare szczury z piskiem uciekały nam spod nóg.

— Dziękuję, Stadtschen — powiedziałem, gdy zatrzymaliśmy się przed butwiejącymi drzwiami, które farby nie widziały od dnia koronacji Fryderyka Wielkiego, a może jeszcze dłużej.

— To tutaj, wasza wielmożność — oświadczył, waląc w liche deski z siłą wystarczającą, by połamać je na drobne kawałki.

Pomarszczona, stara kobieta pojawiła się niemal natychmiast; wyjrzała ukradkiem zza drzwi, lustrując wzrokiem dwa białe paski i szewrony na mundurze Stadtschena. Mogła mieć z dziewięćdziesiąt lat, a może nawet więcej. W panujących tu ciemnościach widać było jedynie poczerniałą od wżartego w nią brudu cerę i zmarszczki, niczym rysy na kamiennym rzygaczu, żłobiące obwisłe policzki i czoło. Postrzępione łachmany przylegały do ciała staruchy jak skóra. Suknia z pamiętającego dawne czasy brązowego worka, czepek z tego samego, szorstkiego samodziału, całość sztywna od brudu. Kobieta zapewne cuchnęła okropnie, ale smród panujący w jej norze był wystarczająco mocny, by zagłuszyć odór nawet najgorszego starego flejtucha.

— Czekałam na Jego Ekscelencję — oświadczyła, zerkając na Stadtschena.

— Jesteśmy ostatnio zajęci, matko — odrzekł. Ton jego głosu wielce mnie zaskoczył. Ten olbrzym, któremu podlegały warty, miał pod swoją komendą sekcję D więzienia wraz z jej mordercami, kanibalami, złodziejami i fałszerzami! Władał nimi żelazną pięścią, a jednak do starej wiedźmy przemawiał głosem łagodnym, wręcz wypełnionym szacunkiem.

— Trzy razy to zrobiłam. Trzy! Zawsze wychodzi to samo — mruknęła zamierającym szeptem. Nagle uniosła wzrok i rzuciła gwałtownie, nie zwracając się do nikogo konkretnie: — To nie będzie Królewiec, powiadam ci jeszcze raz. On tu nie uderzy, żołnierzu, możesz być spokojny!

Spojrzałem na staruchę, potem na oficera Stadtschena. Żadne nie powiedziało słowa, wpatrywali się w siebie w milczącym porozumieniu, jakby doskonale wiedzieli, o co chodzi.

— O czym ona mówi, Stadtschen? — zaciekawiłem się.

Nie doczekawszy się odpowiedzi, powtórzyłem pytanie głośniej, a wtem w najdalszym, najciemniejszym kącie pomieszczenia wybuchł straszliwy harmider. Rozpaczliwe łopotanie skrzydeł, okrzyki ptaków — wielu, całego stada — jazgoczących niczym głodne szpaki, które nim nadejdzie zima i odlecą wirującą czarną chmurą, gromadzą się w lesie. Ale skąd te stworzenia wzięły się w twierdzy?

Kobieta wycelowała sękaty, zakrzywiony palec w twarz Stadtschena.

— Powiedz temu idiocie, by nie straszył moich dziecisków! — zaskrzeczała. — Jego Ekscelencja nie pozwoli na to!

Ni stąd, ni zowąd poczłapała w głąb pokoju, odnajdując drogę w ciemnościach niczym ryba w wodzie; otwarte drzwi zwisały na zawiasach.

— Wejdźcie! — zawołała przez ramię. — Zobaczysz na własne oczy, żołnierzu. Możesz przekazać ode mnie generałowi.

Statdschen skwapliwie wszedł do środka, zupełnie jak pies myśliwski, który wyczuł rannego cietrzewia.

— Co tu się dzieje? — zapytałem, podchodząc do niego i przytrzymując go za rękaw. — Nie marnujmy czasu. Mam zamiar odnaleźć Rolanda Lutbatza jeszcze dziś wieczorem.

Stadtschen stanął na baczność, jakby obudził się z transu.

— Ona nazywa się Margreta Lungrenek, wasza wielmożność — oświadczył. — Zna człowieka, którego szukasz, panie. Przysięgam...

— Powiedz mu, czym ja się zajmuję! — krzyknęła kobieta z ciemności nory. Może była stara, ale słuch miała dobry. — Drugi raz nie zaproszę cię do środka!

— Pięć minut, nie więcej — warknąłem, wchodząc do środka z uniesioną latarnią. — Lutbatz, albo idziemy i pociągnę cię do odpowiedzialności.

W cofającym się mroku udało mi się wyłowić wzrokiem stertę wiklinowych klatek, ułożonych jedna na drugiej pod przeciwległą ścianą. Naliczyłem z tuzin, a w każdej mnóstwo ptaków wszelkich kolorów, kształtów i wielkości. Rozpoznałem wróble, sikorki, gołębie, kruki, szpaki, kosy, ale było ich więcej, o wiele więcej, nawet wypatrzyłem między nimi zakapturzoną płomykówkę.

— Generał je kocha — cmoknęła kobieta, ruchem dłoni machnąwszy w stronę ptaszarni. — On potrafi dojrzeć prawdę, gdy ma ją przed oczami.

— Przyszły na nią ciężkie czasy, wasza wielmożność — szepnął Stadtschen. — Traci wzrok. Już nie radziła sobie z igłą. I wtedy generał usłyszał o jej talentach. Dał jej schronienie w twier...

— Generał K.? — zapytałem, zdumiony. Co on ma wspólnego z tą starą kobietą i jej skrzydlatą menażerią? Uwagi pani Lungrenek o komendancie garnizonu uznałem za przejaw obłędu.

— Ona potrafi patrzeć w przyszłość — nie zrażał się Stadtschen. — Jego Ekscelencja ostatnio nie wykona żadnego ruchu bez zasięgnięcia u niej rady. Ma obsesję na punkcie inwazji Napoleona na miasto. Odkąd zaczęły się te morderstwa, jest przekonany, że to robota francuskich dywersantów. Generał jest wielkim zwolennikiem Juliusza Cezara, wasza wielmożność. Twierdzi, że Rzymianie nigdy nie wybierali się na wojnę bez konsultacji z wróżbitami.

— *Haruspices* — mruknąłem pod nosem. — Tak ich nazywano.

Stadtschen patrzył na mnie szeroko otwartymi oczami.

— A więc to prawda? — mruknął.

411

Myśl o generale K. wierzącym w znaki i wyrocznie mocno mnie zaniepokoiła. Jeżeli komendant twierdzy i obrońca miasta całkowicie polegał na przepowiedniach, wszystko było stracone. Przypomniałem sobie tę energiczną postać, kategoryczny sposób mówienia i bezpośredniość w zachowaniu tak dodające mi otuchy, gdy przybyłem do twierdzy. Czyżby ten jego wigor wynikał z przekonania, że armię ma potężną, a strategię — zapewniającą bezpieczeństwo? A może to była tylko poza, maskująca desperację, rozpaczliwe szukanie rady w wizjach starej, szalonej kobiety?

— Spójrzcie no! — rzuciła starucha ostrym głosem, odsuwając się od klatek i pochylając nad małym okrągłym stołem w najciemniejszym kącie. Na drewnianym blacie leżał duży czarny ptak, martwa wrona. Zakrzywiony dziób zwisał bezwładnie, pióra połyskiwały krwawą czerwienią, na stole walały się ptasie wnętrzności. Padlinę otoczono kręgiem liter, bez żadnej kolejności, wypisanych kredą na drewnianej powierzchni. Wokół ciała ptaka poukładano jego wnętrzności. Dziób wskazywał w jednym kierunku, sztywne skrzydła sterczały w dwie strony. Można by powiedzieć, że ptak został ukrzyżowany.

— Spójrzcie na dziób — szepnęła starucha; kładąc dłonie na stole, pochyliła się nisko i wciągnęła w nozdrza fetor. — Wskazuje na tę oto literę. Skrzydła są nakierowane na te dwie samogłoski. A pazury! Mamy to miejsce, panowie! Jena! Leży daleko od Królewca. Tam powinien znajdować się teraz generał K., a nie tracić czasu tutaj! — Swym wzrokiem krótkowidza spojrzała na Stadtschena, na jej wargach pojawił się nikły, porozumiewawczy uśmiech.

Wiedziałem, że powinienem właśnie podążać po nieostygłych jeszcze śladach pana Lutbatza i zabójcy Kocha, ale stara, przechwalając się umiejętnością czytania przyszłości z wnętrzności ptaka, wznieciła mą ciekawość. Jeżeli nauczyłem się czegokolwiek od Immanuela Kanta — mam na myśli doświadczenie z Vigilantiusem — to nieustannego szukania światła, choćby było ono jedynie punkcikiem błyszczącym na końcu długiego, ciemnego tunelu.

— Powiem mu, matko — obiecał pospiesznie Stadtschen, wyraźnie zdenerwowany. — Przyrzekam, dowie się natychmiast. Ale prokurator Stiffeniis chce cię o coś zapytać. Odpowiedz tylko, i już sobie pójdziemy.

— Czy znasz mężczyznę o nazwisku Roland Lutbatz? — zapytałem.

— O tak, panie, znam go — odrzekła bez wahania. — Bez niego byłabym zgubiona. Znam go tak dobrze jak moje ptaki. Widziałam go wczoraj.

— A gdzie to było?

— W Błękitnym Jednorożcu, panie. Tam się zatrzymuje, gdy jest w Królewcu.

— To tawerna w pobliżu mostu Ferkel — wyjaśnił Stadtschen. — Stąd pięć minut piechotą, wasza wielmożność.

— Znam innych, o wiele tańszych, mogę podać nazwiska — zaproponowała Margreta Lungrenek, gdy wciskałem jej talara do ręki i zabierałem się do wyjścia.

— Biada ci, panie, jesteś przeklęty! — zaskrzeczała, rzuciła monetę na ziemię i tarła dłonie, jakby się oparzyła. — Coś się nad tobą unosi!

— Słuchaj no, matko — rzucił ostrzegawczo Stadtschen, odzyskując odwagę, gdy odchodziliśmy. — Uważaj na słowa!

— Szatan rozpozna swoich — syknęła w odpowiedzi, przykładając zaciśnięte pięści do piersi, jakby chciała bronić się przed obecnością czegoś złego. — Potrafię rozpoznać znękaną duszę, gdy ją zobaczę. Choćby teraz!

— Znękaną duszę? — powtórzyłem jak echo, wbrew zdrowemu rozsądkowi.

Serce załomotało mi w piersi i podeszło do gardła duszącą, dławiącą grudką, gdy ta pozbawiona wieku istota wbiła we mnie swe jasne, niewidzące źrenice.

— Ojciec twój nie żyje — rzekła wolno. — Zmarł i został pogrzebany, ale nie spoczywa w spokoju. Przy blasku księżyca wyłania się z mogiły; jednak wnet odpocznie — zawodziła dziwnie śpiewnym tonem.

Pospiesznie odwróciłem się do Stadtschena:

— Ta mądra dama powiedziała nam wszystko, co chcieliśmy wiedzieć. Chodźmy już.

Na zewnątrz, na dziedzińcu, zimne, wilgotne powietrze było niemal świeże i ożywcze po duszącym fetorze wewnątrz tej cuchnącej nory. Odwróciliśmy się i ruszyliśmy z powrotem tą samą drogą przez ciemne zakamarki twierdzy, w kierunku głównej bramy.

— Czy mogę o coś zapytać, wasza wielmożność? — odezwał się Stadtschen po kilku minutach towarzyszenia mi w milczeniu. — Generał K. wykorzystuje tę starą wiedźmę do patrzenia w przyszłość. I wierzy jej. Kiedyś poprosiłem ją, by i mnie przepowiedziała los. Zabiła i wypatroszyła ptaka i powiedziała mi wiele rzeczy, w które wolałbym nie wierzyć.

— Jakich? — zapytałem, rzucając na niego okiem. Twarz mu pociemniała, był wyraźnie zażenowany.

— Porozrzucała flaki na stole, tak jak te, które właśnie widzieliśmy...

Nagle przystanął, ja też byłem zmuszony się zatrzymać.

— Co takiego zobaczyła? — naciskałem.

— Przed chwilą wspomniała o pańskim ojcu, wasza wiel-możność. Czy to prawda? Czy widziała rzeczywistość?

W oczach żołnierza zauważyłem czający się strach. Podob-ny niewinny lęk, jaki często widywałem w oczach mych dzieci, gdy przed snem Lotte opowiadała im upiorne bajki o goblinach i wróżkach, o wilkach i uwięzionych księżniczkach, które zabłą-dziły w lesie i zostały porwane. Lotte, gdy przyszła jej ochota, potrafiła snuć niesamowite opowieści, wystarczające do wystra-szenia dziecka na śmierć. Nieraz karciłem ją za wybujałą wy-obraźnię i zbytnie jej folgowanie.

— O co ją pytałeś, Stadtschen?

— Ach, przecież pan wie, wasza wielmożność! — odrzekł, uśmiechając się z zażenowaniem. — O sprawy interesujące żoł-nierzy. Ciekaw byłem, jaki spotkałby mnie los, jeśliby Napoleon pojawił się w Prusach...

— Mój ojciec nie umarł — przerwałem mu, ostrożnie od-mierzając słowa. — Ani, w co szczerze wierzę, pewnie nie stanie się to jeszcze długo. Margreta Lungrenek pomyliła się co do me-go rodzica. Całkowicie. Ona nie ma pojęcia, o czym mówi. Niech będzie przeklęta ta jej ignorancja! Że też generał K. może poważnie traktować podobne bzdury.

Twarz Stadtschena rozjaśniła się jak słońce wpadające nagle spoza ciemnej chmury, choć ja wciąż nie mogłem otrząsnąć się z przygnębienia.

Wkrótce potem wyszliśmy z twierdzy, skręciliśmy w lewo i zanurzyliśmy się w miasto. Stadtschen miał rację co do odleg-łości. Po kilku minutach wydostaliśmy się z labiryntu alejek w po-bliżu starego, kamiennego mostu, jednego z wielu przerzuco-nych nad brzegami rzeki Pregel, wijącej się wokół Królewca. Zatrzymaliśmy się na nabrzeżu, przy którym cumowały ciężkie barki; przypatrując się palącym fajki i cicho rozmawiającym żeglarzom, wciągnęliśmy do płuc trochę powietrza, potem zwróciliśmy się w stronę powiewającego na wietrze godła gospody. Pomalowany na niebiesko mityczny stwór galopował przez pole srebrnych chmur, spod jego kopyt tryskały złote iskry.

— Błękitny Jednorożec, wasza wielmożność — oznajmił mój towarzysz.

Stadtschen pociągnął sznur u drzwi i w tej samej chwili — jak na komendę — rozdzwoniły się dzwony kościelne w całym mieście. Zanim ucichły, wysoko nad podobizną jednorożca skrzypnęło okno i wyjrzała blada, okrągła twarz.

— Nie wiecie, która godzina?

— Policja! — krzyknął Stadtschen. — Otwierać, natychmiast!

Kilka chwil później ten sam tłusty, wystraszony mężczyzna odryglował drzwi i gestem zaprosił nas do wnętrza baru. Sprawiał wrażenie zażenowanego, że przyłapaliśmy go w koszuli nocnej i szlafmycy. W pomieszczeniu o nisko zawieszonym suficie ciemności rozpraszała jedynie słaba poświata bijąca z kominka, od dogasającego na palenisku żaru.

— Spałem, panie — jęknął oberżysta, załamując dłonie. Nigdy jeszcze ktoś, kogo nie miałem żadnego powodu podejrzewać o cokolwiek, do tego stopnia nie sprawiał na mnie wrażenia winnego jakiegoś przestępstwa.

Po chwili Stadtschen wystraszył go jeszcze bardziej.

— Przynieście panu prokuratorowi rejestry — warknął.

Natychmiast na stole pojawiła się przede mną duża, oprawna w skórę księga. Siadłem, przerzuciłem kilka stron — wszystkie okazały się puste.

— Czy to jakiś żart? — zapytałem, unosząc wzrok. — Nikt tu obecnie nie przebywa?

Stadtschen groźnie pochylił się nad ramieniem oberżysty i syknął mu do ucha: — Ukrywacie nazwiska przed policją, gospodarzu?

Obawy tłuściocha stały się jeszcze bardziej widoczne. — Jakżebym śmiał, panie! Wszakże w obecnej sytuacji urzędnicy tak często sprawdzają miasto. — Schylił się nad księgą. — Za pozwoleniem, jaśnie panie.

Polizał czubek palca, przewertował strony.

— Mało miewamy gości. Zwłaszcza w ostatnim miesiącu. Kto by chciał bywać w tym mieście, by go zamordowano? O, proszę bardzo, wasza wielmożność.

Cofnął się i pokazał mi, co znalazł. Na stronie widniało jedno nazwisko, wraz z datą.

— Pan Lutbatz, wasza wielmożność. Kupiec — mruknął oberżysta. — Dziś w nocy nie ma tu nikogo więcej. To podróżujący i, jak mi wiadomo, wielce szanowany przedstawiciel swej profesji. Troszkę dziwak, jeśli chodzi o jego... obyczaje, no i ... odzienie, wszakże nie mogę powiedzieć o nim złego słowa, panie.

W oberżyście uderzała jakaś przebiegłość. Jakby coś sugerował, i chyba wiedziałem, do czego pił.

— Czy ktoś go odwiedza? — zapytałem, przysunąwszy się bliżej.

— No... panie — zaczął nerwowo — wie pan, jak to jest, wasza wielmożność. Gdy mężczyzna podróżuje samotnie jak on, to... no cóż, jak by to ująć? Czasami popada w t o w a r z y s t w o, wasza wielmożność. Tak bym to nazwał. Towarzystwo... Niewiele mogę na to poradzić. Jego goście przychodzą, potem sobie idą. A że ostatnimi czasy mamy niewielu klientów, wolę przymknąć oko. Dziś jest sam, to wiem. Gdy podawałem mu wieczerzę, napomknął, że czuje się niczym stary rupieć wyrzucony na śmietnik...

Zaciął się i spojrzał na mnie prosząco, bezradnie.

Odchyliłem się na krześle. Kobiety! Pomyślałem. Żywiłem nadzieję, że oberżysta będzie umiał powiedzieć mi coś o ludziach, którzy ostatnio odwiedzali Lutbatza.

— Czy któryś z jego klientów wpadł do niego tutaj?

— Nie tym razem, panie. Na Królewiec przyszły ciężkie czasy. Na nas wszystkich.

— Chciałbym z tym człowiekiem zamienić słowo — oświadczyłem.

— Mam mu kazać zejść, wasza wielmożność?

— Nie — odrzekłem. — Wolę rozmówić się z nim na osobności. Mógłbyś pójść na górę i zapowiedzieć moje przybycie?

Oberżysta wierzchem dłoni otarł wilgotne czoło i odetchnął z prawdziwą ulgą. Najwyraźniej cudzy kłopot nie spędzał mu snu z powiek, jeżeli nie dotyczył także jego samego. Poczłapał schodami na górę i po minucie wrócił, oznajmiając, że pan Lutbatz czeka na mnie w swym pokoju.

— Mam iść z panem, panie prokuratorze? — zapytał Stadtschen.

— Nie trzeba mi niańki — odrzekłem ostro. Prawda była taka, że nie chciałem zaryzykować ujawnienia nazwiska, które Roland Lutbatz wpisał na listę sierżanta Kocha. — Wracajcie do twierdzy, Stadtschen. I przypomnijcie Mullenowi o znalezieniu duchownego do odprawienia ceremonii pogrzebowej.

Zasalutował i odszedł, a ja ruszyłem po schodach na piętro, gdzie Roland Lutbatz już stał przy drzwiach swego pokoju. Natychmiast zrozumiałem, co miał na myśli oberżysta, określając tego człowieka mianem dziwaka. Gdybym przypadkowo zapędził się do domu złej sławy, gamratki nie byłyby nawet w połowie tak fantazyjnie przystrojone do łóżka jak pan Lutbatz. Z kokieteryjną miną wychynął na korytarz i powitał mnie zapraszającym uśmiechem. Pojąłem, że jego grzeszki niewiele mają wspólnego z rodem niewieścim. Cytrynowej barwy turban na jego głowie równie dobrze mógłby unosić się na powierzchni tropikalnego morza. Adamaszkowa materia koszuli nocnej, koloru szmaragdowej zieleni z wstawkami w ciemniejszym odcieniu, lśniła jak jedwab i falowała w blasku świecy.

— Pan prokurator? — Zwinnie odsunął się na bok i skłoniwszy się, zaprosił mnie do buduaru, gdzie powietrze wypełniał zapach mocnych perfum. — Jakże się zląkłem, gdy gospodarz zapukał! — wykrzyknął, przysuwając dla mnie krzesło bliżej ognia. Dorzucił polano na tlący się żar — natychmiast wystrzeliło fontannę iskier — i poprawił na głowie cytrynowy turban. — A więc w czym mogę pomóc, wasza wielmożność?

— Mam do pana kilka pytań, panie Lutbatz.

Usiadł po drugiej stronie kominka, ściągnął czerwone wargi w wielce przesadnym, niemal niewieścim grymasie wyrażającym lęk, i lekko poklepał się po klatce piersiowej, zupełnie jakby chciał uciszyć przyspieszone bicie zaniepokojonego serca.

— Ależ pytaj pan, łaskawy panie! — odrzekł, wspierając dłonie na kolanach, jakby chciał dodać sobie animuszu. Paznokcie miał starannie obcięte i wypolerowane, oprócz tych na małych palcach, skręconych jak pazury orła.

— W Królewcu dokonano serii morderstw. Wiadomo panu o tym, nieprawdaż, panie Lutbatz?

Z powagą skinął głową. Potem jego drobne rysy wykrzywiły się w maskę przerażenia. Oczy mu zabłysły.

— Chyba nie sądzi pan, że ja mam coś z tym wspólnego, wasza wielmożność?

Uśmiechnąłem się, by dodać mu otuchy.

— Potrzebuję pewnych informacji związanych z pańskim rzemiosłem, panie. Nic więcej.

Usta Lutbatza zaokrągliły się w zdziwionym „o".

— Ależ ja mam do czynienia z tkaninami — oznajmił. — Czy na pewno o mnie panu chodzi?

Nie czekając na moją odpowiedź, poderwał się z krzesła z nieoczekiwaną żywością i pobiegł na drugi koniec pokoju.

— O proszę, widzi pan? Tym się trudnię, wasza wielmożność. Materiałami najwyższej jakości.

Otworzył jedno z pudeł zajmujących większą część podłogi i wyjął próbkę ciemnoczerwonego welwetu.

— Po towar jeżdżę po całej Europie, głównie do Francji i Niderlandów, a sprzedaję tutaj, w Prusach. Wszystkie sklepy w Królewcu zaopatrują się u mnie, oczywiście pojedynczy klienci także. Najznamienitsi obywatele...

— Jak pani Koch? — zapytałem.

— Pani Koch, wasza wielmożność? — powtórzył, z oczami rozszerzonymi ze zdziwienia. — Madame Koch nie żyje już od pięciu lat. Ta biedna dama...

Zamilkł, najwyraźniej niepewny, co chcę od niego wyciągnąć.

— Niech pan siada, panie Lutbatz. Nie przyszedłem tu po to, by podziwiać pański towar.

Z nieszczęśliwą miną zasiadł na krześle i patrzył na mnie.

— Pani Koch była małżonką mego asystenta. Sierżant Koch zawitał dzisiaj do pana, czyż nie?

Ponownie odetchnął z ulgą.

— To prawda, panie. Jego żona zajmowała się szyciem. Prowadziliśmy interesy przez wiele lat. Dawałem jej materiały w zamian za próbki jej najlepszych prac. Pani Merete była cudowną kobietą.

— Chcę wiedzieć, o co pytał pan Koch i co mu pan odpowiedział.

Lutbatz spojrzał na mnie zaskoczony.

— Zdaje się, mówiłeś pan, że to pański asystent? Czyżby nie przekazał ci treści naszej rozmowy?

— Chcę usłyszeć od pana, co wynikło z waszego spotkania — powiedziałem oschłym tonem.

— A więc pytał mnie o pewien rodzaj igieł, wasza wielmożność — odrzekł nerwowo pan Lutbatz. — Ten, który stosuje się przy tkaniu gobelinów. Pokazałem mu kilka próbek, a pan sierżant zapytał, czy sprzedałem podobne przybory jakiemuś mieszkańcowi Królewca.

— I jak brzmiała pańska odpowiedź?

— Sprawdziłem rejestry i odnalazłem informację, o którą mu chodziło, panie. Tym razem, jak dotąd, nikt nie zgłosił się do mnie po ten rodzaj igieł. Ale sierżant Koch okazał zainteresowanie towarem sprzedanym także w przeszłości, więc przekazałem mu listę nazwisk.

Wyjąłem kartkę znalezioną przy zwłokach Kocha i wręczyłem mu.

— Rozpoznajesz pan tę listę?

— Tak sądzę — przyznał, po czym poderwał się i pobiegł na drugą stronę pokoju. Nałożył na nos srebrne pince-nez i dokładnie przyjrzał się notatce. — Owszem, to moje pismo. I moi klienci. Jutro mam jeszcze odwiedzić jednego czy dwóch, potem wyjeżdżam do Poczdamu.

— Chce pan powiedzieć, że jeszcze nie zakończył pan swych interesów w tym mieście, panie Lutbatz?

— Ano nie — przyznał.

— Rozmawiał pan już z Kantem?

— A to dopiero zbieg okoliczności! — wykrzyknął. — Sierżant Koch zadał mi to samo pytanie. Mogę panu pokazać igły zamawiane przez pana Kanta. Sierżant Koch bardzo się nimi zainteresował.

Wstałem i przeszedłem pokój.

— Czy pan Kant przychodzi tutaj, czy załatwia pan sprawę u niego w domu? — zapytałem.

— On przychodzi do mnie, wasza wielmożność — wyjaśnił, opadł na kolana i podniósł wieko dużego brązowego kufra. — O, są tu! — Wyjął drewniane pudełko i pokazał mi.

— Czy pan Kant kupuje tylko to? — zaciekawiłem się, gdy Lutbatz wyciągnął zrolowane zawiniątko i umieścił mi na dłoni.

— Ależ nie, panie! — mówił dalej kupiec. — Nabywa także inne rzeczy, bawełnę, wełnę, czasem paseczek flamandzkiego płótna lub kawałek francuskiego jedwabiu. Ale te wielkie igły! Nie mam pojęcia, na co mu one.

— Czy kiedykolwiek go pan o to pytałeś?

— O nie. Jakżeby, panie. Pewnie kupuje dla żony. Nie byłoby grzecznie pytać, jeżeli sam nie mówi. Często zastanawiałem się, jak wyglądają jej prace — ciągnął nerwowo kupiec. — Jestem w wyśmienitych stosunkach ze wszystkimi mymi klientami i często pokazują mi swoje robótki. Jeżeli mogą pochwalić się wystarczająco wysoką jakością wykonania, czasami kupuję coś i dołączam do moich własnych towarów. W przypadku biednej pani Koch wymieniałem skończone dzieło na nowe materiały. Dla osoby podróżującej po świecie jak ja istnieje wiele możliwości ubicia świetnego interesu z miejscowymi rzemieślnikami...

— Ale pan Kant nigdy nie proponował wymiany robótki swej żony na towar — dokończyłem. — I pewnie nigdy nie zaproszono pana do ich domu?

Uniósł brwi w wyrazie zaskoczenia.

— Jakżeś się pan domyślił, wasza wielmożność? Uznałem, że pewnie jest kaleką. Jeżeli męża wysyła na zakupy, chyba nie może cieszyć się dobrym zdrowiem, czyż nie?

Nie odpowiedziałem. Gdy odwijałem zawiniątko, próbowałem wyobrazić sobie, co pomyślał Koch na widok nazwiska Kanta na liście, a także gdy zobaczył artykuły zakupione przez filozofa. Na mej dłoni na rozwiniętej szmatce leżało sześć igieł.

— Fiszbiny wieloryba — oznajmił z dumą pan Lutbatz. — Jakże cudowny kolor! Kremowa biel z odcieniem żółtego.

Były troszkę dłuższe od tej, którą ukryła Anna Rostowa, nieco jaśniejsze, a wykonawca starannie je wypolerował. Na jednym końcu duże uszko, na drugim ostra końcówka. W głowie mi się kręciło i nie opierałem się, gdy pan Lutbatz uniósł jedną igłę i zważył na dłoni.

— Są doskonałe. Lekkie, dobrze wyważone — pochwalił. — Należy obchodzić się z nimi ostrożnie, ale wytrzymają o wiele więcej, niż na to wyglądają. Zdolny rzemieślnik potrafi wykonać nimi wspaniałą robotę. Mogę dać je panu Kantowi, jeżeli zajrzy do mnie, nim wyjadę?

— Nie sądzę, by po dzisiejszym dniu na wiele mu się zdały.

— Nigdzie nie znajdzie lepszych, panie — nalegał pan Lutbatz z niecierpliwym wzruszeniem ramion. — Tak powiedział sierżant Koch. On sam nigdy nie widział wyższej jakości przyborów. Jego żonie bardzo przypadłyby do gustu.

— Zapewne, panie Lutbatz. Możesz pan je już schować — powiedziałem i patrzyłem, jak zawija igły, wkłada do pudełka i odkłada z powrotem do kufra, z którego je wyjął. — Wielkie dzięki, panie. Okazał się pan bardzo pomocny.

— Ależ to nic takiego, panie prokuratorze. Mam nadzieję, że wykonałem swój obowiązek. Czy mogę o coś zapytać? — Patrzył na mnie przez chwilę. — Skąd to zainteresowanie panem Kantem?

— Czy wie pan, kim on jest?

Roland Lutbatz nie zawahał się.

— Mówiłem już, wasza wielmożność. To jeden z moich klientów. Nie z tych, co kupują regularnie, ale w moim zawodzie liczy się każdy grosz.

— Pan profesor Kant jest sławną osobistością — dodałem. — Kiedyś wykładał filozofię na uniwersytecie w Królewcu.

— Ach, to! — handlarz pasmanterią zareagował uniesieniem brwi. — Sam powiedział mi o tym, gdy przyszedł do mnie pierwszy raz. Jakiś rok temu. Mówił tylko o sobie. Istny paw, według mnie! Że jest sławnym f i l o z o f e m, że nauczał na u n i w e r s y t e c i e, opublikował wiele mądrych k s i ą g. Muszę przyznać, nie potraktowałem go poważnie.

— A to dlaczego?

Zawahał się, szukał odpowiednich słów.

— Wyznał mi, że jest w bliskich stosunkach z naszym k r ó - l e m. Cóż, oczywiście dostosowałem się do jego gry, ale nie uwierzyłem nawet w połowę tego, co mówił.

— Czy wyjawił panu, jakiego rodzaju prace wykonuje jego żona? — zaciekawiłem się.

— Co za pytanie, wasza wielmożność! — zawołał Lutbatz, wyraźnie przejęty. — Oczywiście, gdy przyszedł po raz drugi, chciałem dowiedzieć się, czy igły spodobały się jego małżonce.

— I co on na to?

— Odpowiedział wymijająco. Stwierdził, że ona jest zaledwie amatorką, ale lubi ten rodzaj zajęcia, a jemu to odpowiada.

Wyjrzałem przez okno. Na północy świt nadchodzi wcześnie, niebo już pokrywało się perłowym różem.

— Proszę o wybaczenie, panie Lutbatz — rzekłem. — Zabrałem panu czas przeznaczony na sen. Jestem wdzięczny za pańskie informacje. Będą dla mnie wielce użyteczne.

Jeszcze mówiłem, gdy Roland Lutbatz znowu przebiegł przez pokój, do stołu pod drugą ścianą.

— Zanim pan odejdzie, panie prokuratorze, błagam o wpis do mego albumu — nalegał, podsuwając mi jakąś księgę. — Każdego, kto mnie odwiedzi, proszę o wpisanie swego nazwiska i kilku słów na pamiątkę. To dodaje otuchy, gdy podróżuje się po świecie samotnie. Mam nadzieję, że mnie pan nie zawiedzie? Sierżant Koch wybiegł, nie spełniwszy mej prośby. A ja nie dam się rozczarować dwukrotnie jednego dnia!

Wziąłem do ręki album — w końcu to niewiele jak na podziękowanie — i obejrzałem go. Był starannie oprawiony w skórę. Duże, czerwone serce z welwetu i słowo „Wspomnienia" zostały wyhaftowane ukośnie przez całą okładkę eleganckimi, białymi literami.

— Sam wyszyłem — powiedział z dumą pan Lutbatz. — W całości jest moim dziełem!

— Niezwykłe — przyznałem. — Każda niewiasta byłaby dumna z takiej robótki.

— Proszę, oto pióro, wasza wielmożność — oznajmił, podsuwając mi także kałamarz, a ja zastanawiałem się, co, na Boga, mam napisać. — Na poprzedniej stronie ujrzy pan zdanie, które własnoręcznie wpisał pan Kant.

Dłonie mi drżały, gdy odwracałem kartkę, by sprawdzić, co napisał nocny gość, gdy przyszedł po narzędzia, którymi miał zadać nagłą śmierć tak wielu niewinnym istotom.

Dwie rzeczy napełniają mój umysł zadziwieniem — gwieździste niebo nad moją głową, ciemności w głębi mej duszy.

Pod epigramem widniał podpis: Immanuel Kant.

— No proszę — nalegał pan Lutbatz z nerwowym śmiechem, zdradzającym podekscytowanie — zobaczmy, czy zdoła pan wymyślić coś lepszego!

Ująłem pióro i po chwili ułożyłem własną frazę:

Rozum rozproszył chmury ciemności, przyniósł światłość.

Następnie, tak jak Immanuel Kant uczynił to przede mną, podpisałem się.

Pierwsze promienie wschodzącego słońca pieściły ciemny horyzont złocistym wachlarzem, gdy wyszedłem z Błękitnego Jednorożca i wkroczyłem w nowy poranek lekkim krokiem i z lekkim sercem.

C zy rzeczywiście uwierzyłem, że Immanuel Kant jest mordercą? Choćby na moment? Byłżebym zdolny do wyobrażenia sobie przyjaźnie paplającego Rolanda Lutbatza i profesora Kanta nabywającego sześć fiszbinowych igieł w celu zamordowania z zimną krwią Bogu ducha winnych obywateli Królewca? I to w jego wieku? Przy tak delikatnej fizycznej kondycji?

Jeśli nawet podobne przypuszczenie wzburzyło mój umęczony umysł na ułamek sekundy, to od popełnienia następnego, wręcz niewyobrażalnego błędu uchroniły mnie słowa wpisane — cóż za arogancja! — do księgi pamiątkowej kupca. Były one niemal świętokradczą parodią Immanuela Kanta, znanego i szanowanego przez cały świat. Gdy przyglądałem się koślawym, niezgrabnym literom — jakby napisało je dziecko — nagle dostrzegłem w nich coś dziwnie znajomego, jakby muśnięcie ducha, którego w ostatnich dniach wyczuwałem tuż obok siebie, a nie rozpoznawszy go, dopuściłem, by stawał się coraz silniejszy.

Tej upiornej obecności nie odczułem, gdy siedem lat temu pierwszy raz zawitałem do Królewca i zupełnie niespodziewanie otrzymałem zaproszenie na obiad w domu profesora Kanta. Jego stary sługa akurat wyjechał na pogrzeb siostry. W ciągu trzydziestu lat służby w tym domu był to jedyny dzień, gdy zabrakło go przy stole chlebodawcy. A zaraz potem — sam wróciłem już do Lotingen — sześćdziesięcioletni lokaj został zwolniony, co więcej, zabroniono mu pokazywać się w tym domu. A jednak pani Mendelssohn wciąż widywała go wchodzącego i wychodzącego o rozmaitych porach dnia i nocy. Tak mi powiedziała. Widziała Martina Lampego!

Najwyraźniej wkradał się do salonu profesora lub wymykał tuż po moim wyjściu czy na krótko przed mym przyjściem. Martin Lampe i ja byliśmy jak bliźniacze satelity, bez ustanku krążące po równoległych orbitach wokół tej samej potężnej planety. Ale dlaczego Kant pozwolił Martinowi Lampe powrócić z wygnania?

Mogłem się tylko domyślać. Może sługa ów wykorzystywał wielkoduszność dawnego chlebodawcy. Bądź wiedział, jak stać się niezbędnym i pomocnym, przecież regularnie odwiedzał filozofa już od kilku lat, a może jego obecność dawała starzejącemu się człowiekowi poczucie porządku i stabilności, tak istotnych dla jego dobrego samopoczucia. I to, co zapewne Kantowi wydawało się nieszkodliwą pogawędką ze starym totumfackim, dla Matina Lampego stanowiło klucz do władzy nad filozofem. Działał podobnie jak cudze pisklę podrzucone do gniazda, które wyrzuca z niego, jedno po drugim, wszystkie pozostałe. Najbliżsi przyjaciele Kanta uwierzyli, że unieszkodliwili lokaja, tymczasem on, dzięki sekretnym kontaktom ze swym panem, pokonał ich. Martin Lampe nigdy nie oddalił się od Immanuela Kanta. Ani na chwilę. Znał każdy mój ruch. Gdy stopniowo zaczynałem zdobywać zaufanie jego pana, zapragnął mnie wyeliminować. Zamordował sierżanta Kocha, biorąc go za mnie. Przeciwdeszczowa peleryna była dla niego wskazówką. Kant pewnie wspomniał mu, że mi ją pożyczył; Martin Lampe nie mógł wiedzieć, iż przekazałem okrycie sierżantowi Kochowi.

Ale dlaczego Lampe zamordował te inne osoby? Czy każda z nich miała z profesorem Kantem jakiś związek, którego jeszcze nie udało mi się odkryć? Oczywiście, profesor mógł zasięgać porady u notariusza, ale co z pozostałymi? Jan Konnen był kowalem, Paula Anne Brunner sprzedawała jajka, Johann-Gottfried Haase należał do wyrzutków społeczeństwa. I dlaczego Kant, jeśli znał tych ludzi, nic mi o nich nie wspomniał?

Zidentyfikowałem mordercę, ale nie potrafiłem sobie wyobrazić, co skłoniło go do zbrodni. Teraz należało go odnaleźć i zmusić do mówienia. Tylko od czego zacząć poszukiwania? Gdzie mieszka, gdzie mógł się ukryć? Wyjąłem z kieszonki zegarek. Było wpół do szóstej rano, o wiele za wcześnie na składanie wizyt. Żwawo ruszyłem Königstrasse, oddalając się od twierdzy, a w myślach nerwowo powtarzałem tę samą litanię: „Dobry Boże, odpuść Totzom, mężowi i żonie. Wybacz Annie Rostowej jej grzechy i zbrodnie. A Lublinskiemu jego słabości — intonowałem. — Wszyscy oni padli ofiarą mej karygodnej nieudolności. I pomóż mi powstrzymać Martina Lampego! — Znalazł sobie metodę działania i narzędzie zbrodni idealnie odpowiadające jego fizycznej kondycji i wiekowi. Niczym czujny pająk, utkał pajęczynę podstępów w celu unieruchomienia ofiary. I bezlitośnie uderzał w bezbronną muchę złapaną w sieć".

— Boże miłosierny — powiedziałem na głos — przyjmij duszę Amadeusa Kocha.

Koch nigdy się nie dowie, jak blisko znalazł się prawdy. Modliłem się gorliwie za jego poczciwą duszę, ciaśniej okrywając się peleryną przed przenikliwym chłodem świtu.

— I niech Bóg mi pomoże! — w mym życzeniu było chyba więcej ironii niż nabożności. Popełniłem błąd, jednak nie mnie przyszło zapłacić zań życiem.

Dotarłem do celu, jednym pchnięciem otworzyłem na oścież zgrzytającą furtkę i gwałtowniej, niż zamierzałem, zastukałem do drzwi. W końcu pojawił się sługa. Poprawiając perukę, oświadczył oschle, że pora zbyt wczesna, by jego pan przyjmował wizyty.

— Jest zaledwie szósta rano! — oburzył się. — Zresztą, jegomość jest przeziębiony. Dzisiaj nikogo nie przyjmie.

— Zrobi wyjątek — nie dawałem za wygraną. — Przekaż mu, że prokurator Stiffeniis musi porozmawiać z nim w sprawie największej wagi.

Sługa zatrzasnął mi drzwi przed nosem, ale po kilku minutach otworzył je ponownie. Bez słowa przeprosin za niegrzeczne przyjęcie cofnął się o krok, gestem skierował mnie do korytarza i wskazał, bym wszedł schodami na górę.

Pan Jachmann siedział w łóżku, wsparty na stercie poduszek, głowę okrytą miał szarą wełnianą czapką, wciśniętą nisko na czoło. Powietrze w pomieszczeniu było duszne od oparów kamfory.

— To pan, znowu? — powitał mnie bez śladu serdeczności. — Ostatni koszmar długiej nocy.

Nie przepraszając ani nie czekając na zaproszenie, zająłem krzesło obok łóżka.

— Przychodzę w sprawie Martina Lampego — oznajmiłem.

Jachmann gwałtownie usiadł.

— Proszę powiedzieć mi wszystko, co pan o nim wie — zażądałem.

Z głośnym westchnieniem ponownie opadł na poduszki, zamknął zaczerwienione oczy.

— Sądziłem, że zajmujesz się pan szukaniem mordercy, a nie plotkami na temat służących, Stiffeniis.

— Jeśli mam chronić profesora Kanta, niezbędna mi pańska pomoc — odrzekłem oschle i czekałem, aż otworzy oczy i spojrzy na mnie, ale pozostał milczący i nieruchomy. — Czy zna pan niejaką Mendelssohn? — ciągnąłem.

Skinął głową w milczeniu.

— Mówiła mi, jakoby Martin Lampe wielokrotnie bywał w domu profesora Kanta.

Gdybym opowiedział Jachmannowi o tygrysie szalejącym po ulicach Królewca, nie wywołałbym większego efektu. Natychmiast otworzył oczy i spojrzał na mnie z wściekłością.

— Trzymaj pan tego człeka z dala od Kanta! — od krzyku dostał ataku kaszlu.

Gwałtowność, z jaką odżegnywał się od Lampego, zaniepokoiła mnie.

— Czy wyjawił mi pan wszystko, co powinienem o nim wiedzieć, panie Jachmann?

Starzec nie odpowiedział; zajął się poprawianiem wełnianej czapki, ciaśniej otulił ramiona szalem, jakby wraz z moją osobą do pokoju wdarł się zimowy chłód.

— Lampe nie był zwykłym sługą — odrzekł wreszcie. — Był kimś więcej, o wiele więcej. Bez niego profesor Kant czuł się zagubiony. Jak dziecko bez matki. Intelektualne osiągnięcia Kanta w dużej części zawdzięczamy Lampemu.

Niedowierzanie na mej twarzy nie umknęło jego uwadze.

— Myślisz pan, że przesadzam? — Jachmann uśmiechnął się słabo. — Martin Lampe został akurat zwolniony z armii, a Kant potrzebował osobistego służącego. W tamtym czasie wydawało się to szczęśliwym zbiegiem okoliczności. Kant nie jest zdolny do najprostszego domowego zajęcia; Lampe został przyjęty dla wyrównania tego braku. Przecież profesor nawet nie potrafił założyć pończoch! A więc codzienne życie filozofa zostało uporządkowane przez prostego i gotowego do spełniania wszelkich posług żołnierza. Gdy Kant polecił, by budzono go o piątej każdego ranka, kapral Lampe wypełniał rozkaz co do joty. Jeżeli chlebodawca próbował drzemać jeszcze po wybiciu tej godziny, sługa zrywał go bezlitośnie z łóżka, niczym leniwe dziecko. I Kant był mu za to wdzięczny. On potrzebuje tego rodzaju stałego nadzoru, jaki tylko matka lub człowiek taki jak Martin Lampe może mu zapewnić.

Przerwał, by wytrzeć nos.

— Dlaczego więc odesłano go po wielu latach lojalnej służby? — zdziwiłem się.

— Okazał się wielkim zagrożeniem dla swego pana — Jachmann wysiąkał nos w chustkę. — Martin Lampe stał się... niezastąpiony.

Przyjrzałem się bladej twarzy starca. Wargi mu drżały, w oczach tliła się gorączka. On sam zdawał się obawiać Lampego.

— Ale w czym stał się niebezpieczny, panie? Nie rozumiem, co ma pan na myśli.

— Znasz pan Gottlieba Fichtego? — zapytał ostro. Nie czekał na odpowiedź. — Fichte był jednym z najbardziej obiecujących uczniów Kanta. Gdy jego praca doktorska ukazała się drukiem, wielu sądziło, że napisał ją Kant. Uznano, iż profesor użył nazwiska Fichte jako wygodnego pseudonimu, ale w tych plotkach nie było prawdy. Fichte często odwiedzał Kanta i ten zawsze przyjmował go serdecznie. Jednak po publikacji tej pracy w ich zażyłe stosunki wkradł się pewien chłód. No i filozoficzna myśl poszła w innym kierunku. Nowymi kluczowymi słowami stały się „sentyment", „nieracjonalność" i „patos". Minął czas rozumu; logika już dawno nie była w modzie, a Immanuel Kant został odstawiony na boczny tor. Później Fichte, bez oczywistej przyczyny, zjadliwie zaatakował go w prasie, oskarżając o intelektualne lenistwo. A krótko potem miał czelność stanąć pod drzwiami swego dawnego mistrza, prosząc o rozmowę.

— Czy Kant go przyjął?

— Oczywiście. Wie pan, jaki on jest. Oświadczył, że chętnie podyskutuje z kimś zdolnym do formułowania nowych idei. Ale Martin Lampe widział wszystko w innym świetle.

Zastanawiałem się przez chwilę.

— Lampe był tylko sługą. Co on mógł zdziałać w tej sprawie?

Jachmann zignorował moją uwagę.

— Fichte napisał do mnie, zrelacjonował mi wydarzenia tamtego dnia — ciągnął. — Jak twierdził, śmiertelnie go nastraszono.

Jachmann opadł na poduszkę, jakby opuściła go energia.

— Co takiego opowiedział? — naciskałem, nie pozwalając mu nawet na sekundę przerwy.

Jachmann przyłożył flanelkę do ust, w powietrze wzbił się słodkawy zapach kamfory.

— Wyszedłszy z domu Kanta tamtego wieczoru, Fichte znalazł się sam w zaułku. Było ciemno i mgliście, i wydało mu się, że ktoś za nim idzie. Przyspieszył, ale kroki wciąż podążały za nim. Nie było nikogo w pobliżu, by móc zwrócić się o pomoc. Wreszcie stanął i odwrócił się twarzą do prześladowcy.

— Rozpoznał go? — zaciekawiłem się.

Jachmann skinął głową.

— Owszem. Był to Immanuel Kant.

Przez chwilę sądziłem, że gorączka odebrała mu rozum.

— Nie ten przyjazny, którego Fichte pozostawił w domu — ciągnął Jachmann. — Ale demon, przerażająca karykatura Kanta, ubrana jak filozof. Nadleciał w stronę Fichtego z kuchennym nożem w garści i poderżnąłby mu gardło, gdyby nie zwinność młodszego mężczyzny. I wtedy Fichte rozpoznał go. Dostrzegł, że to n i e profesor, lecz postarzały lokaj, który jeszcze pół godziny wcześniej, w salonie Kanta, w służalczym milczeniu nalewał im herbatę.

— Niech nas Bóg ma w opiece! — wykrzyknąłem, zastanawiając się, czy szaleństwo Martina Lampego nie zaczęło się tamtej nocy.

— Według opisu Fichtego Lampe wyglądał jak diabelskie wcielenie swego chlebodawcy.

— Czemu nie powiedział mi pan o tym wcześniej?

Jachmann w milczeniu wpatrywał się we mnie przez chwilę.

— Co dobrego dałaby panu ta wiedza? — odrzekł chłodno.

— Czy Kant dowiedział się o tym incydencie?

Jachmann drgnął jak ukąszony przez żmiję.

— Czy uważasz mnie za kompletnego głupca, Stiffeniis? W tym domu nastąpiło katastrofalne nałożenie się na siebie osobowości. Służący stał się panem.

— A więc zwolniłeś go pan — dokończyłem.

— Przekonałem Kanta, twierdząc, że potrzeba mu kogoś młodszego. Potem napisałem do pana, Stiffeniis, prosząc, byś trzymał się z dala od niego. Pragnąłem, by Kant przeżył swą starość w spokoju. Profesora należy chronić przed światem. Powinien unikać niepokojących wpływów takich osobników jak pan i Martin Lampe. Wiek osłabił równowagę i jasność jego umysłu.

Zmartwiła mnie ta sugestia istnienia jakiegoś związku między mną a Martinem Lampem. Jachmann wciąż niechętnie patrzył na moją krótkotrwałą zażyłość ze swym dawnym przyjacielem i nie krył się z tym. Uważał nas obu za niebezpiecznych dla Immanuela Kanta.

— Wnet po zwolnieniu go — ciągnął — dokonałem następnego odkrycia. Wielce niepokojącego. Lampe miał żonę! Był żonaty od dwudziestu sześciu lat i nikt o tym nie wiedział.

— Przecież mieszkał w domu Kanta...

— Nocą i dniem. Przez wszystkie te lata. — Jachmann potrząsnął głową. — Warunki umowy surowo zabraniały małżeństwa.

Ponownie zapadł w markotne milczenie.

— Czy Lampe zna się cokolwiek na filozofii? — zapytałem.

Jachmann wzruszył ramionami.

— Co prosty piechur może wiedzieć o takich sprawach? Zapewne umiał czytać i pisać, ale całkiem sfiksował. Pewnego dnia oświadczył mi, że bez jego pomocy Kant nie jest w stanie czynić postępów w swej pracy. I nieraz zdarzało mi się przyłapać go w kuchni, przerzucającego strony publikacji chlebodawcy. Jeden Bóg wie, co mógł sobie na ich podstawie ubzdurać! Gdy odchodził, ostrzegł mnie, że bez jego wsparcia Kant nie napisze słowa więcej. Niestety, przepowiednia okazała się całkowicie prawdziwa.

— Czy miałeś pan później o nim jakieś wiadomości?

Jachmann wyglądał, jakby narastała w nim wściekłość.

— Ostatnio nie miałem wiele, niemal wcale, kontaktu z Kantem. Mimo to uczyniłem wszystko, co w mej mocy, by pozbawić Lampego dostępu do jego domu. Aż drżę na myśl, że nie zastosował się do mego zakazu. — Spojrzał na mnie rozgorączkowanym wzrokiem, wydzielina z oczu spływała mu po policzkach. — Czy pani Mendelssohn jest całkowicie pewna tego, co powiedziała?

— Widziała go wychodzącego z domu. Jeszcze wczoraj. Tak twierdzi.

— Znajdź go, Stiffeniis! — krzyknął Jachmann. — Odszukaj pan tego człowieka, nim wyrządzi więcej zła.

— Ma pan jakieś pojęcie, gdzie on może się podziewać?

Jachmann wbił we mnie jastrzębi wzrok.

— Jego żona będzie wiedziała. Ona mieszka... oni mieszkają — poprawił się — gdzieś pod Królewcem. Dokładnie się nie orientuję. Nigdy nie odczuwałem potrzeby dowiedzenia się o nim czegokolwiek. A teraz, Stiffeniis — sztywno pochylił się do przodu i podał mi zimną, wilgotną dłoń — musisz mi wybaczyć. Jestem panu wdzięczny za wszystko, co pan uczynił, by pomóc profesorowi Kantowi.

Dotarł do mnie sarkazm tej ostatniej uwagi.

— Zrobię, co w mej mocy, by przeszkodzić Martinowi Lampemu...

Urwałem, obawiając się, że może powiedziałem zbyt wiele, ale Jachmann już nie słuchał. Znów uniósł ręcznik znad małej porcelanowej miski i wsunąwszy pod niego głowę, wdychał opary. Moja wizyta wyraźnie dobiegła końca.

Wyszedłem na dwór, przy końcu ulicy zobaczyłem dwukółkę i kazałem zaspanemu woźnicy wieźć się do twierdzy. Tej nocy nie spałem, ale była to ostatnia rzecz, o której myślałem, gdy spieszyłem do łóżka. Gdzie podziewał się Lampe? Gdzie była jego żona? Nie mogłem wykorzystać żandarmów do zlokalizowania ich. Nikt nigdy nie powinien dowiedzieć się o powiązaniach łączących Lampego, te morderstwa i profesora Kanta. Zamknąwszy za sobą drzwi, poczułem się jak mucha złapana w butelkę. Szamotałem się na wszystkie strony, z nosem przyciśniętym do szkła, a przecież gdybym zadał sobie trud poszukania wyjścia, odnalazłbym je. Było tam. Gdybym śmiał... Rozwiązanie nasuwało się samo, aż nadto oczywiste. Istniał ktoś, kogo mogłem zapytać o Martina Lampego: profesor Kant. On z pewnością wiedział, gdzie ten człowiek przebywa. Ale jak miałem się do niego zwrócić, nie wyjaśniając powodów, dla których poszukuję Martina Lampego?

Mocne stukanie przegnało te myśli do najciemniejszego za-
kątka, niczym uciekającego szczura.

Gdy otwarłem drzwi, stał przede mną żołnierz o załzawio-
nych oczach, z pięścią uniesioną, by znowu zapukać.

— Pilna wiadomość, wasza wielmożność.

— Co takiego?

— Na dole, wasza wielmożność. Jakaś kobieta pyta o pana.

Nikogo nie oczekiwałem. Czyżby Helena z jakiegoś powodu postanowiła przyjechać do Królewca? Podobnie wiedziona
impulsem jak wtedy, gdy przed tygodniem udała się do Ruisling,
do grobu mego brata?

— Mówi, że zwie się Lampe, wasza wielmożność — dodał
żołnierz.

Pospieszyłem schodami na dół, z wielką ulgą dziękując
Opatrzności. Tajemnicze są drogi Pana, tak mówią. I jakże nie-
zrozumiałe! W tamtej chwili pierś napełniła mi się nadzieją. Ale
to szlachetne uczucie było niczym więcej jak tylko ostatnim eta-
pem mego długiego staczania się w otchłań utraconych złudzeń.
Posłaniec przyniósł mi klucz od zamkniętego skarbca, do którego na próżno usiłowałem się dostać. Nigdy bym nie zdołał wyobrazić sobie straszliwego widoku, jaki odsłonił się przede mną,
gdy tylko klucz obrócił się w zamku.

ani Lampe była młodsza, niż oczekiwałem. Mogła mieć najwyżej czterdzieści pięć lat. Gdy tak stała na korytarzu przed wartownią, mroczne cienie delikatnie rzeźbiły jej twarz. Migoczący płomyk lampy oblewał woskowym połyskiem bladą cerę. Głowę i ramiona okrywał cienki szal z szarej, czesankowej wełny — nader słaba ochrona przed surową pogodą. Choć kobieta sprawiała wrażenie znużonej i zmęczonej, roztaczała jakiś dziwny urok. Jak Cyganka, żebrząca o grosze na rogu ulicy. Spojrzała na mnie wielce zatroskana; w jej dużych czarnych oczach ukazał się błysk zaskakującej śmiałości (nie unikała mego wzroku).

— Prokurator Stiffeniis?

— Zapewne pani Lampe.

W odpowiedzi skłoniła głowę.

— Lepiej niech pani schroni się przed chłodem.

Poprowadziłem ją do małego pomieszczenia, zazwyczaj używanego przez oficera z nocnej warty.

— Dziękuję, łaskawy panie — odpowiedziała, gdy zapalałem świecę; zaskoczyła mnie swoją skwapliwością. Jak sądziłem, pojawiła się tylko z jednego powodu: postanowiła wyznać, co wie o mężu i jego zbrodniach.

— Powinnam była przyjść wcześniej, panie — zaczęła. — Chodzi o mego małżonka.

Gestem dłoni wskazałem jej krzesło, sam zasiadłem za biurkiem.

— Wiem, kim jest pani mąż — oświadczyłem.

Zaskoczona, szeroko otwarła oczy.

— Doprawdy, wielmożny panie?

— Słyszałem jego nazwisko wielokrotnie w związku ze sprawami pana profesora Kanta.

Jejmość Lampe skłoniła głowę, jakby chciała ukryć twarz. Jej pełna godności postać zdawała się teraz wiotczeć, zupełnie jak żagiel, gdy wiatr nagle ustanie. Stało się to w jednej chwili. Na dźwięk nazwiska Kanta zaszła w niej zmiana.

— A więc zna pan profesora Kanta? — mruknęła.

— W samej rzeczy. Mam tę przyjemność...

— Przyjemność? — przerwała ostro. — Ja także go znam. Jak kaleka swą uschniętą rękę.

Jej słowa zabrzmiały niczym bluźnierstwo, wypowiedziane na głos w kościele.

— Może lepiej będzie, jeśli powie mi pani, z czym tu przyszła — przerwałem szorstko, z wysiłkiem powstrzymując gniew.

— Pewnie uważa mnie pan za nieuprzejmą? — odrzekła, patrząc mi prosto w twarz. — Profesor Kant dla pana może być przyjacielem, łaskawy panie, ale ja i mój małżonek poznaliśmy tę ciemniejszą stronę jego charakteru. Nie przemawia przeze mnie brak szacunku, lecz gorzkie doświadczenie.

Nagle poczułem się nieswojo w obecności tej kobiety. W jej zachowaniu wyczuwałem jakąś spokojną determinację, z którą nie umiałem sobie radzić.

— Chyba nie przyszła pani opowiadać o swych urazach do profesora Kanta — ciągnąłem pospiesznie. — A więc co panią sprowadza?

— Profesor Kant jest przyczyną kłopotów mego męża, panie
— oznajmiła. — Dlatego przyszłam.

— Jeżeli chce mi pani coś zgłosić oficjalnie, jako sędziemu
— oświadczyłem chłodno — proszę nie zwlekać. W istocie, sam
koniecznie muszę porozmawiać z pani mężem. Wie pani, gdzie
mogę go znaleźć?

Uniosła czarne jak węgle oczy, żałosne i tragiczne w swym
wyrazie — dwie plamy na jej pięknej twarzy.

— O to właśnie chodzi, panie — wyznała i wybuchnęła płaczem. — Nie mam pojęcia, gdzie Martin się podziewa. Zniknął
przedwczoraj w nocy. Przyszłam zgłosić jego zaginięcie; powiedzieli mi, by zwrócić się do pana. Ale pan przecież prowadzi
śledztwo w sprawie morderstw, wasza wielmożność — otarła łzy
szalem. — Czemu kazali mi rozmawiać z tobą, panie? Czy coś
mu się stało?

Czyżby umknął mi jeszcze jeden aspekt sprawy? Sierżant
Koch zginął wczoraj po południu, a więc zabójca wciąż znajdował się na wolności. To, co właśnie powiedziała mi ta kobieta,
stawiało pod znakiem zapytania moje podejrzenia co do udziału
jej męża w zabójstwie Kocha. Jeśli mówiła prawdę, Lampe zniknął
niemal dwadzieścia cztery godziny przed morderstwem, którego
ofiarą padł mój asystent. Czy coś tragicznego mogło również
przydarzyć się i jemu? A może wyszedł z ukrycia jedynie po to,
by popełnić następną zbrodnię? Wciąż istniała szansa, że był niewinny. Wnet jednak przychyliłem się do bardziej cynicznego po-
glądu i z uwagą przyjrzałem się twarzy kobiety. Czy posiadała
odpowiednie umiejętności do roli, którą zdawała się grać? Czyżby próbowała zapewnić mężowi alibi?

Wstałem, podjąwszy decyzję.

— Chciałbym przeszukać pani dom.

Jeżeli ukrywa się, w zmowie z nią, zaskoczę go. Jeżeli go tam nie ma, skorzystam z okazji do przeszukania domu i znalezienia dowodów, które można będzie przeciwko niemu wykorzystać.

Ku memu zdziwieniu pani Lampe podniosła się bez wahania, gotowa do wyjścia.

— Godzę się na wszystko, co pomoże panu w odnalezieniu Martina, wasza wielmożność — powiedziała, zmuszając się do słabego uśmiechu, po czym w milczeniu towarzyszyła mi za bramę, gdzie stał policyjny powóz. Obudziłem woźnicę, potrząsając go za ramię, i wsiedliśmy.

— Proszę mu wskazać, dokąd ma jechać, pani Lampe — poleciłem, a ona podała woźnicy adres w okolicy wsi Belefest.

— Czy przeszukanie domu pomoże panu odkryć, gdzie on się podziewa? — zapytała niepewnie, gdy powóz nabierał prędkości. — Sama sprawdzałam wszędzie. Martin nie zostawił żadnej wiadomości, niczego ze sobą nie zabrał.

— To zwykła policyjna procedura, pani Lampe — odrzekłem wymijająco. — Może znajdziemy jakąś wskazówkę, która pani umknęła.

Gorliwie skinęła głową; miałem wrażenie, że przekazanie mi sprawy przyniosło jej ulgę.

Kościelny dzwon wybił ósmą. O tej godzinie, pomyślałem, wyjrzawszy przez okno powozu, każde inne pruskie miasto jest już pewnie całkowicie przebudzone, warsztaty, sklepy i biura są otwarte i czynne. Ale tu, pod niskimi łukami portyków po obu stronach wąskich ulic, za szczelnie pozamykanymi okiennicami, panowała głucha cisza. W Królewcu, poza uzbrojonymi żołnierzami na każdym skrzyżowaniu, nie widać było żywej duszy. Rzeczywiście, miasto znajdowało się w stanie oblężenia. I to wszystko przez Martina Lampego. Plądrujące kraj wojska Bonapartego przedstawiały mniejsze zagrożenie niż działający wewnątrz miejskich murów wróg. Musiałem go znaleźć. Może wtedy znów powróci tu życie.

Po dwóch czy trzech kilometrach powóz zwolnił, wreszcie zatrzymał się przy wywierającym smutne wrażenie szeregu nędznych wiejskich chatek o zapadających się dachach ze starej trzciny koloru popiołu. Byliśmy we wsi Belefest, jak powiedziała mi niewiasta, gdy pomagałem jej zejść po schodkach na pozbawioną chodnika gliniastą drogę. Po obu jej stronach wznosiły się wysokie, ogołocone z liści drzewa. Wiosną i latem, gdy jasna zieleń i żywe barwy rosnących wzdłuż dróg ukwieconych krzewów przywracają świat do życia, być może pierwsze wrażenie na widok tej osady nie jest aż tak ponure, szare i przytłaczające.

— Nie znajdzie pan w domu wiele śladów obecności Martina, wasza wielmożność. Mój małżonek i ja niewiele przebywamy razem. Profesor Kant nie mógł, nie c h c i a ł obywać się bez niego — rzuciła szorstko. Jej ton i znaczenie słów nie budziły wątpliwości. Nie darzyła estymą Immanuela Kanta. Zdawało się, że jego nazwisko parzy jej język.

Maleńki dom, ostatni w szeregu, stał u podnóża wznoszącej się w górę uliczki. Przestrzeń przed frontowymi drzwiami zajmował niewielki ogródek. „Bieda — pomyślałem — ale nie nędza", a wtedy pani Lampe wyjaśniła, że zajmują z mężem tylko dwa pomieszczenia: byli zmuszeni wynająć lokatorom całe piętro. Otwarła drzwi kluczem i ze środka buchnął stęchły odór gotowanej kapusty. Zapaliła lampę, skrzesawszy ogień — dzień nigdy nie docierał do tego wnętrza — i skromna izba wyłoniła się z mroku.

— Mogę się rozejrzeć? — Pospiesznie rejestrowałem wzrokiem nędzne wyposażenie. Pani Lampe bacznie mnie obserwowała, gdy przeszukiwałem mieszkanie, otwierałem szafy i szuflady, zaglądałem pod poduszki i kanapy; przeprosiwszy, uniosłem prześcieradło i obejrzałem dokładnie siennik, upewniając się, czy nic nie schowano pod nim lub w jego wnętrzu. Nie znalazłem w tej siedzibie niczego bardziej niezwykłego od kilku poszczerbionych garnuszków i nie dobranych talerzy, prostych, starych ubrań, używanych do pracy w ogrodzie, a także paru pamiątek po chlubnej przeszłości Martina Lampego w armii, czyli kapralskich epoletów i wyblakłej, nadgryzionej przez mole mundurowej kurtki. W skrzyni leżała sprana bielizna, bliżej nieokreślone łachmany i stary koc z końskiego włosia, przywieziony przez Lampego z Białorusi, a także kilka pożółkłych zapasowych prześcieradeł i jakieś spłowiałe fatałaszki pani Lampe z czasów, gdy była młodsza i lepiej jej się powodziło.

— Mieliśmy o wiele więcej — mruknęła po nosem — ale wszystko poszło do lombardu. Mój pierwszy mąż, Albrecht Kolber, był woźnym kościelnym, zmarło mu się na dyzenterię.

Wdowa Kolber wyszła za Martina Lampego dziewięć lat po jego honorowym zwolnieniu z pruskiej armii, z którą służył w Polsce i w zachodniej Rosji za czasów Fryderyka Wielkiego. Nie mając żadnego innego zawodu, Martin Lampe przyjął posadę lokaja w domu Immanuela Kanta.

— Martin pragnął mnie poślubić, a ja potrzebowałam męża — wyjaśniła obojętnie. — Oczywiście, ślub odbył się w tajemnicy. Profesor Kant zatrudniał wyłącznie kawalerów.

Otarłem dłonie z kurzu i odwróciłem się do niej twarzą. Przeszukiwanie nie przyniosło rezultatów, nie dowiedziałem się niczego ponadto, co opowiedziała mi pani Lampe, podczas gdy ja grzebałem we wraku jej życia. Najpierw krótkie, szczęśliwe pożycie z woźnym kościelnym Kolberem, potem wdowia bieda, wreszcie nowa umowa małżeńska z Martinem Lampem.

Obserwowała mnie, gdy zakończywszy rewizję, z bezradną miną patrzyłem wokół siebie. Może jakiś szczegół umknął mej uwagi? A jeśli sekrety Martina Lampego znajdowały się tylko w jego głowie?

— Przecież uprzedzałam pana, panie prokuratorze — przypomniała łagodnie. — Tu nie znajdzie pan żadnego śladu jego obecności. I niczego, co miałoby wartość choćby złamanego grosza. Nic godnego uwagi.

— Czy przechowuje pani gdzieś pieniądze, dokumenty, kosztowności?

Ze smutkiem potrząsnęła głową.

— Wszystko, co mam, noszę na grzbiecie, panie. Szuka pan w niewłaściwym miejscu. Jeżeli chce pan wiedzieć, co Martinowi chodziło po głowie, o pomoc należy się zwrócić pod jeden tylko adres.

Troska na chwilę zasępiła twarz kobiety, ale zaraz znikła. — Twierdzi pan, że jest bliskim przyjacielem profesora Kanta, czy tak, wielmożny panie? Dlaczego więc jego pan nie zapyta, gdzie podziewa się Martin? Ja bym to uczyniła, ale nie mogę...

Zesztywniałem.

— Skąd ta pewność, że Kant będzie wiedział?

— Martin często chodzi do jego domu — odrzekła bez wahania. — Pomaga mu przy pisaniu książki.

— Pomaga... c o t a k i e g o? — wybełkotałem.

— Nie ma z tego nawet grosza — ciągnęła z niechęcią. — Dokładnie nie wiem, co on robi. Wraca do domu strasznie zmęczony, nie jest w stanie pracować w ogrodzie.

— Gdy pani mąż został zwolniony ze służby — przerwałem jej — zabroniono mu kiedykolwiek wracać do tamtego domu. Przyjaciele profesora Kanta dobrze pilnują, by ci dwaj się ze sobą nie komunikowali.

Pani Lampe wybuchnęła histerycznym śmiechem.

— Nawet jego najdrożsi przyjaciele muszą kiedyś spać. Martin chodzi tam po zapadnięciu zmroku. Ostrzegałam go, ale nie chciał mnie słuchać. Nocą las jest niebezpiecznym miejscem. — Zmarszczyła czoło i nagle w jej głosie pojawiło się napięcie. — Nie ma pan pojęcia, jak wyglądało życie Martina w tamtym domu, prawda? Przez trzydzieści lat był na każde skinienie najsławniejszego człowieka w Prusach. Gdyby pan o tym wiedział, łaskawy panie, nie zazdrościłby mu pan.

— Pani małżonek dostąpił wielkiego zaszczytu — odrzekłem oschle — mógł służyć najwybitniejszemu umysłowi, jaki kiedykolwiek żył w Prusach.

Na twarz kobiety jakby opadła zasłona.

— Mogłabym powiedzieć panu o sprawach, o których nie wiedzą nawet najbliżsi przyjaciele Kanta — oznajmiła niskim głosem.

— Proszę bardzo — zachęcałem ją, przygotowując się na plotki, jakie rozsiewają o swych byłych chlebodawcach zwolnieni służący i ich rozsierdzone małżonki.

— Każdy w Królewcu — i wszędzie indziej, jak mi wiadomo — słyszał o profesorze Kancie. Znany jest z precyzji myślenia, z przywiązania do regularnego trybu życia, z wielkiej obyczajności, a także ze schludności i elegancji. Każdy włos na swoim miejscu, żadne słowo nie wypowiedziane nie w porę, ani jednej plamki na reputacji. Żyjący zegar, tak nazywają go w mieście. Człowiek budzik, mówię ja. W jego życiu nic nie dzieje się przypadkiem. Żadnych niespodzianek. Czy kiedykolwiek zadałeś pan sobie trud, by pomyśleć, jak rzutuje to na życie ludzi w jego służbie? Martin nie miał dla siebie wolnej minuty. Każdą chwilę, każdego dnia, od momentu gdy rano budził profesora — punktualnie co do sekundy — do czasu gdy otulał go w łóżku na noc i gasił świecę, spędzał u jego boku, i nigdy nie miał nawet jednej własnej myśli, tylko te, które włożył mu do głowy jego pan. Służył mu jak niewolnik.

Urwała, wyraz jej twarzy zmienił się. Jakby jakaś buntownicza myśl zmarszczyła jej czoło, niczym wiatr poruszający taflę stojącej wody.

— Mój mąż miał bzika na punkcie potrzeby wspierania profesora Kanta. Gdy pan Jachmann go zwolnił, byłam pewna, że miał ku temu powody. Obwiniałam Martina...

— To nie kwestia winy — przerwałem jej. — Pan Jachmann zdecydował o zatrudnieniu kogoś młodszego.

— Być może — odrzekła, wzruszając ramionami. Nerwowe ruchy jej dłoni i jasny błysk w oczach zdradzały lęk przed czymś, czego nie umiałem nazwać. — Martin miał specjalne obowiązki w tamtym domu. Coś, co tylko o n mógł robić — dodała, głosem już niemal niesłyszalnym.

— Specjalne obowiązki? — powtórzyłem jak echo. Zastanawiałem się, czy zdenerwowana zniknięciem męża, nie zaczyna wszędzie widzieć spisków.

— „Ja jestem wodą w źródle Kanta" — powiedział mi kiedyś Martin.

— Co miał na myśli?

Oczy pani Lampe błysnęły w mym kierunku.

— A cóż by, książkę, którą pisał Kant! — wykrzyknęła. — Martin zdradził mi, że pomaga swemu panu w końcowych poprawkach jego ostatniego dzieła. Kant już nie miał ręki tak pewnej jak niegdyś, źle widział, potrzebował sekretarza do przepisywania.

— Kant dyktował swój tekst pani mężowi?! — wybuchnąłem z niedowierzaniem. — To pani sugeruje?

Pani Lampe przymknęła oczy i skinęła potakująco głową.

— Noc w noc. Często wracał do domu dopiero ze świtem. Martin już nie jest młody, ale zawsze odznaczał się wielką pracowitością. Jaki był dumny z tego, co robili razem. Pomagał profesorowi Kantowi przepisać jego filozoficzne idee. Tak powiedział.

— Kiedy to wszystko się zaczęło?

Pani Lampe aż skrzywiła się z wysiłku, usiłując sobie przypomnieć. Zmarszczka przecięła jej czoło.

— Ponad rok temu, wielmożny panie. Ten potwór znów wyrwał Martina z mego łoża. Mąż wracał do domu, kiedy mógł, ale nigdy nocą. A gdy się pojawiał, był innym człowiekiem. Siadywał tam, przy oknie, i sprawiał wrażenie udręczonego. Nie odzywał się do mnie ani słowem.

Rzuciłem okiem na przyćmioną szybę i próbowałem wyobrazić sobie, o czym rozmyślał Martin Lampe. Czy morderczy demon w jego duszy wyłaniał się na powierzchnię, a żona, całkowicie bezradna, nie mogła nic na to poradzić?

— Czy powiedział, o co w tym dziele chodzi? — zapytałem.

— Twierdził, że bym nie zrozumiała. On i jego pan badali nowy wymiar. Tak powiedział, panie. Nowy wymiar.

Martin i profesor Kant, zauważyłem. N i e profesor Kant i Martin. Czyżby tak właśnie interpretowała słowa męża, a może to on tak jej przedstawił sprawę?

— Czy pani małżonek kiedykolwiek studiował filozofię? — zaciekawiłem się.

— O nie, wielmożny panie. Ale wiele nauczył się od swego pana. Martin bez przerwy gadał o nowych filozofach, tych, co to atakowali Kanta. Zarzekał się, że gdy książka się ukaże, będą musieli zjeść własne słowa.

I znowu to samo. Testament Immanuela Kanta. Książka, której nikt nie widział na oczy. Nikt poza Martinem Lampem...

448

— Ta książka zmieniła Martina, stał się innym człowiekiem — ciągnęła. — Czasami aż się go bałam, panie. Miał jakąś manię, był czymś opętany, a to wszystko robota Kanta.

— Pani mąż tylko wykonywał swój obowiązek — zaprotestowałem słabo — choćby nawet niezbyt przyjemny.

— Niezbyt przyjemny? — syknęła. — To było gorsze. Kant omal nie przywiódł Martina do morderstwa.

— Czyżby? — powiedziałem chłodno, jak gdyby jej ostatnie słowa były rozsądnym argumentem, a nie obrzydłą kalumnią.

— Martin mi tak powiedział. Kiedyś pewien młody pan przyszedł z wizytą do Kanta. Gdy Martin podawał im podwieczorek, słyszał, jak przyjaźnie rozprawiali na temat filozofii...

Natychmiast przypomniałem sobie wydarzenie, o którym wspomniał mi Jachmann.

— Czy ten odwiedzający nazywał się Gottlieb Fichte?

Pani Lampe potrząsnęła głową.

— Nie mam pojęcia, wielmożny panie. Gdy skończyli rozmowę, profesor Kant odprowadził swego gościa do drzwi i pożegnał go.

Spojrzała na mnie, uśmiech zamarł na jej twarzy.

— I co się stało? — dopytywałem się.

— Kazał memu mężowi biec za młodzieńcem i zadźgać go nożem.

Z wydarzeń przedstawionych mi przez Jachmanna wyciągnęła odwrotne wnioski. Nie szalony Martin Lampe, ale owładnięty morderczym instynktem Immanuel Kant.

— Czy mąż posłuchał?

— Oczywiście, panie. To był jego obowiązek. Ale ten młody filozof uciekł, nim Martin zdążył go dopaść.

— Czy pani mąż wykonałby rozkaz Kanta do samego końca?

Złożyła dłonie jak do modlitwy.

— Błagałam go, by nie dał się omamić — szepnęła żałośnie.

— Mówiłam, że Kant cierpi na uwiąd starczy. Że popadł w obłęd. Wyznam prawdę, panie: cieszyłam się, gdy pan Jachmann zwolnił mego męża. Sądziłam, że teraz już nic mu nie grozi. Ale tak naprawdę nic się nie zmieniło. Profesor Kant wysyłał sekretną wiadomość, wzywał go do swego domu pod osłoną nocy.

— Pani Lampe — kończąc rozmowę, wskazałem na kawałek wyhaftowanego płótna, rozłożonego na oparciu krzesła. — Czy zajmuje się pani szyciem?

Spojrzała z zaskoczeniem, potem przytaknęła ruchem głowy.

— Gdzie kupuje pani przybory?

Popatrzyła na mnie, jakbym stracił zmysły.

— W sklepie, a może od wędrownego handlarza pasmanterią? — podsuwałem.

— Chodzę do dwóch sklepów — odrzekła z wahaniem.

— Czy znane jest pani nazwisko Roland Lutbatz?

— Tak, panie.

— Czy ostatnio kupowała coś pani u niego?

— Nie znam go osobiście, panie. Zaopatruje sklepikarza Reutlingena. Widziałam go tam raz czy dwa — urwała i zmarszczyła czoło. — Co pan Lutbatz ma wspólnego ze zniknięciem mego męża?

— Twierdzi, że niedawno rozmawiał z pani małżonkiem — wyjaśniłem. — Martin był zainteresowany kupnem igieł używanych do wełny, z której tka się gobeliny.

— Do wełny, z której tka się gobeliny? — powtórzyła, jakby nie rozumiała.

— Czy poleciła pani mężowi je nabyć?

Nie odpowiedziała. Była zbyt wystraszona, widziałem to, i zastanawiała się, czy jej mąż zyska, czy straci na tym, co mogłaby powiedzieć. A ja bardzo pragnąłem tej odpowiedzi. Pożądałem jej z całą tą siłą, o której wspomina doktor Mesmer, mówiąc o przenoszeniu naszych myśli na inne osoby. Chciałem, by przyznała, że jej mąż rzeczywiście zakupił te igły dla niej, i to w celu, do jakiego są zwykle używane. Z całego serca modliłem się, by pewność, jaką miałem co do osoby mordercy, rozsypała się w proch, by Lampe okazał się niewinny. Jeżeli Kant nieświadomie pchnął tego człowieka na drogę zbrodni, skandal nigdy nie ustanie.

— Nie prosiłam męża o kupienie czegokolwiek od pana Lutbatza — powiedziała w końcu. — Może chciał zrobić mi niespodziankę, czasami tak postępuje. — Z uwagą badała moją twarz. — Czy to pomoże w zrozumieniu, co mu się przydarzyło, panie?

— Okazała się pani wielce pomocna, pani Lampe — oznajmiłem i wstałem, szykując się do odejścia, jeszcze głębiej przekonany o winie jej męża. — Proszę zawiadomić mnie, jeżeli coś sobie pani przypomni. Z pani pomocą policja wnet go odnajdzie, jestem pewien.

— Jeszcze coś, panie — powiedziała, zatrzymując mnie w progu. — Powinnam była wcześniej o tym wspomnieć, ale miałam nadzieję, że nie będzie potrzebne.

— O czym pani mówi, pani Lampe?

— Pokażę panu, wasza wielmożność.

Pospiesznie poprowadziła mnie do ogródka za domem, brnąc w głębokim, twardym śniegu do najdalszego końca działki. Był to niewielki skrawek ziemi, na którym pani Lampe i jej mężowi udało się wyhodować jabłoń i rzędy warzyw, teraz zmrożonych, czarnych i uschniętych. Ciemny, gęsty las pokrywał wzniesienie za domem. Miejsce to tchnęło atmosferą grozy. Smugi mgły przylgnęły do pozbawionych liści konarów i nagich, mokrych pni. Zwisające z drzew sople lodu przypominały stalaktyty z ciemnych jaskiń Bad Merrenheim.

— Widzi pan? — Schyliła się i wskazała na odciski stóp na zamarzniętym śniegu.

Ukląkłem, by je obejrzeć. Ktoś, najwyraźniej w pośpiechu, pozostawił zatarte ślady — na nogach musiał mieć buty nieodpowiednie do pogody i rodzaju terenu.

— Tej nocy, gdy Martin zniknął, padał śnieg. Następnego ranka, idąc do komórki po suche zioła, zauważyłam te ślady. Od tamtego czasu nie padało...

— Czemu miałby iść akurat tędy? — zdziwiłem się.

— To skrót do profesora... — poprawiła się — do miasta.

Zostawiwszy ją na skraju ogrodu, zanurzyłem się głębiej w las i trzymając się śladów, dotarłem do dzikiej śliwy. Tu, zachowany w zamarzniętym śniegu, widniał pierwszy wyraźny odcisk stopy. Wpatrywałem się w niego chyba całą wieczność.

— Jest pani pewna, że te ślady zostawił małżonek? — zawołałem za siebie.

— Sama zrobiłam nacięcia. Skóra na podeszwach butów Martina bardzo się wytarła. Nie chciałam, by upadł i zrobił sobie coś złego.

Wyraźne nacięcie w kształcie krzyża, wykonane przez panią Lampe, widziałem już trzykrotnie. Na szkicu pierwszego miejsca zbrodni, sporządzonym przez Lublinskiego. Poprzedniego popołudnia w ogrodzie profesora Kanta. I jeszcze poprzedniej nocy, obok pozbawionego życia Amadeusa Kocha na Sturtenstrasse.

Po opuszczeniu Belefestu wróciłem do biura wielce zatroskany.

Dokładnie wiedziałem, jakie należało podjąć kroki. Zabójca miał już imię. Martina Lampego trzeba było ująć, by zapobiec dalszym zbrodniom. Jednak musiałem zrobić coś jeszcze, czego żaden sędzia nie powinien przenigdy uczynić. Byłem zdecydowany ukryć tożsamość zbrodniarza. Profesor Kant nie może nigdy dowiedzieć się, kim był ani jak blisko niego się znajdował. Jeżeli uda się powstrzymać mordercę, jeżeli zdołam zatrzeć jego ślady, poprowadzę śledztwo w innym kierunku, a w końcu sprawa sama wygaśnie. Od teraz nazwisko Martina Lampego może pojawiać się jedynie w związku z jego służbą u profesora Kanta. Cokolwiek innego byłoby ze szkodą dla dobrego imienia profesora.

Położyłem łokcie na biurku, wcisnąłem między nie głowę. Zdawało mi się, że czaszka pęknie mi z bólu, a mózg eksploduje. Przede wszystkim należało zwabić zabójcę w zastawioną przeze mnie sieć. Zamordował sierżanta Kocha. Ale to ja byłem prawdziwym celem. Lampe z całej duszy pragnął mnie unicestwić i nie zrezygnuje, dopóki nie postawi na swoim. Czy miałem wyciągnąć go z ukrycia, wystawiając się na przynętę?

I nagle zarysował się przede mną inny kierunek działania, coś, co na zawsze postawiłoby mnie poza prawem.

Lampe zniknął. Jego żona uznała go za martwego. Przybyła do twierdzy, by zgłosić zaginięcie męża. A gdybym tak wykorzystał tę sytuację? Wystarczyło wezwać Stadtschena, poinformować go, że tego człowieka nigdzie nie można odnaleźć, dostarczyć mu szczegółowy opis i zasugerować, że Lampe padł ofiarą zbrodni. Wszczęto by poszukiwania. Gdyby odnaleziono go żywego, przywiedziono by go do mnie na przesłuchanie. A wtedy miałbym go w swej mocy.

Nalałem sobie szklankę wina i wypiłem jednym haustem. Gdy płyn kwaskowatym strumyczkiem spływał mi do żołądka, aż drgnąłem, pojąwszy, co by się stało, gdybym dostał Lampego w swe ręce. Poczułem, jak wzbiera we mnie ogromna siła. Wszystkie dotychczasowe myśli znikły w jednej chwili, zaatakowane i owładnięte przez wspomnienie zimnego, szarego poranka sprzed dziesięciu lat. Odurzający zapach krwi, gdy ostrze gładko przecinało szyję francuskiego króla. Przycisnąłem pięściami powieki, próbowałem wygnać ten obraz z pamięci.

„Zabiję Martina Lampego".

Przez jakiś czas siedziałem nieruchomo, próbując się opanować, za wszelką cenę przypomnieć sobie, kim jestem, zrozumieć, kim się stałem — kim wnet m o g ę się stać. Całkowicie wykluczałem podjęcie ryzyka publicznego procesu. Manipulowanie sprawiedliwością to sprawa niełatwa. Gdyby Lampe zasiadł na ławie oskarżonych, musiałbym w pełni dowieść jego winy. Sędzia ma obowiązek nie tylko potępić zbrodnię, ale i wykazać, co skłoniło do niej przestępcę. Zbyt wiele mogłoby zostać powiedziane na sali sądowej o wpływie, jaki profesor Kant wywarł na swego lokaja. Natomiast jeśli wydam rozkaz, by przyprowadzono mi tego człowieka — dla jego własnego bezpieczeństwa — któż zakwestionuje moje motywy? Gdyby coś mu się przydarzyło pod moją opieką, czy ktokolwiek odważyłby się mnie oskarżyć?

Po chwili rozległo się pukanie do drzwi i wszedł żołnierz z pocztą.

— Proszę o wybaczenie, wasza wielmożność — sumitował się, kładąc mi listy na biurku. — Przysyła to pan Stadtschen.

Rzuciłem okiem na obie koperty i czekałem, aż za posłańcem zamkną się drzwi. Gdy otwierałem tę większą, białą, opatrzoną imponującą czerwoną pieczęcią, coś ścisnęło mnie za gardło. Było to pismo z tych, które wzbudzają lęk w każdym zatrudnionym w pruskiej administracji państwowej: anonimowy sekretarz informował, że mam przekazać pełny raport z mych poczynań. Sprawozdanie ze śledztwa, do dzisiejszego dnia włącznie, następnego ranka należało przedłożyć Jego Królewskiej Mości Fryderykowi Wilhelmowi.

Upuściłem kartkę na stół.

Co robić? Jak odwlekać spełnienie królewskiego rozkazu? Jak odłożyć wykonanie polecenia do czasu aż będę w lepszej pozycji i uznam, że sytuacja w Królewcu przedstawia się na tyle korzystnie dla mnie, iż mogę już zdać królowi raport o moich dokonaniach? Uniosłem list, przeczytałem go ponownie i rzuciłem na stół, zabrawszy się następnie za drugą przesyłkę, która zdawała się mniej przerażająca.

...sterta kości. Strzępy odzieży wskazują, że ofiara mogła być mężczyzną. Zanim człowiek ten został rozerwany na kawałki, uciekał przez las, co widać ze smug i plam krwi na śniegu. Ślady wskazują na co najmniej tuzin zwierząt w stadzie. Bestie były wygłodniałe...

Znaleziono więc następne zwłoki. Dlaczego nie zostałem poinformowany od razu?

Mój obraz zbrodni popełnionych przez Martina Lampego rysował się jasno, precyzyjny w każdym szczególe. Ta ofiara, kimkolwiek była, nie zginęła z jego ręki, co jednak nie zmniejszało mego niezadowolenia z samowolnej ingerencji Stadtschena w sprawę. Śmierć Kocha otworzyła przed nim perspektywę przyspieszenia awansu. Na własną odpowiedzialność polecił żołnierzom pozbierać kości do wora i przenieść do twierdzy.

Szczątki pozostaną przetrzymane przez jeden dzień, na wypadek, gdyby ktoś zgłosił się po nie — dopisał nadgorliwie. — *W przeciwnym wypadku pogrzeb odbędzie się na koszt opieki społecznej".*

Jęknąłem z gniewu.

Czyżby sądził, że w rozmowie z generałem K. pochwalę go za bystrość? Miał nadzieję, że wspomnę jego nazwisko w raporcie do króla? Czytałem dalej, a gdy zbliżałem się do końca, moja irytacja stopniowo przechodziła w furię.

Choć miejsce, w którym znaleziono ciało, znajduje się poza granicami miasta, należy jednak do jurysdykcji pana prokuratora — kontynuował Stadtschen — *jako że jest to opuszczony teren łowiecki dawnej feudalnej posiadłości, majątku...*

Poderwałem się z krzesła, otwarłem drzwi na oścież i wściekłym głosem zawołałem Stadtschena.

Pusty korytarz wypełnił się grzmiącym hukiem. Gdzieś daleko zadźwięczały kroki, mój krzyk odbijał się echem, bez końca wzywając Stadtschena.

Przybiegł minutę później, z przekrzywioną na głowie peruką i rozpiętym górnym guzikiem munduru — moje wezwanie musiało go zaskoczyć. Spocona twarz wyglądała, jakby została nasmarowana tłuszczem — z niejaką satysfakcją patrzyłem na jego zażenowanie.

— Panie? — wydyszał z wysiłkiem.

— Gdzie ono jest, Stadtschen? Gdzie to ciało?

Gapił się na mnie, a na jego twarzy rozgrywał się istny teatr emocji: zaskoczenie, wstrząs, strach, a także gorliwość, by okazać mi szacunek.

— Ciało, wasza wielmożność?

— Mężczyzna z lasu w okolicy Belefest — warknąłem, machając mu przed twarzą jego własnym listem. — Kto ci pozwolił go ruszać? Nie widzisz, co dzieje się w Królewcu, Stadtschen? Ktoś morduje ludzi. Jedynie ślady pozostawione na miejscu każdej zbrodni pomogą pochwycić zabójcę. Ale ty postanowiłeś przenieść zwłoki! Zapewne twoi podwładni zadeptali całe miejsce jak stado krów!

— Prokuratorze Stiffeniis — przerwał mi drżącym głosem — nic nie wskazywało, by zginął z ręki człowieka. — Wycelował palcem w list w mej dłoni. — Zgłosiłem to przy samym końcu. Rozszarpany przez dzikie zwierzęta. Najpewniej wilki. One rozrywają...

— Z czego wnioskujesz, że to w i l k i go zabiły?! — wrzasnąłem. — A jeśli to morderca ścigał tego człowieka przez las? Ofiara mogła być martwa, zanim dorwały się do niej zwierzęta.

Taka możliwość nawet nie zaświtała w tej tępej głowie.

— Ależ, panie! — zaprotestował. — Morderca zawsze uderza wewnątrz murów miasta. Dlatego pomyślałem...

— Ty p o m y ś l a ł e ś?

Drwiłem z niego, jednak swym rozpaczliwym główkowaniem skrzesał iskrę nadziei w mym sercu. Miał rację. Martin Lampe nigdy nie zabił poza murami miasta. A przecież mieszkał w Belefeście. Czyżby ukrywał się w pobliżu domu, a może w lesie za nim? Jeszcze nie minęła godzina, jak oglądałem ślady jego stóp na śniegu na prowadzącej z wioski do Królewca ścieżce. Czy Lampe zabił kogoś, wracając z miasta do domu? A może sam został zabity i rozdarty na strzępy po zamordowaniu sierżanta Kocha?

— Czy ciało nadal znajduje się w twierdzy?

— Tak jest, wasza wielmożność — wydawało się, że odpowiadając, Stadtschen rośnie. Przeciwnie niż pozostałe, moje ostatnie pytanie nie zostało spowodowane gniewem ani zaprawione oskarżeniem. Masywna pierś oficera wypięła się, grzbiet się wyprostował, mięśnie napiętej twarzy ponownie się rozluźniły, znów pojawiła się na niej arogancka mina, wyrażająca pewność siebie.

— Możemy od razu tam iść, wasza wielmożność. To znaczy według życzenia, panie Stiffeniis — dodał już mniej pewnie.

— Prowadź — poleciłem.

Na parterze, niedaleko od głównej bramy, Stadtschen zdjął ze ściany płonącą pochodnię i wręczył mi ją. Sam wziął drugą, następnie otworzył wąskie, zakończone strzelistym łukiem drzwi i ruszyliśmy krętymi schodami, wiodącymi do lochów i labiryntu pasaży pod twierdzą. Byłem tam w towarzystwie sierżanta Kocha w moją pierwszą noc w Królewcu. Wtedy mieliśmy spotkanie z nekromantą i wysłuchaliśmy jego rozmowy z pozbawioną życia cielesną powłoką zamordowanego człowieka.

Tym razem zamierzałem dokonać wyłącznie zwykłych oględzin ciała.

Na samym dole skręciliśmy w prawo i weszliśmy do wąskiego tunelu, przed wiekami wykutego w litej skale. Chropowate mury, śliskie od wilgoci, pokrywał ciemnozielony nalot mchu. Porzucone tu na zawsze sterty połamanych krzeseł, stołów, łóżek i cuchnących materacy pleśniały i gniły. Garłacze i muszkiety sterczały pod ścianami niczym skamieniałe kwiaty. Każdy przedmiot zdawał się pełen złośliwej intencji, by podłożyć nam się pod nogi, zablokować drogę lub spaść i żywcem nas pogrzebać. Chwiejne światło pochodni ratowało nas przed niebezpieczeństwem, ale niewiele mogło zdziałać przeciwko chłodowi.

Stadtschen miał rację, gdy oświadczył z wielką powagą:

— Jesteśmy pod ziemią, wasza wielmożność. Na długo przed powstaniem Królewca ludzie, zanim zaczęli budować domy, mieszkali właśnie tutaj.

Trudno było sobie wyobrazić, by człowiek mógł wytrzymać tu dłużej. Panujące pod ziemią przenikliwe zimno wręcz wślizgiwało mi się pod skórę, obejmowało we władanie moje kości. Gruba, wełniana odzież, dzięki której nie marzłem w Królewcu — pomimo zimnej mgły i lodowatych wichrów chłostających to miasto od czasu mego przybycia — okazała się bezużyteczna w tej ponurej jaskini. Równie dobrze mógłbym być nagi. Nie mam nic przeciwko zimnej pogodzie. Rześki zimowy poranek, pokrywa szronu na trawie, iskrzące słońce, czyste niebo — to jeden z cudów natury, ale ponury chłód bijący od zimnej ziemi źle wpływał na mego ducha. W każdą rocznicę śmierci mego dziadka ojciec otwierał wejście do krypty i prowadził rodzinę i służbę na dół, byśmy modlili się za dusze przodków. Od dziecinnych lat znałem zapach grobu. Z przerażeniem zastanawiałem się, czy dusze moich przodków zostały skazane na oddychanie stęchłym powietrzem przez całą wieczność.

Nagle Stadtschen zatrzymał się i odwrócił do mnie twarzą.

— Jesteśmy na miejscu, wasza wielmożność — oznajmił, wskazując na ciężkie, żelazne drzwi. Najwyraźniej nabrał animuszu. Może liczył na to, że namacalny dowód jego dobrej roboty przekona mnie do zmiany o nim opinii. — Mimo zimna, panie prokuratorze, zwłoki długo tu nie wytrzymują. Przez tę wilgoć. Zaczynają gnić, no i szczury...

— Mogę sobie wyobrazić! — uciąłem ostro. Nie potrzebowałem całego katalogu okropieństw, czułem się wystarczająco nieswojo.

— Chciałem tylko rzec, panie, że ciała przechowuje się w kostnicy jak najkrócej to możliwe. Większość z nich na powierzchni wystawiona została na różnego rodzaju okropne dzia...

— Jak długo t o ciało się tutaj znajduje? — zapytałem donośnie, zagłuszając jego wyraźne upodobanie do opisów rozkładu zwłok.

— Trudno by je nazwać ciałem...

— Jak długo? — nalegałem.

— Cztery godziny, wasza wielmożność. Na mieście właśnie rozwieszają obwieszczenia o jego znalezieniu. Poleciłem osobiście — przerwał, niepewny mej reakcji. — Czy życzy pan sobie powstrzymać tę akcję?

— Niech będzie — zgodziłem się. — Może ktoś zgłosi się z jakimiś informacjami o tym człowieku.

— Próbowałem powiadomić pana o moich poczynaniach, wasza wielmożność. Ale gdy zapukałem do pańskich drzwi, nikt nie odpowiedział. Na wartowni powiedzieli mi, że wyszedł pan z twierdzy w towarzystwie damy. Zanim położyłem się spać, napisałem do pana notatkę i kazałem dostarczyć ją natychmiast, gdy pan wróci. Całą noc pełniłem służbę, wielmożny panie.

Słyszałem go, ale nie słuchałem, zajęty własnymi kalkulacjami. Jeżeli zwłoki umieszczono w kostnicy przed czterema godzinami, to prawdopodobnie znaleziono je dwie, trzy, nawet cztery godziny wcześniej. Oznaczało to, że człowiek ten nie żył od co najmniej ośmiu, dziesięciu godzin, a może nawet dłużej. Spojrzałem na zegarek, było dwadzieścia po dziewiątej. A więc północ to najbardziej prawdopodobna pora jego zgonu, choć możliwe, że zmarł kilka godzin wcześniej. Oględziny zwłok pozwolą określić stopień stężenia pośmiertnego, ale czas wskazywałby, że to m o ż e być Martin Lampe. Jeżeli tak, wyliczyłem sobie, wracając do domu kilka godzin po zamordowaniu sierżanta Kocha, został na leśnej ścieżce rozszarpany przez wilki. Oczywiście mógł umrzeć o każdej porze poprzedniego dnia (na przykład wtedy, gdy ciało Kocha znaleziono na Sturtenstrasse), ale jeżeli, jak wierzyłem, północ okazałaby się tą właściwą porą, to gdzie się przedtem ukrywał? Co porabiał wówczas robił?

Lecz jeśli nie był to trup Lampego, tylko następna z jego ofiar, to znaczy, jeśli po zamordowaniu Kocha, wracając z Belefastu, postanowił zaatakować kogoś jeszcze?... Znalazłem się w poważnych kłopotach. Czy Lampe mógł zrezygnować ze swej dotychczasowej metody działania i ulubionego narzędzia zbrodni i zacząć mordować przypadkowe ofiary? Dwa zabójstwa jednego dnia. Czyżby jego mordercza furia jeszcze przybrała na sile? Czy narastająca żądza krwi zachęcała go do zabijania z większą częstotliwością?

Gdy Stadtschen odsunął pordzewiały rygiel na drzwiach kostnicy, żelazne wrota zazgrzytały hałaśliwie po chropowatej posadzce, zagłuszając słowa modlitwy, które wymknęły mi się z ust. Modliłem się do Boga, by czekały tam na mnie zwłoki Martina Lampego. Pewność, że nie żyje, zakończyłaby terror panujący w mieście, a także przegnała natrętne zbrodnicze myśli, które zakorzeniły się w mym umyśle.

— Zasłoń sobie usta, panie — poradził Stadtschen, stając w przejściu i zatrzymując mnie.

— Jeden z naszych chłopców zmarł dzisiaj na dyzenterię. Jak nie siedział w latrynie, to wymiotował. Każdego dnia, przez cały tydzień. Co za okropna śmierć!

Stadtschen uniósł dłoń do ust i nosa, a ja odwróciłem głowę i do tego samego celu wykorzystałem kołnierzyk żakietu. W pomieszczeniu unosił się obrzydliwy, słodkawy smród. Migoczące światło naszych pochodni odbijało się od pobielonych wapnem ścian. Pusta, pozbawiona sprzętów przestrzeń; jedynie pod ścianą naprzeciw wejścia stała olbrzymia, cynkowa wanna. Leżały w niej, ułożone na plecach, nagie zwłoki mężczyzny; wychodzące z orbit oczy, skóra szerokiej, teraz zapadniętej klatki piersiowej pomarszczona i pożółkła, wzdęty brzuch, jakby zaraz miał pęknąć; i choć z całych sił odpędzałem od siebie tego rodzaju myśli, wiedziałem, że wkrótce wydobędą się z niego obrzydliwe gazy.

Nade wszystko starałem się koncentrować na zadaniu, z którym tu przyszedłem. Nie miałem przy sobie profesora Kanta, by wspomagał mnie, dawał wskazówki, jak wtedy, gdy po raz pierwszy zabrał mnie do swej komnaty cudów i z dumą demonstrował odcięte głowy ofiar, pływające w destylowanym alkoholu.

— Tam, wasza wielmożność. — Stadtschen machnął pochodnią w stronę najbardziej odległego kąta.

Zwłoki znalezionego w lesie człowieka spoczywały na macie z szorstkiej juty. Stadtschen miał rację, musiałem przyznać. Słowo „zwłoki" trudno by uznać za właściwe. Walcząc z ogarniającymi mnie coraz silniej mdłościami, usłyszałem, że Stadtschen kaszle i spluwa za mymi plecami. Zauważyłem żebra, części przerwanego co najmniej w trzech miejscach kręgosłupa, resztki kości rąk i nóg, wszystko zabarwione na bladopomarańczowo lub ciemnobrązowo w miejscach, gdzie mięśnie i ciało zostały oderwane. Strzępy przezroczystych ścięgien i skrawki chrząstek wciąż przylegały do stawów, choć po miękkiej tkance prawie nie zostało śladu. Niemożliwe było określenie stopnia stężenia pośmiertnego. A więc także nie dało się ustalić, jak długo człowiek ten nie żyje.

— Jezu, ależ były głodne, wasza wielmożność!

Choć słowa Statdschena zabrzmiały obcesowo i prostacko, trudno by było odmówić im słuszności. Poszukałem w kieszeniach i wyjąłem długi klucz od drzwi mego biura. Z pewnym trudem użyłem go do odwrócenia czaszki w moją stronę. W tym momencie prawdziwe znaczenie słów *memento mori* uderzyło we mnie z niespotykaną dotąd siłą. Co więcej, chwilę trwało, nim zebrałem się na odwagę i dokładniej przyjrzałem się kościom twarzy, zwisającej szczęce. Po mięsnej tkance nie zostało śladu, zniknęły uszy, policzki, broda. Na czubku głowy przed łapczywością żarłocznych bestii uchowała się kępka włosów. Koniuszki skąpanych we krwi kosmyków pozostały czyste. I wszystkie były siwe. „A więc to mężczyzna w starszym już wieku — pomyślałem — lub taki, który zestarzał się przedwcześnie. Czy włosy mogły mu posiwieć w chwili ataku?" Opanowałem wyobraźnię i natychmiast wróciłem myślami do Martina Lampego, lokaja Kanta, sekretarza przepisującego dzieło swego chlebodawcy w środku nocy, sługi, którego nigdy osobiście nie spotkałem. Lampe miał ponad siedemdziesiąt lat. Z pewnością mógł być siwy.

— Zaczęły od bardziej soczystych kawałków, wasza wielmożność. Od policzków i warg, mięśni i tłuszczu, ciała na rękach i nogach, wszystkiego, co było do tego oto przyczepione.

Stadtschen stał blisko mnie; pochylony do przodu, gorliwie wyzierał zza mego ramienia. Wolałbym, aby zachował większy dystans i pozwolił mi w spokoju dokonywać oględzin, ale on wyciągnął palec i dotknął czaszki, która zakołysała się i potoczyła w bok, a potem się zatrzymała, przy czym jeszcze bardziej poskręcały się chrząstki krtani i przełyku, które w jakiś sposób przetrwały zagładę.

— Oderwały mu głowę, wasza wielmożność. To oczywiste; ten tutaj nic a nic nie przypomina pańskiego człowieka, zakłutego na śmierć wczoraj po południu.

Na chwilę wróciłem myślami do Amadeusa Kocha, którego ciało znalazło bezpieczne schronienie w kaplicy twierdzy. Przynajmniej, ponuro zauważyłem w duchu, jego śmierć nastąpiła szybciej, a ja ocaliłem ciało od okropności kostnicy.

— Proszę o wybaczenie, wasza wielmożność. Pan i on byliście blisko, przecież wiem.

Znów próbowałem zignorować jego trajkotanie, oglądając resztki ciała nieszczęśnika w poszukiwaniu jakiejś wskazówki co do jego tożsamości. Żebra, miednica i biodra tworzyły stertę splątanych kości pośród okropnej krwawej miazgi, pozostałości wewnętrznych organów. Na większych kościach widniały głębokie nacięcia po ostrych kłach. Dopadłszy ofiary, bestie najwyraźniej wlokły ją po ziemi za ramiona i nogi. Potem zabrały się do roboty. Wśród miazgi walały się przesiąknięte krwią strzępy odzieży; nawet nie próbowałem ich wyjąć. Jakiemu celowi miałoby to posłużyć? Ich rzeczywisty kolor został nieodwracalnie zniszczony krwią.

— Nie mamy nawet kawałka ubrania, który mógłby nam dopomóc — stwierdziłem. — Ani butów.

— Założę się, że je pożarły, wasza wielmożność — odrzekł Stadtschen, kompletnie nieświadomy, jak ważnym dla śledztwa elementem mogłyby się okazać buty z wyraźnym nacięciem w kształcie krzyża na podeszwach. — Głodny wilk pochłonie wszystko, panie. Ma kiszki jak francuski grenadier. Jedzą swoje młode, tak mówią. To znaczy wilki.

Pochyliłem się jeszcze niżej, zarówno by umknąć przed paplaniną Stadtschena, jak i lepiej przyjrzeć się czaszce. Zęby górne, nierówne, z połamanymi krawędziami, zniszczone ze starości, wskazywały, że martwy mężczyzna miał zwyczaj przed połknięciem żuć mięso długo i dokładnie. Przyjrzałem się uważniej otworowi ust, poleciwszy Stadtschenowi niżej przytrzymać pochodnię. Podczas ataku język został oderwany, dziąsła i cała okolica ust kleiły się od krwi, tylko na podniebieniu pozostało białe pasmo kości lub obnażonej chrząstki, sterczące jak kikut. Kieł najwyraźniej dotarł do podniebienia, gdy bestie szarpały głowę człowieka.

Czy jest możliwa straszniejsza śmierć?

Westchnąłem bezradnie, zaglądając w obramowane krwią jamy czaszki, w ciemne otchłanie, w których kiedyś znajdowały się oczy. „Co widziałeś w ostatniej chwili życia?" Jakże byłem tego ciekaw. „Kim byłeś? Pijanym biedakiem, samotnie wędrującym nocą przez las? Następną bezbronną ofiarą mordercy? Mordercą we własnej osobie?"

Nie potrafiłem odnaleźć w tej potwornej ruinie niemego człowieczeństwa nic, co mogłoby mi dać upragnioną odpowiedź. Jeśli nawet te szczątki są wszystkim, co zostało po Martinie Lampem, ich stan nie pozwalał na ustalenie tożsamości.

— Lekarz wojskowy przyjdzie obejrzeć ich jeszcze dziś rano — odezwał się Stadtschen za mymi plecami. — Wnętrzności tego tu już zaczynają się psuć. Ten drugi też nie wygląda najlepiej. Według mnie, im szybciej pójdą do ziemi, tym lepiej, wasza wielmożność. Zgłoszę to doktorowi.

Mogłem zażądać zniesienia na dół śniegu i lodu, tak jak uczynił profesor Kant, by zachować notariusza Tiffercha dla doktora Vigilantiusa i dla mnie, ale to ciało znajdowało się już w zbyt daleko posuniętym rozkładzie, by nadawało się do oględzin.

— Zanim porozmawiasz z doktorem — oznajmiłem — możesz uczynić coś, co być może poprawi twoją sytuację.

— Tak, wasza wielmożność?

— Postąpiłeś wbrew mym rozkazom, wiesz o tym, Stadtschen?

Wstrzymał oddech, czekając na moje dalsze słowa.

— W raporcie dla króla powinienem o tym wspomnieć — ciągnąłem, nie spuszczając z niego wzroku. — Ale kto wie, może dam się przekonać do zmiany zdania. Natychmiast odnajdziesz panią Lampe i przyprowadzisz tutaj. Ta kobieta mieszka we wsi Belefast. Dzisiaj rano pojawiła się u mnie, zgłaszając zaginięcie męża. Wątpię czy zdoła powiedzieć nam cokolwiek, ale należy pokazać jej tego człowieka, nim zostanie złożony w miejscu wiecznego spoczynku. Dopilnuj...

Dopilnuj, by go rozpoznała.

To chciałem powiedzieć, lecz nie zrobiłem tego.

— Może pan na mnie liczyć — odrzekł Stadtschen z przymilnym uśmiechem i dziarsko zasalutował.

Moja pochodnia niemal się wypaliła. Perspektywa pozostania tu bez światła zachęciła mnie do szybkiego wyjścia. Ze Stadtschenem niemal depczącym mi po piętach wnet przybyliśmy pod główną bramę. Zwolniłem go i z zadowoleniem patrzyłem, jak biegnie w kierunku Belefastu.

Ale tożsamość resztek zwłok w kostnicy nie była moim jedynym zmartwieniem. Ani sprawa odnalezienia Martina Lampego, jeżeli nadal żył. Król i raport będą musieli zaczekać do mego powrotu.

— Zawieź mnie na Magisterstrasse! — krzyknąłem na woźnicę, wskakując do czekającego powozu. — Najszybciej jak się da.

Poprzedniego popołudnia i w nocy tyle miałem na głowie, że niewiele myślałem o profesorze Kancie. Nawet nie uświadamiałem sobie, ile czasu minęło, odkąd go widziałem. Dopóki nie oparłem wygodnie głowy na siedzeniu i nie poddałem się kołysaniu pojazdu nie wiedziałem także, jak bardzo byłem zmęczony; wnet zapadłem w głęboki sen.

Zerwałem się gwałtownie, gdy podjechaliśmy pod dom na Magisterstrasse. Wyjrzałem przez okno powozu i natychmiast w mej głowie zadźwięczał dzwonek alarmowy. Młody lekarz z Italii, którego poznałem poprzedniego dnia, biegł ścieżką przez ogród, ściskając w dłoniach dużą brązową butlę z lekarstwem.

Wyskoczyłem z powozu i pospieszyłem, by dopaść drzwi, zanim Johannes Odum zdąży je zamknąć.

— Co się dzieje? — wydyszałem.

— To jegomość, wielmożny panie — zawołał służący i łzy pociekły z jego zaczerwienionych oczu. — Traci przytomność. Doktor przyniósł kordiał.

Przecisnąłem się obok niego i pognałem po schodach do sypialni Kanta.

Gdy tylko tam wszedłem, zrozumiałem, że przybywam za późno. Drobna, skurczona istota na łóżku już jedną nogą znajdowała się na tamtym świecie. Delikatna kiedyś twarz Immanuela Kanta teraz jakby się zapadła, policzki zamieniły się w dwie przepastne, posępne doliny, zamknięte oczy przysłonił cień. Głowa wtuliła się w wąskie, podobne do skrzydełek ramiona, sterczące pod bawełną koszuli. Oddychał głośno i miarowo, ale nie wyglądał na kogoś, kto odpoczywa. Zapadał w sen, z którego już nigdy się nie obudzi.

Pan Jachmann stał z opuszczoną głową na drugim końcu pokoju, doktor Gioacchini zajmował się profesorem Kantem, delikatnie rozwierał mu wargi i łyżeczką wlewał do ust ciemnozielony płyn. Przybliżyłem się o krok do wąskiego łóżka. Medyk obejrzał się przez ramię i pospiesznie skinął na mnie, potem odwrócił się, ponownie skupiając całą uwagę na pacjencie.

Kilka minut minęło w milczeniu, wtem z ust lekarza wydobył się okrzyk:

— Panie profesorze!

Kant otworzył oczy. Patrzył prosto na mnie.

Doktor przyłożył głowę do piersi filozofa i wsłuchiwał się w słabe bicie jego serca. Przysunął ucho bliżej do ust Kanta i nagle spojrzał na mnie z dziwnym wyrazem twarzy.

— Profesor Kant życzy sobie z panem rozmawiać — szepnął. Uniósł zegarek i odliczał sekundy, mierząc puls umierającego. — Niech się pan pospieszy — nalegał. — Szybko słabnie.

Podszedłem bliżej i pochyliłem się nad łóżkiem, ogarnięty straszliwym lękiem. Musiałem z całej siły walczyć, by opanować emocje; oczy filozofa ponownie się zamknęły. Wydawało mi się, że odpływa poza krainę międzyludzkiej komunikacji.

— To ja, panie profesorze, Hanno Stiffeniis — szepnąłem mu do ucha.

Powieki Kanta ledwo drgnęły, twarz — śmiertelna maska — zastygła w wyrazie oczekiwania, mgiełka potu lśniła na szerokim czole.

— Jak długo znajduje się w tym stanie? — zapytałem szeptem.

— Zbyt długo — odrzekł doktor.

Ponownie zwróciłem się w stronę łóżka. Kant oddychał teraz regularniej, choć jego ściągnięta twarz jakby skryła się jeszcze głębiej w pustce między ramionami.

— Profesorze Kant! — powiedziałem, tym razem głośniej.

Błękitne oczy nagle otwarły się szeroko i spojrzały na mnie. Bliskość śmierci czyniła je jeszcze bardziej wyblakłymi i przezroczystymi niż zazwyczaj. Rozchylił wargi i znów je zacisnął.

— Przywołaj go pan — nalegał stojący tuż przy mnie doktor Gioacchini.

— Profesorze Kant, niech pan do mnie przemówi — błagałem, przykładając ucho tak blisko do jego ściągniętych ust, że niemal poczułem zapach śmierci. Nie wzbraniałem się przed tą wonią. Wdychałem ją, jakby była najczystszym górskim powietrzem. Euforia wypełniła moją udręczoną duszę. Immanuel Kant był w agonii, a jego ostatnim pragnieniem było zwierzyć się właśnie mnie.

Moje ucho musnęło jego wargi. Poczułem, że drżą pod tym dotykiem.

— Za późno... — wyrzucił z siebie wraz ze zduszonym wydechem.

— Panie? — szepnąłem, usta miałem spieczone, suche.

Zapadł się w poduszkę, delikatny ślad uśmiechu na jego wargach był jak strzęp obłoku na błękitnym letnim niebie.

— Zabójca nie został jeszcze ujęty — zacząłem i natychmiast pożałowałem tych słów.

Z wysiłkiem wręcz niewyobrażalnym u kogoś tak osłabionego Kant wolno pokręcił głową, wpatrzony we mnie.

— Ale zostanie powstrzymany — dodałem.

Przed oczami stanął mi trup z kostnicy w podziemiach, zupełnie jakbym wywołał jego ducha. O nim także chciałem poinformować profesora Kanta, zapewnić go, że morderca poniósł klęskę, powiedzieć mu o karzącej ręce Boga, która dopadła zabójcę i uderzyła w niego tak, jak na to zasłużył. Ale nie uczyniłem tego. Nie mogłem. Być może nigdy nie będzie mi wolno wyjawić prawdy. Czas uciekał, piasek w klepsydrze kończył się. Immanuel Kant, nie miałem wątpliwości, już niczego nie słyszał, odszedł poza nadzieję, ból czy odczucia zmysłowe.

— Miałeś rację — wyrzęził nagle.

Wstrzymałem oddech, a on mówił dalej:

— Ujrzałeś prawdę w Paryżu. Potem, twój brat...

Całkowicie utraciłem zdolność powiedzenia czegoś sensownego. Zapragnąłem uciec z tego pokoju, przed umierającym i implikacjami jego słów. Ale znalazłem się w matni, słaby, bezradny.

— Patrzyłeś na jego śmierć — ciągnął, a każde jego słowo było zwycięstwem, każda przerwa między nimi wspinaczką na sam wierzchołek góry. — Dlatego po ciebie posłałem, Hanno... Poznałem od wewnątrz umysł morder...

Zamilkł wyczerpany. Powietrze uciekało mu z płuc *diminuendo*, zupełnie jakby ktoś grający na organach kończył melodię cichnącymi ozdobnikami.

— Jego umysł błądzi — mruknął doktor Gioacchini, kładąc mi dłoń na ramieniu i ściskając mocno, gdy zagadkowy uśmiech zaczął powoli pojawiać się na bezkrwistych wargach Kanta.

Sapiąc i z trudem łapiąc oddech, Immanuel Kant czysto i wyraziście wypowiedział swoje ostatnie zdanie w życiu. Wszyscy obecni usłyszeli tę deklarację. Pan Jachmann lojalnie zanotował ją w swoich wspomnieniach, które opublikował kilka miesięcy później.

— *Es... ist... gut.*

Umierający powtarzał te słowa bez końca, jego wargi ledwie się poruszały, a z ciała zdawał się zsuwać z szelestem wielki ciężar.

Stałem jak skamieniały.

Immanuel Kant oddał ducha Bogu.

Za oknem szary dzień powoli ustępował nadchodzącej nocy. W zmianie tej było coś złowieszczego, ale i właściwego. W głowie czułem całkowitą pustkę. Kilka chwil później, gdy już doszedłem do siebie, jęknąłem głośno, ściskając lodowatą dłoń mego duchowego mistrza. W tamtym momencie straszliwy koszmar ostatnich, gorączkowych dni odpłynął gdzieś ode mnie. Jakby był zaledwie przerażającym snem. Nie myślałem o Martinie Lampem ani o żadnej innej ziemskiej istocie. Nie było we mnie miejsca dla nikogo i niczego poza tym drobnym ciałem, bez życia spoczywającym na łóżku przed moimi oczami, nie pragnąłem nic więcej poza poznaniem tajemnicy ostatnich słów profesora Kanta.

„*Es ist gut*".

Co było dobre?

Co dobrego widział Kant w klęsce mego śledztwa?

„Miałeś rację... Ujrzałeś prawdę..."

Na Boga, w czym kiedykolwiek miałem rację?

Jaką p r a w d ę ujrzałem?

Obraz Immanuela Kanta na łożu śmierci powinien był przegnać wszystkie inne moje myśli i problemy, i tak się stało — na chwilę. Nieutulony w żalu odjechałem, pożegnawszy się z Johannesem Odumem, doktorem Gioacchinim i panem Jachmannem. Ale gdy znalazłem się sam w ciemnościach powozu, gdy koła obracały się, a twierdza zbliżała się coraz bardziej, niezrozumiały, zagadkowy uśmiech na wargach zmarłego napawał mnie potęgującym się z każdą chwilą niepokojem. Wręcz jakby nakładał się na inną pozbawioną wyrazu, śmiertelną maskę twarzy anonimowego człowieka, którego czaszka i kości gniły w kostnicy, i wtapiał w nią.

Czy jakieś dwa rodzaje śmierci bardziej mogłyby się od siebie różnić?

Profesor Kant umarł w spokoju, we własnym domu i łóżku, otoczony miłością i szacunkiem, które towarzyszyły mu przez całe jego długie życie; mężczyzna w kostnicy został rozszarpany na kawałki wśród trzasku kłów, sam w nocy na bezludziu. Niewyobrażalny ból, bezgraniczny strach. Żadnej nadziei na ratunek. Zupełnie jakby bezlitosny Stwórca na jedną godzinę uwolnił z piekła legion demonów, z jednym tylko zadaniem: by starły wszelki ślad po egzystencji tego człowieka. Nie potrafiłem sobie wyobrazić bardziej odpowiedniej kary dla okrutnego zabójcy.

Ale czy to był na pewno on? Czy rzeczywiście ten mężczyzna to Martin Lampe?

Nigdy nie zaznam spokoju, jeżeli nie połączę tego ciała z nazwiskiem. Wyjaśnienie tej tajemnicy dostarczy rozwiązania jednego z dwóch możliwych: albo rozpaczliwe polowanie na Martina Lampego musi trwać nadal, albo spokój powróci wreszcie do Królewca. W drugim przypadku udręczone dusze pomordowanych znajdą ukojenie, tak jak ich ciała.

Wtedy, i tylko wtedy, ja także odzyskam spokój.

Szybko wszedłem przez główne wrota twierdzy, zdecydowany zejść do kostnicy i ponownie obejrzeć zwłoki. Tym razem postanowiłem iść sam, bez Stadtschena dyszącego mi w kark.

Minąłem dziedziniec i, nie napotkawszy żywej duszy, wszedłem do północnej wieży; po chwili dotarłem pod strzeliście sklepione, prowadzące do lochów wąskie drzwi. Zaopatrzywszy się w zdjętą z muru pochodnię, otwarłem je.

Zanim zanurzyłem się w tunel, z wahaniem przystanąłem na progu.

Zapach zgnilizny unosił się z podziemi niczym nadpływająca na powitanie fala, która zaraz mogła mnie zatopić. Esencja rozkładu ludzi i roślin i setki innych woni, zmieszanych przez całe wieki w podziemiach twierdzy. Omal nie zawróciłem. Tylko pragnienie poznania prawdy pchało mnie do przodu, podobnie jak rozpaczliwa nadzieja na odnalezienie jakiejś wskazówki.

Wszedłem, zamykając za sobą drzwi, i zacząłem schodzić ciemnymi schodami, wiedziony światłem pochodni. Po pokonaniu paru stopni dostrzegłem płomień innej pochodni, wznoszący się schodami w moją stronę. Przez dłuższą chwilę wbijałem wzrok w czeluście, w końcu w mroku udało mi się wypatrzyć cienie dwóch postaci. Od razu rozpoznałem Stadtschena. Ale kim była druga osoba? Serce podeszło mi do gardła. Czyżby doktor już nakazał wyniesienie cuchnących szczątków z kostnicy i pochowanie ich?

Zatrzymałem się, ogarnięty narastającym gniewem i rozpaczą, czekając, by Stadtschen podszedł bliżej i przyznał się do wyrządzenia śledztwu dalszych szkód podczas mej nieobecności. Ale gdy od cieni dzieliło mnie najwyżej dziesięć kroków, serce podskoczyło mi w piersiach i zadrżało. Otulona trójkątem czarnej chusty okrywającej jej głowę i plecy wchodziła po schodach pani Lampe, ciężko wsparta na ramieniu żołnierza. I już za to, jeśli za nic więcej, podziękowałem Bogu. A więc widziała te nędzne szczątki.

Podeszli bliżej, Stadtschen spojrzał w górę, dostrzegł mnie i zatrzymał się; kobieta sekundę później uniosła załzawione oczy. Była blada: jej przezroczysta cera, bielsza od twarzy profesora Kanta, przypominała stopiony wosk. Policzki i usta miała nabrzmiałe i opuchnięte. Tchnąca żałobą postać wyrażała to, co nade wszystko pragnąłem potwierdzić. Niemal uradowałem się jej smutkiem.

Zidentyfikowała Martina Lampego!

— Pani Lampe? — zawołałem z nadzieją, że nie zauważy nutki ożywienia w mym głosie.

Kobieta wybuchnęła płaczem i odwróciła wzrok, odtrącając wspierające ją ramię oficera Stadtschena, jakbym zaskoczył ją na jakiejś chwili słabości, co chciała przede mną ukryć.

— Ciało to znaleziono na leśnej ścieżce, którą mąż pani zwykle chadzał — oznajmiłem z całą powagą, na jaką było mnie stać. — Niestety, pozostało niewiele. Pewnie bardzo się pani zdenerwowała, zaprawdę, jest mi przykro...

— Zdenerwowałam się, wielmożny panie? — Pomimo smutku malującego się na jej twarzy głos miała stanowczy. A nawet brzmiał w nim zjadliwy, złośliwy ton. — Każdy byłby zdenerwowany, panie Stiffeniis. Modlę się, by żadna inna kobieta nie musiała patrzeć na to, co ja widziałam.

Niepewnie badałem jej twarz.

— Nic w tym o b r z y d l i s t w i e — syknęła z ledwie hamowanym gniewem — nie zdoła mi przypomnieć Martina. Nic! Mam nadzieję, że poszukiwania nadal trwają?

Chyba przez chwilę wstrzymywałem powietrze, gdyż teraz wypuściłem je z głośnym westchnieniem.

A więc sprawa się jeszcze nie skończyła. Martin Lampe wciąż przebywał na wolności, by jak bestie, które na kawałki rozszarpały niezidentyfikowanego człowieka, napadać na niewinne, ufne dusze. Dręczony pragnieniem zabijania, czaił się w ukryciu, gotowy do uderzenia w każdej chwili.

— Pani Lampe źle się poczuła, wasza wielmożność — wyjaśnił pospiesznie Stadtschen.

Usłyszałem dźwięk jego słów, ale nie przyswoiłem ich treści. Moje myśli już szaleńczo pędziły ciemnymi ulicami i zatęchłymi zaułkami Królewca w pogoni za mordercą.

— Ciała trzeba zabrać, panie prokuratorze — dodał Stadtschen. — Jak tylko odprowadzę panią na górę, przywołam doktora, by zakończył sprawę. Ci zmarli nie nadają się dla oczu żadnej kobiety. I tak naprawdę — żadnego mężczyzny. Powinni natychmiast zostać pogrzebani, inaczej grozi nam epidemia.

— Świetnie — rzuciłem ostro. — Poinformuj doktora. Odwieź panią Lampe do domu. Ale nim minie godzina, chcę mieć na biurku podpisane oświadczenie, że identyfikacja oparta na oględzinach okazała się niemożliwa, wziąwszy pod uwagę stan... zmianę stanu ciała. Będę czekać u siebie w biurze. Muszę sporządzić raport ze śledztwa. Dla króla.

Wyrzucając ostatnie słowa, przewiercałem wzrokiem Stadtschena. Raz go oszczędziłem, nie zrobię tego ponownie. Zawiódł mnie i zamierzałem poinformować Jego Królewską Mość o bezmyślności tegoż człowieka. Zabierając niezidentyfikowane zwłoki z lasu i przenosząc je do twierdzy, wymierzył memu śledztwu śmiertelny cios, nie pozostawił mi żadnej możliwości wyciągnięcia ostatecznych wniosków co do szczegółów śmierci i tożsamości człowieka, którego wnet złożą w nie oznaczonym grobie.

Wyraz przerażenia ukazał się na twarzy Stadtschena; skłonił głowę, stuknął obcasami i zapewnił mnie, że postąpi dokładnie według rozkazu. Widać pojął znaczenie mej groźby.

— Proszę przyjąć moje przeprosiny — zwróciłem się do kobiety — za ciężką próbę, której została pani poddana. Gdyby kości pozostawiono tam, gdzie je znaleziono, kto wie, może identyfikacja byłaby możliwa. — Rzuciłem okiem na Stadtschena i dodałem: — Ktokolwiek ponosi winę, zostanie ukarany.

Bacznie studiowałem twarz kobiety.

— Zastanawiam się, czy pani wiadomo, pani Lampe...

Urwałem. Przez moment kusiło mnie, by poinformować ją o śmierci profesora Kanta. Ale tylko przez chwilę. Zadowoliłem się zatrzymaniem przy sobie tej wiadomości. W końcu to taka drobna, nic nie znacząca złośliwość, choć ta kobieta właśnie przekreśliła me nadzieje na zidentyfikowanie Martina Lampego.

— Nad czym się pan zastanawia, panie Stiffeniis? — zdziwiła się.

— Och, to nic ważnego — odrzekłem, odwróciłem się i ruszyłem schodami w górę.

Biorąc pod uwagę jej opinię o filozofie, byłem pewny, że ucieszy się, gdy wnet usłyszy tę nowinę.

otarłem na górę, do biura, i zaraz, wszedłszy do ciemnego pomieszczenia, wezwałem wartownika, by pozapalał świece. Dzień dobiegał końca, była już najwyższa pora, bym zabrał się do sporządzenia raportu dla króla. Odkładałem ten obowiązek o wiele dłużej, niż należało, i wciąż nie potrafiłem zdecydować, co wyjawić, a jak wiele ukryć. Teraz, gdy profesor Kant nie żył, a Martin Lampe wciąż być może grasował po ulicach Królewca, od czego powinienem zacząć moje sprawozdanie, jak je zakończyć?

Zdecydowanym ruchem ująłem gęsie pióro, głęboko zanurzyłem je w kałamarzu, przytknąłem końcówkę do papieru i przez jakieś piętnaście minut, może nawet dłużej, siedziałem niczym posąg wykuty z granitu. Narastał we mnie gniew. Czułem się jak pasterz na próżno usiłujący zebrać nieposłuszne stado bez pomocy psa i nie mający ogrodzonego pastwiska, dokąd mógłby zagnać płochliwe zwierzęta. Jak tylko zaczynało mi się wydawać, że zapanowałem w końcu nad myślami, pojawiała się jakaś rażąca niekonsekwencja i myśl wymykała się z „owczarni", nie pozwalając mi zacząć.

Najłatwiej będzie, powiedziałem sobie w końcu, podać tylko te fakty czy wydarzenia, które były potwierdzane zeznaniem na piśmie.

Zacząłem więc tak:

12 lutego 1804 roku,

Ja, Hanno Stiffeniis z Lotingen, asystent prokuratora drugiego okręgu sądowego Najjaśniejszego Dworu Królestwa Prus, wezwany do zbadania zabójstwa czworga obywateli miasta Królewiec, niniejszym stwierdzam pod przysięgą, że doprowadziłem śledztwo niemal do końca i że następujące oświadczenie jest prawdziwe i niepodważalne. Istnieją solidne powody, pozwalające przyjąć...

Przerwałem, ponownie zanurzyłem pióro w atramencie, wreszcie westchnąłem głośno. Żaden solidny powód, który usprawiedliwiałby jakąkolwiek hipotezę, nie przyszedł mi do głowy. Przeciwnie, kawałeczki mozaiki, które udało mi się ułożyć, wskazywały na najgorsze. Odłożyłem pióro, odsunąłem do tyłu krzesło, przeszedłem na drugą stronę pokoju i ponuro wyjrzałem na dwór. Na ciemne niebo nadciągały znad morza niskie chmury, przynosząc deszcz, pluchę i prawdopodobnie dalsze opady śniegu. Otwarłem okno na oścież, by odetchnąć świeżym powietrzem. Na dziedzińcu na dole hałasowali przychodzący i odchodzący żołnierze. Szósta godzina, czas na zmianę warty. Ci, którzy zeszli ze służby, bez celu wałęsali się tam i sam, śmiali się i żartowali, palili długie, gliniane fajki, wzajemnie obrzucali się obelgami i drwinami, szydzili ze swych kamratów, mających przed sobą długą noc maszerowania po oblodzonych murach obronnych.

Gdybym tak mógł stać się jednym z nich! Nie mieć na barkach tego obowiązku, odpowiedzialności i troski. Jakże chciałbym znaleźć się w domu w Lotingen i w towarzystwie żony i dzieci beztrosko piec ziemniaki na płycie kuchni. Dopóki nie dokończę raportu, ostro przywołałem się do porządku, nie mam prawa żywić nadziei na udanie się dokądkolwiek. Do czasu, gdy wreszcie uda mi się sklecić jakieś przekonujące sprawozdanie z wydarzeń w Królewcu, będę musiał gnić w tej twierdzy. A że nieustannie ciążył mi nie rozwiązany problem Martina Lampego, pewnie, jak sądziłem, utknąłem tu na długo...

Z daleka dochodził jakiś hałas.

Byłem tak głęboko pogrążony w ponurych myślach, że nawet gdyby wokół mnie rozegrała się gwałtowna bitwa o twierdzę, zakończona klęską, i tak bym jej nie zauważył.

Ktoś pukał do drzwi.

Odgłos po chwili powtórzył się, a zaraz potem znajomy głęboki głos zapytał:

— Panie Stiffeniis, mogę wejść?

Pod drzwiami stał Stadtschen. Niewątpliwie przybył, by prosić o wyrozumiałość. Nie mógł mieć złudzeń co do mych intencji ani wątpliwości, co zamierzałem o nim napisać.

— Przyjdź później! — zawołałem ostro. — Król musi otrzymać raport!

Ale Stadtschen nie oddalił się. Zastukał ponownie, tym razem donośniej.

— Panie prokuratorze, błagam, sprawa nie może czekać.

Zamknąłem okno i podszedłem do drzwi, już ogarnięty wściekłością. Jaki pozostawił mi wybór? Postanowiłem bez ogródek wypalić Stadtschenowi, co o nim myślę. Zrujnował mi śledztwo. Gdybym mógł postąpić zgodnie z mym życzeniem, zostałby zdegradowany. A jeszcze chętniej patrzyłbym, jak wymierzają mu chłostę.

Gwałtownie otworzyłem drzwi.

— Tak? O co chodzi?

Stał na baczność, sztywny i prosty jak maszt flagowy. Rzucił na mnie spłoszone spojrzenie, potem wyciągnął w moją stronę rękę z kartką papieru.

— Oświadczenie pod przysięgą, wasza wielmożność. Rozpoznanie ciała przez panią Lampe. Ten znak to podpis wdowy.

— Wdowy?! — wybuchnąłem. Wyrwałem mu papier i przeczytałem bez zwłoki.

Niniejszym oświadczam i stwierdzam pod przysięgą, że ludzkie szczątki znalezione w lesie w pobliżu Belefestu, które w obecności żandarma obejrzałam w królewieckiej twierdzy, należą do mojego prawowitego małżonka Martina Lampego.

Nazwisko kobiety widniało napisane tymi samymi wyraźnymi literami co tekst i nazwisko Stadtschena. Pani Lampe poświadczyła treść dokumentu, składając u dołu dziwny, pochyły krzyżyk.

— Ta kobieta nie umie pisać — wyjaśnił Stadtschen.

Przyjrzałem się jego twarzy.

— Co to za cud? — zapytałem. — Pani Lampe przecież upierała się, że to nie jest ciało jej męża.

— Też mi cholerny cud, panie! — wykrzyknął, i zaraz się zmitygował. — Wszystko stało się, gdy towarzyszyłem jej w drodze do domu. To prawda, jak sprowadzałem ją na dół do kostnicy, zaduch... no, sam pan wie, wasza wielmożność, trudno by go opisać. Pani Lampe natychmiast poskarżyła się na ogarniające ją mdłości i poprosiła, by ją wyprowadzić, obstając przy tym, że te okropne szczątki w żadnym wypadku nie należą do jej męża. Przecież nie mogłem zmusić jej do przyjrzenia się lepiej tym kościom, wasza wielmożność, prawda? Gdy spotkaliśmy się z panem, panie prokuratorze, właśnie wyprowadzałem ją na dziedziniec dla zaczerpnięcia świeżego powietrza. Zaraz ponownie zabrałbym ją na dół, ale pan rozkazał mi odprowadzić ją do domu. — Mów dalej — zażądałem. Przyszło mi właśnie do głowy, że Stadtschen zmusił tę kobietę do podpisania oświadczenia w nadziei na uratowanie własnej skóry. — Jeżeli nie obejrzała ciała, co spowodowało tę zmianę zdania?

— To stało się w drodze do Belefestu, panie — wyjaśnił. — Już nie wspominałem nic na temat ciała. Ale zapytałem ją, czy jej mąż przypadkiem nie posiada jakichś znaków szczególnych, na wypadek, gdybyśmy się na niego natknęli. Oficjalnie został uznany za zaginionego. Mógł stracić pamięć, zostać ranny, czy nawet zginąć. Zastanawiałem się, czy ma na ciele jakiś znak od urodzenia lub inny, po którym można by go rozpoznać.

Stadtschen urwał na chwilę, nikły uśmiech ukazał się na jego twarzy.

— I miał, wasza wielmożność! Sama mi powiedziała.

— Jaki znak? — zainteresowałem się. Przypominałem teraz człowieka cierpiącego na jakąś straszną chorobę, któremu nagle sławny medyk oznajmił, że z łatwością da się ją wyleczyć.

— Widzieliśmy sami, wasza wielmożność, tylko nie zwróciliśmy wtedy uwagi — odrzekł Stadtschen. Teraz uśmiech obejmował już całą jego twarz, jakby sytuacja bawiła go. — Czy przypomina pan sobie ten kawałek kości wewnątrz jego ust, panie Stiffeniis? Gdy pan przetoczył czaszkę na drugą stronę? Przed czterdziestoma laty, podczas służby w pruskiej armii, pan Lampe został lekko zadraśnięty bagnetem wroga. Ostrze przebiło dolną wargę i rozcięło podniebienie!

Pamiętałem doskonale. Poszarpaną bliznę wziąłem za wystającą z podniebienia kość. Nawet sam sobie wmawiałem, że to dzieło jednego z wilków, które rozszarpały ofiarę. Jeżeli w tamtej chwili zlepione krwią usta Martina Lampego wywołały we mnie dreszcz obrzydzenia, teraz zdawały mi się jednym z najbardziej niezwykłych widoków, jakie w życiu dane mi było oglądać.

— Natychmiast zabrałem ją z powrotem do miasta, i przybyliśmy w samą porę. Oczywiście szukałem pana — dodał pospiesznie, badając wzrokiem moją twarz, niepewny mej reakcji — ale pan gdzieś wyszedł. Doktor już podpisał świadectwo zgonu, wezwano pastora do ostatniego obrządku; grób czekał na obu nieboszczyków. Szybko wyjaśniłem medykowi sytuację, a on dopilnował, by pani Lampe obejrzała czaszkę i zobaczyła bliznę, choć zwłoki już zawinięto w płachtę. Cała sprawa przeszła dość bezboleśnie, kobieta rozpoznała męża. Zabrałem ją do biura, napisałem oświadczenie, przeczytałem jej na głos, a ona złożyła krzyżyk. Jak powiedziałem wcześniej, pani Lampe jest teraz wdową.

Odwróciłem wzrok, na chwilę zamknąłem oczy.

„Królewiec jest bezpieczny — pomyślałem z zachwytem. — Moje zadanie zostało wykonane".

— Wspaniała robota, Stadtschen — powiedziałem ciepło. — Teraz mogę pominąć sprawę tych zwłok w moim raporcie. Pański udział w śledztwie zostanie ukazany w lepszym świetle.

Choć minę miał poważną i opanowaną, chyba dostrzegłem błysk w jego oczach.

— Niech pana Bóg błogosławi, wasza wielmożność — mruknął.

„Bóg już był dla mnie wyjątkowo łaskawy tego dnia", pomyślałem. Okazał mi o wiele więcej dobroci, niż sobie zasłużyłem. Zabójca nie tylko otrzymał nazwisko, ale jego zwłoki zostały zidentyfikowane ponad wszelką wątpliwość. Cicho zamknąłem drzwi i ponownie zasiadłem do pracy. Tym razem promieniałem pewnością siebie. Święta Opatrzność dodawała mi sił.

— Król otrzyma raport! — oświadczyłem pustemu pokojowi.

Okazja do triumfalnego zawiadomienia o sukcesie była właśnie tym, o czym zawsze marzyłem. Triumfalne zawiadomienie o sukcesie pragnął otrzymać król. Ponownie, ujmując pióro, kontynuowałem z artyzmem natchnionego poety:

Istnieją solidne powody, pozwalające przyjąć, że autorzy tych zbrodni zostali rozpoznani jako Ulrich Totz, oberżysta z naszego miasta, i jego żona, Gertrude Totz (z domu Sonner). Szczerze przyznając się do winy, przestępcy owi oświadczyli, że ich tawerna i hotel zarazem, Bałtycki Wielorybnik, była znanym miejscem spotkań sympatyków Bonapartego i rozmaitych innych buntowników. Ich działania zmierzały do wywołania chaosu w Królewcu i przygotowania gruntu pod inwazję francuskiej armii, dowodzonej przez Napoleona Bonaparte. Straszliwe zbrodnie i terror w mieście zaczęły się, jak Waszej Wysokości wiadomo, w styczniu 1803 roku...

Przez chwilę drapałem się po podbródku pierzastym końcem pióra, potem kontynuowałem tym samym barwnym stylem:

...i zostały dokonane z pomocą i w obecności ich znajomej, Anny Rostowej, znanej prostytutki, zajmującej się czarną magią i praktykującej spędzanie płodu, co sama zeznała podczas przesłuchania przeprowadzonego bez użycia przemocy. Niemożliwością jest uzyskanie pełnego ideologicznego tła buntowniczych intencji przestępców, być może ich działalność nie miała żadnych powiązań z jakimkolwiek obcym mocarstwem ani nie chodziło im bezpośrednio o ściągnięcie na kraj wrogiej inwazji.

Zarówno Totz, jak i jego żona, przyznawszy się do swych jakobińskich sympatii, a także do udziału w zbrodniach, łącznie z zamordowaniem ich własnego siostrzeńca, Moritza Luthego, popełnili samobójstwo, pomimo surowego nadzoru sprawowanego nad nimi w więzieniu. Martwe ciało Anny Rostowej znaleziono trzy dni później w pobliżu ujścia rzeki Pregel. Nie do końca wiadomo, czy grupa ta zawarła pakt o samobójstwie, czy Anna Rostowa groziła wydaniem swych towarzyszy konspiratorów i została ukarana za zdradę, bądź też czy jakaś inna, nieznana osoba, może nawet nie związana ze spiskowcami, maczała palce w utonięciu tej kobiety. W związku z tym incydentem nikogo nie aresztowano, choć prowadzono w tej sprawie czynności śledcze. Okoliczności wskazują, że pozostali członkowie grupy spiskowców, trzej zagraniczni agenci, którzy przebywali w Bałtyckim Wielorybniku, zdołali uciec. Nie ma ich już w Królewcu, ale rozesłano za nimi listy gończe. Nazwiska tych trzech poszukiwanych wraz ze wszystkimi stosownymi dokumentami, łącznie z kopiami protokołów przesłuchań, raportami z poszukiwań, notatkami służbowymi etc., etc., zostały umieszczone w oficjalnej dokumentacji sprawy, numer 7-8/1804. Po rozbiciu grupy spiskowców możemy śmiało przyjąć, że morderstwa w Królewcu wraz z wynikającym z nich ryzykiem wewnętrznych rozruchów zostały definitywnie powstrzymane.

Pozwalam sobie wykorzystać tę okazję do poświadczenia odwagi i bezinteresownego przywiązania do swych obowiązków urzędnika państwowego i pisarza sądowego Amadeusa Kocha, mojego wiernego asystenta, który jako ostatni padł ofiarą zdesperowanych konspiratorów. Bez stałej i ofiarnej pomocy sierżanta Kocha i jego nieocenionej znajomości sposobów działania tutejszego przestępczego świata (i dewiacji przestępczego umysłu w ogóle) moje zaszczytne zadanie zidentyfikowania sprawców byłoby tysiąc razy trudniejsze. Zabójca pana Kocha jest prawdopodobnie również członkiem jakobińskiej bandy, która zbierała się *w gospodzie Totzów. Miejsce to było kolebką zdrady i konspiracji, jak sugerują znalezione materiały. Śmiem sądzić, że po śmierci głównych przywódców, Totzów i Anny Rostowej, Koch zginął z ręki nieznanego zabójcy, powodowanego intencją wprowadzenia zamieszania w policyjne śledztwo w sprawach poprzednich zgonów oraz wsparcia błędnego konceptu, reprezentowanego przez mojego szacownego poprzednika, prokuratora Rhunkena, że zbrodnie te były dziełem jednego człowieka, rzekomo opętanego szaleńczą żądzą mordu.*

Chciałbym także wyrazić moją wdzięczność dla zmarłego profesora Immanuela Kanta. Miasto Królewiec jest mu winne ogromną wdzięczność za jego całkowite poświęcenie się wyjaśnieniu tych zbrodni i przywróceniu spokoju w mieście, które ukochał ponad wszystko. Przenikliwość Waszej Królewskiej Mości jest powszechnie znana; jestem pewien, że Wasza Wysokość potrafi docenić wagę wysiłków podjętych, bez jakiejkolwiek pomocy finansowej czy materialnej zachęty ze strony lokalnych władz, przez sławetnego Profesora Filozofii dla zaprezentowania i wdrożenia systemu logicznego i analitycznego śledztwa policyjnego, które zostanie zapisane w annałach historii kryminologii, i to nie tylko w związku z tym konkretnym przypadkiem, ale w przyszłości przy każdej próbie zapobiegania społecznym konsekwencjom gwałtownej zbrodni oraz przy karaniu winnych, wymierzaniu im sprawiedliwości. Ja sam jako sędzia solennie obiecuję popierać i rozpowszechniać metody, których nauczyłem się od profesora Kanta, przekonany, że ich twórca dałby mi na to pozwolenie. Z całą pokorą proponuję, by rewolucyjna metoda profesora Kanta została natychmiast przyjęta przez kompetentne władze policyjne w całych Prusach i opublikowana na koszt państwa, dla dobra ludzkości. Byłby to właściwy pomnik dla wielkiego obywatela Prus.

Tak więc, przysięgając lojalność Koronie Hohenzollernów i Waszej Królewskiej Mości, proszę o pozwolenie na powrót do Lotingen i mojej rodziny i na podjęcie na nowo mych sądowych obowiązków, które tak gwałtownie musiałem porzucić.

Uniżony sługa,

Hanno Stiffeniis, prokurator

PS Cenną pomoc okazał mi funkcjonariusz Stadtschen z garnizonu w Królewcu. Polecam go do awansu.

Wielokrotnie czytałem cały raport, potem, nie zmieniając nawet przecinka, sporządziłem kopię dla generała K. Gdy wreszcie odłożyłem pióro i usiadłem wygodnie na krześle, by rozluźnić obolałe mięśnie pleców i szyi, fikcja nabrała blasku prawdy. W istocie to była prawda. Taka, jaką opowiem żonie, dzieciom, a potem wnukom. Prawda, jaką pozna świat.

Złożyłem raport i kopię, opieczętowałem za pomocą płomienia świeczki, czerwonego wosku i urzędowego sygnetu. Gdy to czyniłem, powtarzałem sobie, że kierował mną Pan, nasz Bóg. On to przywiódł mnie do Królewca, On mnie przyprowadził do Immanuela Kanta, On kazał mi zaproponować sierżantowi Kochowi przeznaczoną dla mnie pelerynę. W swej nieskończonej mądrości to On postanowił, że Koch musi umrzeć dla jednej prawdy, abym ja mógł przeżyć dla innej. Pan przywiódł mnie do rozwiązania tej zagadki i zasugerował epilog, jaki powinienem napisać. Gdy wciskałem sygnet w czerwony wosk, czułem Jego ciężką dłoń, napierającą na moją. Moja ręka była tylko instrumentem, niczym więcej.

Odłożyłem pieczęć na blat stołu, by stygła, zdmuchnąłem migoczący płomyk świecy i wezwałem żandarma. Oddawszy mu przesyłkę, spojrzałem na zegarek i skierowałem się do sypialni. Pozostało mi ledwie tyle czasu, by umyć się i zmienić koszulę; potem udałem się na pogrzeb Amadeusa Kocha, który odbyć się miał o dziewiątej na wojskowym cmentarzu na tyłach kaplicy.

Przy prostej, drewnianej trumnie nie było poza mną żadnego żałobnika. Czterej żołnierze z oddziału opuścili ciało do zimnej ziemi. Zmówiłem po cichu modlitwę za wspaniałomyślną duszę sierżanta Kocha. Jego poświęcenie doprowadziło mnie wprost do zabójcy. Nie padły inne słowa. Żadne słowa, poza odmówioną z powagą modlitwą wojskowego kapelana, nie były potrzebne.

Gdy włożyłem kapelusz i odwróciłem się, by odejść, dźwięk padającej na trumnę ziemi na chwilę mnie zatrzymał. Czy postąpiłem właściwie? W końcu Merete Koch leżała pochowana gdzieś w mieście. Może powinienem wziąć to pod uwagę, nim zadysponowałem pogrzeb sierżanta Kocha wewnątrz murów twierdzy? Byli towarzyszami w życiu, powinni pocieszać się po śmierci.

Ale poza tym jedynym szczegółem sprawa w Królewcu naprawdę została zakończona.

W dwie godziny spakowałem torbę podróżną i wsiadłem do tego samego powozu, który przywiózł mnie do miasta w towarzystwie Amadeusa Kocha. Nad moją głową zabrakło „rozgwieżdżonego nieba", bym je podziwiał, jak zaleca najsłynniejsze z powiedzeń Immanuela Kanta. Gdy chowano sierżanta, powiało śniegiem, ale teraz niskie niebo przypominało ciężką czarną derkę. Bezlitośnie zawisło nad Królewcem i nad niepodważalną prawdą, którą zostawiałem za sobą, jak wierzyłem, na zawsze.

ogoda się pogorszyła i Immanuela Kanta nadal nie pochowano, choć minęło szesnaście dni. Ziemia tak mocno zmarzła, że nie można było wykopać grobu. Wystawione na publiczny widok w uniwersyteckim kościele w Królewcu ciało wyschło, skurczyło się. Zaczynało przerażająco przypominać szkielet, jak zauważyła miejscowa gazeta, i ojcowie miasta modlili się o zmianę pogody.

Po powrocie do Lotingen rzuciłem się w wir obowiązków. Ciężka praca powinna była okazać się najlepszym lekarstwem na moje smutki, jednak niewiele postępów poczyniłem w sprawach, które nagromadziły się podczas mojej nieobecności. Siedziałem godzinami, długo w noc, ze wzrokiem wbitym w kwiecisty deseń na ścianach mego biura lub w domu bezmyślnie przerzucałem papiery na biurku. Jedyne ukojenie znajdowałem w rodzinie. Helena okazywała mi miłość tysiącami spojrzeń i czułych gestów i po prostu nie mogłem ignorować łagodnej strategii przyjętej przez nią, by zmniejszyć mój ból: mam na myśli moje kochane maleństwa. Małżonka moja dopilnowała, byśmy spędzali razem wiele czasu, o wiele więcej niż przed mym wyjazdem. Szybko przywołała do porządku dzieci podekscytowane widokiem ojca po tak długiej jego nieobecności, surowo ograniczyła, nim sprawy posunęły się za daleko, nieoczekiwaną wolność, jaką się cieszyły.

Pewnego ranka Helena wpadła do mego gabinetu z pachnącym jeszcze drukarską farbą egzemplarzem „Miesięcznika Królewieckiego" w ręku.

— Zupełnie jakby ziemia zgodziła się wreszcie przyjąć jego ciało — oznajmiła, kładąc gazetę na biurku.

Wreszcie po obfitym deszczu przyszła nagła odwilż, głosiły tytuły, i pogrzeb profesora Kanta miał odbyć się następnego dnia o godzinie pierwszej. Uważnie przeczytałem artykuł i spojrzałem na żonę.

— Jedź do Królewca, Hanno. Bądź świadkiem, jak kładą go na spoczynek wieczny — powiedziała tonem łagodnym, a jednak tak stanowczym, że ja już nie miałem w tej sprawie wyboru. Jakby pocieszała któreś z dzieci po bolesnym upadku.

Choć wcześniej zdecydowałem, że moja noga nigdy więcej nie postanie w Królewcu, o świcie następnego dnia, odziany w czarne ubranie i płaszcz, z czarną jedwabną opaską przymocowaną do ronda kapelusza, wsiadłem do dyliżansu. Cieszyłem się, że nie ma innych pasażerów, nie musiałem angażować się w rozmowę, na którą nie miałem ochoty. W przyjemnej samotności, z ciężkim sercem wspominałem poprzedni raz, gdy pokonywałem tę samą drogę w towarzystwie Amadeusa Kocha.

Mimo że powóz przybył na miejsce w południe, udałem się wprost na Magisterstrasse, gdzie poprzedniego dnia przewieziono doczesne szczątki profesora Kanta. Na wąskiej uliczce tłum prostych ludzi walczył o miejsce z lepszym widokiem, a kolejne pojawianie się osób bliżej związanych z filozofem sprawiło, że uliczka ta bardziej przypominała tętniący życiem jarmark niż przybytek spokoju, jakim była za życia Kanta.

Przechodząc przez furtkę w ogrodzie, zostałem wchłonięty przez morze żałobników, poniesiony na fali studentów Collegium Fridericanum w akademickich szatach, którzy przyszli po raz ostatni złożyć wyrazy szacunku. W jadalni na katafalku ustawiono dębową trumnę, otoczoną wieńcami laurowymi, udekorowaną kompozycjami z kwiatów. Wieko stało oparte o ścianę; zdjąłem kapelusz w milczącym hołdzie dla szczątków filozofa. Ujrzałem śmierć w całej jej okazałości; ten sam zagadkowy uśmiech, który zapamiętałem, widniał na zabarwionych różem wargach. Ani śmierć, ani balsamista nie byli w stanie go zetrzeć.

— Wszystko jest tak, jak by sobie życzył — mruknął głos przy mym uchu i pan Jachmann wyciągnął do mnie dłoń w czarnej rękawiczce. — Opuściłeś pan miasto w niezwykłym pośpiechu, Stiffeniis — powiedział. — Nie byłem pewien, czy tu pana dzisiaj zastanę.

— Musiałem przyjechać — odrzekłem i słowa utknęły mi w krtani, gdyż nałożono drewniane wieko i stolarz właśnie wbijał w nie gwoździe.

Obserwowaliśmy w milczeniu, jak sześciu studentów podnosi trumnę wysoko i rusza z nią do wyjścia. Jachmann skierował mnie w stronę pierwszego rzędu nie kończącej się kolumny żałobników, ustawiającej się za czarnym powozem, ciągniętym przez cztery kare konie. Umocowano trumnę i kondukt powoli ruszył przed siebie a następnie podążył ulicami Królewca, wzdłuż których po obu stronach stały milczące tłumy.

Świątynia uniwersytecka jarzyła się tysiącami świec. Przytłumione organy rozbrzmiewały dostojną muzyką Dietricha Buxtehudego, podczas gdy zaproszeni żałobnicy i dostojnicy miejscy zasiadali w zarezerwowanych dla nich ławkach. Byli między nimi Johannes Odum, pani Mendelssohn i doktor Gioacchini także. Ja siadłem kilka rzędów w tyle, przeszywany dreszczami smutku. Nie potrafię powiedzieć, jak długo trwałem pogrążony w rozpaczy, gdy nagle moją uwagę przyciągnęła kobieta w ławce przede mną. Gdy zdjęła czarny szal, by lepiej otulić nim głowę, poznałem ją. Obejrzała się i przez moment nasze spojrzenia się spotkały.

Pani Lampe.

Ani przez chwilę nie myślałem, że zobaczę wdowę na pogrzebie człowieka, którego uważała za odpowiedzialnego za wszystkie zgryzoty męża. Co ona tu robiła? Zastanawiałem się przez chwilę, ale nie znalazłem odpowiedzi i znów skupiłem uwagę na nabożeństwie, które miało trwać następne dwie godziny. Pan Jachmann należał do licznej grupy mówców, sypiących frazesami, jak to zwykle bywa na pogrzebach, nieuchronnych jak sama śmierć. Gdy w końcu przemówili już wszyscy i nic więcej nie zostało do powiedzenia, mężczyźni wyznaczeni do niesienia trumny wysunęli się do przodu, ułożyli ją na swych młodych barkach i powoli wynieśli z kościoła.

Ruszyłem za nimi, ale pani Lampe stała w przejściu między ławkami i blokowała je; nie odrywała ode mnie swych ciemnych oczu.

— Miałam nadzieję, że spotkam tu pana — oznajmiła. — Inaczej nie przyszłabym. Myśli pan, że chciałam złożyć wyrazy szacunku tej kreaturze w pudle?

Próbowałem ją ominąć, ale nie drgnęła i nie usunęła się z drogi.

— Mam coś dla pana — szepnęła gniewnie, wyjmując spod okrycia cienką skórzaną teczkę na dokumenty.

— Cokolwiek to jest — odrzekłem zimno — proszę przekazać miejscowej policji. Moja władza w tym mieście już się skończyła.

Odwróciła głowę, popatrzyła w stronę ołtarza, potem znów spojrzała na mnie.

— Byłeś pan jego przyjacielem — stwierdziła, ściągając wargi. — Myślę, że pan powinien to dostać, wielmożny panie.

Spojrzałem na przedmiot, który mi wręczała.

— Znalazłam przed kilkoma dniami. Książka, nad którą pracowali.

Przez chwilę studiowałem twarz kobiety. W żadnym wypadku nie była głupia. Czy naprawdę nie wiedziała, co uczynił jej mąż? Nigdy niczego nie podejrzewała?

— Zabrałam panu już zbyt wiele czasu — rzuciła pospiesznie.

Wcisnęła mi pakunek do ręki, odwróciła się i wybiegła z kościoła.

Przytuliłem niespodziewany podarunek do piersi z tym samym przypływem uniesienia, którego doświadczyłem, gdy piastunka podała mi moje pierwsze dziecko. Filozoficzny testament Immanuela Kanta... On sam napomykał, że praca ta zmieni całkowicie charakter moralnej filozofii. Padłem na kolana i dziękowałem Wszechmocnemu za Jego niezmierzoną dobroć. Zostałem wybrany, by sławić nieporównywalną wielkość zmarłego Immanuela Kanta.

Wybiegłem ze świątyni i zacząłem przedzierać się przez kotłujący się na cmentarzu tłum, nie zwracając uwagi na ludzi, których brutalnie odsuwałem z drogi. Powietrze było zimne, mnie jednak ogarnęła gorączka. Usłyszałem głos pana Jachmanna wołającego mnie po imieniu, ale patrzyłem w drugą stronę, walcząc z falą ludzką napływającą z ulicy na cmentarz. I przez cały czas tuliłem do serca bezcenny pakiet, niczym Mojżesz święte tablice z góry Synaj.

Na spokojnej w miarę ulicy zatrzymałem się dla złapania oddechu. Gdzie mógłbym sobie poczytać, by mi nie przeszkadzano? Na jedną, pełną poczucia winy chwilę krew zmroziła mi intensywność ogarniającej mnie zachłanności. Moim jedynym pragnieniem było pozostać sam na sam z dziełem Kanta.

Dlaczego, w imieniu tego, co święte, nie udałem się wprost do pana Jachmanna i innych bliskich profesora, nie przekazałem im cudownej wieści? Dlaczego unikałem ich wszystkich, jakbym obawiał się utraty bezcennego skarbu, powierzonego mi przez panią Lampe? Prawda była taka, że nie zamierzałem z nikim z żyjących dzielić się ostatnimi, nie opublikowanymi myślami filozofa. Miałem wrażenie, że słowa, które Kant dyktował Martinowi Lampemu, przeznaczone były wyłącznie dla mnie. Lokaja i mnie połączyło braterstwo.

Niedaleko na tej samej ulicy odnalazłem tawernę. Zazwyczaj okupował ją tłum studentów, teraz jednak zapewne wszyscy udali się na pogrzeb. Zajrzałem przez okno i dostrzegłem, że lokal świeci pustkami. Wszedłem, usiadłem przy stole w najdalszym kącie i by usprawiedliwić swą obecność, poprosiłem o szklankę gorącej czekolady. Gdy tylko postawiono przede mną napój, a służący się oddalił, wyjąłem rękopis spod płaszcza i jak złodziej nad łupem pochyliłem się nad nim.

Kartki przytrzymywała razem brudna czerwona wstążka. Przerzucając je, dostrzegłem gdzieniegdzie miejsca, w których atrament został rozmazany piaskiem używanym do osuszania. Żadnego tytułu. Zabrakło też nazwiska autora. Otworzywszy tekst na pierwszej stronie, natychmiast poznałem charakter pisma. Niezdecydowane, nierówne linijki słów, brzydota liter, a także ich wielkość i kształt sprawiały wrażenie, jakby stawiało je dziecko. Widziałem ten sam charakter pisma w księdze pamiątkowej Rolanda Lutbatza. I znów pomyślałem, zaniepokojony: jakaż to okropna konieczność zmusiła profesora Kanta do powierzenia swych ostatnich myśli do tego stopnia nieodpowiedniemu sekretarzowi?

Po przeczytaniu pierwszych ustępów dotarło do mnie, jak bardzo zazdrosny byłem o Martina Lampego. Kant wielokrotnie przytaczał swoją fundamentalną tezę, że moralna natura obowiązku poddaje ludzkie zachowanie prawom uniwersalnym, opartym na racjonalizmie. Wszystkie czyny powinny zdążać, przekonywał mistrz, ku wspólnemu dobru, które reprezentuje prawdziwą wolność. Pomimo okropnego charakteru pisma lokaja nie mogłem nie rozpoznać niepowtarzalnego głosu Immanuela Kanta, tej jego determinacji w przedstawianiu surowych idei moralnej filozofii, które po raz pierwszy wyraził w *Podstawach metafizyki zachowania*, a następnie rozwinął w monolityczny moralny kodeks: *Krytykę praktycznego rozumu*.

Nie potrafię powiedzieć, w którym momencie poczułem się nieswojo. Stan ten nasilał się w miarę zagłębiania się w tekst. Autor zbaczał z dawnej, znanej mi ścieżki. Nagle znalazłem się zagubiony na zupełnie obcym terenie, nie rozpoznawałem go. Omiatałem wzrokiem następne linijki w poszukiwaniu jakiegoś konkretnego wywodu mogącego być dla mnie wsparciem, konceptu czy idei, które ponad wszelką wątpliwość mógłbym włożyć w usta Kanta. Czy pani Lampe nie pomyliła się? Czy przyniosła mi właściwy rękopis? W tym tekście było coś prowizorycznego, jakże odległego od wyrafinowanych myśli i elegancji wyrazu, zazwyczaj kojarzących się z Immanuelem Kantem. A jednak to, co czytałem, zdawało mi się także bardzo znajome...

Usiadłem prosto i napiłem się gorącej czekolady, próbując zebrać myśli i skoncentrować się. Niewątpliwie pogrzeb mnie przygnębił. Rozejrzałem się po kawiarni i zauważyłem, że przy pustych dotąd stołach zaczynają pojawiać się goście. Byli zmarznięci, zapewne przychodzili z cmentarza, a więc pogrzeb się skończył. Na szczęście nie rozpoznałem nikogo i nikt tu nie znał mnie. Wypiłem napój do końca i zamówiłem następną filiżankę. Oberżysta przyniósł do mego stołu dzbanek o smukłej szyi, pełen gorącej czekolady, i wymieniliśmy kilka słów o pogodzie i świetności pogrzebu. Żadne inne tematy nie były warte uwagi w Królewcu tego dnia. A później, jak tylko dało się najdyskretniej, wróciłem do tekstu i z trudem przedzierałem się przez następną stronę. I jeszcze jedną, dopóki nie dotarłem do strony czwartej. Do połowy.

— Och, Boże!

Serce skurczyło mi się boleśnie.

Zamknąłem oczy z nadzieją, że wszystko się zmieni, gdy znów je otworzę. Czy miałem przed sobą prawdziwą esencję piekła? I to nie te płonące ognie, wieczną agonię w nieznośnym bólu, ale świat cieni, gdzie święte anioły nagle zrzucają maski cherubinów i połyskujące półprzezroczyste skrzydła, by odsłonić straszliwą rzeczywistość, istniejącą pod spodem. Gdzie chóry niebiańskie wyśpiewują bluźniercze strofy, równocześnie wykonując obsceniczne gesty.

Filozoficzny testament profesora Immanuela Kanta, spisany niezręczną ręką Martina Lampego, zawierał moje własne słowa.

Słowa, które wypowiedziałem, gdy zostaliśmy z Kantem sami, siedem lat wcześniej...

Wspomnienie owego dnia sprzed siedmiu lat z nieznośną wyrazistością powróciło do mnie falą.

— Pospaceruj ze mną wokół twierdzy, Stiffeniis — zaproponował mi Immanuel Kant, gdy po obiedzie zebrano talerze.

— W taką okropną pogodę? — zaprotestował pan Jachmann, nie kryjąc zaniepokojenia.

Profesor Kant demonstracyjnie zignorował ostrzeżenie przyjaciela; założyliśmy płaszcze i szale. Na dworze zalegała mgła, gęsta i ciężka jak mokry ręcznik. Kant natychmiast ujął mnie pod ramię.

— Ty prowadzisz, Stiffeniis. Ja pójdę za tobą — oświadczył.

Zdawało mi się, iż sugeruje, że spodziewa się po mnie czegoś więcej niż demonstracji młodości i siły. Zamykając furtkę, podchwyciłem niespokojne spojrzenie pana Jachmanna, który zerkał zza firanek, ale mgła zachowywała się niczym żywa istota; Kant i ja zanurzyliśmy się prosto w jej rozdziawioną paszczę, połknęła nas jednym haustem.

Gdy tak szliśmy coraz dalej przed siebie, gorączkowo paplałem o moim pobycie we Włoszech poprzedniego lata. Opowiadałem o bezlitosnym słońcu, o przynoszącym ulgę chłodzie jesieni, po której nadeszły wilgotne zimowe miesiące — właśnie zaczynałem powrót do domu przez Francję; przyznałem też, że preferuję suchy, chłodny klimat naszych wzgórz.

Kant zatrzymał się nagle.

— Dość o pogodzie! — rzucił ostro. Prawie nie widziałem go we mgle. Wydawało mi się, że jego śmiertelnie blada twarz rozmywa się i znów nabiera kształtu, niczym usiłująca się zmaterializować ektoplazma. — Jedno ludzkie doświadczenie dorównuje siłom natury, tak wspomniałeś podczas posiłku. To najbardziej diaboliczne. Morderstwo bez motywu. Zabójstwo z zimną krwią. Co miałeś na myśli, Stiffeniis?

Zawahałem się z odpowiedzią. Ale przybyłem do Królewca po to właśnie, by zasięgnąć jego rady. Pospiesznie opowiedziałem mu, czego byłem świadkiem pewnego zimnego, szarego poranka. Zauroczony ideałami Oświecenia, ciekaw, jak rewolucjoniści obejdą się z monarchą, którego właśnie się wyparli, wracając do domu, zatrzymałem się w Paryżu. Dwudziestego pierwszego stycznia tysiąc siedemset dziewięćdziesiątego trzeciego roku stałem na placu Rewolucji, gdy Ludwik XVI wstępował na stopnie gilotyny. Nigdy wcześniej nie widziałem człowieka skazanego na śmierć, podekscytowany patrzyłem, jak król klęka przed śmiercionośnym narzędziem. Błyszczący metalowy trójkąt uniósł się w górę, zadudniły bębny. Ich uderzenia dorównywały biciu mego serca.

— Spojrzałem diabłu prosto w oczy — wyznałem Kantowi, być może nieco melodramatycznie — a on spojrzał w moje. Ostrze opadło z głośnym zgrzytem, zatrzymało się z obrzydliwym chrupnięciem, a całym moim jestestwem zawładnął wszechobecny zapach krwi.

Wdychałem słonawą woń jak kadzidło. Wchłaniałem każdy spazm ciała, którego odcięta głowa potoczyła się do czekającego na nią kosza. Oszołomiła mnie prostota tego czynu: dźwignia podniesiona, życie stracone. Sama esencja przyczyny i skutku. Tak szybko, z tak niszczycielską siłą, tak ostatecznie. Pragnąłem, by zdarzenie to powtarzało się bez końca, by na nie patrzeć i patrzeć wciąż od nowa...

Potwór wyłonił się z głębi racjonalnej osoby, za jaką zawsze się uważałem. Ów mój s o b o w t ó r pożądał śmierci, spragniony tej dzikiej euforii, jaką wywoływała. Próbowałem opisać tę emocję słowem, które, jak uznałem, powinno spodobać się Kantowi.

— To doświadczenie było w y s u b l i m o w a n e. Napawało mnie zachwytem, panie. Sparaliżowało mój umysł, duszę zachwyciło.

No właśnie. Wreszcie to wyznałem.

Profesor Kant milczał przez chwilę.

— Jest jeszcze coś, czyż nie? — rzekł nagle. — Skąd ta rozmowa o morderstwie bez motywu? Obywatelom Paryża nie brakowało powodów do uśmiercenia króla. Masz mi chyba coś więcej do powiedzenia.

Zupełnie jakby widział mnie na wskroś.

— Rzeczywiście, to prawda — przyznałem. — Szaleństwo przywlokłem ze sobą do domu. Przed miesiącem umarł mój brat...

Kant zareagował na moje słowa tym samym uprzejmym tonem, jakim nie dalej niż godzinę wcześniej pytał mnie, czy wolę chleb z masłem czy bez.

— Zamordowałeś go?

Nawet w oszołomieniu, w jakim się znajdowałem, uderzył mnie brak emocji w jego głosie. Po prostu zrozumiał coś, do czego ja sam bałem się przed sobą przyznać, a jednak myśl ta najwyraźniej nie wzbudzała w nim ani przerażenia, ani wstrętu. Zupełnie jakby zadał zwykłe, oczywiste pytanie.

— Stefan rok temu został zwolniony z armii — pospieszyłem z wyjaśnieniami. — Uznano go za najlepszego kadeta w akademii, był wymarzonym synem naszego ojca. Całkowite przeciwieństwo mojej natury, skłonnej do skrajnych nastrojów. Ale Stefan zachorował. Zupełnie bez powodu nagle zapadał w głębokie omdlenie. Przyczyna leżała w nadmiernej ilości cukru w jego urynie. Jedynie miód mógł przywrócić go do przytomności. Gdyby zostawiono go bez pomocy, ostrzegali lekarze, jego życie znalazłoby się w niebezpieczeństwie. Wszyscy domownicy wiedzieli o tym. Służba została poinstruowana, co ma robić w razie ataku. Słój miodu i łyżka znalazły się w każdym pomieszczeniu. Gdy Stefan był blady, pocił się, miał kłopoty z mową, należało podać mu miód. Nie wolno mu było opuszczać domu bez zakorkowanej buteleczki z miodem w kieszeni.

Urwałem, oczekując jakiejś reakcji ze strony profesora Kanta, ale on milczał i słuchał z uwagą — wyblakły cień na tle wirującej mgły.

— Gdy wróciłem z podróży, wciąż czułem w sobie niepokój, taki sam, jakiego doświadczyłem w Paryżu, jakby utkwiło we mnie niewidoczne żądło. Nie ośmieliłem się nikomu powiedzieć o tym ani słowa. Zwierzyłem się jedynie Stefanowi. Wysłuchał mnie w milczeniu. Nie osądzał ani nie krytykował, tylko patrzył mi prosto w oczy. Potem, kilka dni później, ni stąd, ni zowąd namówił mnie do zrobienia czegoś, czego ojciec absolutnie nam zabronił.

— Co to było? — zapytał Kant, być może zmęczony moim opowiadaniem.

— W pobliżu naszego domu wznoszą się skały zwane Richtergade. W dzieciństwie wyścig na szczyt należał do naszych ulubionych rozrywek. Należało, a raczej p o w i n i e n e m był odmówić, a jednak nie uczyniłem tego. Stefan nalegał, prowokował mnie. Zaproponował zabawę, *divertissement,* grę, którą przyjąłem z entuzjazmem. Wyczerpujący wysiłek fizyczny miał oderwać mój umysł od przytłaczających mnie problemów. Nie pomyślałem o Stefanie, jedynie przypomniałem mu o zabraniu buteleczki z miodem. W odpowiedzi lekko przytaknął ruchem głowy, no i poszliśmy. Był chłodny, idealny na wspinaczkę dzień; ja pierwszy stanąłem na szczycie skalnego wzniesienia. Nigdy dotąd nie udało mi się wygrać w tym wyścigu. Stanąłem tuż nad krawędzią, twarzą w stronę wiatru, a szalejąca przyroda uciszała burzę we mnie. Zapragnąłem powiedzieć Stefanowi o mej radości. Chciałem mu podziękować. I właśnie wtedy usłyszałem jego ciężkie sapanie, gdy tuż pode mną usiłował sięgnąć do skalnych występów. Spojrzałem w dół i... znów sparaliżował mnie widok oblicza śmierci. Na wargach mego brata ukazała się piana, oczy cofnęły mu się w głąb oczodołów; mięśnie twarzy zadrżały, gdy próbował coś powiedzieć. Jego język przypominał zwiniętą pięść. Paznokcie wyciągniętych dłoni drapały mokry kamień i ześlizgiwały się po nim. Na moich oczach rozgrywała się walka, a ja patrzyłem, jakby było to... naukowe doświadczenie. Nagle Stefan puścił skalny występ i odpadł do tyłu, w przepaść. A co ja zrobiłem? Nic. Absolutnie nic. Patrzyłem, jak pędzi na spotkanie śmierci. W końcu, potykając się, do głębi wzburzony, zszedłem na dół i znalazłem jego pozbawione ducha ciało rozpostarte na trawie. Gdy spadał, ostry głaz jak rozwścieczona bestia wyszarpał mu kawałek głowy. Krew i mózg zaplamiły pokrytą mchem ziemię.

Tamtego wieczoru ojciec wpadł do mego pokoju. W ręce trzymał złocistą buteleczkę z miodem.

— Znalazłem to w twojej kieszeni — rzucił oskarżycielsko. Wyraz jego twarzy wrył się w moją pamięć. — „Dlaczego nie uratowałeś brata?" — zdawał się mówić.

Być może znalazł tę buteleczkę w innym żakiecie niż ten, który miałem na sobie tamtego dnia. Nie potrafię powiedzieć. Przysięgam panu, nie zabierałem bratu miodu. A przynajmniej nic takiego nie pamiętam.

Nie nazwał mnie mordercą. Takie było jednak ostatnie słowo mej matki, zanim umarła. Leżała w łóżku jak posąg przez kilka tygodni po śmierci Stefana, jej zaszklone oczy patrzyły przed siebie, nic nie widząc. Zwróciła się do mnie w momencie śmierci i rzuciła oskarżenie, jakiego nie zniósłby żaden kochający syn. Pozwolono mi pójść na jej pogrzeb, ale potem ojciec rozkazał mi opuścić dom i nigdy nie wracać.

Umilkłem, by nabrać powietrza.

— Na pogrzebie pewien przyjaciel ojca wspomniał mi o panu, profesorze. Powiedział, że moralne nakazy rozumu są o wiele silniejsze od sentymentalnych impulsów ludzkich. M u s i a-ł e m z panem porozmawiać. Czułem, że pan, być może, mnie zrozumie. Miałem nadzieję znaleźć ratunek w filozofii. Dlatego tu dzisiaj przybyłem — wyjaśniłem. — Tak więc, jak student przy końcu wykładu, podchodzę do pańskiej katedry, mówiąc...

— Zaczarowała mnie śmierć — zakończył za mnie Kant. Pochylił się blisko i z niezwykłą ciekawością w oczach zajrzał mi w twarz.

— Czy jestem mordercą, panie profesorze? — zapytałem.

Mógłbym stać tak przed Bogiem, czekając na ostateczny wyrok, ale Kant milczał przez jakiś czas.

— To twój brat rzucił wyzwanie — powiedział w końcu cicho. — Znał ryzyko lepiej od ciebie. Przyjmijmy, że zabrałeś miód automatycznie, bezwiednie. W takim przypadku nie zdawałeś sobie sprawy, że leżał w twej kieszeni. Twój brat natomiast uznał, że postąpił jak zawsze, gdy wychodził z domu. Ale tak nie było. Umysł wyczynia dziwne sztuczki — zauważył z uśmiechem, pukając się palcem w czoło.

— Zauważyłeś to już? Czasem ogarnia nas kompletna pustka, gdy chodzi o codzienne nawyki. Zapominamy o tym, co najbardziej oczywiste, czasami wręcz decydujące o przeżyciu.

— Pustka, panie profesorze? Jednak tylko tam stałem i patrzyłem. Czemu nie próbowałem go ratować?

— Według mnie, Stiffeniis, wielce roztrzęsiony tym, co się stało, nie zdołałeś zareagować. Byłeś unieruchomiony przerażeniem, sam, bez nikogo, kto mógłby pomóc. Wziąłeś na siebie ciężar jego śmierci, ale to tylko połowa obrazu. To samo mogło się było wydarzyć tam lub w jakimś innym miejscu, czy byłeś obecny, czy nie. On cierpiał na poważną chorobę, tak powiedziałeś.

— Byłem t a m — powtórzyłem z uporem.

— Niestety, to prawda — odrzekł Kant łagodnie. — I ponadto, jak mniemam, znajdowałeś się w bardzo dziwnym stanie umysłu po tym, czego byłeś świadkiem w Paryżu. Gdy twojemu bratu przydarzył się śmiertelny wypadek, wciąż jeszcze dręczyło cię wspomnienie egzekucji króla. Śmierć rozkazuje nam wszystkim. Strach sprawuje nad nami władzę. Skrajne przerażenie wywołuje — zawahał się, szukając odpowiednich słów — przedziwny stan umysłu, którego nie umiem określić lepszym terminem...

Przerwał i strapiony wpatrywał się w ziemię, jakby szukał słowa czy konceptu, a te z uporem odmawiały pojawienia się, umykały nawet jego przenikliwości.

— Co powinienem zrobić? — zapytałem błagalnie, czekając na werdykt.

Słowa profesora Kanta miały zmienić moje życie.

— Odwiedziłeś umysł mordercy od wewnątrz, Hanno. Gościłeś w sobie myśli, do jakich niewielu ośmieliłoby się przyznać. Nie jesteś sam! I ta wiedza czyni cię kimś wyjątkowym. Musisz wykorzystać ją w imię dobra — odrzekł serdecznie.

— Ale jak, panie profesorze? Jak?

Gdy przemówił, jego słowa wlały się do mej udręczonej duszy niczym uzdrawiający balsam.

— Zaprowadź porządek tam, gdzie zbrodnia wnosi chaos. Naprawiaj krzywdy. Studiuj prawo.

Dwa tygodnie później zapisałem się na uniwersytet w Halle. Po pięciu latach, po otrzymaniu naukowego stopnia, zacząłem wykonywać obowiązki sędziego. Wraz z Heleną Jordaenssen, od siedmiu miesięcy moją żoną, osiadłem w miasteczku prowincjonalnym Lotingen. Była to spokojna, uregulowana egzystencja, ale lubiłem jej monotonną anonimowość. Powołano mnie nie tyle po to, bym sądził i karał, ile bym sprawował urząd. Ale tylko częściowo podążyłem za wskazówkami Kanta. Miasteczko to nie znało gwałtownych zbrodni, więc nigdy tak naprawdę nie zostałem poddany próbie.

Aż do dnia, gdy sierżant Koch wszedł do mego biura.

Spojrzałem na stronę przed moimi oczami i przeczytałem słowa, które Kant podyktował Martinowi Lampemu:

Prawa natury zostają odwrócone, gdy Boską moc wykorzystujemy do władzy nad inną ludzką istotą. Morderstwo z zimną krwią otwiera wrota do wzniosłości. Do z niczym nie dającej się porównać apoteozy...

Pytanie spadło na mnie z siłą uderzenia młota. Czyżby profesor Kant zaraził się tym samym obłędem, z którego mnie zamierzał wyleczyć? Czy odsłoniłem przed nim dotąd zamkniętą ścieżkę, podałem mu złote jabłko zabronionego poznania, leżące na jej końcu? Filozofia Kanta utkwiła na rafie, a ja nieświadomie rzuciłem mu linę ratowniczą. Czy pod koniec życia poznał drogę do absolutnej wolności, czego nie udało mu się dokonać poprzez przestrzeganie racjonalnej dyscypliny i logiczne debaty? Tuż przedtem, zanim znaleziono ciało sierżanta Kocha, Kant był wyraźnie roztrzęsiony, głos ochrypł mu z przejęcia.

— Oni nawet nie potrafią sobie wyobrazić tego, co ja zdołałem wykoncypować — grzmiał gniewnie. Mówił o atakujących go krytykach, filozofach romantyzmu, najwyższych kapłanach *Sturm und Drang*. — Nawet nie potrafią sobie wyobrazić...

Dokończyłem zdanie za niego.

„Nawet nie potrafią sobie wyobrazić, czego dokonałem z twoją pomocą, Stiffeniis".

Ta myśl wybuchła mi w mózgu niczym rozżarzona do czerwoności magma z krateru wulkanu. Czyżby swą książką Immanuel Kant zasiał ziarno zła w umyśle swego lokaja, dyktując mu noc w noc swe tezy, wiedząc, że Lampe przyjmie je dosłownie? Czy Kant świadomie wykreował morderczego Golema w słudze, po czym poszczuł go na Królewiec?

„Jeżeli Kant wiedział..."

Jan Konnen, Paula Anne Brunner, Johann Gottfried Haase i Jeronimus Tifferch stali się jego ofiarami. Sprowokował upokorzenie, które skończyło się śmiercią dla prokuratora Rhunkena, doprowadził do zamordowania Moritza, chłopca na posługi, przywiódł Totzów do samobójstwa, Annę Rostową do cna pozbawił normalności, wreszcie duszę Lublinskiego uczynił równie potworną jak twarz. Swą ingerencją na zawsze zrujnował życie pani Tifferch i jej zgorzkniałej służącej. Jak i tych wszystkich, którzy znali i kochali pomordowanych. Miasto Królewiec i jego mieszkańcy wciągnięci zostali w pajęczynę terroru, jakże przemyślnie utkaną przez Kanta.

I zamordował Kocha. Mego przyjaciela, wiernego asystenta. Skromnego sługę państwa i mojej osoby. Sierżant Koch nie znajdował nic bezpiecznego w filozofii Kanta, nic dodającego otuchy w osobie profesora. Koch wyczuwał coś złowieszczego w zainteresowaniu się filozofa zbrodnią, dostrzegł obecność zła w jego laboratorium, podczas gdy ja byłem oszołomiony podziwem.

„Jeżeli Kant wiedział..."

Wybrał mnie tylko z jednego powodu. Ja poznałem umysł mordercy od wewnątrz. Sam to powiedział. Wybrał m n i e — nie prokuratora Rhunkena ani bardziej doświadczonego sędziego — bym podziwiał diabelskie piękno jego ostatniej filozoficznej tezy. Wyjątkowa ekspresja woli, czyn sięgający poza granice logiki czy rozumu, dobra czy zła: morderstwo bez motywu. Chwila, gdy człowiek jest wolny, nie ograniczony więzami moralności. Jak natura. Lub jak Bóg. Gdy nalegałem na potrzebę znalezienia logicznego dowodu, wiarygodnego wyjaśnienia, gdy zawiodłem go nie zrozumiawszy tego, co chciał, by do mnie dotarło, Kant otworzył drzwi i wysłał mnie na pewną śmierć, ze swym własnym okryciem na mych ramionach. Ale Koch pokrzyżował te plany; przyjął śmiertelny cios przeznaczony dla mnie.

„Jeżeli Kant wiedział..."

Gdy wezwał mnie do siebie, nie interesowałem go jako człowiek, jakim się stałem, pracowity sędzia, żonaty, z dwójką małych dzieci, spokojnie egzystujący w Lotingen. Wręcz przeciwnie, zaapelował do zagubionej, udręczonej istoty, którą widział zaledwie raz, splamionej krwią króla zamordowanego na jej oczach w Paryżu, do posępnego osobnika, który patrzył, jak umiera jego brat, głupca, który odsłonił przed nim najciemniejszy sekret ludzkiej duszy, gdy pewnego zimnego popołudnia spacerowali razem we mgle wokół królewieckiej twierdzy. Powierzając mi sprawę, profesor Kant zamierzał przywołać demona, którego spotkał siedem lat wcześniej.

I podczas tych dni w Królewcu, pomyślałem przeszyty gwałtownym dreszczem, czyż omal mu się to nie udało?

Głowy w słojach fascynowały mnie bardziej, niż ośmieliłbym się przyznać. Czy chodziło tylko o oczarowanie nauką? Czyż nie poczułem dreszczyku podniecenia, gdy badałem zamarznięte ciało notariusza Tiiffercha? I rozłupaną czaszkę Moritza? I gdy z całej siły uderzyłem pięścią w napuchniętą twarz Gerdy Totz, a potem nie powstrzymałem się od zerknięcia na krwawą maskę, w jaką zmienił swe oblicze jej mąż? Zbytnio też zapaliłem się, pomimo ostrzeżeń Kocha, do pomysłu zastosowania tortur, gdy tylko nadarzyła się ku temu okazja. Augustus Vigilantius, przy naszym pierwszym spotkaniu, zdołał wywrzeć na mnie wrażenie, mimo że wszystko we mnie wzbraniało się przed nim. Potem Anna Rostowa skłoniła głowę przed moimi mrocznymi intencjami, rozpoznawszy pokrewną duszę, naturę perwersyjną i potępioną jak jej własna. Bo przecież podnieciła mnie jej zbrodnicza cielesność...

Ze wstydu zamknąłem oczy.

Ale z głębi mego serca wydarł się krzyk protestu.

Nie! Uczyniłem to wszystko wiedziony pragnieniem dopadnięcia mordercy. Wykorzystałem laboratorium Kanta dla dobra nauki i metodologii. To właśnie podziwiałem, nie te makabryczne eksponaty same w sobie. Sztywne ciało Tiiffercha zdradziło mi, jak ofiary spotkała śmierć. Podniosłem rękę na Gerdę Totz, by zaoszczędzić jej o wiele gorszej kary. Nie mogłem przewidzieć rozpaczliwej determinacji, wiążącej ze sobą żonę i męża. Potem pojawiła się Anna Rostowa. Różniła się od Heleny, kobiety którą wybrałem na towarzyszkę życia. Były chwile, gdy miałem nadzieję, że ochronię albinoskę przed konsekwencjami jej zbrodni. Nie aby posiąść jej ciało, lecz by ocalić to cielesne piękno przed brutalnością żołdactwa.

W oczach Kanta zawiodłem, gdyż nie potrafiłem docenić urody tych zbrodni. Ale już nie byłem tym samym człowiekiem, za którego mnie uważał. Na zawsze uwolniłem się od tamtego demona. Moje serce zostało ogrzane, zbawione, ocalone — przez miłość. Miłość mojej żony. Miłość moich dzieci. Miłość do prawa, do moralnej prawdy. Nic, co Immanuel Kant rzucał na mą drogę, nie zdołało ponownie wyciągnąć na światło dzienne tej mrocznej, sekretnej strony mojego „ja". Siedem lat wcześniej, spacerując z profesorem w mroźnej mgle wokół twierdzy, zostałem prawdziwie wyleczony. A stało się tak wyłącznie dzięki n i e m u...

W ogarniającym świat mroku popędziłem po kocich łbach uliczki. Wpadłem na kamienny most na jej końcu, zatrzymałem się na samym środku. Pode mną, niczym gorąca melasa, bulgotały wzburzone szarobrązowe wody rzeki Pregel. Wychyliłem się nad kipiel i strona po stronie darłem na kawałeczki dokument, który pani Lampe poleciła mej pieczy. Białe strzępy opadały jak płatki świeżego śniegu; wygłodniały nurt połknął je w jednej chwili.

Tak więc ostatnia praca Immanuela Kanta, profesora na uniwersytecie w Królewcu, została rzucona do wody bez świadomości nic nie podejrzewającego świata.

Wróciwszy do domu rzuciłem się w wir pracy, bardziej niż kiedykolwiek przekonany, że dzienna porcja czynności prowincjonalnego sędziego wystarczy mi do szczęścia. Dni wypełniały mi sprzeczki dotyczące korzystania ze wspólnej ziemi, drobne sprawy spadkowe, spory między rywalizującymi sklepikarzami, utarczki chłopów, którzy przy świetle księżyca wykradali sobie nawzajem paszę ze stodół; od czasu do czasu przypadki nieprzystojnego zachowania, a także częste pijaństwa czy zakłócanie spokoju. Takie miałem codzienne troski. Nic poważniejszego niż przypadkowe rozjechanie koguta przez zaprzęgnięty w konia wóz, toczący się do domu w zapadającym zmroku, nie zakłócało mych godzin pracy czy pór odpoczynku.

Wydarzenia w Królewcu nie znikły z mych myśli, ale związane z nimi przeżycia z czasem zeszły na dalszy plan, stały się mniej wyraźne. Pamięć, niczym dopiero co zasklepiona blizna, dająca o sobie znać w zimne dni, przypomina nam, że niebezpieczeństwo i ból już są poza nami, najgorsze należy do przeszłości, a my z każdym dniem czujemy się lepiej. W istocie życie moje wróciło niemal do normalności i było tak do początku kwietnia, gdy niespodziewanie otrzymałem list od prawnika Olmutha Hanfstaengla, odkąd pamiętam prowadzącego sprawy naszej rodziny. Bez żadnego wstępu poinformował mnie, że przed dziesięcioma dniami ojciec mój zmarł po gwałtownym ataku; pochowano go, zgodnie z jego ostatnią wolą, obok mej matki i brata, na należącej do naszej rodziny części cmentarza w Ruisling, a on, Hanfstaengel, wyznaczony został na wykonawcę testamentu. W swym lakonicznym liście donosił mi, że majątek, ziemia, dom i wszystko, co się w nim znajdowało, zostały sprzedane, z jednym wyjątkiem, wyraźnie zaznaczonym w testamencie przez ojca, a uzyskane kwoty, po opłaceniu podatku spadkowego, przekazano w postaci darowizny Akademii Wojskowej dla Chłopców w Drouzbha, gdzie Stefan służył swemu krajowi przez kilka krótkich miesięcy. W zwięzłym kodycylu prawnik Hanfstaengel dodał, że moje imię widnieje w jednym tylko punkcie testamentu ojca i że wnet dostanę nowe wiadomości. To krótkie zapewnienie zakończyło list.

Gdy go czytałem, Helena w milczeniu stała u mego boku. Ręce ciasno skrzyżowała na piersiach, zdawało się, że walczy z rosnącym niepokojem, który wywołało nadejście listu. Bez słowa podałem go jej. Przebiegła wzrokiem stronę, a gdy kilka chwil później spojrzała na mnie, ujrzałem w jej oczach błysk ożywienia; wyraz jej twarzy zdradzał narastającą radość, mimo starań, w żaden sposób nie zdołała jej ukryć.

— Myślę, że Stefan modlił się za nas, błagałam go o to, gdy pojechałam do Ruisling złożyć świeże kwiaty na jego grobie — oznajmiła z wielkim przejęciem.

Najwyraźniej wciąż wierzyła, że jej przypadkowe spotkanie z moim ojcem tamtego dnia na cmentarzu dokonało cudu, zaowocowało pojednaniem, zmianą nastawienia ojca do mnie, i dlatego nie zapomniał o mnie w swym testamencie; pośmiertnie przytulił swego jedynego pozostałego przy życiu syna. Przez chwilę starałem się uwierzyć, że Helena się nie myli. Jednak w liście tym wyczuwałem coś niepokojącego, coś, co nie pozwalało mi na optymizm, jaki żywiła moja żona. Zawsze gdy ojciec mówił o mym bracie, używał określenia: „Stefan, mój ukochany syn". Gdy chodziło o mnie, wymieniał jedynie me imię.

Jednak, w stanie wzmożonej nadziei — jeżeli to właściwe określenie — czekaliśmy na dalsze nowiny od prawnika Hanfstaengla. Nadeszły dwa tygodnie później. Kilka słów, nic więcej:

Oto twoje dziedzictwo, według ostatniej woli zmarłego Wilhelma Ignatiusa Stiffeniisa.

W podnieceniu przypatrywaliśmy się, jak woźnica i jego pomocnik zdejmują z wozu kufer i wnoszą go pod drzwi korytarza. Natychmiast rozpoznałem dębową skrzynię, wzmocnioną stalowymi obręczami: ten najpokaźniejszych rozmiarów kufer z mego rodzinnego domu zawsze stał w ubieralni matki. Nie musiałem go otwierać, wiedziałem, co znajdę w środku. Byłem jak sparaliżowany. Serce zamarło mi w piersi, potem zaczęło walić jak młotem, jakby w oczekiwaniu na coś strasznego.

Ukląkłem na zimnej kamiennej posadzce i uniosłem wieko.

W kufrze byle jak upchnięto wszystkie rzeczy Stefana: ubrania, które najczęściej nosił, pamiątki po szczęśliwych dniach, ulubione książki, które czytał wciąż na nowo. A na samym wierzchu leżało pięć szklanych buteleczek ze złocistym miodem. Podczas ostatniej, pełnej udręki części jego życia te napełnione słodyczą naczynka gwarantowały mu znośną egzystencję. Szósta buteleczka zbiła się w czasie podróży. Wśród rzeczy walały się kawałki zbitego szkła, lepiły się resztki miodu.

Ta k i e otrzymałem dziedzictwo.

Ojciec nie zamierzał pozwolić mi zapomnieć. Nie przekazywał mi spokoju ducha. Klątwa, którą rzucił na mnie za życia, miała przetrwać i po jego śmierci. Do mego własnego domu przetransportowano wszystko, co pozostało po przerwanym istnieniu mego brata.

Zwróciwszy się do Heleny, dostrzegłem, że radość znikła z jej oczu. Zaskoczona, wpatrywała się we mnie oskarżycielskim wzrokiem i w jej przedłużającym się milczeniu wyraźnie czaiły się pytania, na które nigdy jej nie odpowiedziałem. Te z listu, który otrzymałem od niej w Królewcu, po jej jedynym spotkaniu z mym ojcem.

Nie potrafię sobie wyobrazić przyczyny podobnej nienawiści ojca do syna. O co on cię obwinia, Hanno, co takiego zrobiłeś?

Nie mówiąc ani słowa, umieściliśmy kufer na strychu, gdzie przez kilka miesięcy leżał, pokrywany przez kurz.

Minęło wyjątkowo mokre lato, nadeszła zimna, ponura jesień; pewnego wieczoru byłem zmuszony udać się na poddasze w poszukiwaniu świec. Znalazłszy je, już miałem zejść na dół, lecz pozostałem pod wpływem nagłego impulsu. Niezdrowa ciekawość, rozniecona niechęcią do ojca, skłoniła mnie do otwarcia kufra i przejrzenia jego zawartości uważniej, niż pozwolił mi na to za pierwszym razem stan wzburzenia, w jakim się znajdowałem. Gdy wieko odpadło do tyłu na pordzewiałych zawiasach, w powietrze wzbiła się chmura kurzu, emanująca bólem i smutkiem. To, co pozostało po krótkiej egzystencji mego brata na ziemi, wciśnięto do skrzyni na siłę, bez ładu i składu, bez żadnego poszanowania. Miód zastygł niczym bursztyn na rulonie listów miłosnych, obwiązanym wyblakłą różową wstążką, zaplamił okładki ulubionej książki Stefana, *Cierpienia młodego Wertera*.

Usiadłem na drewnianej podłodze — tomik ciążył mi w dłoniach jak ołów — i wspominałem, jak on uwielbiał tę powieść. Czytał ją chyba ze sto razy, zawsze z tą samą pasją, nawet za każdym następnym razem jakby z jeszcze gorętszym zapałem. Jakże często w pokoju, który dzieliliśmy, odczytywał na głos jej fragmenty! I jak często zasypiałem, podczas gdy wspaniałe frazy Goethego dźwięczały mi w uszach, choć ich nie słyszałem! W momencie nieuwagi, gdy na nowo przeżywałem uniesienia młodości, książka wysunęła mi się z rąk i upadła na podłogę. Podnosząc ją, zobaczyłem, że otwarła się na stronach z opisem przedwczesnej śmierci młodego bohatera. Stefan ołówkiem zanotował uwagi na marginesie, co zresztą często czynił. I nagle zauważyłem między nimi moje własne imię.

Najdroższy Hanno — przeczytałem — *być może zastanawiałeś się, czemu pozostałem milczący, gdy mówiłeś o Paryżu i zamordowaniu króla Ludwika. Całe życie zadręczałem cię pytaniami. Tym razem nie powiedziałem nic. Nie mogłeś domyślić się uczuć rozbudzonych w mej duszy przez Twoje słowa. Jak miałem Ci o nich powiedzieć? Jeżeli nie ma życia po śmierci, żadnego miejsca, gdzie znów będziemy mogli się spotkać, już teraz dziękuję Ci za tajemnice, którymi się ze mną podzieliłeś. I jestem Ci wdzięczny za wskazanie mi właściwej ścieżki. Czy samobójstwo można określić jako morderstwo z zimną krwią? Jest to najbardziej doniosła decyzja, jaką człowiekowi dane jest podjąć. Czy wolność może być bardziej absolutna?*

Jeżeli z pewnością czeka nas unicestwienie, jeśli mamy „znosić ciosy i ukłucia okrutnego losu", jak mówi angielski poeta, czemu nie przyspieszyć końca? Przez śmierć osiągamy sublimację życia.

Postanowiłem zakończyć me cierpienia.

I to z Twoją pomocą, drogi Hanno, choć nigdy się o tym nie dowiesz. Wątpię, czy kiedykolwiek zajrzysz do tej książki! Jutro czeka nas wspi-

naczka na Richtergade. Nie zawiedziesz mnie. Nasze umysły i serca wypełnia niepokój, najdroższy przyjacielu. Ty masz własne powody, ja także. Nic nie zrobi nam lepiej niż wyścig na szczyt. Ale ja nigdy nie wrócę, bo mam już dość miodu! Być może odkryjesz tę sztuczkę...

Gdy tamtego ranka wychodziliśmy z domu, wsunął zbawienną dla swego życia buteleczkę z miodem do mojej pustej kieszeni. Czytając ostatnią linijkę braterskiego przesłania, poczułem w oczach łzy:

Ponieważ pozwoliłeś mi zerknąć na wolność, w spadku pozostawiam Ci obraz mojej śmierci.
Ruisling, 17 marca 1793.

Oto jakie było moje prawdziwe dziedzictwo.

Czy mógłbym dostać wspanialszy spadek? I właśnie tym swoim przeczącym wszelkiej miłości pragnieniem pozostawienia mnie pod ciężarem klątwy nawet po swej śmierci, z poczuciem winy za zbrodnię, której nie popełniłem, mój całkowicie wyzuty z miłosierdzia ojciec przywrócił mi spokój umysłu, jak sądziłem, nieodwracalnie utracony przed siedmioma laty.

Następnego ranka, spacerując po terenach wokół domu, zachwycałem się pierwszym od tygodni pogodnym dniem, a także niepewnymi próbami samodzielnego chodzenia wykonywanymi przez małego Immanuela; i w końcu odpowiedziałem na pytanie Heleny; niczego nie ukrywając, opowiedziałem jej o śmierci Stefana i o oskarżeniach ojca. Słuchała w milczeniu. Ze spokojem patrzyła mi w oczy. Zupełnie jak mój brat, gdy opowiedziałem mu, co widziałem w Paryżu. Jak Kant, gdy zwierzyłem mu się ze swego lęku przed tym niewyraźnym kształtem, który objął we władanie mój umysł. Mówiłem jej o mojej niespokojnej młodości, o latach przed naszym spotkaniem i o człowieku, jakim stałem się od tamtego czasu; wtedy właśnie położyła rękę na mej dłoni, uniosła palec do ust i ruchem głowy wskazała na naszego synka. Immanuel oswobodził się z pomocnej dłoni i niezwykle poważnie oraz pewnie kroczył przed nami na swych tłustych nóżkach.

— To dobry, dzielny chłopczyk, Hanno. Być może trochę niezależny. Zupełnie jak jego ojciec — zauważyła Helena. — Sądzę, że nadszedł czas na wizytę w Ruisling. Jak myślisz?

Tamtego wieczoru usłyszałem, jak Lotte i Helena nucą w kuchni. Nasza służąca zdawała się równocześnie zaskoczona i zaciekawiona, przyznała wszakże, że cieszy się, widząc mnie tak spokojnego po wiadomości o śmierci ojca i wydziedziczeniu.

— Nie pamiętam go już tak beztroskiego jak dzisiaj — wyrwało się Lotte. — Pan jakby doszedł do siebie po długiej i ciężkiej chorobie.

Moja żona odpowiedziała jej tym ożywionym, radosnym tonem, jakim zwykle zwracała się do dzieci.

— Bo tak też jest, Lotte. Z pewnością wyzdrowiał.

Dwa dni później udaliśmy się na pielgrzymkę do rodzinnego grobowca w Ruisling. Podziękowania, które złożyłem Stefanowi, modlitwy zmówione za dusze matki i ojca dźwięczały jeszcze głośniej w ciszy tego miejsca — zdawało się, że otulają mnie ciepłym, dodającym otuchy płaszczem.

Gdy nadszedł maj, pewnego słonecznego ranka, po niemiłym tygodniu uporczywej, koszmarnej mgły i wczesnych przymrozków, które pokrywały jeszcze nie zaorane pola skrzącymi się iskierkami szronu, Lotte Havaars weszła do kuchni, przybierając dziwnie tajemniczą, teatralną pozę.

Wyciągnęła w stronę dzieci zaciśnięte pięści, potem nagłym ruchem rozprostowała palce i odsłoniła dwie jasnopomarańczowe biedronki, które ukryła w swej dłoni.

— Wszędzie ich mnóstwo, panie — oznajmiła z radosnym uśmiechem. — Czeka nas dobre lato. Biedronki o tak wczesnej porze! To zapowiedź obfitości. Napoleon nigdy nie zwycięży narodu tak bogatego, godnego i silnego.

Pamiętając, jak zeszłego roku śmialiśmy się z jej ponurych przepowiedni i jak wszystkie się sprawdziły, Helena i ja wymieniliśmy słabe uśmiechy. Zaiste byliśmy skłonni uwierzyć, że Lotte ma rację.

I tak też było.

Rok 1805 okazał się wielce obfity i pomyślny. W Prusach Wschodnich panował pokój. Tak jak Królewiec i wszystkie inne miasta w królestwie, te duże i te małe, Lotingen kwitło pracowitością jak za dawnych czasów. Napoleon Bonaparte stanął pod Austerlitz przeciwko połączonym siłom Austrii i Rosji. Wydawało się, że francuski cesarz przestał się nami interesować. Ale jak długo przetrwa ten nie zadeklarowany pokój? Przecież w 1802 roku cesarz wmaszerował do Hanoweru i zajął miasto, i nawet dziecko wiedziało, że może powtórzyć ten manewr, gdy tylko zechce. Margreta Lungrenek, wieszczka generała K., przewidziała taką możliwość, gdy odczytywała przyszłość ze splątanej, krwawej masy wnętrzności martwej, rozkrzyżowanej na stole wrony.

Historia miała potwierdzić jej przepowiednię.

Pruskie nasienie zasiało się w nieposkromionym umyśle i miało wzejść w ciągu roku, być może zaniesione na południe na skrzydłach nieświadomej wędrownej biedronki z pól na przedmieściach Jeny...

PODZIĘKOWANIA

Na powstanie tej powieści miało wpływ wiele wspaniałych książek, ale należy uznać, że *Opowieści z niemieckiego świata przestępczego*, autorstwa Richarda J. Evansa (New Haven and London: Yale University Press, 1998), rzuca najwięcej światła na życie i myśl w Prusach z początku dziewiętnastego wieku. Natomiast na temat życia i poglądów Immanuela Kanta najcenniejsza jest ostatnio wydana pozycja *Kant — A Biography*, autorstwa Manfreda Kuhena (Cambridge University Press, 2001). Obala ona tysiące mitów i wnosi wiele nowych informacji do naszej wiedzy o filozofie. Oba dzieła są godne polecenia.

Specjalne podziękowania należą się naszej agentce Leslie Gardner za jej krytyczne uwagi i nieustające wsparcie oraz całemu personelowi wydawnictwa Faber and Faber, zwłaszcza Walterowi Donohoue.

Redaktor prowadzący
Barbara Górska

Redakcja
Elżbieta Stanowska

Adiustacja
Henryka Salawa

Korekta
Małgorzata Hertmanowicz-Brzoza, Etelka Kamocki, Lidia Timofiejczyk

Projekt okładki
Jennifer Carrow

Na okładce wykorzystano
rycinę Immanuela Kanta © Bettmann/CORBIS
rycinę Royal Opera House © Snark/Art Resource, NY

Opracowanie okładki, projekt stron tytułowych, układ typograficzny
Marek Pawłowski

Redakcja techniczna
Bożena Korbut

Konsultacja historyczna
prof. dr hab. Czesław Brzoza

Printed in Poland
Wydawnictwo Literackie Sp. z o.o., 2007
ul. Długa 1, 31-147 Kraków
bezpłatna linia informacyjna: 0 800 42 10 40
księgarnia internetowa: www.wydawnictwoliterackie.pl
e-mail: ksiegarnia@wl.wydawnictwoliterackie.pl
fax: (+48-12) 430 00 96
tel.: (+48-12) 619 27 70
Skład i łamanie: Infomarket
Druk i oprawa: Drukarnia DEKA

JOHN BANVILLE

wybitny współczesny irlandzki pisarz,
pod pseudonimem Benjamin Black,
przedstawia swój pierwszy kryminał

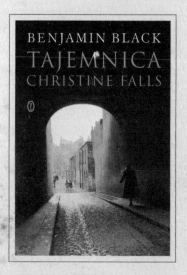

*Klasyczna powieść kryminalna, wzorcowa realizacja
gatunku. Ani jednego fałszywego gestu, ani jednego
niewłaściwego słowa. Szkoda, że dziś takich powieści
już się nie pisze!* – Alan Furst, autor *Polskiego oficera*
i innych thrillerów szpiegowskich.